S0-BDO-585

SOBRE TIERRA FIRME

lecturas devocionales para adultos

MARK FINLEY

Pacific Press® Publishing Association
Nampa, Idaho
Oshawa, Ontario, Canadá
www.pacificpress.com

Título del original: *Solid Ground*
Traductoras: Sylvia González, Graciela Seco
Dirección editorial: Miguel A. Valdivia
Diagramación: Review and Herald
Interior: Steve Lanto

Publicado y distribuido en Norteamérica por
PUBLICACIONES INTERAMERICANAS
División Hispana de la Pacific Press® Publishing Association
P. O. Box 5353, Nampa, Idaho 83653,
EE. UU. de N. A.

Primera edición: 2003
18.000 ejemplares en circulación

ISBN 0-8163-9398-2

Printed in the United States of America

03 04 • 02 01

Dedicatoria

A *Teenie,*
esposa amante y compañera en el ministerio,
que a diario me anima a seguir los sueños que Dios pone en mi corazón.
A *Debbie, Rebecca y Mark Jr.,*
cuya genuina amistad e interés por su padre
significan mucho más que lo que las palabras pueden expresar.
A *mamá y papá,*
cuyo amor constante a través de los años
me ha enseñado cómo es el amor de Dios.

Sobre tierra firme

Cualquiera, pues, que me oye estas palabras, y las hace, le compararé a un hombre prudente, que edificó su casa sobre la roca. Descendió lluvia, y vinieron ríos, y soplaron vientos, y golpearon contra aquella casa; y no cayó, porque estaba fundada sobre la roca.
Mat. 7:24, 25.

En Tangshan, China, el 28 de julio de 1976, el peor terremoto del siglo XX —en lo que a pérdida de vidas humanas se refiere— mató 240.000 personas. La mayoría de ellas eran campesinos que moraban en viviendas precarias, de cimientos inestables. Por razones similares, el terremoto de Gansu, China, que alcanzó 8,6 grados en la escala de Richter, acabó con las vidas de 200.000 personas, el 16 de diciembre de 1920. El patrón es el mismo en todas partes del mundo. Sea en el norte del Perú, en América Central o en el sur de Turquía, cuanto menor sea la calidad de las viviendas, mayor será la devastación. Las estructuras débiles, los edificios que no están preparados para este tipo de desastres, no aguantan los terremotos.

Y lo mismo ocurre con la vida espiritual. Algunos responden muy bien cuando la vida les sonríe. Parecen prosperar en los buenos tiempos, pero cuando el vendaval de las dificultades los azota, se vienen abajo. ¿Por qué? Porque su experiencia espiritual se erige sobre los débiles cimientos de sus habilidades humanas. Mientras los problemas no sean más grandes que su capacidad para enfrentarlos, les va bien; pero en cuanto sus problemas crecen por encima de su fortaleza interior, se desmoronan. Sin un fundamento sólido, no pueden hacer frente a los movimientos sísmicos de la vida.

Dios establece un fundamento sólido en su Palabra. A medida que meditemos en las verdades de las Escrituras, creceremos y nos convertiremos en cristianos maduros. La Palabra de Dios da fuerza y estabilidad a nuestra fe. Nos ayuda a resistir los más fieros embates de la vida. Nos sostiene cuando todo a nuestro lado se desmorona. Elena G. de White lo explica así: "Nuestros cuerpos viven de lo que comemos y bebemos; y lo que sucede en la vida natural sucede en la espiritual: lo que meditamos es lo que da tono y vigor a nuestra naturaleza espiritual" (*El camino a Cristo*, p. 88).

Llene su mente de la Palabra de Dios. Abra su corazón a la influencia del Espíritu Santo, por medio de la lectura de la Palabra. Si lo hace, desarrollará una fe firme y sólida como una roca, la cual resistirá los embates de cualquier tormenta.

Promesas preciosas

Por medio de las cuales nos ha dado preciosas y grandísimas promesas, para que por ellas llegaseis a ser participantes de la naturaleza divina, habiendo huido de la corrupción que hay en el mundo a causa de la concupiscencia. 2 Ped. 1:4.

Millones de personas en el mundo dan testimonio de los cambios efectuados en sus vidas, como resultado del estudio de la Palabra de Dios. El atractivo de la Biblia es universal. Llega al corazón de hombres y mujeres, independientemente de su grupo étnico, su cultura o su edad.

Al leer sus páginas, los ebrios se vuelven sobrios; los ladrones, honrados; las prostitutas, mujeres de bien; y los toxicómanos, personas limpias y lúcidas. La ira, la amargura y el resentimiento dan lugar al perdón, a la misericordia y a la tolerancia; y la avaricia y la codicia, al servicio desinteresado. Los matrimonios deshechos se componen. La estima propia destrozada se restaura. En la Palabra de Dios, el débil encuentra fortaleza; el culpable, perdón; el desanimado, gozo renovado; y el desesperado, esperanza. El mismo Espíritu Santo que inspiró a los escritores de la Biblia inspira a quienes la leen.

A principios de la década del 60, Tex Watson viajó al sur de California en búsqueda de lo que llamaba "libertad total". Comenzó su carrera uniéndose al grupo de Charles Manson, en una hacienda cinematográfica abandonada. Tex probó ser un alumno excepcional: consumió grandes cantidades de estupefacientes y se impregnó de la filosofía de vida de su maestro. Manson les decía a sus seguidores que tenían que ser libres como los animales salvajes, para vivir, dormir y matar.

La prueba de fuego llegó con la matanza de los Tate-La Bianca, en el verano de 1969. El asesinato calculado y horroroso de siete personas sacudió a la nación. Aunque los psiquíatras lo diagnosticaron "demente y totalmente incapaz de someterse a juicio", Tex fue juzgado y condenado como uno de los asesinos. Allí, en la cárcel del condado de Los Ángeles, a menudo se lanzaba contra los barrotes, mientras gritaba.

Hoy, todo ha cambiado. Tex Watson es un hombre nuevo. Se encuentra en una prisión de mediana seguridad en San Luis Obispo, California, en la que conduce estudios bíblicos y contesta con sensibilidad las preguntas que formulan los reos. Watson dirige una organización llamada *Abounding Love Ministries* (Ministerios de amor abundante). No se trata, en su caso, de una conversión superficial. Lleva ya quince años como "prisionero modelo". El Espíritu Santo, obrando a través de las Escrituras, ha transformado su vida. A medida que estudiaba, meditaba y aplicaba la Palabra de Dios a su vida, Watson cambió.

Si Dios lo hizo por él, bien puede hacerlo por nosotros. Cuando las preciosas promesas de la Palabra de Dios se vuelven preciosas para nosotros, nos transforman en lo más íntimo de nuestro ser. Descubra por usted mismo este poder transformador de la vida.

El segundo toque

Puso otra vez las manos sobre sus ojos, y le dijo que mirase. Y fue restablecido, y vio de lejos y claramente a todos. Mar. 8:25.

Cuál de las siguientes declaraciones refleja con mayor exactitud sus sentimientos? "El estudio de la Biblia es mi actividad favorita de cada día. Lo espero con el mismo anhelo con que espero todo lo que de veras me gusta".

O:

"El estudio de la Biblia me resulta francamente aburrido. No me interesa ni me entusiasma para nada. Me impongo hacerlo porque sé que es parte de mi deber, pero no lo aguardo con ganas".

A veces necesitamos un segundo toque. El versículo bíblico de hoy nos habla del hombre ciego, cuyos ojos Jesús tocó dos veces antes de que pudiera ver con claridad. Es posible que también nosotros necesitemos ver con ojos nuevos.

Hay dos poderosas técnicas de estudio que podrían ayudarnos a descubrir nuevas gemas de verdad en la Palabra de Dios. La aplicación de estos dos sencillos principios podría transformar nuestra actitud al estudiar la Biblia. Los "ojos nuevos" para el estudio entusiasta de la Biblia son: la visualización y la identificación.

A medida que lea los relatos de la Biblia, procure captar cada escena de la narración. Visualice al hombre paralítico, temblando de pies a cabeza cuando Jesús se le acerca. Imagínese la plaza del mercado de Jerusalén, abarrotada de gente. Observe a través de los ojos de Jesús a la multitud hambrienta, sentada en la ladera cubierta de hierba, cerca del mar de Galilea. En vez de correr por el texto deprisa para llegar pronto al punto que busca, deténgase un momento a contemplar el cuadro. A medida que visualice cada escena —o la imagine en su mente— trate de identificarse con los personajes bíblicos que aparecen en ella.

Imagine que es usted la mujer tomada en adulterio o el ladrón en la cruz. Véase como el centurión romano que crucificó a Cristo. Compenétrese con los personajes. ¿Qué habría sentido si hubiera estado en su lugar? ¿Qué habría pensado si hubiera experimentado lo mismo que ellos? ¿Qué si hubiera sido Daniel, injustamente condenado y echado en el foso de los leones? ¿O Moisés, extendiendo la mano sobre el mar Rojo, y viendo cómo, al mandato de Dios, el mar se secaba y las aguas quedaban divididas? Analice los pensamientos y sentimientos de los personajes bíblicos. Póngase en el lugar de ellos. Llore cuando lloren; regocíjese cuando se regocijen. Deje que su espíritu se eleve con sus triunfos y que se desmorone con sus fracasos. Al verlo "con ojos nuevos", el estudio de la Biblia se convertirá en una aventura de fe fascinante.

La Palabra viva

Porque la palabra de Dios es viva y eficaz, y más cortante que toda espada de dos filos; y penetra hasta partir el alma y el espíritu, las coyunturas y los tuétanos, y discierne los pensamientos y las intenciones del corazón. Heb. 4:12.

Desde que a sus 19 meses quedara ciega y sorda, aquejada por una terrible enfermedad, Helen Keller creció en un mundo de sombras y silencio, donde paulatinamente se convirtió en una niña díscola y rebelde, casi incontrolable.

Un día, mientras jugaba con su muñeca, su institutriz, Anne Sullivan, le tomó la mano y escribió en su palma varias veces la palabra "muñeca". Helen no captó enseguida lo que eso significaba. Cuando la institutriz intentó insistir con el experimento —quitándole por un momento la muñeca de las manos—, la niña estalló en un berrinche y salió corriendo de la habitación.

Después de un mes de varios intentos similares, una mañana Anne llevó a la niña hasta el aljibe de la casa, donde alguien estaba bombeando agua. Colocando una de las manos de Helen bajo la corriente fresca del agua, la institutriz deletreó la palabra "agua" en la palma de la otra mano de la niña. Y esta vez, ¡la chiquita entendió! Años más tarde, Helen misma describiría así aquel momento: "Se me reveló el misterio del lenguaje. Supe entonces que 'agua' significaba esa cosa fresca y maravillosa que fluía sobre mi mano. Esa palabra viva despertó mi alma, le dio luz, esperanza y gozo, y la liberó".

El alma de esta criatura, que vivía atrapada en el encierro de su mundo interior, halló luz y libertad al descubrir la palabra viva. De manera similar, la Palabra viva de Dios ilumina la oscuridad de nuestra mente y nos libera. Usted puede experimentar la libertad vigorizante que proporciona la Palabra viva. Lea sólo algunos versículos por vez. Pregúntese qué es lo que Dios quiere transmitirle personalmente mediante esos versículos, qué le enseña esa porción de la Escritura acerca del carácter de Dios. ¿Hay algo en ella que habla directamente a su vida espiritual?

Los salmos constituyen el material ideal para comenzar con este tipo de reflexiones. Escoja uno por vez. Lea sólo algunos versículos. Permita que el Espíritu Santo impresione su mente. Deténgase. Medite. Responda a Dios en oración, y comuníquese con él respecto de lo que le dice en esos versículos. Hágalo de la manera que prefiera: con alabanza, gratitud, peticiones, confesión, arrepentimiento o intercesión. A medida que permita que la Palabra viva moldee sus pensamientos, se sentirá más y más libre de conocer a Dios de manera más íntima. Permita hoy que la Palabra viva lo libere.

Asombrosa exactitud

Las palabras de Jehová son palabras limpias, como plata refinada en horno de tierra, purificada siete veces. Tú, Jehová, los guardarás; de esta generación los preservarás para siempre. Sal. 12:6, 7.

Qué evidencia concreta tenemos de que la Biblia es históricamente exacta? ¿Hay en ella información fidedigna en cuanto a nombres, lugares y ubicaciones geográficas? Los descubrimientos realizados en los últimos 200 años demuestran la validez de la Palabra de Dios. La arqueología no prueba la inspiración divina de las Escrituras, pero sí ofrece una base para creer. Al demostrar la precisión de los detallados registros bíblicos, apuntala nuestra fe. Los últimos dos siglos nos han brindado una serie de hallazgos arqueológicos notables.

La piedra moabita, por ejemplo, descubierta en 1868 en Jordania, confirma los ataques moabitas a Israel, que se registran en los capítulos 1 y 3 del segundo libro de los Reyes. Este singular descubrimiento constituye una evidencia ajena a las Escrituras de un hecho específico registrado en ellas. Tras la muerte de Acab, rey de Israel, en el 896 a.C., el rey de Moab atacó a Josafat, rey de Judá, pero gracias a la milagrosa intervención de Dios "se levantaron los israelitas y atacaron a los de Moab, los cuales huyeron de delante de ellos" (2 Rey. 3:24). La piedra moabita registra, precisamente, la derrota de este pueblo y su subsiguiente retirada, tal como se indica en las Escrituras.

Uno de los más sorprendentes hallazgos del siglo XX fueron las cartas de Laquis, descubiertas entre 1932 y 1938. Estos documentos extraordinarios, encontrados 24 millas (39 km) al norte de Beerseba, describen el ataque de Nabucodonosor a Jerusalén, en el 586 a.C. Registran al detalle la caída de Jerusalén desde la perspectiva de Babilonia. Las cartas de Laquis confirman la exactitud histórica de la caída de Jerusalén, atestiguando la veracidad de los profetas inspirados que, en los libros de Crónicas, Isaías y Jeremías, se refirieron al ataque de Babilonia contra Jerusalén.

Otro hallazgo casi increíble fue el del cilindro de arcilla de Ciro. Este registro estremecedor describe al rey persa Ciro, su intervención en el derrocamiento de Babilonia y la liberación de los cautivos judíos en el 539 a.C. Este descubrimiento arqueológico se torna especialmente significativo, al considerar que 150 años antes de su nacimiento, Isaías ya lo mencionaba por nombre en sus escritos, refiriéndose a él como el pastor elegido de Dios para liberar a Israel (véase Isa. 44:28; 45:1).

Estos descubrimientos, así como muchos otros, continúan confirmando la precisión e integridad de la Biblia. Hablan elocuentemente de un Dios que ha dejado testimonios en el mundo. Afirman poderosamente que podemos tener absoluta confianza en la integridad de las Escrituras. Alabado sea Dios, porque su Palabra permanece.

6 de enero

Pasando la prueba del tiempo

Sécase la hierba, marchítase la flor; mas la palabra del Dios nuestro permanece para siempre. Isa. 40:8.

La Palabra de Dios ha pasado la prueba a través de los siglos. Ha corroborado su integridad con el correr del tiempo. Los hallazgos arqueológicos y el descubrimiento de antiguos manuscritos a lo largo de los años dan fe de la autenticidad de la Biblia.

En 1798, Napoleón llegó a Egipto, al frente de su ejército de 38.000 soldados. Con ellos llevaba centenares de artistas, lingüistas y eruditos, para que le ayudaran a entender mejor la historia de esa tierra fascinante. Por doquiera encontraron reliquias que encerraban los misterios de la que un día fuera una gran civilización. Las extrañas inscripciones que decoraban los muros y monumentos los dejaron pasmados y deseosos de desentrañar sus misterios.

Al año siguiente, uno de los soldados de Napoleón desenterró una piedra negra de cuatro pies de altura y dos y medio de ancho, que develaría el misterio de los jeroglíficos egipcios y sus secretos escondidos durante siglos. La placa jeroglífica conocida como Piedra Roseta se encuentra ahora en el Museo Británico de Londres, Inglaterra. Contiene un decreto antiguo, escrito en tres tipos de escritura: jeroglífica (escritura pictórica), egipcia cursiva y griega. Los eruditos tradujeron rápidamente el texto griego, pero quedaron perplejos ante los jeroglíficos. Veinte años después, en 1822, el joven filólogo y arqueólogo francés, Jean Francois Champollion, sorprendió al mundo al descifrar el antiquísimo código. Con el idioma develado, los eruditos pudieron confirmar la veracidad histórica de pasajes bíblicos antes controvertibles, como el que mencionaremos a continuación.

La Biblia se refiere a los hititas alrededor de cincuenta veces, comentando sus tratos con Abrahán, David y Salomón. Según esas referencias, el antiguo imperio hitita era uno de los más poderosos de la época. Sin embargo, como en los anales de la historia antigua no figuraban, por años los críticos consideraron que era imposible que un imperio tan poderoso desapareciera sin dejar rastros, motivo por el cual descartaron su existencia. Tras el descubrimiento de la Piedra Roseta, el vasto museo de monumentos y pilares a lo largo del Nilo, y con él sus mensajes cifrados en idiomas desconocidos por siglos, abrieron por fin sus puertas. Las inscripciones halladas en los muros y pilares de un palacio se refieren repetidamente a los conflictos políticos y militares entre el faraón Ramsés II y el "rey hitita" o los hititas. Hoy en día, el lugar de los hititas en la historia es ampliamente reconocido.

[illegible] declaraciones de la Biblia son fidedignas. Podemos confiar con seguridad en la [illegible] Dios, con su caudal de guía, dirección, instrucción, fe y esperanza para el [illegible] los valores morales cambiantes del siglo XXI, la Palabra de Dios es aún digna

La Palabra sustentadora

En mi corazón he guardado tus dichos, para no pecar contra ti. Sal. 119:11.

Dietrich Bonhoeffer fue un valiente pastor que se resistió al régimen nazi y fue ejecutado por las fuerzas de la Gestapo —policía secreta del Estado nacional socialista alemán, durante la época de Hitler— poco antes del fin de la Segunda Guerra Mundial. Antes de su ejecución, Bonhoeffer alcanzó a enviar algunas cartas, escritas durante su cautiverio.

Dichas cartas constituyen auténticos documentos, que nos permiten conocer el alma de este mártir del siglo XX. Muestran un hombre asentado, firme y seguro en la Palabra de Dios. Tras una aterradora experiencia, cuando la explosión de una granada casi destruyó su celda, Bonhoefer escribió: "me asalta el aire pesado... vuelve a llevarme, simplemente, a la oración y a la Biblia".

Ante la inminencia y certeza de su muerte, Bonhoeffer escribió acerca de lo mucho que disfrutaba de las Escrituras. La Palabra de Dios alimentaba diariamente su vida espiritual. Irradiando el gozo que generaba su lectura, en una de sus últimas cartas declaró: "Estoy leyendo la Biblia de tapa a tapa. Leo los Salmos todos los días, como lo he hecho por años. Los conozco y los amo más que a ningún otro libro".

La Biblia fortaleció a Bonhoeffer, preparándolo para la mayor prueba de su vida. A través de sus páginas, recibió fortaleza espiritual y valor indomable. Su fe fue inquebrantable porque se arraigó en el Dios que se revela a sí mismo a través de su Palabra inmutable. Elena G. de White declaró: "Si se estudiara la Palabra de Dios como se debe, los hombres tendrían una grandeza de espíritu, una nobleza de carácter y una firmeza de propósito que raramente pueden verse en estos tiempos" (*El camino a Cristo,* p. 90). La Biblia proporciona una fortaleza interior sin igual; profundiza la vida espiritual.

Dietrich Bonhoeffer descubrió las enormes ventajas de estudiar la Palabra de Dios con oración. Dios nos ofrece la misma oportunidad. Los gigantes espirituales del pasado no desarrollaron su fe por casualidad. Sus vidas se fundamentaron en la Palabra de Dios. Su fe fue fuerte, porque su vida de devoción lo fue.

Y lo mismo puede ocurrir en nuestro caso. El mismo Espíritu Santo que otrora inspirara las Escrituras, nos inspira ahora, al leerlas. Cuanto más meditemos hoy en ellas, más se fortalecerá nuestra fe.

Verdad que vale la pena

Santifícalos en tu verdad; tu palabra es verdad. Juan 17:17.

A principios del 1400, Juan Hus —joven catedrático de la Universidad de Praga— descubrió los escritos del teólogo inglés, precursor de la Reforma, Juan Wiclef. En realidad, sus propios estudios de las Escrituras ya lo habían convencido de que la Iglesia de Bohemia necesitaba una reforma radical. Años después de que recibiera las órdenes sacerdotales, se le había asignado el puesto de rector de la Capilla de Belén, en Praga. Los fundadores de dicha capilla abogaban por la predicación de las Escrituras en el lenguaje del pueblo. Aunque Hus era de origen humilde y huérfano de padre desde temprana edad, siempre había tenido una insaciable sed de conocimiento. Su mente privilegiada y sus dotes de comunicador no sólo le habían granjeado su admisión gratuita en la universidad de Praga, sino que pronto también allí se le reconoció como uno de sus más distinguidos eruditos.

Tras completar su curso de estudios, Hus ingresó en el sacerdocio y pronto fue asignado a la corte real. También se le invitó a ser catedrático en la universidad donde había recibido su educación. Hus se convirtió en un predicador poderoso, famoso en toda Europa, pero cuando empezó a predicar que varias de las creencias de la Iglesia no podían reconciliarse con las Escrituras, dejó a muchos consternados en todas las iglesias europeas.

Sobre la sola base de la autoridad de las Escrituras, Hus valientemente convocó a la reforma en la vida y en las creencias de los fieles. Defendió firmemente su posición de que "los preceptos de las Santas Escrituras transmitidos por el entendimiento han de dirigir la conciencia o, en otras palabras, que Dios hablando en la Biblia, y no la iglesia hablando por medio de los sacerdotes, era el único guía infalible" (*El conflicto de los siglos*, p. 109).

La predicación de Hus provocó la violenta oposición de la Iglesia de Roma. En 1415, en Praga, martirizado por su fe, Hus murió en las llamas de una hoguera.

Hasta el último momento de su vida, Hus confió y sostuvo que la verdad que había creído y predicado, y por la cual estaba dispuesto a morir, un día triunfaría. En esta era de decaimiento moral, Dios también nos llama, instándonos a obedecer de corazón su verdad. No vale la pena que nos comprometamos con lo que nos distrae del llamamiento divino.

Fortaleza para nuestra necesidad cotidiana

Acuérdate de la palabra dada a tu siervo, en la cual me has hecho esperar. Ella es mi consuelo en mi aflicción, porque tu dicho me ha vivificado. Sal. 119:49, 50.

La Palabra de Dios nos da esperanza en tiempos de desaliento. Nos trae consuelo en tiempos de aflicción. Y nos imparte vida en tiempos de desesperación.

En la ex Unión Soviética, el pastor Pyoter Rumackik fue encarcelado en un gulag (campo de trabajos forzados) a causa de su fe, pero allí descubrió que aún en nuestros peores momentos Dios nos da las fuerzas para satisfacer nuestras necesidades cotidianas.

Su experiencia se tornó particularmente insostenible cuando los oficiales de la prisión le quitaron su Biblia; pero días después, un compañero de encierro le extendió un cuaderno y le dijo:

—Tome, lea este poema.

El pastor lo leyó rápidamente y apenas pudo dar crédito a sus ojos. El poema trataba sobre los sufrimientos de Cristo en el Calvario. Al leerlo, su espíritu se elevó. Y al mirar otras páginas del cuaderno, descubrió aun más poemas, basados en las Escrituras, y numerosos pasajes de la Biblia. ¡El cuaderno estaba lleno de ellos!

El desconocido que se lo dio, le dijo:

—Es suyo. Puede quedarse con él.

Y se fue. Aquel cuaderno lleno de pasajes bíblicos y verdades divinas fue su fuente de aliento en los años subsiguientes, lo que le deparó sus más preciados momentos de comunión con Dios.

Más adelante, el pastor cristiano descubrió —para su sorpresa— que el prisionero que le había regalado el cuaderno ¡era ateo! En épocas cuando este hombre trabajaba solo, por las noches, como pastor en las tierras altas de Mongolia, solía escuchar programas radiales cristianos que elevaban su espíritu y lo inspiraban en sus horas de soledad. Por eso, cuando podía, grababa los programas y copiaba parte de ellos en cuadernos, para matar el tiempo. Cuando después cayó en prisión, se las ingenió para llevar consigo uno de estos cuadernos, pero cuando conoció al pastor Pyoter sintió que debía regalárselo.

Para el ministro cristiano, este pastor de ovejas de Mongolia fue como los cuervos que alimentaron a Elías en la cueva: el portador de la respuesta de Dios a sus necesidades. De nada valió el poder de los guardias. De nada sirvieron los barrotes de la celda. Nada pudo impedir que la Palabra de Dios entrara a aquella cárcel para llegar al alma de su destinatario. No hay grillo que pueda sujetar la Palabra de Dios cuando —viva— se abre paso ante los guardias de nuestras necesidades cotidianas, y aun entre los barrotes de las circunstancias que nos oprimen.

Cuando leamos las promesas preciosas de las Escrituras, digamos, pues, como el salmista: "Porque tu dicho me ha vivificado".

Las Escrituras revelan a Jesús

Escudriñad las Escrituras; porque a vosotros os parece que en ellas tenéis la vida eterna; y ellas son las que dan testimonio de mí. Juan 5:39.

Todo libro tiene un tema central. El de la Biblia es Jesucristo. Es la historia del mundo perfecto que él creó, la posterior rebelión del pecado, las consecuencias de la desobediencia y los esfuerzos de un Dios amante, deseoso de salvar a sus hijos perdidos. La Biblia es la historia de Jesús, quien se lanzó al ruedo de los problemas humanos para salvar a quienes no podían salvarse a sí mismos. En un mundo de egocentrismo, Jesús reveló el amor desprendido de Dios. En un mundo que no lo amó, Jesús amó incondicionalmente. "Dios muestra su amor para con nosotros, en que siendo aún pecadores, Cristo murió por nosotros" (Rom. 5:8).

En las reuniones de evangelismo del programa radial y televisivo *It is Written* (Está escrito) he visto cómo esta increíble historia de amor ha llegado al corazón de millones de personas en todo el mundo. En Madrás, India, una de nuestras instructoras bíblicas nos pidió que la enviáramos a la peor zona de la ciudad, a un barrio famoso por su historial de pandillas, robos, drogas y ebriedad.

Un día, mientras visitaba a algunas personas en ese barrio, hubo de vérselas con uno de los dirigentes pandilleros locales. El joven enfrentó a la instructora, sin el más mínimo respeto.

—Señora, ¡váyase de aquí con su Jesús!—le dijo.

—Joven, dígame antes por qué usted no lo ama como yo—replicó ella.

El pandillero maldijo, protestó y gritó, mientras ella lo escuchaba atenta y pacientemente. Cuando el joven se calmó, la instructora le habló de ese Jesús que había cambiado su vida, llenando su corazón de amor, gozo y paz. Conmovido, el duro pandillero de pronto comenzó a llorar.

—Por favor, venga conmigo —le dijo—, quiero que también les hable a todos los pandilleros de este barrio acerca del amor de Jesús.

El Cristo de las Escrituras transformó el corazón de aquel joven escéptico. El amor que fluye de las Escrituras transformará también nuestras vidas. No hay nada que podamos hacer para cambiar el amor que Dios nos tiene. Todos nuestros pecados combinados no pueden alejarnos de su amor.

La Biblia habla de un amor tan sorprendente, increíble, inigualable, inmaculado y asombroso que, si se lo permitimos, inevitablemente transformará nuestras vidas.

NO MÁS ENEMIGOS

Mas Dios muestra su amor para con nosotros, en que siendo aún pecadores, Cristo murió por nosotros. Rom. 5:8.

Martin Niemoller, teólogo protestante alemán, languideció durante meses en uno de los campos de concentración del régimen de Hitler. Durante su encierro pasó largos días reflexionando acerca de la vida y la muerte, y reevaluó su propia existencia a la luz del amor inmensurable de Dios por él. En silencio, una vez oró así: "Señor, ya no puedo resistir tu amor. Acepto tu perdón. Creo que soy tu hijo". Hasta ese momento, Niemoller había vivido preso de su propia sensación de inadecuación y culpa —así como de los sentimientos de indignidad, remordimiento y distanciamiento de Dios que esa sensación le producía—, pero en este campo de concentración (de algún modo espejo de su propia alma) recibió la transformación espiritual que anhelaba.

Cuando al fin quedó libre de su prisión, Niemoller compartió lo que aun a él le había sorprendido: "Me tomó mucho tiempo comprender que Dios no es enemigo de sus enemigos". En Rom. 5:8-10, el apóstol Pablo describe esta verdad maravillosamente: "Mas Dios muestra su amor para con nosotros, en que siendo aún pecadores, Cristo murió por nosotros. Pues mucho más, estando ya justificados en su sangre, por él seremos salvos de la ira. Porque si siendo enemigos, fuimos reconciliados con Dios por la muerte de su Hijo, mucho más, estando reconciliados, seremos salvos por su vida".

Cuando fuimos sus enemigos, él fue nuestro amigo. Cuando le dimos la espalda, él nos dio la cara. Cuando corrimos para alejarnos de él, él corrió hacia nosotros. La gloria de su gracia es que acepta lo inaceptable, perdona lo imperdonable, olvida lo inolvidable y ama lo no amable. Esto, sin más, debería bastar para que —como él nos perdona— a su vez perdonemos nosotros a los demás, y —como él nos ama— a su vez amemos a nuestro prójimo.

Según la pluma inspirada: "Tal amor es incomparable. ¡Que podamos ser hijos del Rey celestial! ¡Promesa preciosa! ¡Tema digno de la más profunda meditación! ¡Incomparable amor de Dios para con un mundo que no le amaba! Este pensamiento ejerce un poder subyugador que somete el entendimiento a la voluntad de Dios" (*El camino a Cristo*, p. 15). En esto consiste el Evangelio: las buenas nuevas de la gracia.

El amor incondicional e inmutable de Dios es el tema central de la Biblia. Cuando abrimos las Escrituras nos encontramos, cara a cara, con ese amor.

NO MÁS SOLO, NO MÁS SOLA

Porque a mis ojos fuiste de gran estima, fuiste honorable, y yo te amé; daré, pues, hombres por ti, y naciones por tu vida. Isa. 43:4.

Clara Anderson trabajaba como criada en San Francisco. Era una mujer amable y muy escrupulosa. Un día, tras haber trabajado para el mismo empleador durante quince años, desapareció. Esos días que parecieron eternos transcurrieron como si la tierra se la hubiera tragado; pero al fin, el departamento de servicios sociales dio con su paradero.

Cuando la encontraron en un escondite montañoso, en las afueras de San Francisco, Clara estaba decidida a morir de inanición.

—Quiero morirme. Déjenme sola— gritó.

Y cuando un periodista se acercó a entrevistarla, le dijo:

—Mire, a nadie le importo. Soy solamente una criada, una más entre miles que hacen labores sin importancia. Mi vida no vale nada. No tengo parientes cercanos, no tengo familia ni amigos; estoy tan sola que no me interesa vivir. No tengo a nadie con quien hablar, nadie a quien abrirle mi corazón. A nadie le importo. ¡Déjenme morir!

Hay buenas noticias para ella, y para todos los que se sienten como ella. Hay alguien que los ama mucho más de lo que podrían siquiera imaginar. Luego de habernos creado, Dios tiró el molde. No hay un ser igual a otro en todo el universo (ni siquiera entre hermanos gemelos). Cuando los genes y los cromosomas se unieron para formar la estructura biológica particular de nuestras respectivas vidas, Dios hizo seres únicos. Cada ser humano es especial para él. Ante Dios, usted vale más que la más valiosa de todas las joyas. Si se perdiera, nadie podría reemplazarlo. Dios lo considera honorable... y lo ama.

"Él dice: Mis ovejas oyen mi voz, y yo las conozco... Cuida a cada una como si no hubiera otra sobre la faz de la tierra" (*El Deseado de todas las gentes,* p. 445). "Vela por sus hijos con un amor inconmensurable y eterno" (*El ministerio de curación,* p. 382).

Cuando se sienta solo o sola, recuerde que el Creador del universo lo ama con inmenso amor. En los momentos de desánimo, cuando crea desvanecido el más mínimo vestigio de esperanza, recuerde que el Creador del universo es su mejor amigo, y que se ha jugado entero por su felicidad eterna. Él se interesa en cada aspecto de su vida y anhela llenarla de propósito.

Los planes que él tiene para usted son más grandes, más importantes y más elevados que cualquiera de los que pudiera imaginar. Escoja hoy salir del pozo de la desesperación, para recibir los rayos cálidos y luminosos del amor divino. A Dios sí le importa lo que a usted y a mí nos pasa. Dejemos que llene nuestros corazones, y regocijémonos en él.

Bendita seguridad

Acerquémonos con corazón sincero, en plena certidumbre de fe, purificados los corazones de mala conciencia, y lavados los cuerpos con agua pura. Heb. 10:22.

Uno de los himnos más cantados de todos los tiempos es el titulado *En Jesucristo, mártir de paz,* cuya melodía fue compuesta por la esposa de Joseph Knapp, presidente de la prestigiosa compañía de seguros *American Metropolitan Life Insurance Company*. Un día, la Sra. Knapp invitó a su hogar a la prolífica autora de himnos Fanny Crosby, porque quería que escuchara una nueva melodía que había compuesto.

Cuando la Sra. Knapp tocó al piano la melodía que había creado, le preguntó a la citada autora qué ideas le inspiraba, a lo que su interlocutora contestó:

—Su esposo se dedica a los seguros de vida, mientras que nuestro Padre celestial se encarga de asegurar nuestras vidas. Su melodía me sugiere que en nuestro Dios hallamos seguridad plena (el himno en inglés se tituló *Blessed Assurance* [Seguridad bendita]).

El término "seguridad" evoca sentimientos de profunda confianza, y además una marcada sensación de pertenencia y aceptación. En Cristo se nos acepta como hijos de Dios. En él tenemos la absoluta seguridad de que nuestras culpas desaparecieron en el preciso momento en que nuestros pecados fueron perdonados. Por él y en él tenemos la certeza de que el don de la vida eterna ya es nuestro.

La Epístola a los Hebreos revela que, como hijos de Dios, podemos hasta el fin mantener la misma solicitud, "para plena certeza de la esperanza" (6:11), y además "plena certidumbre de fe" (10:22). Ciertamente, no es la voluntad de Dios que sus hijos se llenen de incertidumbre. El plan de salvación ofrece mucho más que una ansiedad nerviosa acerca de nuestra salvación. Dios quiere que tengamos seguridad plena.

Satanás detesta que los hijos de Dios acepten a Cristo por la fe, recibiendo así la certeza absoluta del perdón y la libertad plena de la culpa. Elena G. de White escribió esto al respecto: "Satanás está pronto para quitarnos la bendita seguridad que Dios nos da. Desea privar al alma de toda vislumbre de esperanza y de todo rayo de luz; pero no debemos permitírselo. No prestemos oídos al tentador, antes digámosle: 'Jesús murió para que yo viva. Me ama y no quiere que perezca. Tengo un Padre celestial muy compasivo; y aunque he abusado de su amor, aunque he disipado las bendiciones que me había dado, me levantaré, iré a mi Padre" (*El camino a Cristo,* p. 53).

En la parábola del hijo pródigo, el padre aceptó que el muchacho regresara a casa. Con la sortija que tenía el sello de su padre, colocada ahora en su dedo, el hijo extraviado recibió la absoluta seguridad del amor de su padre. Como el hijo pródigo, también nosotros encontramos amor, aceptación y perdón en el corazón del Padre. ¡Qué confianza! ¡Qué seguridad! ¡Qué esperanza! ¡Qué bendita certeza!

¡Perdona como se te perdona!

Sed benignos unos con otros, misericordiosos, perdonándoos unos a otros, como Dios también os perdonó a vosotros en Cristo. Efe. 4:32.

Jacquie se sentó en un lado del salón, y los miembros de la junta de iglesia en el otro. Parecía imposible salvar el abismo entre ellos.

Jacquie había crecido en esa iglesia, pero sus relaciones se deterioraron desde el momento en que ella dejó a su primer esposo y se casó con otro hombre. Veinte años después, Jacquie volvía arrepentida y llorosa, en busca de perdón y reconciliación. Quería volver a bautizarse.

Hubo un profundo silencio. Los miembros de la junta conocían de sobra su situación y el dolor que había infligido a la congregación. ¿Podrían salvar ese abismo?

Sabía que tenía que hablar. Lo hice con amabilidad, pero también con firmeza.

—Ella ha sufrido mucho; no añadamos dolor sobre dolor. Éste es el consejo de Pablo: "Sed benignos unos con otros, misericordiosos, perdonándoos unos a otros, como Dios también os perdonó a vosotros en Cristo" (Efe. 4:32). Si Dios, en toda su perfección, nos acepta y nos perdona, bien podemos nosotros perdonar a Jacquie.

Con labios temblorosos y voz entrecortada, Jacquie respondió:

—Yo sé que hice mal. Por años me he sentido culpable. Por poco la culpa no me volvió loca. Por favor, acéptenme.

Noté primero las lágrimas en los ojos de uno de los ancianos, y luego me di cuenta de que en realidad todos lloraban. Pronto, un coro de voces respondió al unísono:

—¡Claro que la aceptamos!

El espíritu de amor y de aceptación llenó la sala. Los miembros de la junta acogieron cálidamente a Jacquie, reafirmándole su afecto. Algunos la abrazaron. Otros le dieron la mano en señal de bienvenida y camaradería.

Parado en el fondo, contemplé la escena, reconociendo que nunca nuestra iglesia había sido más "la iglesia" que en ese momento. Aquí y ahora, el amor de Dios había entrado en acción. El amor del Calvario se había demostrado en la familia de Dios.

Mientras Jesús pendía de la cruz, oró: "Padre, perdónalos, porque no saben lo que hacen" (Luc. 23:34). El perdón es un acto de misericordia para quienes nos han ofendido. Los libera de nuestra condenación, porque Cristo nos ha liberado de la suya. Al perdonar, tratamos a los demás como no se merecen, porque Cristo nos trató como no nos merecíamos. La esencia del cristianismo consiste en perdonar como Cristo nos perdona, aceptar como Cristo nos acepta y amar como Cristo nos ama.

Sin excusas

Por tanto me aborrezco, y me arrepiento en polvo y ceniza. Job 42:6.

Cierta empresa se encontraba en medio de tensas negociaciones con dirigentes sindicales. Los ejecutivos de la empresa insistían en que los empleados estaban abusando de sus privilegios de licencia por enfermedad. El sindicato lo negaba.

Una mañana, mientras presentaban sus respectivas posiciones, el negociador que representaba a la compañía mostró la página de deportes del periódico local a todas las personas reunidas en aquella junta. Entonces señaló la foto de uno de los empleados que el día anterior había ganado el torneo de golf de esa ciudad. El negociador explicó:

—Este hombre llamó ayer para excusarse por enfer-medad. ¿Se imaginan el puntaje que habría logrado de no haber estado enfermo?

Puede que neguemos (o al menos tratemos de cubrir) nuestros engaños o nuestra mala conducta, pero, por lo general, la mentira no nos lleva muy lejos. Nuestros pecados terminan por descubrirnos. El sabio tenía razón: "El que encubre sus pecados no prosperará" (Prov. 28:13).

Las excusas engañosas no ofrecen, realmente, respuestas substanciales. A veces se emplea un razonamiento débil y poco convincente para cubrir los pecados más aberrantes.

John Wayne Gacy fue hallado culpable del asesinato de más de veinte niños en su hogar de Chicago. Él se declaró inocente, a pesar del descubrimiento de 27 cuerpos debajo de su casa. ¿Cómo respondió al enfrentar la pena de muerte por inyección letal? Dijo: "En mi corazón, y con Dios mismo por testigo, no he matado a nadie. No fui yo, realmente. No pude evitarlo; no estaba en mis cabales". Este tipo de excusas se ha vuelto común en los últimos tiempos.

Las Escrituras exigen mucho más que meras excusas.

En una cultura que a menudo niega la realidad del bien y del mal, Dios espera un arrepentimiento genuino, resuelto y sincero. Arrepentirse es sentir un pesar profundo por el pecado cometido: pesar y dolor... por el dolor causado a Dios mismo. Es llorar por nuestros pecados porque éstos hicieron llorar a Dios; es afligirse por ellos, porque afligieron a Dios; es sentir el dolor que causan, porque Dios ha sentido ese dolor.

Las excusas sólo producen más culpa. El arrepentimiento conduce al perdón; el perdón, a la sanidad; y la sanidad, a la integridad del ser.

Alguien sabe tu nombre

A éste abre el portero, y las ovejas oyen su voz; y a sus ovejas llama por nombre, y las saca.
Juan 10:3.

Oriundo de Escocia, Peter Marshall, uno de los ministros más famosos de los Estados Unidos, permitió que la voz de Dios lo guiara. De niño, al regresar a su casa en la noche, decidió cortar camino cruzando un páramo lleno de canteras de piedra caliza. Como conocía bien el terreno, pensó que podría atravesarlo sin problemas.

Aunque el cielo sin estrellas se veía oscuro como un manto negro, Peter se lanzó a andar, saltando entre las rocas y los brezos. De vez en cuando oía el balido lejano de alguna oveja, el vuelo agitado de una que otra ave o el viento que soplaba en el brezal. Por lo demás, se encontraba totalmente solo.

De pronto, oyó una voz que lo llamó con urgencia:

—¡Peter!

Sobresaltado, contestó:

—Sí. ¿Quién me llama? ¿Qué quiere?

Nadie respondió; sólo un poco de viento sobre el brezal desierto... Pensó entonces que tal vez sólo le había "parecido" oír aquella voz. Siguió caminando, pero nuevamente la voz lo llamó aun con más urgencia:

—¡Peter, Peter!

Se paró en seco y aguzó la mirada, en el afán de distinguir algo o a alguien en la oscuridad. ¿Quién estaría allí? Al inclinarse hacia adelante, tropezó y cayó sobre sus rodillas. Extendiendo la mano para tantear el suelo delante de él, Peter notó... sólo aire... ¡una cantera! Tanteando cautelosamente en semicírculo, alrededor de sí, se dio cuenta de que estaba al borde de una cantera de piedra caliza. De haber dado un paso más, habría caído al vacío. De no haber atendido a la voz de Dios, habría muerto allí mismo. Se salvó de una muerte segura, porque Alguien sabía dónde estaba y cuidó de él.

Dios nos conoce por nombre. No somos parte de una mancha cósmica en el universo. Dios nos formó. Somos suyos. Nos cuida. Nos ama. Nos conoce personalmente. Le importamos. Puede que a veces nos sintamos solos, pero él siempre está donde estamos, llamándonos por nombre, llamándonos a la seguridad de sus brazos, llamándonos a casa.

Elena G. de White escribió: "Jesús nos conoce individualmente, y se conmueve por el sentimiento de nuestras flaquezas. Nos conoce a todos por nombre. Conoce la casa en que vivimos, y el nombre de cada ocupante. Dio a veces instrucciones a sus siervos para que fueran a cierta calle en cierta ciudad, a tal casa, para hallar a una de sus ovejas" (*El Deseado de todas las gentes*, p. 445).

Así nos ama Jesús. Lo que nos preocupa, le preocupa; lo que nos hiere, lo hiere. Somos sus hijos. Sus intereses están ligados a los nuestros. Permita hoy que su corazón se regocije en la seguridad del cuidado amoroso, íntimo y personal de Cristo por usted.

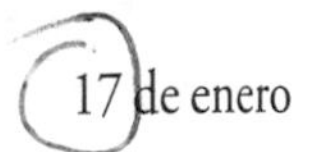

Mirando a Jesús

Puestos los ojos en Jesús, el autor y consumador de la fe, el cual por el gozo puesto delante de él sufrió la cruz, menospreciando el oprobio, y se sentó a la diestra del trono de Dios. Heb. 12:2.

Tiempo atrás, recibí una carta de una madre que había perdido a sus dos hijitos: uno de 3 años y otro de 16 meses. Ambos se habían ahogado en la piscina de su casa.

Tras un período difícil, de hondo pesar, la mujer logró reenfocar su visión. Decidió fijar sus ojos en Jesús, resueltamente. Se dio cuenta de que si Dios podía usarla de alguna manera, valdría la pena vivir; de modo que entregó su vida a Dios, confiando totalmente en él. Pronto empezó a experimentar un intenso deseo de acercarse a Dios y andar con él a diario. Y halló que esto hasta la estaba acercando más a los hijitos que había perdido.

En su carta decía: "Ahora tengo hambre y sed de Dios porque lo amo. Sé lo que significa depender de él enteramente, buscarle de todo corazón, amarle con todo mi ser. Sé lo que se siente... cuando Dios toca nuestra alma y nos consuela. Sé lo que significa posar mi cabeza en su regazo".

Esta mujer decidió fijar sus ojos en Cristo, en su hora más oscura.

¿Cómo podemos fijar nuestros ojos en Jesús? Contemplar a Jesús en las Escrituras revitaliza totalmente el ser. En los Evangelios, Jesús sana al enfermo, multiplica el pan a los hambrientos, resucita a los muertos, perdona el pecado, libra de los demonios y calma las tormentas. Proporciona sanidad, felicidad y esperanza. Vence los desastres, los demonios y la muerte. Derrota la tristeza, el sufrimiento y la enfermedad. Triunfa sobre el pecado y sobre Satanás. Sus milagros revelan su poder. Sus parábolas revelan las enseñanzas de su reino. Sus sermones revelan sus principios eternos.

Su vida revela el amor de Dios por los quebrantados de espíritu. Muestra la cualidad redentora de su gracia. Él busca, salva, perdona, transforma, cambia, renueva el corazón.

A medida que "fijamos nuestros ojos en Jesús", Dios cumplirá su maravillosa promesa, registrada en 2 Corintios 3:18: "Por tanto, nosotros todos, mirando a cara descubierta como en un espejo la gloria del Señor, somos transformados de gloria en gloria en la misma imagen, como por el Espíritu del Señor". El cambio verdadero y duradero del carácter ocurre a medida que el Espíritu de Dios imprime en nuestras mentes los principios transformadores de la vida, que estudiamos en las Escrituras. "Una ley del intelecto humano hace que se adapte gradualmente a las materias en las cuales se le enseña a espaciarse. Si se dedica solamente a asuntos triviales, se atrofia y debilita. Si no se le exige que considere problemas difíciles, pierde con el tiempo su capacidad de crecer" (*Patriarcas y profetas,* p. 647). Como dice el antiguo himno: "Al contemplarte, mi Salvador... veo en mi vida mucho pecar. Tómala, Cristo, quiero triunfar" (*Himnario adventista,* Nº 278).

Ensamblados para Dios

El pueblo que formé para mí, publicará mis alabanzas. Isa. 43:21.

En 1975, un médico de Harvard llamado Herbert Benson escribió un libro que se convirtió en todo un éxito de librería: *The Relaxation Response.* Trataba sobre una técnica sencilla que él había creado, para ayudar a la gente a reducir el estrés. Consistía en relajarse, mediante la concentración en una imagen mental positiva. Para muchos, los resultados fueron sorprendentes. Aprendieron a controlar el ritmo cardíaco, la respiración y las hormonas relacionadas con el estrés. El Dr. Benson pudo ayudar hasta a personas con insomnio.

Además, durante su estudio, notó algo especialmente interesante. Descubrió que ciertos pacientes se beneficiaban más que otros de la "respuesta a la relajación": gozaban de mejor salud o se recuperaban más rápidamente de sus males. Se trataba de personas religiosas que aseguraban sentir la cercanía de Dios, al fijar sus mentes en la bondad divina. Quienes meditaban en el amor y en el poder inmensurable de Dios eran más saludables que quienes no lo hacían.

Intrigado por este fenómeno, el Dr. Benson decidió estudiar qué pasaba, exactamente, en las personas que experimentaban la "cercanía de Dios". Los científicos observaron con detenimiento las conexiones cerebrales, para detectar las reacciones de las diversas partes del cerebro ante determinados estímulos, e identificaron con precisión la "sede" de la experiencia religiosa en el cerebro: una estructura pequeña, parecida a una almendra, conocida como *amígdala.*

El neurocientífico Rhwan Joseph llegó a la conclusión de que "la habilidad de tener experiencias religiosas tiene una base neuroanatómica". Dicho de otro modo: Tenemos la religión... en la cabeza.

El Dr. Herbert Benson lo asevera con mayor ímpetu aún. En su libro *Timeless Healing* señala que "nuestro patrón genético ha hecho que creer en el infinito sea parte de nuestra naturaleza". El citado médico declara que "estamos ensamblados para Dios". La Biblia lo corrobora. A través del profeta Isaías, Dios dice: " Este pueblo he creado para mí; mis alabanzas publicará" (Isa. 43:21).

Así como nuestros músculos están programados para el ejercicio, y nuestros corazones diseñados para funcionar eficientemente con una dieta baja en grasas, nuestros cerebros lo están para alabar a Dios. Nuestros cerebros han sido diseñados, específicamente, para la alabanza. Cuando alabamos a Dios, los impulsos eléctricos del cerebro estimulan la producción de endorfinas químicas positivas. Estas endorfinas promueven la salud y la vida. En *El ministerio de curación,* Elena G. de White dice: "Nada tiende más a fomentar la salud del cuerpo y del alma que un espíritu de agradecimiento y alabanza" (p. 194).

Estamos "programados" para la alabanza. Deje hoy que su corazón se llene de la actitud de alabanza que fomenta la salud, vigoriza la vida y estimula el bienestar.

El amor de Dios atraviesa los muros de un campo de concentración ruso

¿Quién nos separará del amor de Cristo? ¿Tribulación, o angustia, o persecución, o hambre, o desnudez, o peligro, o espada?... Antes, en todas estas cosas somos más que vencedores por medio de aquel que nos amó. Rom. 8:35-37.

El amor de Dios alcanza a la gente en cada circunstancia de sus vidas. En medio del desengaño, del desastre y aun de la misma muerte, el amor de Dios está presente; como también lo está entre las lágrimas, la tragedia y el terror. Lo está ante la enfermedad, el sufrimiento, el pesar, las preocupaciones, los deseos y aun la guerra.

Atraviesa hasta los muros de las prisiones. En la otrora Unión Soviética, el amor de Dios se manifestó en lugares inusuales. Cuando encarcelaron a los cristianos, el amor de Dios triunfó.

En 1983, la Unión Soviética arrestó a Valentina, una joven de 27 años, por llevar material de lectura cristiana. La joven creyente, dueña de una sonrisa encantadora y fe de acero, fue a dar a un gulag, un campo de trabajos forzados en Siberia, conocido como el "Valle de la Muerte" por su elevado índice de mortandad. En él, los prisioneros se sentían completamente aislados del mundo. Era un sitio destinado a aplastar el espíritu humano.

No obstante, Valentina descubrió que aun allí Dios podía "suplir lo que le faltaba". En la sordidez de ese campo de trabajos forzados, conoció a Natasha, otra joven cristiana con quien en medio de la noche se escapaba de las barracas, para orar y conversar bajo los cielos abiertos... A pesar de sus respectivas circunstancias, Valentina y Natasha disfrutaron de una hermosa camaradería.

—Cantábamos y orábamos por un rato —recuerda Valentina—, y luego nos íbamos a nuestras respectivas barracas para recobrarnos un poco del frío. Después volvíamos a salir para encontrarnos de nuevo. A veces, sólo nos quedábamos paradas, en silencio, mirando juntas el cielo. Nada nos gustaba más que el cielo".

Durante sus cinco años de cautiverio, Valentina nunca sintió que Dios la hubiera abandonado; al contrario, lo sintió siempre muy cerca de ella. Más de una vez, al recibir una carta con citas bíblicas, comprobó que traía justamente la respuesta a algún pedido o a alguna inquietud suya. Sentía que Dios se comunicaba directamente con ella.

Cuando al fin quedó libre, en 1987, Valentina resumió su experiencia con las palabras de Pablo a los romanos: "¿Quién nos separará del amor de Cristo? ¿Tribulación, o angustia, o persecución, o hambre, o desnudez, o peligro, o espada?... Antes, en todas estas cosas somos más que vencedores por medio de aquel que nos amó" (Rom. 8:35, 37).

Dios también está en las circunstancias que usted y yo habremos de atravesar hoy. Aceptemos esta realidad divina y viva, con la certeza del cuidado amoroso de Dios.

UN AMOR QUE PERSEVERA

Al que no conoció pecado, por nosotros lo hizo pecado, para que nosotros fuésemos hechos justicia de Dios en él. 2 Cor. 5:21.

El 31 de diciembre de 1995, John Clancy —bombero veterano de la ciudad de Nueva York— y sus hombres llegaron al bajo Manhattan para extinguir un incendio en un edificio de apartamentos. Se trataba de una estructura abandonada, supuestamente vacía, pero en realidad ocupada por vagabundos, toxicómanos, alcohólicos y prostitutas. Mientras el fuego escapaba de su control, los bomberos se preguntaban si acaso quedaría alguien en el edificio. Para asegurarse de rescatar a todos, Clancy y sus colegas decidieron entrar a ese verdadero infierno.

De pronto, el segundo piso colapsó y atrapó a Clancy. Sus colegas trabajaron denodadamente para librarlo, pero cuando finalmente pudieron sacarlo, ya era demasiado tarde. Su cuerpo se había quemado a tal grado que era imposible reconocerlo. El último día de 1995 fue también el último día de vida de este valiente bombero, que dejó atrás a su esposa embarazada de seis meses, y el futuro que habían planeado juntos.

John Clancy creía que toda vida es valiosa. Por eso, estuvo dispuesto a arriesgar la suya para salvar la de cualquiera que pudiera haber quedado en aquel edificio abandonado. Cambió la seguridad de su propio hogar por el peligro de un fuego voraz. Se lanzó a las llamas para salvar vidas, y perdió la suya en el intento. Su devoción al deber le costó la vida. No pudo quedarse cruzado de brazos, sabiendo que otros estaban pereciendo.

Más tarde, los investigadores descubrieron que el incendio había sido intencional. Edwin Smith —uno de los indigentes que también estaba en el edificio— lo había provocado. Por salvar la vida de quien intencionalmente había incendiado el edificio, John Clancy perdió la suya. Dio su vida por la de un incendiario.

Hace ya más de dos mil años, otro descendió al fuego de la muerte para salvarnos. Nos libró de las llamas ardientes del fuego del infierno. Cuando Cristo murió, tomó sobre sí voluntariamente la maldición de la muerte. El texto de hoy declara que "al que no conoció pecado, por nosotros lo hizo pecado, para que nosotros fuésemos hechos justicia de Dios en él". Jesús nunca pecó, pero se hizo pecado por nosotros. Tomó sobre sí voluntariamente, toda la vergüenza y la culpa de nuestros pecados. Murió la muerte que nosotros merecíamos, para que nosotros pudiéramos vivir la vida que él merecía.

Mientras sufría su muerte desgarradora en la cruz, se sintió separado de su Padre. En las palabras, "Dios mío, Dios mío, ¿por qué me has desamparado?" (Mat. 27:46), Jesús expresó la sensación de estar perdido para siempre. Sólo podía vislumbrar las puertas de la tumba. El pecado le ocultaba la faz de Dios. Nuestro Salvador experimentó la muerte que los pecadores morirán.En vista de ese amor, sólo cabe caer a sus pies y adorarle por siempre. Bien merece nuestra más exaltada alabanza.

En las tormentas de la vida

Por lo cual debía ser en todo semejante a sus hermanos, para venir a ser misericordioso y fiel sumo sacerdote en lo que a Dios se refiere, para expiar los pecados del pueblo. Heb. 2:17.

Se avecinaba una tormenta delante del buque de vapor inglés Ariel. La tripulación urgía a los pasajeros a refugiarse en la bodega de la nave, pero uno de ellos se acercó al capitán con un extraño pedido. Quería que lo ataran a un mástil sobre la cubierta del barco.

El capitán se sorprendió ante este hombre ya mayor, pequeño de estatura, pero de cara curtida y ojos tan acerados como su increíble determinación. Accediendo a su pedido, ordenó a la tripulación que ataran al hombre al mástil, tal como lo había pedido.

El buque de vapor entró al ojo mismo de la tormenta. Durante cuatro horas, el viento y las olas arremetieron furiosamente contra la nave. Y el pasajero permaneció inmóvil, indefenso, horrorizado como anticipara desde el principio mismo de su plan.

Sabía que, de habérsele dado la oportunidad, no habría resistido permanecer en la cubierta sin sujetarse a algo; pero, como lo explicaría luego, él quería realmente "ver" la tormenta, sentirla, experimentarla sobre sí hasta ser uno con ella. Por eso pidió que lo amarraran al mástil.

Después de esta experiencia, el pasajero, Joseph Mallord William Turner, volvió a su estudio y pintó una obra que captó como ninguna otra el poder impresionante de los elementos. Ésta fue una de sus principales obras maestras.

Sólo tras experimentar la tormenta, este artista pudo captar cabalmente su furia. Sintió en persona la inclemencia del viento, la reciedumbre de la lluvia, el movimiento intempestivo de la nave, el rocío salino de las olas y los truenos horrendos en la oscuridad de la noche. Para poder redimirnos cabalmente, y convertirse así en nuestro perfecto Salvador, Jesús también tuvo que experimentar primero lo que nosotros experimentamos, todos los retos y todas las aflicciones de la vida. Tuvo que sentir en carne propia el abatimiento de la angustia y la congoja humanas.

¿Lo ha traicionado alguien? ¿Se siente herido? ¿Herida? Jesús se sintió herido cuando uno de sus amigos lo traicionó. ¿Siente su cuerpo traspasado de dolor? Así lo sintió Jesús, mientras pendía de la cruz. ¿Enfrenta tentaciones que amenazan vencerlo? Jesús enfrentó las tentaciones más extremas que el enemigo pudo haberle presentado. Él comprende. Lo pasó todo. Y con todo, y a pesar de todo, fue fiel. Podemos allegarnos a él confiadamente, con toda nuestra carga de penas, desalientos, dolor y tentaciones. Él nos fortalecerá, para que podamos vencer como él venció. Tenemos un Salvador compasivo, que nos comprende y que está siempre presente para ayudarnos a responder a los desafíos diarios que nos presenta la vida.

Gracia salvadora

Por cuanto todos pecaron, y están destituidos de la gloria de Dios, siendo justificados gratuitamente por su gracia, mediante la redención que es en Cristo Jesús. Rom. 3:23, 24.

Martes, 11 de septiembre del 2001. Cuatro equipos de secuestradores comandaron cuatro aviones y los utilizaron como instrumentos de muerte. Un avión de pasajeros de American Airlines surcó como un rayo el perfil neoyorquino y se estrelló contra una de las torres gemelas del World Trade Center (Centro Mundial de Comercio). Minutos después, otro avión secuestrado, esta vez de United Airlines, se lanzó contra la segunda torre. Un tercer avión arremetió contra el Pentágono, mientras el cuarto se desplomaba en una zona remota, cerca de Shanksville, Pensilvania.

Una imagen quedó indeleblemente plasmada en mi mente: la de un grupo de bomberos agotados, emergiendo de la columna de humo del Centro Mundial de Comercio, cubiertos de hollín. Traían a salvo a un frágil anciano. El títular del periódico decía en grandes letras rojas: "Gracia salvadora". El subtítulo: "Frente al peligro mortal, arriesgan sus vidas para salvar las de otros".

Esa foto habla a mi corazón. El anciano aquel jamás podría haber salido solo del edificio en llamas. Necesitaba que lo salvaran. Necesitaba que alguien se dispusiera a arriesgar su propia vida para salvar la suya. Necesitaba un salvador. Sin alguien que se interesara en su vida —sin alguien dispuesto a enfrentar las llamas, y hasta quizás a morir por él—, el anciano atrapado no habría tenido esperanza.

Nosotros también estamos condenados a las llamas. "Por cuanto todos pecaron, y están destituidos de la gloria de Dios" (Rom. 3:23) y "la paga del pecado es muerte" (Rom. 6:23).

No hay manera de que podamos salvarnos a nosotros mismos. Las increíblemente "buenas nuevas" del Evangelio consisten, precisamente, en esto: que Cristo se lanzó a las llamas. Tomó el infierno sobre sí. En la cruz, cargó sobre sí toda la condenación del pecado. Mi pecado. Su pecado. Jesús experimentó toda la angustia que los pecadores finalmente experimentarán. Experimentó "la muerte por todos" (Heb. 2:9). ¡Qué Salvador! ¡Qué Libertador! ¡Qué Redentor!

En mi imaginación leo el periódico de la eternidad, en nuestro primer día en los cielos. En la primera plana tiene una enorme foto de Jesús, con las manos ensangrentadas y la frente herida, cargándome en sus brazos. Cuando veo la foto, noto que yo soy la persona que él tiene en sus brazos. El titular, en rojo carmesí, dice: "Gracia salvadora". La hueste entera de los redimidos se postra para adorarle. "El Cordero que fue inmolado es digno de tomar el poder, las riquezas, la sabiduría, la fortaleza, la honra, la gloria y la alabanza" (Apoc. 5:12).

Y todos decimos: "Por los siglos de los siglos. ¡Amén!"

Liberados

Todo lo puedo en Cristo que me fortalece. Fil. 4:13.

Ana estaba atrapada en medio de un tremendo conflicto. Vivía en Honolulu, en un modesto apartamento ubicado en un barrio de narcotraficantes. Yo la conocí, mientras presentaba una serie de conferencias sobre profecías bíblicas en Hawai. Parecía incapaz de resistirse a los vendedores de estupefacientes que todos los días la instaban a comprar más. A menudo cedía a la fuerza de su hábito creciente.

Al finalizar una de mis reuniones de evangelismo, Ana me imploró que la ayudara.

—Pastor, ¡me siento tan débil! ¡Me es imposible resistir!

Le sugerí que se apoyara en la promesa de Dios: "Todo lo puedo en Cristo que me fortalece" (Fil. 4:13), y Ana hizo un maravilloso descubrimiento. Sus ojos cobraron un brillo inusitado. ¡Jesús la ayudaría! ¡Él supliría el poder que habría de liberarla! Dos de mis asociados comenzaron a visitarla casi a diario. La noticia corrió como la pólvora en el vecindario infestado de drogas.

—¡Dejen a Ana en paz! ¡Ella está bien ahora!

El descubrimiento de Ana hace posible el cambio.

La vida cristiana no consiste en una entrega inicial a Cristo, para luego abandonarse al fracaso. No es una lucha interminable contra la tentación, con sólo nuestras fuerzas. Nuestro Señor no nos salva para luego dejarnos librados a nuestra suerte en la batalla contra el mal. El Cristo que nos redime de la condenación del pecado, también nos libera de su poder. El Salvador que murió para perdonarnos, vive para impartirnos su poder. No nos salvamos a nosotros mismos. Dios nos salva. No podemos librarnos a nosotros mismos. Cristo nos libra. "Muchos tienen la idea de que deben hacer alguna parte de la obra solos. Confiaron en Cristo para obtener el perdón de sus pecados, pero ahora procuran vivir rectamente por sus propios esfuerzos. Mas todo esfuerzo tal fracasará. El Señor Jesús dice: 'Porque separados de mí, nada podéis hacer'. Nuestro crecimiento en la gracia, nuestro gozo, nuestra utilidad, todo depende de nuestra unión con Cristo" (*El camino a Cristo,* p. 69).

Cuando luchamos solos, carecemos de poder. El enemigo es demasiado fuerte. Sus tentaciones son abrumadoras. El Cristo viviente nos ofrece hacer por nosotros lo que nosotros nunca podríamos hacer por nosotros mismos. Nos ofrece su poder, su fortaleza. A medida que le abramos nuestros corazones, él nos librará de las cadenas de pecado que nos atan. En Cristo, a través de Cristo, por Cristo, con Cristo... somos verdaderamente libres. Él es nuestro Libertador omnipotente.

Te debo la vida

Con Cristo estoy juntamente crucificado, y ya no vivo yo, mas vive Cristo en mí; y lo que ahora vivo en la carne, lo vivo en la fe del Hijo de Dios, el cual me amó y se entregó a sí mismo por mí. Gál. 2:20.

Stanley Praimmath estaba sentado frente a su escritorio en el octogésimo primer piso de la torre sur del Centro Mundial de Comercio. De pronto, la nariz de un jet 767 llenó el cielo frente a su ventana. Soltó el teléfono y se metió debajo de su escritorio. Luego vino el ruido estremecedor —acero contra acero— mientras el cielo raso se venía abajo. Los cables empezaron a chispear. Los escritorios y los archivos volaron por el aire, chocándose entre sí. La oficina se llenó de humo. Y Stanley comenzó a sollozar y orar.

Mientras tanto, miles de personas procuraban escapar del edificio. Quemados y sangrando profusamente, tropezaban al bajar las escaleras ennegrecidas por el humo.

Brian Clark venía del octogésimo cuarto piso cuando oyó los gritos de alguien que pedía auxilio. Se trataba de Stanley, quien de alguna manera se las había ingeniado para arrastrarse entre los escombros, pero ahora estaba atrapado debajo de la pared que se le había caído encima.

Brian se abrió paso entre los restos calcinados del edificio y las puertas destrozadas, y llegó finalmente hasta el hombre atrapado.

—Tiene que atravesar la pared— gritó.

—No puedo— replicó Stanley.

—Tiene que hacerlo— insistió Brian.

Arañando y rasgando la pared que se le había caído encima, Stanley intentó abrir un boquete, mientras Brian lo ayudaba desde afuera. En cuanto Stanley pudo librarse parcialmente de su encierro, Brian pudo sacarlo de entre los escombros. Ya a salvo, los dos extraños se abrazaron como hermanos. Cuando salieron del edificio, con lágrimas en los ojos Stanley le dijo a Brian:

—Mantengámonos en contacto. Te debo la vida.

La esencia de la vida cristiana es la comunión con Dios. Cuando dos personas se aprecian, anhelan estar juntas. La separación es dolorosa. Cuando captamos plenamente la entrega de Jesús al salvarnos, nuestros corazones responden en amor. Anhelamos permanecer junto a él. Queremos estar en comunión con él. No queremos separarnos de su amor ni un instante. "El precio pagado por nuestra redención, el sacrificio infinito que hizo nuestro Padre Celestial al entregar a su Hijo para que muriese por nosotros, debe darnos un concepto elevado de lo que podemos llegar a ser por intermedio de Cristo... '¡Mirad cuál amor nos ha dado el Padre, que seamos llamados hijos de Dios!' ¡Cuán valioso hace esto al hombre! (*El camino a Cristo,* p. 15).

Considerando el costo

Pero cuantas cosas eran para mí ganancia, las he estimado como pérdida por amor de Cristo.
Fil. 3:7.

Nadie puede quitarnos lo que ya hemos dado. Pablo eligió, conscientemente, dar todo lo que era y poseía a Jesucristo. Nada valía tanto para él como Cristo. Nada le era más valioso que el amor de Cristo; nada más precioso, que su gracia. En comparación con su relación con Cristo, todo lo demás empalidecía y perdía importancia. Cuando el apóstol exclama: "Cuantas cosas eran para mí ganancia, las he estimado como pérdida por amor de Cristo", la palabra que en nuestra versión se traduce como "pérdida", en el idioma original significa también "estiércol", "desperdicios" o "basura". Cristo es tan extremadamente precioso, que todos los tesoros de este mundo son en comparación sólo eso.

El 8 de diciembre de 1934, unos bandoleros chinos asesinaron a los misioneros presbiterianos John y Betty Stam, e incendiaron su hogar. Días después de la tragedia, algunos amigos de la pareja encontraron entre las ruinas calcinadas la Biblia de la Sra. Stam. En la hoja que cubría la parte interior de la tapa, ella había escrito lo siguiente: "Señor, abandono mi propósito y mis planes, todos mis anhelos, esperanzas y ambiciones, y acepto tu voluntad para mi vida. Te entrego lo que soy y lo que tengo: mi vida, mi todo, completamente a ti, para que sea tuyo para siempre. Te entrego todas mis amistades y mi amor. A partir de ahora, todo lo que amo pasa a un segundo plano en mi corazón. Lléname y séllame con tu Espíritu Santo. Vive tu vida en mi vida a cualquier costo y para siempre. Para mí el vivir es Cristo y el morir es ganancia".

Cristo llena el corazón vacío, enriquece el alma empobrecida y reemplaza el estiércol de este mundo con el encanto inestimable e incomparable de su amor.

Elena G. de White lo explica suscintamente: "Al consagrarnos a Dios, debemos necesariamente abandonar todo aquello que nos separaría de él" (*El camino a Cristo,* p. 44). La pregunta básica de la vida cristiana es: "¿Quién posee nuestro corazón?"

Hay, en las enseñanzas de Jesús, maravillosas paradojas. Una de ellas es que "al dárselo todo, recibimos todo". Hoy Cristo nos ofrece su todo. Su gracia, su perdón, su misericordia, su poder, su valor, su consuelo, su esperanza, su promesa de eternidad, la comunión con él ahora y para siempre. En vista de todo lo que nos da, todo lo que le damos es apenas... basura. ¡Qué intercambio!

Dios fortalece nuestras elecciones

Y si mal os parece servir a Jehová, escogeos hoy a quién sirváis... pero yo y mi casa serviremos a Jehová Jos. 24:15.

El padre de mi amigo Bill luchaba contra su adicción al tabaco. Temprano por la mañana, Bill veía a su padre pasear por el frente de la finca familiar, luchando contra sus ansias de mascar tabaco. A menudo, el hombre agarraba el tabaco de mascar y lo lanzaba con fuerza hacia el maizal. Entonces se sentía libre. Creía haber vencido su hábito. Sin embargo, a eso del mediodía, Bill volvía a ver a su padre, esta vez entre las plantas de maíz, con la cabeza inclinada hacia el suelo ¡buscando el tabaco que había lanzado allí por la mañana!

Si usted hubiera estado en el lugar de Dios, ¿le habría permitido encontrar el tabaco?

—¡No! —podría responder alguien—. Si yo fuera Dios, no le permitiría encontrarlo.

Pero Dios sí se lo permitía. ¿Por qué? Porque por la tarde, Dios le daba al padre de Bill el mismo poder de elección que le daba por la mañana. Dios no manipula la voluntad, nos permite decidir. Cuando elegimos poner nuestra voluntad del lado de lo correcto, el Espíritu Santo nos imparte poder para concretar lo que elegimos y decidimos.

No vencemos las tentaciones de Satanás por el poder de nuestra voluntad. A menudo descuidamos esta verdad sólo por no entenderla cabalmente. Es imprescindible que la entendamos: sin Dios no podemos vencer el pecado en nuestras vidas; pero tampoco él puede vencer el pecado en nuestras vidas sin nosotros. Colaborar con Dios es imperativo en el plan de salvación. A medida que el Espíritu Santo impresiona nuestras mentes, elegimos someter a su voluntad el pecado específico que le ofende. Entonces, el Espíritu Santo nos concede el poder para vencerlo. Por resuelta que sea nuestra elección, no basta sólo con ella para vencer el pecado. Jesús lo dejó bien claro: "Porque separados de mí, nada podéis hacer" (Juan 15:5).

Supongamos que me encontrara en un gran auditorio, totalmente oscuro, en el que fuera imposible encontrar la salida. ¿Qué si tuviera una pala? ¿Podría con ella despejar la oscuridad? ¿Cuánto esfuerzo se necesitaría para despejar la oscuridad con una pala? ¿Qué si pusiera cien personas trabajando tres horas? ¿Podrían conmigo despejar la oscuridad? ¿Qué pasaría si alguien acercara mi mano al interruptor de luz que hay en la pared? Entonces sí, de inmediato el lugar se llenaría de luz. ¿Por qué? Porque por mínima que fuera esta última acción, tendría la virtud de conectarse con los cables eléctricos que llevan a la fuente de energía. Cuando ponemos nuestra voluntad del lado de lo correcto, nos conectamos con la fuente de energía infinita. El poder de Dios fluye hacia nosotros y dentro de nosotros, efectuando cambios milagrosos.

Cristo anhela llenar nuestras vidas con su poder, para fortalecer nuestras elecciones y decisiones. Y lo hará hoy mismo... si se lo permitimos. ¿Por qué no ceder ahora mismo nuestro corazón a la impresión del Espíritu Santo?

Tesoro invaluable

Además, el reino de los cielos es semejante a un tesoro escondido en un campo, el cual un hombre halla, y lo esconde de nuevo; y gozoso por ello va y vende todo lo que tiene, y compra aquel campo. Mat. 13:44.

El Estado de Colorado, Estados Unidos, tiene un rico pasado en lo que respecta a la explotación de minas de oro y plata. En los días del Lejano Oeste, Horace Tabor —uno de los empresarios mineros más exitosos de Colorado— amasó una enorme fortuna, gracias a la mina *Matchless Mine* que tenía cerca del arroyo Cripple Creek.

Lamentablemente, la riqueza "se le subió a la cabeza" y pronto comenzó a dedicarse sólo a satisfacer sus caprichos. Entre otras cosas, se divorció de su esposa y se casó con una hermosa mujer mundana, conocida como Baby Doe. Pero al poco tiempo les sobrevino la desgracia. Bajó el precio del oro y de la plata, y Tabor acabó hundido en deudas. Murió pobre y acongojado, no sin antes despedirse de Baby Doe con el siguiente consejo:

—Ten fe en *Matchless Mine*. No te des por vencida. Te va a devolver lo que yo perdí.

Su promesa no pudo cumplirse. La mina se perdió por embargo de bienes hipotecados. Con el permiso de los nuevos dueños, Baby Doe se mudó a una choza desvencijada, cerca de la mina, y vivió allí hasta su muerte, en 1935. La mina ya no dio para más... Si Baby Doe esperaba —contra toda esperanza— hacerse rica con ella, su esperanza nunca se concretó...

Hay una mina que jamás se agota, es una fuente inagotable de riqueza; una mina de verdad. Las riquezas de su gracia no pueden extinguirse. Jesús es el tesoro escondido en el campo. En comparación con todo lo que tenemos, nuestro Salvador es aún más precioso.

Algunos ven como sacrificio dejar algo de menor valor para obtener algo de más valor. Por ejemplo, dejar de fumar les representa un sacrificio; sin embargo, cuando abandonan este hábito dejan algo de menor valor, los cigarrillos —que aumentan el riesgo de contraer cáncer o enfermedades cardíacas—, por algo de más valor, la buena salud. El amor de Jesús es aún más valioso. Al recibir a Jesús, recibimos paz, perdón, poder y propósito.

Piense en ello. Cuando Jesús entra a nuestras vidas, recibimos paz y una sensación de calma y seguridad. Cuando Jesús entra a nuestras vidas, recibimos perdón en él: nos libra de la culpa de nuestros errores y fracasos pasados, y silencia las voces acusadoras de nuestra conciencia condenatoria. En Cristo recibimos poder. Cuando Jesús entra a nuestras vidas, nos imparte poder sobrenatural para vivirla como conviene: él es más fuerte que cualquier hábito que pudiera dominarnos.

El poder de la gracia divina es mayor que el poder del pecado. En Cristo tenemos un nuevo propósito por el cual vivir. Él reorienta nuestra vida, le confiere sentido. No hay en el mundo mayor tesoro que él. Nada ni nadie es más valioso ni más precioso que Cristo, la mina que jamás se agotará.

Los tres noes de Pablo

No que seamos competentes... que nuestra competencia proviene de Dios. 2 Cor. 3:5.
Por tanto, no desmayamos... el [hombre] interior se renueva de día en día. 2 Cor. 4:16.
No mirando nosotros las cosas que se ven, sino las que no se ven. 2 Cor. 4:18.

Absorto en Cristo, en los pasajes arriba citados, Pablo proclama elocuentemente sus tres noes.

En el primero declara: "No que seamos competentes". En otras versiones de la Biblia, esta última palabra se traduce como "suficientes", término que el *Gran Diccionario de la Lengua Española de Larousse* define como "que basta para un fin determinado", y también, "que tiene aptitud para una cosa". Cristo es el único que basta para satisfacer nuestras más profundas necesidades. El placer no puede satisfacer el hambre del alma. La popularidad, tampoco. Y lo mismo puede decirse del prestigio o del poder. Nada de esto puede satisfacer las necesidades del corazón. Sólo Jesús reúne las aptitudes requeridas para satisfacerlas de verdad. Él es nuestra suficiencia. Nosotros no somos suficientes —o competentes— para salvarnos a nosotros mismos, ni podemos luchar a solas contra el enemigo. Como dice el apóstol: "nuestra competencia viene de Dios" (2 Cor. 3:4). Cristo es nuestra suficiencia y nuestra fuente de confianza.

En su segundo "no", el apóstol afirma que "no desmayamos". Nuestra "persona exterior" podrá perecer; la enfermedad podrá afligirnos y hacer estragos en nosotros. La edad podrá derrumbarnos. Las enfermedades cardíacas, el cáncer o la diabetes podrán devastar nuestros cuerpos, pero aun así Cristo permanece y permanecerá en nosotros. Él es nuestro valor, nuestra confianza, nuestro aliento. No desmayamos, porque él eleva nuestro espíritu.

El apóstol llega ahora a su tercer y último no: "Fijamos nuestros ojos, no en lo que se ve". Cristo es nuestra visión. Desvía nuestra mirada de lo que está a nuestro alrededor, para centrarla en lo que está por encima de nosotros. Eleva nuestra visión: de lo que es a lo que será. Alza nuestros ojos de las cosas del tiempo finito, a las cosas de la eternidad.

Durante el bombardeo de Londres, en la segunda guerra mundial, los aviones enemigos bombardearon la ciudad noche tras noche. Por doquiera ardían las llamas, mientras se desmoronaban vecindarios enteros. Un niñito —que desde su refugio observaba a la distancia las terribles explosiones— lloraba y temblaba ante la escena. En cuanto su padre se dio cuenta, fue hasta él, lo dio vuelta y le dijo con firmeza:

—Mírame a mí. Mírame a mí.

Aunque las bombas siguieron cayendo toda la noche, cada vez que el niño las oía, volvía la mirada hacia su padre y dejaba de temblar. El terror se desvaneció de su rostro.

Hoy y cada día Jesús nos conmina:

—Mírame. Fija tus ojos en mí. Yo soy tu suficiencia, tu confianza, tu visión... Descansa en mis brazos. Siéntete seguro en mi amor. Ten esperanza en mi abrazo.

Estoy seguro

Por lo cual estoy seguro de que ni la muerte, ni la vida, ni ángeles, ni principados, ni potestades, ni lo presente, ni lo por venir, ni lo alto, ni lo profundo, ni ninguna otra cosa creada nos podrá separar del amor de Dios, que es en Cristo Jesús Señor nuestro. Rom. 8:38, 39.

En 1556, un joven llamado Claes experimentó una conversión notable. Mientras estudiaba las Escrituras en su hogar, en Bélgica, se sintió profundamente impresionado por el amor de Dios. Tras llegar a la conclusión de que la salvación se obtiene únicamente por la fe en Jesucristo, el amor de Cristo lo embargó de tal manera que no pudo contenerlo: comenzó a compartirlo con cuantas personas pudo.

En la Europa del siglo XVI, la Iglesia y el Estado estaban unidos, y la iglesia del Estado no permitía la más mínima disensión. Claes fue arrestado y llevado a Ghent, por haberse atrevido a desafiar el punto de vista de la iglesia en lo que respecta a la salvación. No obstante, antes de quemarlo vivo, las autoridades procuraron disuadirlo de sus creencias. Podría evitar la hoguera con sólo renunciar a su fe, pero Claes no lo hizo. De nada valieron las amenazas del Estado. No se doblegó.

Le preguntaron:

—¿En qué crees?

Y contestó:

—Creo solamente en Cristo Jesús, que él es el Hijo de Dios, vivo y verdadero, y que no hay otra salvación en el cielo o en la tierra.

Claes fijó sus ojos en el Cordero de Dios que derramó su sangre por él. Y en eso basó su seguridad, su fortaleza y su propósito. Se afirmó y animó en la promesa de Jesús, registrada en el Evangelio según San Mateo: "Yo estoy con vosotros todos los días, hasta el fin del mundo" (Mat. 28:20).

Jesús lo asistió en su hora más sombría, y Claes pudo gozarse en su Dios y Señor hasta el último instante de su vida. Hasta el momento mismo de su ejecución, el Señor lo llenó de infinita paz. Claes escribió: "Mi corazón se enciende de gozo por el Señor, mi Dios, de modo que todos mis problemas y ansiedades se me han ido, como se va el polvo que se barre en las calles".

Claes encaró la muerte, seguro en el amor de Jesús. Tuvo perfecta paz.

Todos los demonios del infierno no pueden separarnos del amor de Dios. Tampoco pueden hacerlo la enfermedad o la tragedia. Ni la miseria ni los errores son lo suficientemente poderosos para separarnos del amor divino. Tampoco lo son el divorcio, el mal, el desaliento, los desastres o aun la muerte misma. En nuestros momentos más oscuros, el amor de Dios sigue presente. Como Claes, también nosotros podemos exclamar: "Señor, tú eres fiel a tu promesa".

30 de enero

Triunfo en Cristo

Mas a Dios gracias, el cual nos lleva siempre en triunfo en Cristo Jesús, y por medio de nosotros manifiesta en todo lugar el olor de su conocimiento. 2 Cor. 2:14.

Se llamaba Soetgen. La arrestaron por su fe en 1559, separándola de su esposo, Claes, y de toda su familia. Cuando las autoridades ejecutaron a Claes, Soetgen vivió en carne propia el temor y la soledad. Desde su celda en Ghent, Bélgica, vio cómo se le iba la vida... y comprendió que ya nada volvería a ser como antes. Nunca volvería a ver a sus hijos... Con lágrimas en sus ojos, les escribió una carta, infundiéndoles ánimo y seguridad. Esa carta se conservó intacta por siglos, y hoy nos insta a ser fieles.

En ella escribió: "Dado que plugo al Señor llevarme de este mundo, dejaré con vosotros un recuerdo no de oro ni de plata, pues tales joyas se echan a perder. De ser posible, quisiera grabaros una joya en el corazón; esa joya es la palabra de verdad".

En sus horas finales, Soetgen no pensó en su sufrimiento ni en su muerte inminente. Sólo anhelaba que sus hijos fueran fieles al Cristo que ella amaba. Quería que ellos también experimentaran su gracia y que fueran fieles a su verdad. Su carta continúa con estas poderosas palabras: "Os encomiendo al Señor... Que él os guarde hasta el fin de vuestras vidas. Que os guíe a la Nueva Jerusalén, para que allá podamos vernos con gozo, el día de la resurrección".

Soetgen podría haberse sentido abrumada por la desesperación. Podría haber sucumbido bajo el peso de la angustia. Sin embargo, escribió una carta llena de amor y de confianza.

Justo antes de su muerte, Soetgen recibió una carta de ánimo de su hija, Betgen. Sí, su preciosa chiquita aún se aferraba a Cristo. En sus corazones ardía la misma fe. El mismo amor por Cristo llenaba sus vidas.

Condenada a la hoguera por hereje, el 27 de noviembre de 1560, Soetgen murió quemada. Sus palabras finales a sus hijos, escritas de prisa con mano temblorosa, decían: "Con esto os encomiendo al Señor y a la obra de su gracia".

No hay nada más precioso que nuestra relación con Cristo. No hay relación más importante que ésta. Conocerlo es la prioridad absoluta de la vida. Desde una celda húmeda en Bélgica, el eco de los siglos nos trae el testimonio de la vida de una mártir fiel... y con él nos insta a "buscar primeramente el reino de Dios y su justicia".

De corazón, para el Señor

Y todo lo que hagáis, hacedlo de corazón, como para el Señor y no para los hombres.
Col. 3:23.

Pieter Beckjen se ganaba la vida transportando gente y mercancías en el río Amstel. A veces navegaba por los canales de Amsterdam con sus amigos creyentes, para adorar a Dios en secreto.

Al nacer su primer hijo, Pieter y su esposa procuraron mantenerlo escondido, para que nadie los obligara a bautizarlo en la iglesia oficial, pero al poco tiempo sus vecinos los delataron ante los magistrados correspondientes.

Acusándole de cometer "crímenes contra la majestad divina y secular... que perturban la paz", las autoridades le confiscaron todo lo que tenía y condenaron a Pieter a la hoguera, no sin antes ponerlo sobre el potro de tormento, en un último y despiadado esfuerzo por doblegar su fe. Pieter se mantuvo imperturbable, y murió quemado en enero de 1569.

Al enterarse del destino que aguardaba a su amigo, Willem Janss viajó desde una aldea cercana al sitio de la ejecución, con la intención de consolarlo, pero al llegar a la compuerta de Amsterdam la encontró cerrada. Tuvo que sobornar al portero para que lo dejara pasar.

Llegó al sitio de la ejecución, justo en el momento en que llevaban a Pieter a la hoguera, y con intrepidez le gritó:

—Lucha valientemente, hermano querido.

¿Qué le dio a Pieter esa fe lista a desafiar la muerte? ¿Por qué estuvo dispuesto a "aguantar" hasta el fin, del lado del Señor, sin vacilar? Lo impulsaba un motivo poderoso: creía que Jesús era más que un buen hombre. Creía que Jesús era divino y que su promesa de vida eterna era genuina. Rechazar a Jesús era rechazar la vida eterna. Pieter aceptó las palabras que el Salvador dirigiera a Marta: "Yo soy la resurrección y la vida; el que cree en mí, aunque esté muerto, vivirá. Y todo aquel que vive y cree en mí, no morirá eternamente" (Juan 11:25, 26). La vida eterna consiste en vivir por siempre en la gozosa presencia de Dios Padre, su Hijo Jesucristo, el Espíritu Santo y todas las huestes celestiales.

Los mártires de la antigüedad pudieron vislumbrar la eternidad más allá de las llamas. Por fe se asieron a las promesas de Dios.

La promesa es nuestra hoy: "Todo aquel que vive y cree en mí, no morirá eternamente" (Juan 11:26). Nuestra vida "está escondida con Cristo en Dios" (Col. 3:3). Su promesa de resurrección es veraz. Podemos tener la absoluta certeza de que cumplirá su Palabra.

1º de febrero

Más que vencedores

¿Quién nos separará del amor de Cristo? ¿Tribulación, o angustia, o persecución, o hambre, o desnudez, o peligro, o espada?... Antes, en todas estas cosas somos más que vencedores por medio de aquel que nos amó. Rom. 8:35, 37.

Mientras en prisión esperaba el momento de su ejecución, Dirk Pieters escribió una conmovedora carta de aliento a quien llamaba: "Mi muy amada hermana y esposa, Wellemoet". Procurando volcar en el corazón de ella la esperanza que animaba su propio corazón, le recordaba en su carta las palabras de Cristo: "También vosotros ahora tenéis tristeza; pero os volveré a ver, y se gozará vuestro corazón, y nadie os quitará vuestro gozo" (Juan 16:22).

De este modo, instaba a su esposa a enfocarse en el gozo futuro de su reencuentro en presencia de Cristo. Y continuaba: "Te exhorto, amada mía, a que nos acerquemos con corazón sincero, con plena certeza de fe... Te encomiendo a Dios".

Este hombre luchó a través de su propia angustia, sin dejarse vencer por sus circunstancias, apoyándose para ello en las palabras de Pablo: "¿Quién nos separará del amor de Cristo?... Dios, que nos ama, nos ayuda a salir más que vencedores en todo" (Rom. 8:35,37).

Fijando su vista en las realidades eternas, más allá de los barrotes y los muros de su celda, pudo afirmar con convicción que absolutamente nada: ni la vida ni la muerte ni ninguna cosa creada podrían separar al creyente del amor de Dios en Cristo Jesús. Y esto es lo que pudo compartir en su hora más oscura.

Cuando encaramos el fin de nuestras vidas, la promesa de Jesús acerca de la vida eterna es nuestra única esperanza. Frente al rostro de la muerte, la promesa de "eternidad" que Cristo ofrece marca la diferencia. Percibir que esta vida no es realmente el fin de todo, nos anima con nueva esperanza.

Elena G. de White escribió: "La felicidad que se procura por motivos egoístas, fuera de la senda del deber, es desequilibrada, caprichosa y transitoria; pasa, y deja el alma llena de soledad y tristeza; pero en el servicio de Dios hay gozo y satisfacción; Dios no abandona al cristiano en caminos inciertos; no lo deja librado a pesares vanos y contratiempos. Aunque no tengamos los placeres de esta vida, podemos gozarnos a la espera de la vida venidera" (*El camino a Cristo,* pp. 124, 125).

En Cristo contemplamos la "vida venidera". Somos más que vencedores por medio de Aquel que nos amó. Nada puede separarnos de su amor. Contémplelo cada día y deje que su corazón se llene de ánimo. Contémplelo cada día y deje que su vida se llene de gozo. Contémplelo cada día y deje que su alma se llene de esperanza.

Siempre intercediendo

Por lo cual puede también salvar perpetuamente a los que por él se acercan a Dios, viviendo siempre para interceder por ellos. Heb. 7:25.

Cuando en 1569 llevaron al tribunal a Jacobo de Roore, ya lo habían condenado. Se había atrevido a compartir creencias religiosas ajenas a la tradición de la iglesia; y ésta, por entonces, tenía el poder de acabar con las vidas de quienes —a su juicio— constituían una amenaza.

Los amigos y conocidos de Jacobo lo describían como un hombre temeroso de Dios, inteligente, amable y elocuente. Trabajaba ardua y honradamente, amaba a su familia y jamás había hecho mal a nadie. Se había ganado la vida, primero como tejedor y más tarde como fabricante de velas. Carecía de educación teológica formal.

Antes de su ejecución, un monje franciscano, Fray Cornelis, lo sometió a un extenso interrogatorio, pero Jacobo se mantuvo firme en su posición, apoyado en la autoridad de las enseñazas claras de las Escrituras.

Mientras aguardaba el momento de su ejecución, Jacobo escribió lo siguiente: "Mi elegida y amada esposa, complácete en saber que mi mente está lo suficientemente bien... excepto por mi profunda tristeza por tu seguridad y la de los niños, puesto que os amo entrañablemente. Nada en la tierra me hubiera llevado a abandonaros, pero por causa del Señor y de sus riquezas invisibles debemos dejarlo todo. No desmayes a causa de la tribulación que nos espera; recuerda más bien cómo Jesucristo, el inocente Cordero de Dios, tuvo que sufrir desde el principio por los fieles, por lo cual dice que: "el que os toca, toca a la niña de su ojo" (Zac. 2:8).

Jacobo murió el 10 de junio de 1569. Lo hizo con valor, en la seguridad de que Jesús intercedería por él en los cielos. Tal como su Maestro, permaneció imperturbable ante las burlas y las mofas; fiel, aun frente a los golpes y las torturas. Ante la muerte misma, encontró valor y refugio en su sumo sacerdote celestial.

Jesús es más que nuestro modelo, más que nuestro salvador moribundo. Es nuestro redentor vivo, nuestro libertador y nuestro sumo sacerdote. Siempre vive para interceder por nosotros. Es nuestro sumo sacerdote celestial. Su fortaleza, su valor y su firmeza pueden ser nuestros hoy. Permitamos que nuestra fe se aferre a la realidad de sus promesas. Abrámosle nuestro corazón. Dejemos que su fuerza fluya en nuestra alma. Creamos que su poder es nuestro ahora.

Nuestro todopoderoso intercesor está a nuestro lado. Es más poderoso que todas las fuerzas del infierno. Regocijémonos hoy en su fortaleza, que todo lo conquista.

3 de febrero

¿Por qué nadie hace nada?

Mas Dios muestra su amor para con nosotros, en que siendo aún pecadores, Cristo murió por nosotros. Rom. 5:8.

Hace cien años, un muchachito llamado Braun vivía con su familia adinerada en los suburbios de Londres. Sus padres eran agnósticos, pero consideraban que el niño debía asistir a la iglesia siquiera una vez en la vida, así que, lo vistieron con un trajecito negro y corbata de lazo y le pidieron a su institutriz que lo llevara. Un carruaje tirado por caballos condujo a ambos por las calles de piedra, rumbo a la iglesia.

El predicador habló sobre un hombre clavado en la cruz. Describió los clavos que traspasaban sus manos, la corona de espinas incrustada en su frente, la sangre que corría por su rostro y la lanza clavada en su costado. Describió también la agonía manifiesta en sus ojos y la tristeza de su voz cuando oró: "Padre, perdónalos, porque no saben lo que hacen" (Luc. 23:34).

Describió, además, la desesperación abrumadora del Salvador cuando oró: "Dios mío, Dios mío, ¿por qué me has desamparado?" (Mat. 27:46), y también su fe, cuando entregado a Dios, exclamó: "Padre, en tus manos encomiendo mi espíritu" (Luc. 23:46).

El sermón horrorizó al niño. ¿Nadie haría nada? ¿No se alzaría la congregación a una, para exigir que se bajara al hombre de la cruz? Hacia la mitad del sermón, Braun lloraba desconsolado, pero al mirar a su alrededor se sorprendió muchísimo al ver que el resto de la congregación parecía tranquila y hasta satisfecha.

—¿Qué pasa con esta gente? —preguntó a su institutriz—. ¿Por qué nadie hace nada para salvar al hombre de la cruz?

—Silencio, Braun. ¡Cálmate! —contestó la institutriz, tocándole el hombro—. Es sólo un relato. No dejes que te afecte. Escucha, nada más. Para cuando lleguemos a casa, ya habrás olvidado este asunto.

¿Es la historia de la cruz sólo un relato para usted? ¿Es apenas algo de lo cual se canta o se escribe, se predica o se recita, pero que en realidad no tiene poder para cambiar la vida? ¿Dónde está el poder de la cruz? ¿Qué sentido tiene todo esto?

La cruz revela la profundidad del amor de Dios, pero también la terrible naturaleza del pecado. En la cruz vemos cuán horrible es éste. Es tan terrible, que destruyó la vida del inocente Hijo de Dios. Dios es tan bueno, que en Cristo aceptó todo el horror del pecado, para salvarnos a usted y a mí.

El pecado destruye lo que posee. Cuando comprendamos cabalmente cómo ocasionó la muerte del justo Hijo de Dios, desearemos apartarnos del pecado para siempre. El pecado asesinó a nuestro mejor amigo, tomó la vida de Alguien que lo ama más que nadie en el mundo. ¿Por qué no comprometernos hoy a abandonar todo lo que pudiera separarnos de Jesús?

El corazón que perdona

Ssd benignos unos con otros, misericordiosos, perdonándoos unos a otros, como Dios también os perdonó a vosotros en Cristo. Efe. 4:32.

Carol no podía creer que Tom su esposo estuviera saliendo con otra mujer. La sola idea de divorciarse la aterrorizaba. Tras 25 años de lo que para ella había sido un buen matrimonio, Tom la estaba dejando por una mujer más joven, y esto la estaba devastando emocionalmente.

Su hijo menor planeaba casarse en un año. Carol anhelaba volver a estar a solas con Tom. Pensaba que sería una oportunidad para renovar su amor. Y ahora se preguntaba, ¿por qué? ¿Por qué Tom había decidido abandonarla, cuando ella le había dado tanto, viviendo prácticamente para él? Poco a poco, sus preguntas dieron lugar a la amargura y el enojo. ¡No era justo! ¡No lo era!

Tras su divorcio, Carol cayó presa de una profunda soledad y depresión. Cuanto más pensaba en lo que había sucedido, tanto más se encolerizaba. Una noche, con intensa angustia clamó a Dios, implorándole fortaleza para sobrellevar esta situación terrible.

Pronto comenzó a poner en orden sus ideas. Su esposo le había arruinado el pasado, pero no tenía por qué arruinarle el futuro. No se lo permitiría. A pesar de lo que él le había hecho y de su propia amargura al respecto, ella aún podía *decidir* perdonarlo.

Carol recordó Efesios 4:32: "Sed benignos unos con otros, misericordiosos, perdonándoos unos a otros, como Dios también os perdonó a vosotros en Cristo". Decidió permitir que las palabras de este texto hicieran mella en su alma, transformando su corazón y convirtiéndola en una nueva mujer.

Si Cristo *la* había perdonado, cuando ella era aun *su* enemiga, bien podía ella ahora perdonar a Tom, que a esta altura era *su* enemigo. Si Jesús pudo alcanzarla, cuando ella no lo merecía, ella podía ahora alcanzar a Tom, aunque él no lo mereciera. Ella podría pedirle al Señor que le diera una nueva actitud y un espíritu transformado. A través de él podría tener un espíritu compasivo, bondadoso y perdonador.

Con su nueva actitud perdonadora, Carol experimentó una increíble sensación de paz interior. Estaría sola aún, pero con paz en su corazón. Se apoyó en la certeza de que podría dejar su caso en las manos de Dios.

Una actitud perdonadora genera sanidad. Cuando el divieso de la amargura se abre, y el pus del enojo se drena, comienza la terapia de Dios. Su Espíritu restaura y embellece la vida.

El perdón no consiste en justificar el mal que nos hacen, sino en liberar de nuestra condenación a quien nos ha ofendido, porque Jesús nos ha librado de su condenación. Cuando en verdad nos damos cuenta de cuánto nos ha perdonado Cristo, no podemos sino perdonar a quienes nos han hecho mal. Cuando entendemos su perdón, perdonamos.

5 de febrero

El poder sanador del perdón

Si perdonáis a los hombres sus ofensas, vuestro Padre celestial os perdonará también a vosotros. Mat. 6:14.

Hacía más de un año que Noemí se hacía tratar por el Dr. William Wilson. Víctima de abuso en su niñez, luchaba ahora —en la plenitud de su adultez— contra su propia ira incontrolable. Sus arrebatos eran tan violentos y debilitantes que sus doctores llegaron a recomendarle psicocirugía.

Un día, el Dr. Wilson la oyó por enésima vez referirse a toda la gente con la que estaba enojada. Él ya no sabía qué hacer para tratar la hostilidad tan arraigada de Noemí; pero de pronto, se le ocurrió que si ella lograba encontrar la manera de *perdonar* a quienes la habían perjudicado, tal vez podría sanar. Dándose cuenta de que el poder de perdonar procede sólo de Dios, el facultativo comprendió que Noemí... ¡necesitaba a Dios!

Con todo, aun sugerirlo tenía sus complejidades. Él era un destacado psiquiatra, cuyos certificados y premios atestiguaban de sus méritos profesionales. ¿Podría algo tan simple como el perdón lograr alguna diferencia en este caso?

El Dr. Wilson habló con Noemí acerca de cómo su resentimiento y amargura la estaban aprisionando, y ella comenzó a llorar. Al preguntarle el psiquiatra sobre sus convicciones religiosas, Noemí se mostró ansiosa de conocer a Cristo, pero no sabía cómo aceptarlo. El Dr. Wilson le explicó entonces cómo podría recibir el perdón que Jesús ofreciera en la cruz. Tras aceptar el perdón de Cristo, Noemí comenzó a cambiar; y a partir de entonces pudo, con la ayuda del Dr. Wilson, considerar el perdón como parte de su tratamiento para la cura de su enojo crónico. Fue un proceso a conciencia. Noemí tuvo que confrontar cosas dolorosas de su pasado, y perdonar conscientemente, pero al menos ahora tenía medios para sanarse. Tenía el perdón de Cristo. Con el tiempo, Noemí se liberó de la ira que había plagado su vida emocional, y comenzó a disfrutar de relaciones sanas con sus compañeros de trabajo y sus parientes, por primera vez en décadas.

El principio individual más poderoso para la sanidad espiritual es el perdón. Cuando alguien nos hiere profundamente, daña nuestras emociones, destruye nuestra confianza y destroza nuestro sentido de seguridad. El perdón es el bálsamo de Dios para los corazones quebrantados. Cuando Jesús pendía de la cruz, tratado injustamente y crucificado cruelmente, oró así: "Padre, perdónalos, porque no saben lo que hacen" (Luc. 23:34).

El perdón abre las puertas de la mente al amor de Dios, amor con el que podremos responder a quienes nos maltratan. El perdón no es una emoción, sino una elección. ¿Alguien lo ha maltratado o herido profundamente? ¿Le guarda resentimiento? Éste es el momento para elegir perdonarle. Si decide no hacerlo, la ira, el resentimiento y la amargura lo dominarán hasta destruirlo por completo. Si Jesús pudo perdonar a quienes lo crucificaron injustamente, usted también puede perdonar a quienes lo han herido.

Cuando uno no puede perdonar (Primera parte)

Porque tú, Señor, eres bueno y perdonador,
y grande en amor hacia todos los que te invocan. Sal. 86:5.

En 1985, el entonces presidente de los Estados Unidos, Ronald Reagan, visitó el cementerio militar alemán de Bitburg y colocó una ofrenda floral en el monumento que allí se alza. Lo hizo como un gesto de reconciliación, una manera de decir adiós a los dolorosos recuerdos de la Segunda Guerra Mundial. Sin embargo, su gesto provocó una protesta internacional, porque allí yacían 49 miembros de la policía secreta nazi, responsables de muchísimas atrocidades contra el pueblo judío.

El motivo de la protesta no era el gesto de reconciliación por parte del presidente Reagan, sino el hecho de que él no tenía derecho a perdonar las atrocidades cometidas contra el pueblo judío. Sólo los judíos tienen ese derecho. Como dijera en su momento el poeta John Dryden, "a los heridos pertenece el perdón". Sólo los heridos —los ofendidos, los perjudicados— tienen derecho a perdonar. El ensayista Lance Morrow lo explicó así: "El presidente Reagan puede perdonar a John Hinckley por balearlo, pero no a Ali Agca por balear al papa Juan Pablo II. Sólo Juan Pablo puede hacer eso".

Cuando le hacemos mal a alguien, con frecuencia el Espíritu Santo nos insta a pedir perdón. Hay gente que por años lleva el peso de su culpa. Erige barreras en su relación con los demás. Su conciencia los condena por algo que hicieron, algo que ofendió a un familiar o a un amigo. Cuando lastimamos a alguien, lastimamos realmente a un hijo de Dios, y por ello —de manera muy real— a Dios mismo. Recuerde: "A los heridos pertenece el perdón".

El primer paso para la sanidad espiritual consiste en confesar nuestro pecado a Dios. Está escrito: "Si confesamos nuestros pecados, [Dios] es fiel y justo para perdonar nuestros pecados, y limpiarnos de toda maldad" (1 Juan 1:9). Cuando en arrepentimiento acudimos a Dios, y le pedimos perdón, él nos libera de la condenación del pecado. Nuestra culpa moral se desvanece. Pablo declara una verdad eterna cuando en Hechos 24:16 dice, "Por esto procuro tener siempre una conciencia sin ofensa ante Dios y ante los hombres". Hay diferencia entre la culpa moral y la culpa psicológica.

Dios nos libera de la culpa moral en el instante mismo en que confesamos nuestro pecado. Él no espera hasta que arreglemos las cosas con la persona a quien hemos ofendido. A menudo, la culpa psicológica permanece hasta que, en el perdón de Dios, pedimos perdón a quien hemos ofendido. Habiendo experimentado el perdón divino, sentimos ahora el deseo de que también nos perdone la persona a quien hemos ofendido. Cuando alguien nos pide perdón por habernos lastimado, y nosotros —la parte lastimada— lo perdonamos genuinamente, a menudo se entabla una nueva relación. Se desploman los muros. Ambas partes podemos regocijarnos en el bálsamo sanador del perdón.

7 de febrero

CUANDO NO PODEMOS PERDONAR (SEGUNDA PARTE)

Al contrario, vosotros más bien debéis perdonarle y consolarle, para que no sea consumido de demasiada tristeza. 2 Cor. 2:7.

El pesar y la rabia se posesionaron de Elizabeth y Frank Morris luego de que un conductor ebrio matara a su hijo Ted. Su ira recrudeció especialmente durante el juicio de Tommy —el joven acusado de dar muerte a Ted—, al enterarse de cómo se había embriagado, subiéndose luego a un auto y lanzándose calle abajo, hasta chocar de frente contra el auto de Ted.

Frank Morris vivía obsesionado estudiando hasta el más mínimo detalle el proceso legal, y aguardando el día en que Tommy fuera declarado culpable. Y en cuanto a Elizabeth, cuando no contemplaba el suicidio, fantaseaba con la idea de activar personalmente la silla eléctrica el día de la ejecución de Tommy.

El tormento de la pareja no acabó con la sentencia de Tommy. Ellos se consideraban cristianos, pero la intensidad de su propio odio los dejó anonadados. Sorprendida y consciente de su situación, Elizabeth comenzó a orar al respecto.

Un día escuchó una charla que Tommy dio en la escuela de Ted, como parte de su programa de rehabilitación. El joven parecía genuinamente arrepentido, de modo que Elizabeth se armó de valor y decidió hablar con él al concluir la charla. Además, al enterarse de que nadie lo visitaba en la cárcel, decidió que ella lo haría.

La visita inicial comenzó con breves momentos de tensa conversación. De pronto, Tommy no pudo más y dijo:

—Sra. Morris, me siento terriblemente mal. Perdóneme, por favor.

Frente al asesino de su hijo, Elizabeth se sintió paralizada. Aunque por un lado deseaba dejar atrás la rabia y el dolor que la invadían, por el otro sentía una fuerza instintiva imperiosa, que clamaba ¡venganza!

De pronto, algo sucedió que la llevó más allá de la lógica del resentimiento y la venganza. Oyó —como cayendo a su lado—, las palabras del Crucificado: "Padre, perdónalos... Padre, perdónalos". Y se dio cuenta de que podía perdonar, porque ella misma había sido perdonada... En silencio, Elizabeth oró: "Querido Dios, tú también perdiste a tu único Hijo, y sin embargo perdonaste a los que lo mataron..." Elizabeth Morris perdonó a Tommy, y a su vez le pidió perdón por el odio que había alimentado contra él por meses.

El perdón de Cristo es la actitud de gracia que derrite nuestros corazones endurecidos.

Extendamos hoy nuestro perdón amante a quien fuere que nos haya herido. Al perdonar benevolentemente a nuestros ofensores, veremos desmoronarse las barreras que nos separan. Experimentaremos con gozoso asombro el poder sanador del perdón en nuestra propia vida y en la de quienes nos rodean.

De asesino a hijo

Si mirares a los pecados, ¿quién, oh Señor, podrá mantenerse? Pero en ti hay perdón. Sal. 130:3, 4.

Ayer compartí con usted el comienzo de la conmovedora historia de Elizabeth Morris y la forma cómo llegó a perdonar al joven conductor ebrio que mató a su hijo. Permítame hoy contarle el resto de la historia. Elizabeth continuó visitando a Tommy en la prisión. Incluso llegó a convencerlo de que Dios podría ayudarlo a vencer la adicción al alcohol, que lo había esclavizado durante ocho años. Y Tommy comenzó un curso bíblico intensivo.

Un día, Frank —el esposo de Elizabeth— tuvo que ir a buscar a Tommy a la prisión para llevarlo a un programa de rehabilitación. Frank no se sentía seguro de poder sostener una conversación con el joven, pero mientras viajaban Tommy le habló con entusiasmo acerca de lo que estaba aprendiendo en la Biblia. Era obvio que se había entregado a Cristo.

—Me gustaría bautizarme —dijo el muchacho.

Pasaban en ese instante frente a la iglesia de Frank, quien había recibido en ella la autoridad para bautizar. Más que coincidente, el momento parecía providencial.

Lentamente, entraron al santuario vacío. Frank guió a Tommy hasta el bautisterio, y ambos descendieron al agua. Mientras Frank invocaba la presencia del Padre, del Hijo y del Espíritu Santo, recordó que había dirigido el bautismo de su propio hijo.

Al salir de las aguas bautismales, Tommy abrazó a Frank y le rogó:

—Le suplico que también usted me perdone...

Mientras aún caían de sus ropas las gotas de las aguas bautismales, Frank sintió que el costoso perdón de Cristo fluía a través de él, cuando susurró:

—Yo también te perdono.

Desde el punto de vista humano, las posibilidades de una rehabilitación completa no eran del todo buenas para Tommy. Llevaba aún las marcas psicológicas propias de su entorno familiar disfuncional. Se había refugiado en el alcohol desde los dieciséis años. Sin embargo, contra toda esperanza, Tommy dejó para siempre su hábito y dedicó su vida al servicio a Dios.

¿Todo por qué? Mayormente, porque encontró en Elizabeth y Frank Morris los padres que nunca había tenido, porque Elizabeth siguió visitándolo todos los días, porque la pareja pidió al juez que les permitiera tener a Tommy bajo su custodia todos los domingos, porque comenzó a comer, a orar y a estudiar con ellos en su hogar. Esta pareja acongojada encontró un hijo nuevo en aquel a quien todos sus sentidos les habían enseñado a odiar.

¿Cuesta algo el perdón? ¡Por supuesto que sí! ¿Vale la pena el precio? Pregúntenles a Elizabeth y a Frank Morris.

9 de febrero

En las manos de Dios

Bendito sea el Dios y Padre de nuestro Señor Jesucristo, que nos bendijo con toda bendición espiritual en los lugares celestiales en Cristo. Efe. 1:3.

El Dr. William P. Wilson, profesor de psiquiatría en la Universidad Duke, es un especialista de renombre mundial, cuyos artículos sobre psicoterapia, publicados en las principales revistas clínicas, le granjearon el interés y el respeto de muchísimos de sus colegas en la comunidad médica.

Además de su excelencia profesional, el Dr. Wilson llama la atención por aplicar ideas bíblicas al campo de la psicoterapia. A menudo, sus clientes sienten la necesidad elemental de aceptación, amor, seguridad y gozo en sus vidas. En su libro *The Grace to Grow* (Gracia para crecer), cuenta la historia de Pedro.

Pedro nació con un defecto visual agudo. Aun con gafas de media pulgada de espesor, sólo podía ver sombras. De niño, nunca pudo aprender a leer. Y como los demás chicos se burlaban de él en la escuela, pronto las abandonó.

A los diez años comenzó a robar objetos baratos en tiendas pequeñas. A los 21 era un cleptómano consumado. Robar le reportaba satisfacción, una íntima sensación de poder y control. A los 30 años tenía el garaje de su casa lleno de herramientas y artículos de ferretería robados, que en realidad nunca había usado. Conservaba los artículos robados en sus paquetes originales, y seguía robando.

Tras analizar cuidadosamente el caso de Pedro, el Dr. Wilson procuró reforzar la estima personal del joven, compartiendo con él algunas ideas tomadas de las Escrituras. Al cabo de un año, Pedro pudo —por fin— tener un concepto propio totalmente distinto. Resueltamente devolvió todos los artículos que había robado, comenzó a leer la Biblia en una versión especial de letras más grandes, y cambió su vida para bien, de manera sorprendente.

A tal punto llegó, que en un retiro cristiano para médicos, abogados y empleados selectos del gobierno, este hombre apenas educado pudo compartir con ellos el testimonio de la gracia de Dios en su propia vida. Sosteniendo la Biblia de letra grande a seis pulgadas de su rostro, comenzó a leerles el impresionante mensaje de Pablo a los efesios, según el cual, Dios "en amor habiéndonos predestinado para ser adoptados hijos suyos por medio de Jesucristo, según el puro afecto de su voluntad, para alabanza de la gloria de su gracia, con la cual nos hizo aceptos en el Amado" (Efe. 1:5, 6).

La perspectiva espiritual que Pablo presentara en su Epístola a los Efesios cambió la vida de Pedro. ¡Que nuestro corazón se regocije! ¡Que nuestro espíritu salte de gozo! ¡Somos elegidos en Cristo! ¡Aceptados por él! Y, "llegado el tiempo", ¡nos reunirá como una sola familia! Bien podemos cantar de alegría por esto: ¡Estamos en buenas manos!

La ira es mortal

Porque cual es su pensamiento en su corazón, tal es él. Prov. 23:7.

John Hunter, famoso cirujano del siglo XVIII, sufría de agudos ataques de angina de pecho. Sus continuas explosiones de ira agravaban su situación, pero en vez de tratar de resolver el problema, sólo se lamentaba diciendo:

—Mi vida está a merced de cualquier bribón que escoja enfurecerme.

De hecho, un día ocurrió. Uno de sus colegas del hospital San Jorge de Londres encendió la chispa de su ira. Tras discutir ambos acaloradamente, el Dr. Hunter se retiró de la reunión enfurecido, y cayó muerto en la siguiente habitación a la que entró.

Confucio dijo: "El hombre airado está siempre lleno de veneno". Su declaración encierra una verdad fisiológica: el espíritu airado, amargado e implacable produce substancias químicas nocivas para la salud.

¿Cómo podemos tratar la ira? ¿Hay en las Escrituras pautas específicas que podrían ayudarnos a sobreponernos a la ira que sentimos? Sí. No siempre podemos determinar si habremos de airarnos o enojarnos, pero sí podemos elegir no permitir que la ira o el enojo nos domine. El apóstol Pablo hace una declaración fascinante respecto a la ira: "Airaos, pero no pequéis; no se ponga el sol sobre vuestro enojo" (Efe. 4:26). La versión popular de la Biblia, *Dios habla hoy*, traduce así este texto: "Si se enojan, no pequen; y procuren que el enojo no les dure todo el día". Esto significa que cuando siente la emoción de la ira, usted *puede* controlarla. No se deje vencer por la ira; reconozca abiertamente que está furioso o furiosa. Dígaselo a Dios con toda franqueza, y entréguele a él su ira.

Negar que nos sentimos enojados o reprimir la emoción de la ira sólo conduce a crear nuevos traumas físicos y emocionales, mientras que expresar a los demás nuestros sentimientos de ira o de enojo de manera inadecuada sólo consigue erigir más barreras de separación. En cambio, expresar a Dios nuestro enojo, contándole sinceramente cómo nos sentimos, abre y prepara nuestro corazón para recibir la sanidad del cielo.

Cuando Caín se enfureció contra su hermano Abel, Dios le preguntó: "¿Por qué te has ensañado?" (Gén. 4:6). Sería bueno que nosotros también nos lo preguntáramos. Tras reconocer sinceramente nuestro enojo ante Dios, convendría que indagáramos "por qué" estamos enojados. Una vez identificado el motivo de nuestro enojo, el apóstol nos insta a tratar de resolverlo cuanto antes.

Si no tratamos nuestra ira rápidamente, el diablo la usará para controlarnos. Cuando sienta el enojo crecer dentro de usted, presénteselo a Dios. Pídale que le revele la causa de su ira. Confiésesela a él. De ser necesario, diríjase a la persona que motiva su enojo y procure arreglar las cosas. Recuerde que la ira no es su amiga. Si le da rienda suelta, terminará destruyéndole la vida.

ÉL ME RESCATÓ

Y dará a luz un hijo, y llamarás su nombre JESÚS, porque él salvará a su pueblo de sus pecados. Mat. 1:21.

En 1914, durante una de sus expediciones al Antártico, el barco de Sir Ernest Shackleton, *Endurance,* chocó contra un témpano de hielo. La tripulación quedó a la deriva por varios días, hasta dar finalmente con la isla Elefante.

Shackleton ordenó a sus hombres levantar un campamento donde pudieran guardar las provisiones y procurar sobrevivir el invierno entrante, pero también se dio cuenta de que —al desconocer su situación y paradero— nadie vendría a rescatarlos. Para colmo, los separaban del mundo las aguas heladas del océano. Sólo quedaba una esperanza para el rescate: alguien tendría que cruzar ese océano hostil para conseguir ayuda.

Shackleton preparó una lancha ballenera de 22 pies de largo y escogió seis voluntarios de su tripulación para el viaje. Planeaba cruzar 800 millas de aguas tempestuosas para poder llegar a una estación ballenera noruega, en la gélida isla de Georgia del Sur.

Parecía una misión imposible para una ballenera al descubierto, en la peor época del año, pero Shackleton zarpó con sus hombres. Durante varios días se acurrucaron debajo de la manta improvisada de algunas velas, manteniendo la proa hacia las olas embravecidas, y rogando que el viento no destrozara la pequeña embarcación. Pasaron hambre y sed, aguantaron un frío que calaba hasta los huesos, durmieron en bolsas de dormir endurecidas por el hielo, mientras las gélidas aguas golpeaban sus espaldas.

Diecisiete días después de iniciado el viaje —cuando ya desfallecían de sed y por la inclemencia del tiempo—, alcanzaron a vislumbrar los riscos oscuros de Georgia del Sur. Shackleton había logrado su propósito. Pronto, desde allí enviarían un barco para rescatar al resto de la tripulación perdida.

Jesús también vino en una misión de rescate. Nosotros estábamos irremisiblemente perdidos. Abandonados a nuestra suerte en esta isla rocosa e inhóspita que llamamos Tierra. Él dejó la seguridad de su hogar. Dejó el culto y la adoración de los ángeles y la gloria de la eternidad, y, sobre todo, la intimidad de su compañerismo con el Padre, a quien había estado ligado desde la eternidad. Jesús lo arriesgó todo al venir a la Tierra. Enfrentó todo el poder de las tentaciones de Satanás. Experimentó plenamente la furia incontenible del odio del maligno. Jesús hizo este asombroso sacrificio por una sola razón: nos amaba demasiado para quedarse cómodo en el cielo, mientras nosotros nos perdíamos. Nos amaba demasiado para quedarse con el Padre, mientras nosotros caíamos bajo las garras del pecado. Jesús se lanzó al gélido océano de este mundo de pecado para redimirnos. ¡Qué Salvador! ¡Qué Redentor! ¡Qué Libertador! Bien vale la pena amarle y servirle para siempre.

Un mañana mejor

Y si me fuere y os preparare lugar, vendré otra vez, y os tomaré a mí mismo, para que donde yo estoy, vosotros también estéis. Juan 14:3.

Una de nuestras mayores necesidades psicológicas es la esperanza. La gente desesperada se siente atrapada y hace cosas impredecibles contra ella misma o contra los demás. Se dice que "uno puede vivir algunas semanas sin comida, algunos días sin agua, pero sólo unos pocos momentos sin esperanza". La esperanza eleva nuestros espíritus, anima nuestros corazones, nos inspira a seguir adelante aun en los peores momentos. A veces, todo lo que necesitamos para mantenernos es una vislumbre de esperanza, creer que algún día las cosas van a ir mejor que hoy.

Jesús les dio a sus discípulos razón suficiente para que se llenaran de esperanza. Justo antes de su crucifixión, los alentó con estas palabras: "No se turbe vuestro corazón" (Juan 14:1). Dicho de otro modo: No se angustien, no se llenen de ansiedad, no dejen que los abrume la preocupación o que los controle el dolor. "Vendré otra vez, para llevarlos conmigo" (Juan 14:3, versión popular *Dios habla hoy*).

Jesús prometió que regresaría por los suyos. Prometió llevarnos a un lugar mejor, que está preparando para nosotros. Él es quien sostiene el futuro, el que tiene la última palabra.

La promesa del retorno de nuestro Señor y Salvador se acentúa y reitera a lo largo de las Escrituras. Por cada pasaje del Antiguo Testamento que se refiere a la primera venida de Jesús, ocho se refieren a la segunda. La segunda venida de Cristo se menciona más de 1.500 veces en la Biblia. Se alude a ella en uno de cada veinticinco versículos del Nuevo Testamento. La promesa del retorno de Cristo nos da una firme esperanza en tiempos de incertidumbre. Las Escrituras nos aseguran que la historia terminará con la gloriosa aparición de Jesucristo, no con una guerra nuclear, biológica o química. Nuestro futuro no depende del hongo de una nube de humo y de polvo, sino de la que formen Jesucristo y sus huestes de gloria al acercarse a la Tierra.

Lea las confiadas palabras de Pablo en Tito 2:13: "aguardando la esperanza bienaventurada y la manifestación gloriosa de nuestro gran Dios y Salvador Jesucristo". La bendita esperanza puede sostenernos con la mirada fija en lo alto, aun cuando nos asalte la tragedia, la enfermedad, la devastación, el desastre, la muerte, el desaliento o la depresión. La bendita esperanza nos eleva de lo que es a lo que será. Enfoca nuestros ojos en las glorias del cielo, antes que en las dificultades de la Tierra.

El regreso de nuestro Señor siembra la semilla de la fe en nuestros corazones. Aférrese de la esperanza. Aliméntese de ella. Atesórela. Permita que su corazón se eleve con la realidad de esta certeza: *"Sea lo que fuere que hoy tenga que afrontar, me aguarda el brillante futuro que mi amado Salvador ha planeado para mí"*.

Adueñese de un futuro brillante

Mas el que nos hizo para esto mismo es Dios, quien nos ha dado las arras del Espíritu.
2 Cor. 5:5.

Los escritores del Nuevo Testamento nos dan una perspectiva singular en lo que respecta al reino venidero y a la vida eterna. Perciben la vida eterna como algo que ya se ha iniciado en su interior; y las cualidades de amor, gozo y paz, como muestras de la buena vida que habremos de disfrutar en el reino venidero.

Pablo resume lo dicho, en su carta a los Romanos. Contrastando la antigua vida sin fe con la nueva de fe, dice: "así como el pecado reinó para muerte, así también la gracia reine por la justicia para vida eterna mediante Jesucristo, Señor nuestro" (5:21).

Antes reinó el pecado. La crueldad, el odio y el egoísmo dieron como resultado la muerte; pero ahora reina la gracia. Y lo hace a través de la justicia y las cualidades que el Espíritu Santo produce. La gracia conduce a la vida eterna, a la calidad de la vida de Cristo; vida que podemos empezar a experimentar desde ahora, y que nos permitirá atravesar aun el fuego y el humo, hasta llegar a la segunda venida de Cristo.

Hace veinte siglos, el Hijo del Dios viviente se dio a sí mismo por los seres humanos débiles y pecadores. Lo hizo para salvar a este mundo, secuestrado por el terror del pecado. Todas las tragedias humanas pesaron sobre sus hombros, hasta acabar lentamente con su vida; pero por su sacrificio, Jesús anuló la maldición del pecado, quebrantó la reacción en cadena del odio, la crueldad y el sufrimiento.

Éste es el Salvador que vendrá, el que aparecerá glorioso en las nubes de los cielos, y el que también nos ofrece el más brillante de todo posible futuro.

Es ahora el tiempo de adueñarnos de ese futuro. Es ahora el tiempo de reclamarlo como nuestro. No permitamos que ninguna amenaza de terror nos intimide. Ni respondamos al odio con odio. Apropiémonos de nuestro brillante futuro. Dios ha hecho hasta lo imposible para hacérnoslo posible. Ha hecho el mayor de los sacrificios para poner ese futuro en nuestras manos.

Ahora depende de nosotros. Podemos escoger ese destino con el amado Hijo de Dios; podemos decidir aquí y ahora, que habremos de estar entre quienes les den la bienvenida a su glorioso retorno. Podemos desde ya abrir nuestros corazones, para asegurarnos de que también habrán de estar abiertos en aquel día glorioso. Aferrémonos la bendita esperanza. Pongamos nuestras vidas en las manos de nuestro bendito Salvador.

Terror nuevo, guerra antigua

Después hubo una gran batalla en el cielo: Miguel y sus ángeles luchaban contra el dragón; y luchaban el dragón y sus ángeles; pero no prevalecieron, ni se halló ya lugar para ellos en el cielo. Apoc. 12: 7, 8.

El día en que tres aviones de pasajeros se estrellaron contra el Centro Mundial de Comercio de Nueva York y el Pentágono, el mundo cambió. Quedamos estupefactos. El 11 de septiembre de 2001 sucedió algo que nos lanzó a un nuevo tipo de miedo, a un nuevo tipo de tristeza, a un nuevo tipo de guerra. Los oficiales del gobierno de los Estados Unidos la calificaron como "la nueva guerra contra el terrorismo". En realidad, se trata de una guerra muy antigua... y sorprendentemente comenzó en los cielos.

Cuando pensamos en el cielo, pensamos en la paz, no en la guerra; en el gozo, no en la tristeza; en la calma, no en el terror. ¿Cómo puede ser que la guerra se haya iniciado en el cielo?

Dios dio libre albedrío a todos los seres creados a su imagen. Habernos privado de la libertad de elegir, habría equivalido a quitarnos algo de lo que nos distingue como humanos, algo de la imagen de Dios en nosotros.

Dios valora la libertad. Cuando se elimina la capacidad de elegir, se elimina la oportunidad de amar. Y cuando no hay oportunidad de amar, tampoco la hay de felicidad duradera. El amor no se puede obligar.

Hace miles de años, una de las criaturas de Dios comenzó a albergar sentimientos extraños. Empezó a dudar de la sabiduría y la justicia de Dios. Su nombre era Lucifer, "Lucero de la mañana". Había ocupado un lugar de privilegio cerca del trono de Dios, pero disconforme con ello, permitió que la envidia y los celos dominaran su alma.

Lucifer quería para sí el homenaje y la gloria de Dios. Se obsesionó con su posición. Los celos envenenaron su corazón al punto de creer que sólo se sentiría realizado si eliminaba a Dios. Persuadió a otros seres celestiales, haciéndoles creer que Dios no era justo ni confiable, y que ellos estarían mucho mejor sin él, y le declaró la guerra.

Lucifer pintó a Dios como enemigo, y volcó todo su descontento y frustración en una sola idea: escaparse (y ayudar a otros a escapar) del control de Dios. Se convenció a sí mismo de que valía la pena el sacrificio, con tal de intentar derrocar a Dios. Como también valdría la pena encender la mecha del conflicto, aun si no ganaba. A su juicio, valía la pena llegar hasta perder el cielo.

Lucifer perdió esa primera batalla cósmica. Dios lo echó del cielo. Cada vez que Dios y Lucifer luchan, Dios gana y Lucifer pierde. Dios nunca ha perdido una contienda con Lucifer. Delo por seguro. Puede que haya derrotas aparentes, pero Dios ganará la guerra. Y estamos del lado ganador.

Frente al miedo

Y levantándose, reprendió al viento, y dijo al mar: Calla, enmudece. Y cesó el viento, y se hizo grande bonanza. Mar. 4:39.

Al atardecer, la pequeña barca pesquera cruzó el mar de Galilea. Jesús y sus discípulos habían hecho ese viaje muchas veces, pero hoy todo era diferente. En apenas instantes, se desencadenó una tormenta impresionante. El viento azotaba sin misericordia las olas alzadas, mientras sobre ellas el bote sucumbía al capricho de su ira. Los avezados pescadores, ahora presos del pánico, creían que morirían. Desesperados, mientras Jesús dormía en la popa, llegaron hasta él con la pregunta inevitable:

—¡Maestro! ¿No tienes cuidado que perecemos?

Jesús se levantó, y alzando su mano hacia los elementos, "reprendió al viento, y dijo al mar: Calla, enmudece" (Mar. 4:39). Al son de dos palabras de su boca, todo cambió. Se disiparon las nubes oscuras. El viento cesó. Las olas amainaron. "y se hizo grande bonanza" (vers. 39).

Frente al quieto cristal de las aguas azules, los discípulos apenas podían creerlo. "¿Quién es éste, que aun el viento y el mar le obedecen? " (Mar. 4:41).

¿Quién podía ser sino el que tiene el poder de todos los elementos en sus manos? El que puede transformar aun la situación más peligrosa. El que tiene bajo control la naturaleza toda. Aquel a cuya voz hasta el viento y el mar obedecen.

Jesús crea la paz, y promete traerla a cada uno de nosotros.

En el mundo suceden cosas terribles. Se avecinan más y más problemas, pero Jesús ha vencido ya el mal de la Tierra. Ha vencido el caos externo e interno. Es mucho más poderoso que cualquier cosa que pueda pasarnos. Por eso puede traernos paz.

Hay un poder enorme detrás de la paz que da Cristo, un poder que podemos reclamar en nuestras circunstancias más difíciles, cuando nos sobrecoge la ansiedad o nos atormenta la preocupación.

El miedo se reduce a aquello en lo que más pensamos. Y la paz se reduce a aquello en lo que más pensamos. Por eso, el apóstol Pablo nos transmite la gloriosa promesa de la paz en su carta a los Filipenses.

Hay una paz que sobrepasa todo entendimiento. Cuando nuestras mentes no pueden entender, nuestros corazones pueden todavía confiar. Podemos allegarnos al Cristo que calmó la tormenta de ayer, y dejar a sus pies todas nuestras preocupaciones, ansiedades, temores y tensiones. ¿Cómo? De un modo sencillo: eligiendo conscientemente confiarle plenamente nuestras vidas, concentrándonos en su paz antes que en nuestros problemas, permitiendo que la fe disipe nuestro miedo.

Triunfo sobre el terror

Entonces os dije: No temáis, ni tengáis miedo de ellos. Jehová vuestro Dios, el cual va delante de vosotros, él peleará por vosotros, conforme a todas las cosas que hizo por vosotros en Egipto delante de vuestros ojos. Deut. 1:29, 30.

Un antiguo proverbio reza así: "Cuando miramos a nuestro alrededor, los problemas crecen. Cuando miramos a Jesús, los problemas se desvanecen". Hay mucho de verdad en ello. De hecho, no significa que cuando confiemos en Cristo no tendremos dificultades, pero sí que el poder paralizante del miedo no nos dominará.

La mejor manera de anular lo negativo de nuestras vidas estresadas es enfocarnos en lo positivo. Y lo más positivo es Dios mismo. Él es más que la suma de todos nuestros problemas, más que la de todos nuestros fracasos y más que la de todas nuestras preocupaciones. Cuando contemplamos el cuadro completo, viéndolo en perspectiva y acercándonos lo suficiente para oír su voz y permitir su toque, nos damos cuenta de que todo es menos... ¡él es más!

Tras los ataques terroristas del 11 de septiembre de 2001, en Nueva York, el clérigo y escritor James Martin —deseoso de ayudar en lo que pudiera— se puso a disposición de un centro de distribución en Chelsea Piers, para alentar y aconsejar a los sobrevivientes. Como allí le dijeron que ya tenían demasiados sacerdotes, ministros y rabinos, James siguió recorriendo el lugar hasta llegar a un sitio lleno de vehículos del ejército, autos de policía, camiones de bomberos y volquetes. Impulsivamente le preguntó a un sargento de policía si podría servirles tener un clérigo en la Zona Cero.

No bien lo propuso, James sintió un nudo en el estómago, algo que no esperaba: miedo, miedo puro. ¿Podría soportar estar en medio de esa mortandad inimaginable, viendo rescatar de entre los escombros centenares de cuerpos mutilados? El oficial asintió, y de inmediato llegó un auto de policía que transportó a James Martin a lo que antes había sido el Centro Mundial de Comercio. Con cada cuadra hacia el sur, el miedo de James se multiplicaba, mientras que en las calles encontraban cada vez menos gente... Delante de ellos, se alzaba aún el humo del ataque terrorista.

Al llegar a las ruinas de las torres, James encontró gente que necesitaba hablar: voluntarios exhaustos y socorristas estresados que tenían una historia que contar, personas que apreciaban que estuviera allí, junto a ellos. Para entonces, algo más había disuelto el miedo de James Martin. Dios estaba allí. El amor, la gracia y la misericordia eran más fuertes que las ruinas humeantes. Y eso es lo que él eligió ver, lo que le permitió sentirse a salvo en la Zona Cero.

¿Cómo podremos usted y yo sentirnos a salvo hoy? Manteniendo nuestros ojos en el Dios omnipotente que es nuestro refugio en los momentos difíciles.

Refugio en tiempos tormentosos

Diré yo a Jehová: Esperanza mía, y castillo mío; mi Dios, en quien confiaré. Sal. 91:2.

Fue uno de esos días que recordaré mientras viva, aunque empezó como cualquier otro viernes de junio, en Norwich, mi ciudad natal, en el estado de Connecticut. El día había amanecido radiante. Muy por encima de nosotros, las nubes blancas y algodonadas flotaban etéreas en el mar celeste del cielo.

Yo era apenas un adolescente, matando el tiempo, pescando con un amigo, pero esa tarde los peces no mordían el anzuelo. Quizá sabían algo que nosotros no sabíamos.

A media tarde el cielo se oscureció. El viento comenzó a soplar con fuerza. El cielo benevolente de la mañana mostró señales de guerra. Los truenos sonaron como bombarderos en combate, y el resplandor amenazante de los relámpagos nos mostró lo que ya estábamos experimentando: la metralla implacable de la lluvia, empapándonos por completo. Comprendimos de inmediato que no se trataba de una tormenta común. Era tal la intensidad de la lluvia que el río no tardó en desbordarse. Las calles se inundaron. Quedamos atrapados en medio de un huracán sin saber dónde refugiarnos.

Buscando, fuimos a dar al fin debajo de un puente. El nivel de las aguas era allí lo suficientemente bajo como para proporcionarnos algo de seguridad temporal.

Ante cualquier tormenta, nuestro instinto natural nos urge a procurar un sitio seguro. Anhelamos encontrar un lugar de refugio. Y esto no es menos cierto en lo que respecta a las tormentas de la vida. Afortunadamente, hay un lugar prometido, de máxima seguridad. Dios mismo promete estar a nuestro lado. Los profetas hebreos lo descubrieron hace ya mucho tiempo. Note lo que dice el salmista: "Diré yo a Jehová: Esperanza mía, y castillo mío; mi Dios, en quien confiaré... Con sus plumas te cubrirá, y debajo de sus alas estarás seguro. Escudo y adarga es su verdad. No temerás el terror nocturno, ni saeta que vuele de día" (Sal. 91:2, 4, 5).

¡Qué descripción más bella y tranquilizadora de nuestro poderoso Señor! Debajo de sus alas estamos seguros. Su fidelidad es como un escudo y aun como una muralla. Él es quien neutraliza "el espanto nocturno".

El salmista escogió términos militares de su época para describir la protección de nuestro Dios. Vivir bajo el cuidado de Dios es más seguro que la más segura de las fortalezas militares. Confiar en su poder proporciona mayor defensa que la que dan los ejércitos más poderosos. Su amor nos circunda con un escudo defensor más fuerte que cualquier armadura antigua.

Aunque sintamos a veces el acicate del miedo, no tiene por qué invalidarnos. Aunque a menudo nos asalten las preocupaciones, no tienen por qué paralizarnos. Por mucho que sintamos ansiedad, no tiene por qué apoderarse de nosotros. En las manos del Padre estamos seguros y a salvo, ahora y por siempre.

Fe ante un mundo acelerado

Porque por fe andamos, no por vista. 2 Cor. 5:7.

El mundo acelerado del siglo XXI parece haber sido lanzado a un lugar mucho más tormentoso. En el Estado de California, donde resido, muchos conductores recurren a las armas para resolver simples cuestiones de tránsito. Las normas de etiqueta en las carreteras se han convertido en asuntos de vida o muerte.

Los narcóticos y estupefacientes de moda están al alcance de los alumnos de escuela secundaria. La crudeza y la violencia acaparan la atención. La pornografía se ha mudado de los callejones de los barrios bajos a la comodidad de nuestras salas. Los grupos terroristas internacionales están convirtiendo los virus biológicos mortales en armas de destrucción masiva; mientras que en otro contexto, un solo virus de computadoras puede mantener en vilo la economía entera.

El personaje de historieta Charlie Brown decía: "Tengo una nueva filosofía: voy a tener miedo un día a la vez". Pero, ¿cómo vivir los días "de a uno" en medio del furor de la tormenta? ¿Cómo formar familias saludables? ¿Cómo encontrar alguna medida de paz?

En el Nuevo Testamento encontramos una orden ofrecida a manera de antídoto contra el estrés y la ansiedad. Se trata de algo que los apóstoles repiten vez tras vez: vivir por la fe.

Con 483 referencias, el Nuevo Testamento destaca la fe por encima de toda otra cualidad. Jesucristo mismo se mantuvo señalándola como la única esperanza para los cojos, los ciegos, los orgullosos y los quebrantados de corazón. Los apóstoles centraron el mensaje del Evangelio en torno a la fe:

1. "El justo vivirá por la fe" (Gál. 3:11).
2. "Mi justo vivirá por la fe" (Heb. 10:38, NVI).
3. "Vivo por la fe en el Hijo de Dios" (Gál. 2:20, NVI).
4. "Vivimos por fe, no por vista" (2 Cor. 5:7, NVI).

¿Qué es la fe? ¿Cómo se define? ¿Qué quisieron decir los escritores bíblicos cuando usaron expresiones como "el justo vivirá por la fe" o "andará por fe"?

El término que en castellano se traduce como fe es, en el lenguaje del Nuevo Testamento, una palabra fuerte, dinámica y vibrante. Equivale a confiabilidad, creencia y confianza. Los escritores bíblicos siempre aludían a ella en relación con aquel en quien uno podía depositarla. Podría definirse la fe como el don de Dios que nos lleva a una relación de confianza con nuestro Padre celestial, semejante a la que tenemos con nuestros amigos cercanos: confianza basada en la certeza de que él siempre nos hará bien, y no mal. Lo cual nos lleva a creer que, en última instancia, hará brotar el bien aun de las peores circunstancias, fundamentalmente porque se interesa profundamente en nosotros. La vida de la fe es de confianza continua, hora tras hora y día tras día. Hoy lo invito a este tipo de vida de confianza.

Cuando Dios descendió al campo de batalla

Con la mira de manifestar en este tiempo su justicia, a fin de que él sea el justo, y el que justifica al que es de la fe de Jesús. Rom. 3:26.

Tras los ataques del 11 de septiembre de 2001, los Estados Unidos comenzaron a prepararse para su respuesta. Al principio, algunos estadounidenses pensaron que bastaría con unos cuantos misiles colocados en lugares estratégicos. Tenían portaaviones con aviones de guerra mortíferos dirigidos hacia el Golfo Pérsico, y aviones espías listos para desplegarse sobre Afganistán, capaces de detectar hasta un simple camello andando pesadamente en un sendero montañoso. Pronto, sin embargo, se dieron cuenta de que no iba a ser tan fácil ni tan rápidamente. La guerra contra el terrorismo no podría ganarse a la distancia. Tendrían que buscar personalmente al enemigo y afrontar bajas.

La guerra contra el terrorismo requiere de tiempo y seriedad. Esto nos lleva a pensar en la respuesta de Dios mismo al reto de Lucifer. La respuesta de Dios constituye el factor clave del éxito en lo que respecta a enfrentar el mal en el mundo de hoy: su acción contra los celos, el resentimiento y el odio. Su manera de responder cuando se le acusa de ser el enemigo.

Dios no luchó a la distancia. Se acercó, descendió al campo de batalla. Concretó su compromiso en la persona de Jesucristo. Y estas son las buenas nuevas en las que podemos confiar al encarar el terror. El apóstol Pablo dice: "Gracia y paz sean a vosotros, de Dios el Padre y de nuestro Señor Jesucristo, el cual se dio a sí mismo por nuestros pecados para librarnos del presente siglo malo" (Gál. 1:3, 4).

Dios quiere librarnos "de este presente siglo malo". Quiere librarnos de sus terrores. ¿Cómo lo hace? Dándose a sí mismo por nuestros pecados, en Cristo, sobre la cruz. Perdiéndose por nosotros en el campo de batalla. Él absorbe en su cuerpo todo lo que tememos. Absorbe en su propia carne todos los odios del mundo mal dirigidos.

¿Nos gobierna Dios a la distancia? ¡De ninguna manera! Él vino a derramar su sangre por nosotros. ¿Acaso busca alguna manera de condenarnos, para mantenernos en nuestro lugar? ¡Para nada! Murió para pagar la pena por nuestros pecados.

Como víctima de la violencia sobre la cruz, el Todopoderoso demostró que la violencia y la coacción no constituyen la respuesta. Mostró por qué él sí tiene derecho a ser nuestro señor soberano. Su amor sacrificado se lo adjudica.

Por eso hoy, la pregunta real para nosotros es: ¿de qué lado estamos en lo que respecta al amor de Dios? ¿Ha llenado su vida el amor divino? ¿Revela usted el amor de Dios en el seno de su familia, en la escuela, en el trabajo y en sus relaciones cotidianas? Al final de los tiempos, el amor de Dios triunfará. Permitamos que ese amor llene hoy nuestras vidas, y se derrame a nuestro alrededor.

Compromiso: Una verdad que escasea

Si alguno quiere venir en pos de mí, niéguese a sí mismo, y tome su cruz, y sígame.
Mar. 8:34.

El sociólogo Stephen Cohen terminó hace poco un exhaustivo estudio sobre la cultura secular contemporánea en los Estados Unidos. Tomó como muestra a quienes considera "judíos moderadamente afiliados", cuya vasta mayoría no es atea, pero tampoco observante estricta. Lo que más notó durante sus entrevistas fue lo que dio en llamar "la soberanía del yo". Hoy por hoy prevalecen las normas del yo. El yo es la medida de todas las cosas. No existen compromisos mayores.

Otros sociólogos han hallado idénticas actitudes en la vasta mayoría de los cristianos modernos. Se trata, simplemente, de la manera de pensar actual. El yo es soberano. Ya no aspiramos a grandes causas ni grandes verdades. Ya no buscamos algo más grande que nosotros mismos a lo cual pertenecer. Buscamos, más bien, algo que nos calce a la medida y con lo que nos sintamos cómodos.

Y mientras tanto todos hemos perdido algo. Una verdad ha desaparecido del paisaje, un elemento primordial de nuestras vidas se ha perdido: el compromiso. Hoy en día es difícil encontrar compromisos reales. Solemos escaparnos de las promesas grandes o importantes. Evitamos entregarnos, invertir seriamente nuestro tiempo o nuestra persona.

Sin embargo, una cosa es cierta: el Nuevo Testamento revela que Jesucristo esperaba compromiso de parte de sus seguidores. Invitó a Mateo a dejar su posición poderosa y lucrativa como recaudador de impuestos, con sólo una palabra: "sígueme". Y según las Escrituras, Mateo "se levantó y le siguió" (Mat. 9:9). En otra ocasión, Jesús apeló así a sus discípulos: "Si alguno quiere venir en pos de mí, niéguese a sí mismo, y tome su cruz, y sígame" (Mar. 8:34). En nuestro cristianismo de hoy —sin cruz, suave, indolente y acomodaticio—, el compromiso, la renunciación y la entrega personal se pasan por alto. No obstante, un cristianismo transigente y sin compromiso carece de sustancia y autenticidad. Carece de poder y de gozo genuino.

Jesús lo dejó bien en claro: "Porque todo el que quiera salvar su vida, la perderá; y todo el que pierda su vida por causa de mí y del evangelio, la salvará" (Mar. 8:35). La satisfacción duradera deriva de una definida sensación de propósito. Y no puede haber tal, sin compromiso con una causa superior a uno mismo. Cuando nos entregamos a algo superior a nosotros, descubrimos la clave de la felicidad verdadera.

No hay compromiso más valioso que la entrega personal a la causa de Cristo. No hay propósito mayor que revelar el amor de Dios a otros. Descubrimos el verdadero sentido de la vida cuando nos entregamos por entero a algo o a alguien. Cuanto más profundo es nuestro compromiso con Cristo y con su misión al mundo, más plena es nuestra vida. Rendida a él, circundada por su amor, halla su razón de ser en una visión más grande.

21 de febrero

COMPROMISO Y ASISTENCIA A LA IGLESIA

Y considerémonos unos a otros para estimularnos al amor y a las buenas obras; no dejando de congregarnos, como algunos tienen por costumbre, sino exhortándonos; y tanto más, cuanto veis que aquel día se acerca. Heb. 10:24, 25.

El compromiso constituye una verdad cada vez más débil en nuestro mundo de hoy.

El compromiso para con las iglesias está desapareciendo. Y sin embargo, es una de las cosas que más necesitamos. Más aún: desfallecemos por carecer de él.

El autor de la carta a los Hebreos dice: "Y considerémonos unos a otros para estimularnos al amor y a las buenas obras. No dejemos de reunirnos, como algunos tienen por costumbre; sino animémonos unos a otros" (Heb. 10:24,25).

"No dejemos de reunirnos". ¿Por qué? Porque nuestra propia naturaleza nos lo exige: así hemos sido construidos espiritualmente. De ahí que se nos anime a procurar "el amor y las buenas obras".

Uno tiene que comprometerse para recibir alimento. No basta con pasar por las iglesias o quedarse a charlar en el vestíbulo. Uno no se alimenta con muestras de sermones. Uno tiene que pertenecer a una congregación para recibir continuo y verdadero alimento. Tiene que permanecer fiel a un grupo para crecer, para entablar el tipo de relaciones que puedan apoyarlo, inspirarlo y, a su vez, para que los otros puedan contar con uno.

Hoy por hoy, hemos perdido de vista esto. No queremos someternos a que otros nos guíen. No nos interesa conformarnos a las reglas institucionales de la iglesia. Hemos obtenido libertad, pero desfallecemos en ella. Nuestras almas siguen una dieta de subsistencia y no obtienen el alimento sólido que necesitan. No oyen lo que —aunque no quieren— necesitan oír.

He aquí tres cosas específicas que uno puede hacer para recibir la mayor bendición espiritual de la iglesia:

1.Comprometerse a asistir semana a semana. Así como comer esporádicamente no nutre el cuerpo, asistir a la iglesia de tanto en tanto tampoco nutre el alma.

2. Preparar su corazón para la adoración por medio de la oración. Dios nos dará la bendición espiritual que nuestro corazón más necesita. Aguardemos su bendición: preparémonos para recibirla. Creamos que Dios habrá de comunicarse con nosotros a través de la música, las oraciones y el sermón.

3. Asistamos a la iglesia con un verdadero sentido de expectativa, no de obligación. Participe activamente en el culto de adoración, en lugar de ser un espectador aburrido. Lleve la Biblia consigo. Concéntrese en las palabras de los himnos y oraciones. Tome nota de los sermones del pastor. Comprométase a recibir una bendición de Dios esta semana.

Las semillas del terrorismo

Quítense de vosotros toda amargura, enojo, ira, gritería y maledicencia, y toda malicia. Efe. 4:31.

¿Qué factores intervienen en la formación de un terrorista? ¿Cómo piensa? ¿Qué contribuye a su manera de pensar? Se trata de gente que ha aprendido a odiar. Se obsesiona con un enemigo. Cree que este enemigo es el responsable de todos sus males, la fuente de todas sus dificultades. La amargura, el resentimiento y la ira son las semillas del terrorismo. Cuando estos elementos se encienden con las llamas del odio, el terrorista está listo para hacer cualquier sacrificio con tal de destruir a quien percibe como enemigo. El terrorismo empieza en la mente. Cuando el odio se aloja en el corazón, concibe al terrorista.

Uno puede darle al diablo un lugar en el corazón, tan ciertamente como Adán y Eva se lo dieron en el Jardín del Edén, con resultados igualmente desastrosos. Satanás gana nuestro jardín interior cuando le cedemos terreno a las semillas del odio, centrando nuestras vidas en nosotros mismos, antes que en Dios. Pablo nos exhorta con urgencia: "Libraos de toda amargura, enojo, ira, gritos, maledicencia y de toda malicia" (Efe. 4:31). La versión popular *Dios habla hoy* rinde así este texto: "Echen fuera la amargura, las pasiones, los enojos, los gritos, los insultos y toda clase de maldad".

Digámoslo como lo digamos, la idea es la misma: tenemos que apartarnos del odio, del resentimiento y de la maldad. Esta expresión "apartaos" ("apártense") es una de las más fuertes de la Biblia. Equivale a "divorciaos" ("divórciense"). Dicho, pues, de este modo, la idea es que debemos "divorciarnos" de la amargura, la ira y el odio. Los terroristas expresan estas cualidades en gran escala, mundialmente. Son gente que ha encontrado la manera y los medios de manifestar su odio, de manera espectacular.

La guerra cósmica entre el bien y el mal se realiza actualmente en lo más íntimo de nuestros pensamientos, en nuestros propios impulsos. Y por cierto, nos toca a nosotros decidir de qué lado estamos en lo que respecta al amor de Dios.

La Carta a los Hebreos nos dice exactamente qué hacer a fin de asegurarnos de estar en el lugar correcto. Describe a Jesucristo como el sumo sacerdote que justifica a quienes responden con fe: el único que puede lidiar contra el pecado que nos habita. Por eso, el autor de esta carta nos invita: "acerquémonos con corazón sincero, en plena certidumbre de fe, purificados los corazones de mala conciencia" (Heb. 10:22).

Lo exhorto a acercarse, a involucrarse. Lo invito a entablar una relación real, directa, cara a cara con Dios. Tratar los asuntos que guardamos en lo más profundo de nuestro corazón no es tarea fácil: es una batalla real, pero Jesús promete ganar en nuestro favor. Esta lucha es parte de una guerra mayor, en la que el enemigo ha sido ya derrocado, definitivamente, en la cruz del Calvario. Por lo tanto, no tema: Acérquese a quien ya ha ganado el derecho de representarlo como su Rescatador, su Campeón y su Salvador.

23 de febrero

RESISTENCIA: LA HABILIDAD DE RECUPERARSE

Todo lo puedo en Cristo que me fortalece. Fil. 4:13.

En años recientes hemos aprendido acerca de los efectos nocivos del estrés sobre el sistema inmunitario. El estrés debilita y destruye el organismo. Pero, ¿sabía usted que otro cuerpo de investigación llegó a conclusiones diferentes? Según éste, el estrés, junto a la convicción de poder resolver el problema que se encara, *fortalece* el sistema inmunitario. El mismo estrés, con una actitud distinta, da resultados diferentes y hasta opuestos.

Michael Rutter siguió el progreso de 125 chicos en la isla de Wight, cerca de las costas británicas y en el centro de Londres. Todos eran hijos de enfermos mentales. Al cabo de diez años de investigación, Rutter encontró que muchos de estos niños habían crecido bien. Los más resistentes habían actuado de manera positiva al enfrentar sus situaciones estresantes. Lograron superar su vulnerabilidad y la situación espantosa en que vivían, porque creyeron que sus acciones podrían producir los resultados que deseaban.

¿Sabía usted que esta misma cualidad esencial, esta misma creencia, aparecía ya en el Nuevo Testamento? Efectivamente; Cristo y sus apóstoles la entendieron y utilizaron mucho antes de que se efectuaran los estudios psicológicos aludidos. Y hasta derramaron una luz muy especial al respecto. Pablo, hombre acostumbrado a lidiar contra la adversidad, lo explicó así: "Todo lo puedo en Cristo que me fortalece" (Fil. 4:13).

La confianza del apóstol se asentaba firmemente en su fe en Jesucristo. Cristo lo fortaleció de tal manera, que pudo enfrentar aun la cárcel y el naufragio, con entusiasta resistencia.

Según el Nuevo Testamento, es la fe la que nos permite seguir creyendo que nuestras acciones producirán resultados positivos aun en medio de las peores circunstancias. La fe es el ingrediente clave de la resistencia, y consiste en la plena confianza de que Dios es mayor que la suma de todos nuestros problemas. Y no sólo eso, sino que puede y quiere resolverlos... ¡y los resolverá!

Puede que sus circunstancias, condiciones o medio ambiente sean terribles, y que los obstáculos parezcan insuperables. Quizá proceda de una familia disfuncional, o padezca de impedimentos físicos o de cualquier otro tipo. Tal vez sufra de alguna adicción. Pero Dios es más, mucho más que todo eso. ¿Se siente desahuciado, desahuciada? Dios es mucho más fuerte que cualquier hábito o impedimento. ¿Los demás lo minimizan, la menosprecian? Dios cree en usted. ¿Le han dicho que es todo un fracaso? Dios espera mucho de usted. ¿Se siente abandonado, abandonada? Dios lo dio todo para reclamarle como suyo, como suya. No hay nadie mejor que podamos tener a nuestro lado. ¿No es hora de que respondamos con siquiera algo de fe, por mínima que ésta sea.

Para sobreponernos a nuestra aflicción

Bienaventurados los que lloran, porque ellos recibirán consolación. Mat. 5:4.

A raíz de los ataques terroristas del 11 de septiembre de 2001, la gente en los Estados Unidos ansiaba sobreponerse a su aflicción. El dolor parecía insoportable. Hombres y mujeres habían perdido a sus cónyuges; muchos de los niños, a alguno de sus padres o a ambos; y muchos padres habían perdido hijos. Amigos, colegas y vecinos, conocían de cerca a alguien cuya vida había cambiado para siempre, en sólo segundos.

Aunque no existen soluciones instantáneas para el dolor de una pérdida tan terrible, los consejeros cristianos compartían por entonces tres principios fundamentales que podrían acelerar la sanidad emocional.

Los consejos eran éstos:

1. Exprese su dolor: Encuentre a alguien con quien conversar sobre sus sentimientos más íntimos. El duelo, la tristeza profunda es la respuesta natural a la pérdida. En la época del Antiguo Testamento, el dolor por las pérdidas trágicas solía expresarse con llanto y lamentos. Los israelitas manifestaban su aflicción abiertamente. En la sociedad más comedida de hoy, esos arranques de tristeza suelen considerarse inadecuados. Sin embargo, encontrar un hombro amigo sobre el cual poder llorar, expresar nuestro pesar o compartir nuestros sentimientos más íntimos es vital para poder sobreponernos a nuestra aflicción.

2. Comprenda el ciclo del pesar: La mayoría de la gente experimenta ciertas emociones, fácilmente predecibles y normales. A pocas semanas del 11 de septiembre del 2001, hablé con una señora cuyo esposo había muerto en uno de los vuelos fatídicos. Me contaba cómo, al principio, ella se había negado a creerlo. No podía creer que su marido hubiera estado en uno de los aviones derribados. Sintió ira contra la aerolínea. Y después se sumió en el desaliento. La negación, la ira y el desaliento —e incluso la culpa— son emociones normales, que suelen sentirse al enfrentar una pérdida trágica. Es de esperar que uno sienta este ciclo de emociones; aun cuando no siempre aparezcan en el mismo orden. Su patrón de acción no necesariamente puede predecirse, pero, tarde o temprano, emerge. Anticipar estas emociones nos ayuda a encararlas mejor cuando se presentan.

3. Acepte la realidad: Dios no siempre interviene para evitar el mal, pero igual permanece en control. Vivimos en un mundo en el que le suceden cosas malas a gente buena. En la guerra entre el bien y el mal, hay bajas. Dios permite que el mal siga su curso, pero está presente en medio del sufrimiento. Y está para consolar a los que lloran, para animar a los desalentados, para fortalecer a los débiles, para impartir esperanza a los descorazonados.

A través de nuestra congoja, podemos asirnos de su mano por medio de la fe. Podemos permitir que su luz traspase nuestra oscuridad, y sus promesas alienten nuestros corazones. Podemos esperar un mañana mejor.

El Dios de nuevos comienzos

Yo sé los pensamientos que tengo acerca de vosotros, dice Jehová, pensamientos de paz, y no de mal, para daros el fin que esperáis. Jer. 29:11.

Los planes de Dios para nosotros son mejores de lo que podemos imaginar. Él es Dios del mañana luminoso, del futuro promisorio. Él puede tomar nuestros sueños rotos y reconstruir nuestras vidas. Tiene el asombroso poder de reconstruirlas. Es el Dios de los nuevos comienzos. Una joven —a quien llamaré Leslie— se dirigió por carta a las oficinas de nuestro programa televisivo *It Is Written* (Está escrito). En ella testificaba del poder de Dios para transformar completamente nuestras vidas. Decía así:

"Hoy soy una hija de Dios, consagrada a él, pero no siempre lo fui. Mis padres se divorciaron cuando yo tenía diez años. Fui violada y me escapé de mi casa a los catorce. Estuve en distintas instituciones mentales y penales, hasta los dieciocho. Me casé, pero a los pocos años, me divorcié de mi primer esposo. Me sumergí en el alcohol y las drogas. Sufrí de maltrato en relaciones abusivas. Llegué a odiarme a mí misma y a desconfiar hasta de Dios. Me dediqué a la prostitución, a fin de obtener dinero para adquirir estupefacientes. En 1993, no tenía dónde vivir y me casé con otro adicto a las drogas. Más de una vez pensé en suicidarme. En 1994, tras un segundo divorcio, toqué fondo y decidí entrar a un programa de rehabilitación. Allí conocí a John. Cuando dejamos el centro de rehabilitación, nos mudamos a un apartamento y conseguimos trabajo. Parecía que al fin estábamos bien. El problema era que no teníamos con qué reemplazar las drogas y el alcohol, y en cuatro meses caímos de nuevo en ellos.

"Una noche, tras enojarnos y discutir, conversamos, ya en calma, sobre lo que habíamos aprendido acerca de un poder superior. Nos arrodillamos y pronunciamos las oraciones más sinceras de nuestras vidas. Al día siguiente, cuando, a solas, John se sintió tentado a beber licor, oyó claramente una voz que parecía provenir de alguien parado junto a él. La voz le dijo: 'Tú me pediste que te quitara esto, y yo lo hice'. A partir de entonces, comenzamos a leer la Biblia y a mirar programas cristianos por televisión.

"Nuestro viaje a la verdad comenzó en julio de 1995. En agosto, recibimos un panfleto por correo, acerca de un seminario sobre el libro de Apocalipsis, que se iba a ofrecer en un hotel cercano. Para nuestro deleite, todo lo que se enseñaba provenía de la Palabra de Dios. No nos perdimos ni una noche. Aceptamos todas las verdades que se nos presentaron. La mano de la Providencia nos había guiado a su pueblo remanente, la Iglesia Adventista del Séptimo Día. Nos casamos y nos bautizamos a fines de 1995. Disfrutamos ahora de nuestra nueva vida juntos, en la esperanzada anticipación de la segunda venida de Cristo. ¡Gracias por su participación en nuestra conversión!"

¡Qué testimonio! En verdad, Dios puede "hacer infinitamente más que todo cuanto pedimos o entendemos, por el poder que opera en nosotros" (Efe. 3:20).

Más que piel y huesos

Ahora, así dice Jehová, Creador tuyo, oh Jacob, y Formador tuyo, oh Israel: No temas, porque yo te redimí; te puse nombre, mío eres tú. Isa. 43:1.

Alguna vez se ha preguntado ¿cómo Dios puede amarle tanto? ¿Le extrañaría a Dios si usted estuviera perdido por la eternidad? Con millones de millones de huestes angélicas e incontables redimidos de todas las edades, ¿se daría cuenta Dios de que usted no está?

Usted es único, única. Y no meramente un cúmulo de piel y huesos. Usted no es un accidente biológico. Cuando los genes y los cromosomas se unieron para formar la singular estructura biológica de su ser, Dios "tiró el molde". Nadie hay como usted en todo el universo. Si se perdiera, Dios no tendría cómo reemplazarlo. Él sentiría por siempre el vacío de su ausencia en su corazón. Dios anhela su amor. Nadie puede amarle como usted. Hay un lugar en él, que sólo puede llenarlo el amor que usted le dé.

Imaginemos la siguiente escena: Una mujer tiene diez hijos. Uno de ellos, de siete años, juega béisbol en el jardín. Su hermanito mayor tira la pelota hacia la calle. Mientras el menor corre por ella, un conductor frena su auto demasiado tarde. Acaba de chocar contra el niño, matándolo en el acto.

Supongamos que, como pastor, la madre me llama para que dirija el funeral del niño. ¿Qué si se me ocurriera la "brillante idea" de ayudarla a sobreponerse de su tristeza, hablándole de las "ventajas" de la muerte del niño? Supongamos que se me ocurriera apoyar la mano sobre su hombro, y decirle algo así como esto: "Siento mucho lo sucedido, señora; comprendo que ha de ser muy triste, pero entiendo que usted tiene diez hijos. Ahora le quedan nueve, ¿verdad? Con nueve, va a tener más tiempo y más dinero. Mire. Va a tener diez por ciento más de tiempo para descansar, diez por ciento más de dinero para gastar, diez por ciento más de espacio para moverse, ¡diez por ciento más de todo! Piense en todo lo que costaba, en términos de tiempo y energía, este niño. Sin duda, sus otros nueve hijos la van a compensar por el que falta". ¿Estaría de acuerdo la madre con semejante argumento?

Muy probablemente se sentiría insultada.

—No busco que me compensen por él; ¡lo quiero a él! Es a Joselito a quien extraño; es su silla la que está vacía cuando nos sentamos a la mesa...

Si una madre tiene diez hijos, ¿ama a cada uno menos que si tuviera tres, en vez de diez? ¿Cuántos niños puede amar el corazón de una madre? ¿Uno? ¿Dos? ¿Veinte? ¿Quién puso esa capacidad de amar en el corazón de las madres? Un Dios amante. Y el mismo Dios amante tiene en sí una capacidad de amar infinita.

El amor de Dios es infinito. Hay mucho para repartir. Suficiente para usted, para mí y para todos.

27 de febrero

El linaje real

Al que nos amó, y nos lavó de nuestros pecads con su sangre, y nos hizo reyes y sacerdotes para Dios, su Padre; a él sea gloria e imperio por los siglos de los siglos. Amén. Apoc. 1:5, 6.

Se cuenta que durante la Segunda Guerra Mundial, en la terminal de trenes de uno de los campos de concentración, los oficiales nazis comenzaron a separar a los hombres más fuertes de las mujeres y los niños. Al contemplar la escena y escuchar el llanto y los gritos de los familiares así separados, uno de esos hombres, que pertenecía a la realeza, comprendió que muy probablemente ya nunca más iba a poder ver a su hijo. Así que, arrodillándose a su lado, lo tomó por los hombros y le dijo:

—Michael, pase lo que pase, quiero que siempre recuerdes que tú eres muy especial: eres el hijo de un rey.

Pronto, los soldados los separaron. Padre e hijo fueron destinados a secciones diferentes del campo de concentración, y nunca más volvieron a verse. Tiempo después, Michael supo que su padre había perecido en una cámara de gas. De ahí en más, él tendría que abrirse paso solo en el mundo, pero las últimas palabras de su padre permanecerían para siempre con él. Serían su guía y su objetivo: "Tú eres el hijo de un rey".

Michael se propuso que pasara lo que pasase siempre se comportaría como "hijo de un rey".

¿Se ha dado cuenta ya de la realidad de esta verdad? ¿Es esto lo que guía sus actos?, ¿lo que determina su conducta? Usted es hijo o hija del rey del universo. Tiene sangre real. Forma parte de la familia real de los cielos. Cuando aceptamos a Jesús como nuestro Salvador personal, "nacemos de nuevo" en la familia de Dios. Por medio de Cristo, se nos adopta en la línea real del cielo. El apóstol Pablo declara elocuentemente esta verdad: "Así, ya no sois extraños ni forasteros, sino conciudadanos con los santos, miembros de la familia de Dios" (Efe. 2:19).

¡Qué privilegio! Somos miembros de la realeza de Dios. ¡Qué llamamiento! Poseemos una nueva identidad. Parte de la familia de Dios está en los cielos, pero parte también está en la Tierra. Las Escrituras señalan que quienes han aceptado a Jesús, definidamente forman parte de la familia de Dios. El tercer capítulo de la carta a los Efesios lo dice claramente.

"Por esta causa doblo mis rodillas ante el Padre de nuestro Señor Jesucristo, de quien toma nombre toda la familia de los cielos y de la tierra" (Efe. 3:14, 15).

Permita que su espíritu se eleve: usted es parte de la familia de Dios. Deje que su alma se aferre hoy a esta gloriosa verdad espiritual. Su Padre celestial —nuestro Padre celestial— es el creador mismo del universo.

Usted es hijo o hija del Rey. ¿Por qué no comportarse como el príncipe o la princesa que es?

Cuando Dios enciende el fuego del reavivamiento

Cuando hubieron orado, el lugar en que estaban congregados tembló; y todos fueron llenos del Espíritu Santo, y hablaban con denuedo la palabra de Dios. Hech. 4:31.

La oración es poderosa. Mientras los discípulos oraban, el Espíritu de Dios descendió sobre ellos. Llenos de su poder, diseminaron su Palabra por todas partes. El cristianismo del Nuevo Testamento influyó notablemente en el mundo del siglo I.

A través de la historia, los reavivamientos espirituales han logrado cambios radicales en la sociedad. Permítame compartir con usted una muestra de lo que el Espíritu de Dios puede hacer cuando realmente toma el control de una situación determinada.

Todo comenzó cuando un joven estudiante ministerial galés, llamado Evan Roberts, empezó a tener problemas para dormir. En la primavera de 1904, solía despertarse en la madrugada, "con la sensación de la presencia y comunión de Dios con él". Pronto, con unos amigos con quienes comenzó a orar regularmente, llegó a la conclusión de que Dios tenía un plan. Comenzó a predicar en reuniones juveniles. El mensaje centrado en Cristo que él y sus compañeros proclamaron, encendió el país entero.

En algunos lugares, las iglesias se mantuvieron colmadas desde las seis de la tarde hasta la una de la mañana, cada noche del año. La gente confesaba sus pecados entre sí, enmendaba sus errores y restituía las propiedades o el dinero robado. Durante un período de 18 meses, desde 1904 hasta 1906, el crimen prácticamente desapareció. En uno de los pocos juicios efectuados, el juez interrumpió el proceso para guiar al acusado a Cristo. El fiscal y el jurado cantaron himnos.

El reavivamiento alcanzó hasta las minas de Gales, donde los mineros dejaron de lado las imprecaciones, y los caballos tuvieron que aprender a responder a un nuevo vocabulario, porque las palabras amables reemplazaron los insultos a que estaban acostumbrados.

Dios anhela derramar su Espíritu sobre usted. Anhela que se convierta en alguien que cambie el mundo. Usted puede cambiar, siquiera, el mundo a su alrededor. Cuando Dios encienda el fuego del reavivamiento en su vida, las chispas de su fuego, esparcidas por el soplo del Espíritu, encenderán a quienes lo rodeen.

Durante el reavivamiento de Gales, dos periodistas viajaron desde Londres para informar al respecto. Cuando llegaron a una villa campestre galesa, le pidieron a un policía que les dijera cómo llegar al lugar del reavivamiento. El policía, de casi dos metros de alto, contestó: "Si quieren saber dónde está el reavivamiento, vean dentro de este uniforme".

El reavivamiento siempre comienza en el corazón de alguien. Puede que hoy empiece en el suyo. Hoy, el Espíritu anhela hacer algo especial en usted.

29 de febrero

El poder de la intercesión

La oración eficaz del justo puede mucho. Sant. 5:16.

Tiempo atrás, cierto predicador trataba de consolar a una mujer, cuyo esposo había abandonado la ciudad durante un reavivamiento religioso. Él era agnóstico y había declarado que no pensaba volver sino hasta que se acabara "el frenesí religioso". La mujer había esperado que el reavivamiento pudiera convertir a su esposo, pero ahora, esa posibilidad parecía desvanecerse.

El ministro optó entonces por invitarla a asistir a las reuniones matutinas de oración que él estaba dirigiendo, a lo cual ella accedió.

El grupo de oración se puso de acuerdo en orar por el hombre que había abandonado su hogar y su ciudad. Aceptaron con gusto el desafío, y le pidieron a Dios que buscara a este hombre, que lo trajera de regreso y que lo guiara a Cristo.

Esa misma noche, el hombre sorprendió a todos, apareciendo de improviso en la reunión. Tenía una historia sorprendente que contar.

Había andado unos 30 km cruzando una colina, cuando de repente algo lo detuvo. Sencillamente no pudo continuar. Sintió que se había comportado horriblemente, que era pecador y que necesitaba la gracia de Dios. Más aun: sintió la profunda convicción de que debía volver. Tomó asiento en medio de la congregación que lloraba y sollozaba de emoción, y esa misma noche aceptó a Cristo como su Señor y Salvador personal.

La oración intercesora tiene poder. Cambia las cosas. Dios valora la libertad humana. Hace todo lo que puede para alcanzar a cada ser humano aun antes de que se lo pidamos, pero se ve limitado por las elecciones mismas de la gente. Nunca violará el libre albedrío individual. Influye, pero nunca obliga. Convence, pero jamás impone.

Cuando oramos por alguien, Dios derrama su Espíritu sobre nosotros para que podamos alcanzar a esa persona. La oración intercesora abre nuevas avenidas para que Dios pueda obrar. Le da a Dios otra oportunidad. Elena G. de White lo explica así: "Forma parte del plan de Dios concedernos, en respuesta a la oración hecha con fe, lo que no nos daría si no se lo pidiésemos así" (*El conflicto de los siglos,* p. 580).

Algo pasa cuando la gente ora. Dos o tres personas que oran sinceramente pueden lograr cosas maravillosas. Dios oye. Dios contesta. Dios se mueve. Dios toca las vidas. ¿Tiene alguien con quien orar? ¿Se reúne regularmente en grupos pequeños de oración intercesora? ¿Por qué no le pide a Dios que le ayude a encontrar un compañero o una compañera de oración? ¿Por qué no comienza un ministerio de intercesión en su propia vida? Si usted ya es un intercesor o una intercesora, anime a otros a que se reúnan con usted para interceder por otros. Encuentre a alguien con quien orar, haga una lista de oración y observe lo que Dios haga al respecto. Se sorprenderá.

Un nuevo mañana

Aguardando la esperanza bienaventurada y la manifestación gloriosa de nuestro gran Dios y Salvador Jesucristo. Tito 2:13.

Necesitamos hoy una esperanza fuerte que pueda sostenernos cuando la incertidumbre nuble el horizonte. Amenazas desconcertantes invaden nuestro mundo. Algo tan simple como abrir una encomienda, tomar un avión o un tren, o ir al centro de la ciudad se han convertido en nuevos motivos de estrés. Miramos a nuestro alrededor con incertidumbre.

Necesitamos esperanza, porque las preguntas crecen y se multiplican en nuestras mentes: ¿Quién tiene el futuro en sus manos? ¿Tendrán los terroristas la última palabra? ¿O alguien más? ¿Acabará el mundo con una explosión nuclear o de un modo mejor?

Yo creo que Alguien más tiene el futuro en sus manos. Alguien que ha venido planeando, ya por algún tiempo, un final mejor. Cercano al fin de su ministerio terrenal, Jesús hizo una promesa a sus discípulos. Dijo: "Enviará el Hijo del Hombre a sus ángeles, y recogerán de su reino a todos los que sirven de tropiezo, y a los que hacen iniquidad" (Mat. 13:41).

Jesús prometió volver y destruir todo el mal, reemplazándolo con el bien. Él es quien tiene el futuro en sus manos.

¿Por qué creo esto aun en medio del terror y de la tragedia? Porque Jesús tocó a los leprosos y los curó; tocó los ojos de los ciegos y les devolvió la vista; tocó a los paralíticos y los hizo andar; tocó a los endemoniados y los sanó. Ycomo si todo esto fuera poco, además creo porque su palabra... ¡hasta llamó a la vida a los muertos!

Sí, yo creo que él es quien tiene el futuro en sus manos. Él tendrá la última palabra.

Un solo hecho será lo suficientemente grande y glorioso como para eclipsar cualquier cosa que los terroristas hayan hecho o aun puedan hacer. Una sola nube será lo suficientemente brillante como para desvanecer todo el humo y el fuego de cualquier ataque suicida. Jesús prometió que al fin veremos "al Hijo del Hombre, que vendrá en una nube con poder y gran gloria" (Luc. 21:27).

El mundo no ha sido el mismo desde que Jesús irrumpió por primera vez en la historia. Cuando vuelva, su reino abarcará el mundo entero. Esta vez sanará a *todos* los enfermos y sufrientes. Esta vez, *todos* los "muertos en Cristo" volverán a la vida.

Ésta es la promesa que puede darnos una esperanza inquebrantable para el futuro. Las Escrituras nos aseguran que la historia terminará con la gloriosa aparición de Jesucristo. Por lo tanto, no con el hongo de una nube nuclear, sino con la nube de la gloria de Cristo: el Cristo que regirá el futuro. En verdad, bien podemos regocijarnos en la certera esperanza del regreso del Señor.

2 de marzo

Lecciones de un emparedado de salchichón

No busco mi voluntad, sino la voluntad del que me envió. Juan 5:30.

Se cuenta la historia de un obrero constructor que todos los días, a la hora del almuerzo, comía emparedados de salchichón. Un día, mientras comía con un amigo, a mitad del almuerzo le confesó que en realidad ¡detestaba los emparedados de salchichón!

—¡Los detesto, los odio con toda mi alma! —exclamó.

Sorprendido, su amigo sugirió:

—¿Y por qué no le dices a tu esposa que te prepare otra cosa?

—¡Porque los hago yo mismo! —replicó el hombre malhumorado.

Nos guste o no, somos nosotros mismos los que preparamos el "relleno" diario de nuestras vidas. Contrario a lo enunciado en algunas teorías populares, no somos víctimas de los males sociales. Dios nos creó como seres pensantes, inteligentes, y nos dio el poder de escoger.

Cuando ubicó a nuestros primeros padres en su hogar edénico, también les dio la facultad de elegir. No estaban predestinados a fallar, no fueron víctimas de una espeluznante trama cósmica ni títeres manipulados por cuerdas divinas.

La esencia de la imagen de Dios consiste en la capacidad de elegir en el plano moral. La libertad de elegir y de asumir la responsabilidad de nuestras elecciones constituye la clave de lo que significa ser humano. Dios valora tanto nuestro libre albedrío, que nos permite elegir aun de manera equivocada, con tal de preservar nuestra facultad de elección. Las elecciones positivas conllevan resultados positivos; las elecciones negativas, resultados negativos.

El relato bíblico abunda en historias de vidas destrozadas a causa de malas decisiones. La ira incontrolada de Caín lo llevó a matar a su propio hermano, y a pasar el resto de su vida como fugitivo. La lascivia incontrolada de David lo llevó al adulterio con Betsabé y de allí al desmoronamiento de sus relaciones familiares, aun cuando experimentó el perdón de Dios. La codicia incontrolada de Judas lo llevó a vender a su Maestro por treinta miserables monedas de plata, y de ahí a acabar antes de tiempo una vida cargada de talentos poco comunes. Estas son muestras de elecciones equivocadas, que dieron resultados desastrosos.

Piense en José, en Daniel, en Pablo... Sus elecciones positivas los llevaron a resultados increíbles. En el caso de José, por ejemplo, su decisión de resistir las insinuaciones de la esposa de Potifar cambió el curso de la historia de Egipto. La decisión de Daniel de no beber el vino de Babilonia cambió el curso de la historia de Babilonia. La decisión de Pablo al rehusar inclinarse ante los ídolos del César cambió el curso de la historia de Roma.

No hay don mayor, dado por Dios al ser humano, que el poder de elegir. Mediante las elecciones correctas, uno puede cambiar —para bien— el curso entero de su propia vida.

Hoy, recuerde que somos nosotros los que preparamos el "relleno" diario de nuestras vidas. Decídase a elegir lo que de veras vale: la vida abundante que Dios quiere que viva.

Deje que caiga el fuego

¿Y quién podrá soportar el tiempo de su venida? ¿o quién podrá estar en pie cuando él se manifieste? Porque él es como fuego purificador. Mal. 3:2.

Años atrás, la caída de fuego en el parque nacional Yosemite era una de las atracciones más famosas de los Estados Unidos.

En las noches de verano, los turistas de todo el mundo se reunían debajo del Glacier Point para ver el impresionante espectáculo. A las nueve en punto, una voz resonaba en todo el campamento:

—¡Que caiga el fuego!

Y a tres mil pies de altura, por encima del valle, otra contestaba:

—¡Cae el fuego!

Entonces, en la oscuridad de la noche, las ascuas llameantes eran lanzadas por el precipicio como una cascada, sobre la pared vertical de granito blanco de la montaña. Nadie que alguna vez haya visto aquellas imponentes caídas de fuego podrá jamás olvidarlas.

En las Escrituras, el fuego simboliza la presencia de Dios. Cuando uno se encuentra ante la presencia ardiente de Dios, su vida cambia para siempre. Moisés entró a la presencia de Dios en la zarza ardiente (Éxo. 3:2-6). Los sumos sacerdotes experimentaban la presencia de Dios entre los querubines, en el Lugar Santísimo del santuario terrenal (Éxo. 25:22). Cuando Elías desafió a los profetas de Baal en el monte Carmelo, "cayó fuego de Jehová" y consumió todo: "el holocausto, la leña, las piedras y el polvo, y aun lamió el agua que estaba en la zanja. Viéndolo todo el pueblo, se postraron y dijeron: ¡Jehová es el Dios, Jehová es el Dios" (1 Rey. 18:38, 39).

El fuego de Pentecostés convirtió a Pedro en un poderoso proclamador del Evangelio. Más de tres mil personas se bautizaron en un día en un mismo lugar. El fuego descendió de tal manera sobre los primeros creyentes que "crecía la palabra del Señor, y el número de los discípulos se multiplicaba grandemente" (Hech. 6:7). Los discípulos revolucionaron el mundo de su época. El poder del Espíritu no sólo los transformó a ellos, sino también a sus familiares, a sus amigos y a sus comunidades.

Dios anhela derramar su fuego otra vez. Ansía consumir la escoria del pecado en nuestros corazones, para que el fuego de su presencia pueda iluminar el mundo. Anhela ver el día en que el mundo se inflame con su amor. Sucedió en el Pentecostés, y sucederá otra vez. ¡Oh, Dios, derrama tu fuego!

Un milagro en la fila de la muerte

De modo que si alguno está en Cristo, nueva criatura es; las cosas viejas pasaron; he aquí todas son hechas nuevas. 2 Cor. 5:17.

La historia de Sam Tannyhill —convicto condenado a muerte en los EE.UU.— es una muestra del poder de la Palabra de Dios para cambiar por completo la vida. Su infancia estuvo lejos de ser ideal. Desde el divorcio de sus padres, a sus cinco años de edad, pasó por doce hogares, de los que salió cada vez más desorientado. A los diez años inició su carrera delictiva, cometiendo ofensas menores —hurto de artículos baratos en las tiendas y entrada ilegal en propiedades privadas—, pero pronto pasó a mayores.

Con el tiempo, acusado de falsificación, cayó en la cárcel. Tras cinco años de encierro, quedó libre, pero a las dos semanas de haber obtenido su libertad, asaltó un pequeño restaurante de Ohio, obligó a una mesera a subirse a su auto, y abandonó la ciudad. Al día siguiente, las autoridades hallaron el cuerpo inerte de la joven, ferozmente golpeado.

Sam fue capturado y condenado a morir en la silla eléctrica. Mientras estaba en la cárcel, recibió la visita de un grupo de cristianos. Uno de ellos le entregó una Biblia, que su propio hijo de nueve años le había regalado. Al hacerlo, le dijo:

"Mi hijo dice que puede quedarse con ella, siempre y cuando la lea".

Aunque al principio Sam no se sentía con deseos de leerla, un día —de puro aburrimiento— decidió hacerlo, y pronto se sintió absorto en sus páginas. Dejemos que él mismo nos cuente cómo fue su viaje espiritual:

"Comencé con el evangelio según San Mateo y leí todo lo que llaman el Nuevo Testamento. Era un condenado a muerte, un asesino, pero leí en la Biblia acerca de gente como yo, gente que vivía al margen de la ley. Me sentía perplejo... Quería conseguir la paz mental que este Dios parecía regalar, pero, ¿cómo podría pedírsela? ¿Escucharía él, realmente, a cualquiera que le hablara? ¿Le contestaría a alguien que nunca antes había sabido de él?

"Procuré orar pero sentía que mis oraciones no pasaban de las paredes de mi celda. Oraba por ayuda, pero a la vez me aferraba al mundo con todas mis fuerzas. No sabía ya qué hacer. Seguí orando. Durante tres días me sentí el hombre más miserable de la tierra.

"Sobre mis rodillas confesé todo lo malo que recordaba haber hecho y le pedí a Dios que me perdonara, y que si me había olvidado de algún pecado, o de varios, también los añadiera a la lista, y que tuviera de mí misericordia, porque también era culpable de ésos.

"Después sentí algo maravilloso, ¡y ganas de decírselo a todos! Sí, sentí el Espíritu de Dios derramando su amor en mi corazón y en mi vida. Ahora estoy a la espera de mi ejecución, pero me siento más libre de lo que jamás estuve en las calles... No temo morir. Para mí, la muerte es un paso más cerca de Jesús".

Cristo acepta aun a los seres humanos desesperados, cargados de pecado. Todavía dice: "al que a mí viene, no le echo fuera" (Juan 6:37).

El poder vivificante de la Palabra

Siendo renacidos, no de simiente corruptible, sino de incorruptible, por la palabra de Dios que vive y permanece para siempre. 1 Ped. 1:23.

Robert Wong es una de las personas más vibrantes y alegres que jamás haya conocido. Tuve la fascinante oportunidad de conversar con él durante un viaje a Hong Kong en el que me contó de sus quince años de encierro bajo el régimen comunista, tras haber sido condenado a prisión por compartir su fe cristiana.

Durante su encarcelamiento, el Sr. Wong pasó los primeros cuatro años en confinamiento solitario. En los siguientes cuatro años, sólo le permitieron recibir una visita familiar por mes, de apenas cinco minutos.

Mientras me contaba su odisea, me impresionó ver cuán positivo y alegre se mostraba ante la vida. No noté en él ni un solo trazo de amargura o de resentimiento. Este hombre parecía exudar únicamente el espíritu de Cristo.

¿Cómo puede ser? me preguntaba. *¿Qué lo habrá sostenido durante esos años de aislamiento?* Pronto lo supe. El Sr. Wong me contó que, como parte de un plan de aniquilamiento de la identidad personal, a los prisioneros no se los llamaba por sus nombres, sino por el número que se les asignaba al encarcelarlos. Un día, mientras caminaba en el patio de la prisión, el Sr. Wong escuchó a alguien llamar al preso 105, y desde entonces no pudo olvidar este número.

Más tarde se dio cuenta de que ése era el número de uno de sus himnos favoritos en el himnario chino (himno que en castellano conocemos como "Dadme la Biblia"). Aprovechando que una vez al mes le permitían escribir a su familia un mensaje de no más de cien caracteres chinos, tan pronto como tuvo la oportunidad les escribió unas líneas que firmó con el número 105.

Reconociendo esta clave, la siguiente vez que sus familiares pudieron visitarlo se las ingeniaron para entregarle, disimuladamente, un ejemplar de las Sagradas Escrituras. Nunca olvidaré la expresión del rostro del Sr. Wong cuando me dijo:

—¡Ah! ¡Eso fue lo que me sostuvo!

La Biblia lo sostuvo. Antes, sólo repetía constantemente los versículos que recordaba de memoria, pero ahora tenía el libro precioso entero en sus manos.

Hay en la Palabra de Dios un poder transformador impresionante. El Espíritu Santo, que habla por su medio, cambia la vida. La Palabra de Dios nos fortalece en nuestras tribulaciones, nos capacita para superar los obstáculos y para sobreponernos a los desengaños y desalientos. Nos inspira a enfrentar con valor los retos de la vida, y nos eleva y anima cuando estamos angustiados. La Palabra de Dios es el pan espiritual que nos nutre (Mat. 4:4), el agua de vida que sacia la sed terrible del alma (Juan 7:37), la luz que ilumina la oscuridad de nuestro sendero y nos guía en el viaje de nuestras vidas (Sal. 119:105).

6 de marzo

Cuatro cosas que los cristianos no tienen

El que no escatimó ni a su propio Hijo, sino que lo entregó por todos nosotros, ¿cómo no nos dará también con él todas las cosas? Rom. 8:32.

Hace muchos años, un obrero común juntó el dinero suficiente para hacer un viaje en un crucero. Invirtió casi todos sus ahorros en la compra del pasaje y aguardó con ansias la fecha de partida. El hombre pensó que lo que le quedaba no le alcanzaría para comer en el comedor de la nave, de modo que decidió comprar algo de queso y galletitas antes de partir.

Durante los primeros días, disfrutó de la magnífica vista del océano, se maravilló de los inolvidables atardeceres, y tomó sol a gusto junto a la piscina del barco. Pero pronto se cansó de las galletitas con queso. El aroma de los manjares servidos en el comedor y los comentarios de los pasajeros acerca de esas comidas tan deliciosas acabaron por vencerle. No pudiendo resistir ya la tentación, se acercó un día al administrador de la cocina y le preguntó cuánto costaban las comidas.

—¿Me permite ver su pasaje? —preguntó el administrador; y luego de revisar el boleto, añadió con sorpresa:

—¿Nadie le dijo que las comidas estaban incluidas? Son parte del paquete vacacional.

El pobre hombre no había disfrutado de sus privilegios. Tal como él, muchos cristianos viven sin gozar de sus privilegios: se sienten culpables, inseguros y temerosos; pero el Señor nos ofrece mucho más que eso. El apóstol Pablo describe los "privilegios cristianos" en función de cuatro cosas de las que el cristiano carece.

En Cristo no hay condenación. En Romanos 8:1, el apóstol declara que "ninguna condenación hay para los que están en Cristo Jesús". En Jesús, toda condenación desaparece. En Cristo somos absueltos, perdonados y liberados de la culpa del pecado.

En Cristo no hay esclavitud. En Romanos 8:15, el apóstol dice: "Porque no habéis recibido el espíritu de esclavitud para estar otra vez en temor". Como cristianos, puede que fallemos o que fracasemos, pero ya no vivimos esclavizados por el pecado. Cristo ha roto sus cadenas, nos ha librado de su poder.

En Cristo no hay derrota definitiva. En Romanos 8:28, el apóstol lo explica así: "Sabemos que a los que aman a Dios, todas las cosas les ayudan a bien". Como cristianos, nuestras vidas no están a merced del enemigo. No somos como hojas llevadas sin rumbo por la brisa otoñal. Dios está al control y hará que todo sirva para bien.

En Cristo no hay separación. En Romanos 8:35, el apóstol pregunta: "¿Quién nos separará del amor de Cristo?", y a continuación da una lista de todo lo que no puede hacerlo: Tribulación, angustia, persecución, hambre, desnudez, peligro, espada. En Cristo, la culpa y la esclavitud se desvanecen por igual, porque por su gracia todas las cosas obran para bien y nada ni nadie puede separarnos de su amor.

El estratega maestro

A Jehová he puesto siempre delante de mí; porque está a mi diestra, no seré conmovido.
Sal. 16:8.

Lo llamaban hermano Andrés. Su trabajo consistía en pasar Biblias de contrabando a través de lo que entonces se conocía como la cortina de hierro de Europa. Un día de 1961, el hermano Andrés cargó su pequeño y antiguo Volkswagen y se dirigió hacia Holanda con su amigo Hans. A medida que cruzaban las praderas y los valles de Alemania, oraban, rogando a Dios poder hacer llegar a las manos de los creyentes rusos las Biblias que llevaban escondidas.

Al pasar por Polonia, se les aceleró el pulso. ¿Podrían pasar, realmente, el cargamento sagrado, ante los perros guardianes gruñones y los rifles intimidantes de la guardia fronteriza soviética?

¡Sí! ¡Pudieron! Con aleluyas en el alma, Andrés y Hans se apuraron para llegar cuanto antes a Moscú. Al llegar a destino, ubicaron la Iglesia Bautista y asistieron a la reunión de oración del jueves por la noche.

Ahora tenían que ser especialmente precavidos. ¿A quién podrían confiar el tesoro sagrado que traían de contrabando? Sospechaban que podría haber informantes de la KGB entre los asistentes. A veces, hasta los pastores se veían bajo la presión de tener que denunciar a los contrabandistas de Biblias. En silencio, oraron, pidiéndole a Dios que los guiara. Al finalizar el servicio, el hermano Andrés y Hans permanecieron por un rato en el atrio, estudiando los rostros de los 1.200 adoradores que salían del lugar. De pronto, vieron a un hombre delgado, algo calvo y de unos cuarenta años.

—¡Ahí está nuestro hombre! —susurró Hans; y el hermano Andrés asintió.

Con el corazón latiéndoles deprisa, se presentaron cautelosamente al extraño y... ¡Vaya sorpresa! Encontraron que el hombre había venido de Siberia, justamente con la esperanza de encontrar una Biblia para su iglesia. ¡Y hasta había recibido, en sueños, la orden de viajar a Moscú!

Tras escuchar su impresionante relato, Hans comentó:

—A usted se le ordenó venir unas dos mil millas hacia el oeste para encontrar una Biblia, mientras que a nosotros se nos ordenó ir unas dos mil millas hacia el este, llevando estas Biblias; y ahora estamos aquí, en Moscú, ¡reconociéndonos al instante de vernos!

El hermano siberiano estaba emocionado. Tuvieron que calmarlo enseguida, para evitar que su gozo revelara el glorioso secreto. ¿Puede usted imaginar el gozo que le habrá embargado, al llevar a los suyos, al día siguiente, una docena de Biblias preciosas?

Dios es un estratega maestro. Él guía a los buscadores de la verdad hacia quienes son testigos de ella. Cuando nos acercamos a él con corazones sinceros, también nosotros podemos contar con la certeza absoluta de su dirección.

Al final: Jesús

La revelación de Jesucristo, que Dios le dio, para manifestar a sus siervos las cosas que deben suceder pronto; y la declaró enviándola por medio de su ángel a su siervo Juan. Apoc. 1:1.

El pintor y dibujante Thomas Nast solía efectuar una prueba interesante en sus exposiciones. Tomaba un lienzo de seis pies de largo por dos de ancho y lo colocaba horizontalmente sobre un caballete. Enseguida, esbozaba en él un paisaje con verdes praderas, ganado pastando, sembradíos, una granja, un cielo radiante y nubes algodonadas: una escena campestre encantadora, que la gente aplaudía con entusiasmo.

Y momentos después, la transformaba... la ensombrecía... Borraba el cielo brillante, los sembradíos y las praderas. Con lo que más que trazos parecían cuchilladas cargadas de color, arrasaba con toda la composición anterior, convirtiendo su obra en imágenes abstractas, plasmadas de ira. Y luego, corriéndose a un lado, exclamaba:

—¡Ahora sí! ¡Ahora sí está listo!

La gente no sabía cómo responder. ¿Debían aplaudir... o llorar?

Entonces, Nast le pedía a uno de sus asistentes que colocara el lienzo en posición vertical. Y la escena... cambiaba por completo. Era ahora una cascada bellísima, precipitándose desde un acantilado de rocas oscuras, bordeado de árboles y arbustos: una composición realmente magnífica.

Es posible que veamos el cuadro de los tiempos del fin, como algo caótico y pavoroso, con sus anuncios de infortunios, sus toques de trompetas de condenación y las plagas que devastarán la tierra. Quizá lo percibamos como una serie trágica de nubes oscuras o aun de cuchilladas sobre el lienzo. Pero Jesús endereza el cuadro, y con él, el planeta entero. De pie y en todo su esplendor —como Alfa y Omega de los tiempos; como estrella resplandeciente de la mañana; y como comandante en jefe de las huestes celestiales, que viene al rescate de los suyos—, Jesús es quien llena de gloria y de esperanza el cuadro de los tiempos del fin.

Él es el héroe del Apocalipsis. En el versículo 11 del capítulo 4, el vidente de Patmos lo presenta como creador todopoderoso, a quien el cielo entero alaba con estas palabras: "Señor y Dios, digno eres de recibir gloria, honra y poder: porque tú creaste todas las cosas, por tu voluntad existen y fueron creadas". En Apocalipsis 5:6 lo describe como un "Cordero... inmolado". A él se eleva el cántico nuevo que dice: "con tu sangre nos has redimido para Dios, de todo linaje y lengua y pueblo y nación" (5:9).

Éste es el Cristo del Apocalipsis: el Creador todopoderoso, el Redentor amoroso que perdona nuestros pecados, el Juez justo, sabio y misericordioso, y el Rey de gloria que vendrá.

Más que un mero hombre

Jesús les dijo: De cierto, de cierto os digo: Antes que Abraham fuese, yo soy. Juan 8:58.

Años atrás, cuando Lew Wallace ejercía como abogado en el medio oeste estadounidense, un amigo suyo, ateo, le aseguró que en pocos años todas las iglesitas blancas, típicas de la zona rural de Indiana, no serían más que un recuerdo. Según él, la religión no tenía "futuro".

Lew Wallace no supo qué decir. Poco y nada sabía de Dios o de la Biblia. Carecía de convicciones al respecto, pero esto mismo lo instó a estudiar la Biblia por sí mismo y a sacar sus propias conclusiones. Decidió, pues, que examinaría las Escrituras a la luz de su preparación legal, o sea, buscando evidencias creíbles, para llegar a una conclusión inteligente.

Sin embargo, a medida que estudiaba el marco histórico de la vida de Jesús y los relatos de los evangelios, Wallace comenzó a ver mucho más de lo que esperaba. La historia que encontró en la Biblia revelaba una trama más que humana. Cuanto más la estudiaba, más se convencía de la divinidad de Cristo. Prosiguió con su plan y escribió su novela sobre Jesús, en parte para expresar sus nuevas convicciones. *Ben Hur* se convirtió en todo un éxito de librería, y más tarde, en una de las más grandiosas producciones cinematográficas de Hollywood.

Para Wallace, descubrir que Jesús fue más que humano marcó la gran diferencia. De haber sido sólo humano, no habría pasado de ser más que un buen ejemplo. De haber sido sólo humano, no podría perdonar nuestros pecados, transformar nuestras vidas ni resucitarnos de entre los muertos. La declaración de Jesús a los dirigentes religiosos de sus días es una de las más significativas que jamás haya hecho acerca de sí mismo: "Os aseguro: Antes que Abrahán existiera, Yo Soy" (Juan 8:58). La expresión "Yo Soy" equivale al ser por antonomasia, el Ser que existe por sí mismo, el que no tiene principio ni fin, el eterno. Cuando el Dios todopoderoso manifestó su gloria ante Moisés, en la zarza ardiente, declaró su nombre con las palabras "YO SOY" (Éxo. 3:14). Esta misma expresión en labios del Cristo divino constituye su propia declaración de todo lo que él es para nosotros. Nos dice:

YO SOY el perdón que tu mente procura.
YO SOY la seguridad que tu alma anhela.
YO SOY el amor que tu corazón ansía.
YO SOY el poder que acaba con la esclavitud del pecado.
YO SOY la esperanza que vivifica tu espíritu.
YO SOY quien suple todas tus necesidades.

Sea lo que fuere que necesitemos hoy, el Cristo divino responde: YO SOY lo que buscan. Búsquenme. En mí descubrirán todo lo que anhelan.

Siéntase en casa

El eterno Dios es tu refugio, y acá abajo los brazos eternos. El echó de delante de ti al enemigo. Deut. 33:27.

Algo sucedió dentro de mí la primera vez que la vi. Caminaba calle abajo, arrastrando los pies y con los ojos fijos en la acera. Sus cabellos grises y sus profundas arrugas revelaban la carga de los años idos... Se veía fatigada, gastada, sucia, despeinada y con las ropas raídas. Su cuerpo hedía al andar, mientras empujaba el carrito de mercado, lleno de cartones y de bolsas plásticas.

Suelo verla a menudo en los alrededores de Thousand Oaks (California). Y siempre me produce cierto dolor... Mi hijo me cuenta que la ha visto vagar, vez tras vez, por la misma ruta: de Ventura a Newbury Park, y de allí a Thousand Oaks y Westlake, volviendo luego al punto de partida. Parece no tener destino fijo ni dónde vivir... ningún lugar que le pertenezca o al cual pertenecer...

Desconozco los pormenores de su situación. Quizás el alcoholismo haya acabado con todo lo que tenía. Tal vez esté enferma de la mente; o sus padres o su esposo hayan abusado de ella. Sea cual fuere la causa de su indigencia, su situación me obsesiona... Y he aquí por qué: Todos llevamos dentro la necesidad de ser parte de algo. Los indigentes carecen de esto. Nunca están en casa. Uno lo percibe instintivamente. Por eso es tan difícil mirar para otro lado, para no verlos.

A veces, aun viviendo en la casa de nuestros sueños, con cuatro dormitorios y todas las comodidades, seguimos buscando ese lugar especial donde sentirnos seguros y en paz. Inquietos, buscamos el hogar, el sitio en que podamos sentirnos "en casa".

A lo largo de las Escrituras, Dios nos invita a hallar nuestro verdadero hogar en él. En él encontramos refugio y seguridad. Notemos estas reconfortantes declaraciones:

"El eterno Dios es tu refugio" (Deut. 33:27).

"Dios es nuestro amparo y fortaleza" (Sal. 46:1).

No somos vagabundos sin hogar. No somos gente de la calle, no deseada; ni andamos por andar. Hay un lugar en el corazón de Cristo para cada uno de nosotros. En él podemos encontrar consuelo y seguridad. En él cesan nuestras inquietudes. Me encantan las palabras del antiguo himno que dice:

"En su corazón, hay amor para ti:
amor puro y tierno, profundo y veraz.
No estás solo... sola; ya no llores más.
Su hogar es tu hogar: te recibirá."
(Por Alice Pugh y C. H. Forrest. Adaptado.)

En Jesús nos sentimos realmente "en casa". Y cesan nuestras inquietudes.

Cuando callan las voces acusadoras

Pues si nuestro corazón nos reprende, mayor que nuestro corazón es Dios, y él sabe todas las cosas. 1 Juan 3:20.

Johanna es una mujer de negocios exitosa, de unos ochenta años de edad. Tiene un excelente trabajo, un hogar bellísimo y una estupenda familia, pero algo la carcome por dentro... Se siente inquieta, insatisfecha y culpable. Las culpas del pasado la atormentan. Desde lo más profundo de su mente, las voces acusadoras gritan, lloran, no le dan respiro... Un embarazo no deseado, que acabó en aborto, todavía la angustia. Las relaciones rotas le causan traumas emocionales constantes. Las fallas morales de su juventud la acompañan permanentemente. A menudo se pregunta si alguna vez tendrá paz...

Nuestro pasaje de hoy declara una verdad maravillosa en lo que respecta al amor extraordinario de Dios: su amor es más grande que nuestros fracasos; su gracia es más grande que nuestro pecado; su misericordia es más grande que nuestros errores; su perdón puede acallar las voces acusadoras que nos gritan por dentro.

Cristo vino a salvar a los pecadores. Sólo los pecadores califican para obtener su gracia. Sólo los que han caído necesitan que alguien los ayude a levantarse. Piense en María Magdalena. Falló muchísimas veces. Su fama provenía, justamente, de la laxitud de su moralidad. Jesús mismo se refirió a "sus muchos pecados" (Luc. 7:47), pero esta mujer adúltera encontró perdón en él. Piense en Pedro. Negó tres veces al Señor. La noche en que prendieron a Jesús, el discípulo que en el día de Pentecostés habría de predicar confiadamente frente a miles de personas, abiertamente maldijo y juró no conocer a su Señor; sin embargo, él también encontró perdón en el Salvador.

La misericordia de Dios no minimiza para nada el pecado, pero maximiza ampliamente la gracia de Dios. Hubo perdón para María Magdalena, para Pedro y para el ladrón en la cruz. Así como hoy lo hay para Johanna, para usted y para mí. Las voces acusadoras de la conciencia pueden callar. Dios nos ama demasiado para permitir que nos perdamos, sin antes luchar para salvarnos. Su amor todavía nos llama... ¿Nos rendiremos hoy a ese amor?

TRANSMITIENDO EL MENSAJE

Pero Dios demuestra su amor hacia nosotros, en que siendo aún pecadores, Cristo murió por nosotros. Rom. 5:8.

Una pintura fascinante se exhibe en la galería de arte de Washington. En una conmovedora escena de la Segunda Guerra Mundial, el artista muestra un campo de batalla con dos grupos de tanques, frente a frente. Dos divisiones de las fuerzas aliadas atacan a las fuerzas nazis. Los tanques disparan. Las tropas en tierra libran una fiera batalla. En el centro de la escena, un soldado solitario llama la atención. Dos grupos de soldados aliados han quedado incomunicados. Una bala enemiga ha atravesado la línea de comunicación telefónica. En medio del fuego de artillería, el soldado solitario intenta reparar las líneas telefónicas dañadas. Extiende las manos por encima de la cabeza, mientras trabaja en el cable.

Justo al completar su trabajo, las balas enemigas le atraviesan el pecho... El artista escoge sólo una palabra para describir el cuadro: *Through* (pasó). El soldado solitario dio su vida para transmitir el mensaje y reestablecer la comunicación.

Hace siglos otro hombre solitario pendió de una cruz, suspendido entre el cielo y la tierra, para transmitir un mensaje: ¡Dios te ama!

El ángel rebelde había declarado que la ley de Dios era injusta, que Dios era arbitrario y que sus demandas eran irrazonables. Según él, Dios no amaba realmente a sus criaturas; pero la cruz demuestra todo lo contrario.

La cruz refuta contundentemente los argumentos más engañosos de Satanás, por la revelación de dos verdades eternas: el precio mortal del pecado y la bondad extrema de Dios. El pecado acabó con el más inocente de los hombres, mató al Hijo de Dios; y destruirá así mismo a todos los que jueguen con él. Si por dañino y mortal, el pecado cobró la vida de Jesús, ¿no cobrará también la nuestra, si lo albergamos en nuestro corazón?

La cruz revela la bondad extrema de Dios, su inmensurable amor. Habla con elocuencia al universo entero, acerca de un Dios cuyo amor no tiene límites, un Dios cuyo amor hace hasta lo imposible por salvarnos. El mensaje de Dios se reveló en la cruz. De tal manera nos valora el cielo que Jesús mismo prefirió aceptar toda la condenación del pecado con tal de salvarnos. Es tan incomprensible como cierto: Jesús habría aceptado cargar con la pena total del pecado, aun si esto hubiera significado perder él mismo para siempre su unión con el Padre. Se expuso a perder el cielo, para que nosotros no lo perdiéramos. En lo personal, no puedo resistir ese amor. Sólo puedo rendirme al amor que habla desde la cruz; rendirme al Señor y adorarlo por siempre.

No más condenados

Bienaventurado aquel cuya transgresión ha sido perdonada, y cubierto su pecado. Bienaventurado el hombre a quien Jehová no culpa de iniquidad, y en cuyo espíritu no hay engaño Sal. 32:1, 2.

A fines de la década del sesenta, las noticias en los Estados Unidos se enfocaban mayormente en los soldados que regresaban de Vietnam; pero por entonces, también regresó un veterano de otra guerra. Se trataba de un soldado de la Segunda Guerra Mundial, japonés, que durante 25 años había permanecido escondido en las montañas, en Filipinas. Cuando lo rescataron, este hombre de rostro demacrado y patente fragilidad, vestido aún con su uniforme hecho jirones, parecía más un espectro que un ser vivo. Durante aquellos 25 años había vivido inmerso en el temor, vagando en la jungla, totalmente aislado de la civilización y sin saber que la guerra había terminado. Al momento de su rescate, apenas podía creer que lo que le contaban fuera cierto. ¡Hasta llegó a pensar que las buenas noticias que le daban eran sólo un ardid más del enemigo!

Hoy, hay también almas encarceladas que viven en la mazmorra de la incredulidad, cargando el peso de sus culpas sin saber que la guerra... ¡ya ha pasado! ¡Jesús ya ha liberado a sus cautivos!

Las culpas no resueltas son nocivas para nuestra salud física, mental y espiritual. Como piedrecillas en los zapatos, rozan y lastiman la conciencia, a menos que nos deshagamos de ellas.

Hay tres clases de culpa: la que nace de la sensación de no haber alcanzado las metas propias o las expectativas ajenas; la que surge de la convicción de haber fallado en las relaciones personales, por haber dicho o hecho algo que ha ofendido a alguien; y, naturalmente, la que se vive al comprender que uno ha pecado contra Dios, al violar su ley.

Yo conceptúo estos tres tipos de culpa como culpa psicológica, culpa relacional y culpa moral. La culpa *psicológica* es la que se experimenta al no alcanzar las metas propias o las expectativas ajenas. La culpa *relacional* es la que se siente cuando se deteriora o se rompe la relación con alguien que a uno le importa. Y la culpa *moral* se sufre cuando uno viola su propia conciencia, al quebrantar la ley de Dios. El pecado conlleva culpa.

Jesús es la respuesta a cada uno de estos tres tipos de culpa. Él es nuestra perfección. En mi caso, cuando no logro cumplir las normas inalcanzables que me he impuesto, confío en él. Él es también mi consuelo, cuando siento que he lastimado a alguien con mis palabras o mis actos. Le ruego que me dé la gracia de pedir perdón. Cuando mi corazón me condena por haber quebrantado la ley de Dios, me arrodillo y oro, en confesión y arrepentimiento.

Cuando seguimos estos tres pasos, la culpa se disipa. Jesús libera de culpa a los cautivos: reemplaza nuestra culpa con su perdón, la acusación con la aceptación, y la condenación con su misericordia.

El corazón confiado

Muchos dolores habrá para el impío; mas al que espera en Jehová, le rodea la misericordia. Alegraos en Jehová y gozaos, justos. Sal. 32:10, 11.

En los días de la contrarreforma en Inglaterra, el gobierno ejecutó a Ricardo Cameron, a causa de sus creencias religiosas.

Sus verdugos lo decapitaron y le cortaron las manos, y luego presentaron las partes desmembradas a su padre, que estaba encarcelado en Escocia, acusado del mismo crimen. Los oficiales le preguntaron al hombre si reconocía los brazos y la cabeza de su hijo Ricardo.

Con lágrimas en los ojos, el padre abrazó los brazos y la cabeza de su hijo, y con labios temblorosos, contestó:

—Sí... son los de mi hijo, mi hijo querido, pero el Señor me tiende su misericordia todos los días de mi vida. Buena es la voluntad del Señor, que no puede perjudicarme ni perjudicar a los míos...

Ni siquiera la obra de sus enemigos que acabaron con la vida de su hijo, pudo quebrantar la fe de este hombre de Dios.

Tenía un corazón confiado. Había aceptado la promesa que implican las palabras del salmista: "Esforzaos todos vosotros los que esperáis en Jehová, y tome aliento vuestro corazón" (Sal. 31:24).

¿Cómo es posible para un padre ver las partes del cuerpo de su hijo, arrancadas y ensangrentadas, y no decaer en su fe? ¿Cómo es posible sobrevivir un trauma tan espantoso? Sólo hay una manera. No se debe a una increíble fuerza interior ni a un poder inusual, sino a un corazón confiado en el Señor, un corazón que se apoya en la certeza absoluta de que un día Dios lo enderezará todo.

Cuando depositamos toda nuestra confianza en Dios, él nos imparte una fortaleza espiritual indescriptible. El poder divino fluye del trono del universo para revestirnos. En él recibimos fortaleza espiritual para sobrevivir todos los ataques del enemigo. La vida de confianza en Dios es una vida de poder, de fortaleza y de fe imperturbable. Una vida de resistencia inamovible contra el mal, que se vive enteramente en la presencia de Dios, se apoya en sus promesas y se aferra al poder de su Espíritu. Dios nos invita hoy a vivir este tipo de vida: el tipo de vida que nos sostendrá y nos fortalecerá para resistir todas las estocadas del maligno.

De la ansiedad a la alabanza

Por nada estéis afanosos, sino sean conocidas vuestras peticiones delante de Dios en toda oración y ruego, con acción de gracias. Fil. 4:6.

En el día de Acción de Gracias de 1961, el empresario y cantante evangélico Merrill Womach partió de un pequeño aeropuerto cerca de Beaver Marsh, Oregón, en su avioneta privada. Desafortunadamente, a escasos minutos del despegue, la avioneta giró repentinamente y se desplomó, cayendo en picado desde unas cien yardas (90 m) de altura, sobre las ramas heladas de los árboles. Cuando Merrill volvió en sí, la avioneta ardía en llamas. Procuró alejarse de allí, pero en el intento sufrió quemaduras graves, especialmente en la cabeza, el pecho, los brazos y las piernas.

Avanzó a los tumbos entre la nieve, tratando de llegar a la carretera más cercana, guiado por el ruido de los coches. Afortunadamente, dos hombres que habían presenciado la caída de la avioneta, se dirigían a su vez al lugar de la escena. Cuando los tres se encontraron, Merrill parecía un monstruo sin ojos, sin nariz y sin boca, y con toda la cabeza carbonizada e inflamada.

Tras colocarlo con cuidado en su vehículo, los hombres partieron con él rumbo al hospital más cercano. Durante el viaje, acostado en el asiento trasero, Merrill sintió no sólo un dolor imparable que se apoderaba de todo su cuerpo, sino también —según declaró luego— algo muy superior a su dolor: un deseo irresistible... ¡de cantar!

Mientras avanzaban por la carretera 97, Merrill trató de abrir un ojo, alcanzó a verse las manos y comprendió lo grave de su situación.

—Se me había hinchado la cabeza, y el dolor era insoportable —explicaría después—. Pero más que de llorar de dolor o de pena, sentía deseos de cantar. En eso, me vino a la mente un himno muy antiguo, que había aprendido de niño, así que me puse a cantarlo.

Mientras los hombres sentados en el asiento delantero escuchaban en incrédulo silencio, las palabras de un himno emergían desde una ranura en el rostro carbonizado de Merrill. En el Collier State Park, una ambulancia llegó al encuentro del vehículo. Los paramédicos transfirieron al herido a una camilla y se alejaron velozmente. Más allá del sonar de la sirena y del dolor de Merrill, su cantar —un himno de alabanza— seguía en el aire... "Paz, paz, cuán dulce paz, la que da nuestro Padre eternal".

Tener paz no significa carecer de dolor. A veces, la paz de Dios nos llega en los momentos más dolorosos. ¿Se siente inquieto? ¿Inquieta? ¿Tiene el corazón lleno de ansiedad? El mensaje del apóstol Pablo a los colosenses es también para nosotros: "Gracia y paz a vosotros, de nuestro Padre Dios y del Señor Jesucristo" (Col. 1:2). Regocijémonos hoy, porque el don divino de la paz ya es nuestro. Regocijémonos, porque, a la luz de la paz que nos es dada, bien podemos reemplazar nuestra ansiedad con alabanzas a Dios.

¡Peligro! No tocar

Jehová es mi luz y mi salvación; ¿de quién temeré? Jehová es la fortaleza de mi vida; ¿de quién he de atemorizarme? Sal. 27:1.

Antes de empezar su turno nocturno en la fábrica, el dependiente encargado de suministros había recibido órdenes de no acercarse a cierta caja pequeña que había en el embarcadero. La caja misma lo advertía en cada uno de sus lados, con letras grandes: ¡PELIGRO! ¡NO TOCAR! A todos los empleados se les había pedido que se mantuvieran a distancia de la caja, hasta que la administración interviniera. El dependiente nocturno no se atrevía ni a respirar cerca de la caja; hasta que llegó el capataz de suministros.

El capataz se puso los guantes y las gafas de seguridad, y procedió a abrir la caja, lenta y cuidadosamente. Cuál no habrá sido su sorpresa al descubrir en ella 25 letreros que decían: ¡PELIGRO! ¡NO TOCAR!

Imagínese todo el estrés que esta caja misteriosa habrá causado a los obreros del embarcadero, en las horas que pasaron imaginando las terribles sustancias tóxicas que podría contener. La inofensiva caja se convirtió en una potente carga de ansiedad.

A menudo, cuando analizamos nuestros problemas, vemos que se parecen a esa caja. Se ven aterradores, pero en realidad no lo son.

Sentir temor ocasionalmente es parte normal de la vida. Hay muchas cosas que pueden desencadenar nuestro mecanismo de temor. Podemos sentirlo, por ejemplo, al descubrir un bultito en la axila que antes no habíamos notado; al encontrarnos a alturas descomunales o en medio de tormentas eléctricas; al experimentar turbulencias de aire en un viaje en avión o al andar en cualquier otro vehículo a alta velocidad.

Aunque todo el mundo siente miedo en ocasiones, algunos lo sufren constantemente. Esas personas parecen tener la vida llena de cajas con carteles de peligro; viven controladas por esta emoción negativa, la cual no procede de Dios. El apóstol dice: "Porque no nos ha dado Dios espíritu de cobardía, sino de poder, de amor y de dominio propio" (2 Tim. 1:7).

El temor excesivo, el imaginar continuamente lo peor, no es saludable. Dios diariamente planea lo mejor para nosotros, y es capaz de transformar cada experiencia para nuestro bien (Rom. 8:28). Dado que él controla cada circunstancia de nuestras vidas, bien podemos confiar en que obrará a través de ellas, conforme a su propósito.

Mientras huía del rey Saúl, David escribió: "Busqué a Jehová, y él me oyó, y me libró de todos mis temores" (Sal. 34:4). Entreguemos a Dios todos nuestros temores; todo lo que nos preocupa o inquieta. Permitamos que él nos libere de nuestros miedos paralizantes.

¿A qué le teme hoy? Arrodíllese ante el Señor, y preséntele sus inquietudes. Dios reemplazará sus temores con valor y fe; sus ansiedades, con seguridad y determinación; sus preocupaciones, con paz y sabiduría. Reemplazará todo lo que le inquieta, con su espíritu "de poder, de amor y de dominio propio".

El clavo del diablo

Compra la verdad, y no la vendas; la sabiduría, la enseñanza y la inteligencia. Prov. 23:23.

Cierto hombre haitiano decidió vender su casa por $2.000. Un conocido tenía interés en comprársela, pero era pobre y no podía pagar la suma requerida. Tras negociar y regatear un buen rato, el propietario aceptó finalmente vender su casa por la mitad del precio estipulado, siempre y cuando él pudiera quedarse como dueño de un clavo pequeño que sobresalía por encima de la puerta. Pasaron los años, y un día el propietario original regresó a la casa con la idea de volver a comprarla. Pero el nuevo dueño no tenía interés en venderla. Entonces, el propietario anterior decidió colgar un perro muerto en el clavo de la casa que todavía le pertenecía.

Pronto fue prácticamente imposible seguir viviendo en la casa. El olor del perro muerto era inaguantable, y la familia nueva no tuvo más remedio que vender la propiedad al dueño del clavo.

Si el diablo tiene un clavo en el cual colgar sus tentaciones en nuestro corazón, puede tomar fácilmente posesión de nuestras vidas. Si le damos lugar, hará hasta lo imposible por destruirnos. Consideremos, si no, el caso de Caín. Él se dejó llevar por su enojo, y éste lo condujo a la violencia que lo instó a asesinar a su propio hermano. En su caso, el enojo fue "el clavo" que Satanás usó para colgar su prenda de violencia.

No por nada dice la Escritura: "Si os enojáis, no pequéis. No se ponga el sol mientras estáis enojados, ni deis lugar al diablo" (Efe. 4:26, 27).

Le damos lugar al diablo cuando transigimos, permitiéndole gobernar nuestras acciones, cuando atesoramos el pecado en nuestro corazón. Le damos lugar cuando fracasamos en tratar como corresponde el pecado que Dios señala en nosotros, y excusamos y justificamos nuestra conducta pecaminosa.

La transigencia es mortal no sólo por lo malo o lo equivocado del acto o de la conducta en sí, sino porque cada vez que se transige con el mal, el diablo adquiere otro clavo donde colgar más tentaciones. La única solución a la transigencia consiste en asumir la actitud de Jesús, cuando proclamó gozosamente: "yo hago siempre lo que a él agrada" (Juan 8:29).

El gozo de Jesús consistía en agradar al Padre. Su objetivo era hacer la voluntad de Dios. Su mayor ambición consistía en proporcionar gozo al corazón del Padre mediante su obediencia a Dios. Resistió firmemente todos los intentos del maligno de colocar un clavo en su corazón. Permitamos hoy que Jesús use el martillo de la verdad para arrancar cualquier clavo que el maligno haya puesto en nuestro corazón.

18 de marzo

La voz del Maestro

Y la paz de Dios, que sobrepasa todo entendimiento, guardará vuestros corazones y vuestros pensamientos en Cristo Jesús. Fil. 4:7.

Subí al ático donde mi abuelo guardaba los canarios que criaba y lo observé con asombro, mientras colocaba uno solo en la jaula, que de inmediato cubrió completamente, para dejar al ave en total oscuridad. Enseguida, mi abuelo se puso a silbar. Al oír su silbido, el canario captó el tono; aprendió la melodía en la oscuridad y la recordó para siempre.

Dios nos enseña a confiar en él del mismo modo en que se lo enseñó a Jesús, durante su trayectoria en esta tierra. Tal vez la lección más difícil e importante de la vida sea aprender a confiar cuando no podemos entender lo que sucede. Cuando todo parece oscuro. Cuando el viaje se alarga demasiado y el camino es áspero o tortuoso, y uno ya no halla manera de pasar alrededor, por encima ni a través de la montaña.

En su mensaje a los filipenses, el apóstol Pablo se refiere a la "paz ... que sobrepasa todo entendimiento" (Fil. 4:7). Cuando las perplejidades y las pruebas de la vida nos confunden, nuestra fe aún puede aferrarse a las promesas de Dios. No es imprescindible entender por qué pasa lo que pasa. No siempre podremos entender todo lo que nos sucede. La vida tiene sus altibajos, sus gozos y tristezas, sus triunfos y derrotas. Tratar de entender por qué Dios permite la angustia y el sufrimiento puede sólo dejarnos aún más confusos. Una cosa es segura: aunque no podamos siempre entender la vida cristiana, podremos siempre confiar en ella.

La confianza conlleva la profunda convicción de que Dios obra en nuestras vidas. "Ahora vemos... oscuramente" (1 Cor. 13:12), pero en la oscuridad, como el canario, aprendemos a cantar. Aprendemos a captar el silbo de Dios. Aprendemos el canto de la confianza. Piense, en Jesús: solo, en la oscuridad, pendiendo de una cruz entre el cielo y la tierra. En el peor momento de su vida clamó: "Padre, en tus manos encomiendo mi espíritu" (Luc. 23:46). Ridiculizado por la turba, traicionado por Judas, negado por Pedro, abandonado por sus discípulos, rechazado por los judíos y crucificado por los romanos, Jesús vivió confiado, y nos enseña a confiar. Como el fruto a la semilla, cada experiencia contiene su lección de confianza.

Sean cuales fueren nuestras circunstancias, pidámosle a Dios que ahonde nuestra confianza en él, que aumente nuestra fe. Que nos ayude a asirnos de su amor cuando no podamos entender lo que nos pasa, o por qué nos pasa lo que nos pasa... Roguémosle, como el padre aquel que se acercó a Jesús para pedirle por la sanidad de su hijo: "Creo; ayuda mi incredulidad" (Mar. 9:24). Ayúdame a confiar en ti plenamente.

Fortaleza para nuestra necesidad diaria

Acuérdate de la palabra dada a tu siervo, en la cual me has hecho esperar. Ella es mi consuelo en mi aflicción, porque tu dicho me ha vivificado. Sal. 119:49, 50.

La Palabra de Dios es poderosa. Nos imparte esperanza en los momentos de desánimo; consuelo en la aflicción; y vida en la desesperación. Despeja nuestra confusión y nos da paz cuando nos asalta la duda. Vivifica nuestros corazones en nuestras horas más oscuras.

Cuando tuve la oportunidad de entrevistar al pastor Mikhail Kulakov —dirigente de la Iglesia Adventista del Séptimo Día, en la que en sus días fuera la Unión Soviética—, quedé profundamente conmovido.

Este verdadero gigante de la Palabra se dedica actualmente a supervisar la traducción de las Escrituras al idioma ruso, pero en su juventud vivió bajo la más terrible opresión del régimen comunista.

A sus escasos veinte años, el gobierno soviético lo sentenció a prisión, condenándolo a trabajos forzados en los campos de concentración, y al ostracismo, privándolo a menudo por semanas enteras de todo contacto con su familia. Más de una vez se preguntó entonces si —fuera de la muerte o del olvido— habría algún futuro para él.

Un día, le llegó una encomienda al campo de concentración. Su madre le había enviado algunos alimentos y con ellos, escondido en el fondo de la caja, un gastado ejemplar del Nuevo Testamento.

Cuando el censor revisó la encomienda y descubrió las Escrituras, las tiró, pero al hacerlo, las tapas y las páginas se soltaron y volaron por el aire, en todas direcciones. Como era de esperarse, el censor le negó a Kulakov el privilegio de quedarse con ellas, pero en la confusión, mientras recogía las páginas tiradas, no se dio cuenta de que el joven ya se había guardado una en el bolsillo.

Al regresar a la barraca, Kulakov leyó ávidamente la hoja de las Escrituras que había logrado rescatar. Cuando llegó al texto de Juan 17:24: "Padre, que aquellos que me has dado estén conmigo donde yo esté", su corazón saltó de gozo. Este solo pasaje de la Escritura lo sostuvo largamente con ánimo. Jesús, su amado Salvador, no quería que él viviera en esas barracas sucias, malolientes e infestadas de ratas. Quería que estuviera con él en el cielo mismo.

Este solo versículo influyó tan positivamente en Kulakov, que marcó un nuevo comienzo para él. Y lo mismo puede suceder con nosotros. Permitamos hoy que las promesas de Dios nos llenen de fe y de valor, alegrando nuestro corazón y elevando nuestro espíritu.

Cuando la culpa se va

Si confesamos nuestros pecados, él es fiel y justo para perdonar nuestros pecados, y limpiarnos de toda maldad. 1 Juan 1:9.

Durante una campaña evangelizadora en Estocolmo, Suecia, visité una tarde a una agente de viajes de la ciudad que había asistido a las conferencias.

Conversábamos sobre asuntos de índole espiritual, cuando ella me dijo:

—Pastor, hay algo que siempre quise preguntar a algún ministro pero nunca me atreví. El aborto... ¿es asesinato?

Con lágrimas en los ojos me contó entonces la historia de un amor frustrado, un embarazo no deseado y la decisión precipitada de abortar a su bebé, a cuatro meses de su gestación. Estaba divorciada de su primer esposo, cuando conoció a otro hombre del que se enamoró perdidamente. Juntos anduvieron unos seis meses, y él le prometió casarse. Pero un día, estando ella embarazada, él le confesó que en realidad ya estaba casado y tenía tres hijos en otro país al que ahora debía regresar.

La intempestiva noticia la dejó sin aliento. Con el colapso de su segunda relación amorosa no podía soportar la idea de quedarse con el bebé de un hombre que sólo la había utilizado. Así que decidió abortarlo y lo hizo. Sin embargo, nunca más pudo sentirse tranquila al respecto. Vivió los siguientes 18 años angustiada e inquieta, con la sensación de haber privado de la vida a un inocente.

Ahora, mientras conversábamos sobre esto, le expliqué que cuando Jesús rogó al Padre: "perdónalos, porque no saben lo que hacen" (Luc. 23:34), su perdón también la abarcaba a ella. Juntos leímos 1 Juan 1:9: "Si confesamos nuestros pecados, él es fiel y justo para perdonar nuestros pecados, y limpiarnos de toda maldad".

—¿Dice el texto —pregunté—, "si confesamos nuestros pecados, con excepción del aborto"?

—¡No! —replicó.

Los ojos se le llenaron de lágrimas. Acababa de comprender que lo que Dios promete es real. Se aferró con fe a la promesa: "Si confesamos nuestros pecados, él es fiel y justo para perdonar nuestros pecados, y limpiarnos de toda maldad". Y una paz antes desconocida inundó su ser.

El perdón había estado a su disposición, a todo lo largo de aquellos 18 años terribles, pero ella sólo pudo degustarlo cuando abrió su corazón para aceptarlo.

Hay aquí una conmovedora verdad: el perdón es parte de la naturaleza misma de Dios. Aunque no recibimos el perdón divino, sino hasta que confesamos nuestros pecados, nuestra confesión no gana el perdón de Dios. Sólo abre nuestros corazones para que podamos recibir el perdón que todo el tiempo ha estado —y sigue estando— a nuestra disposición.

Levántate... y anda

Tú, enemiga mía, no te alegres de mí, porque aunque caí, me levantaré; aunque more en tinieblas, Jehová será mi luz. Miq. 7:8.

El 17 de mayo de 1824, un virtuoso compositor dirigió la primera presentación de su Novena Sinfonía en un teatro vienés. El concurrido auditorio recibió con entusiasmo el programa, y el hombre volcó tanta vehemencia en su obra que le transmitió pasión y heroísmo. Al final de uno de los movimientos, la audiencia estalló en un aplauso atronador; pero el conductor permaneció imperturbable, de espaldas al público, ojeando las páginas de su partitura. Sólo cuando la contralto llamó su atención a la audiencia, tirándole de la manga de su traje, Ludwig van Beethoven, totalmente sordo, se dio vuelta y se inclinó reverente.

Él no podía oír los aplausos, como tampoco una sola nota de la sinfonía que estaba dirigiendo, pero se la sabía de memoria y la transmitía gloriosamente.

Beethoven tenía buenas razones para disfrutar de esa noche inolvidable. En cierto modo, su sinfonía representaba su respuesta al pasado: crear belleza a partir de su propio dolor. Quizá recordara alguna escena de entonces. Tal vez aquella noche, casi de madrugada, cuando mientras él dormía plácidamente en su cama, su padre irrumpió a los tumbos en su cuarto con otro amigo ebrio, y lo obligó a levantarse y tocar el piano por horas, para entretenerlos.

El padre de Ludwig era duro y cruel con su hijo. Uno de los amigos de infancia de Beethoven contó que el padre del músico solía obligarlo a golpes a tocar el piano. Algunos creen que la posterior sordera del músico pudo haberse debido, siquiera en parte, a los maltratos que recibiera de niño. Su música no es, en su totalidad, dulce y ligera. Es también estruendosa e impaciente. Beethoven tuvo oportunidades y razones de sobra para guardar encono y resentimiento, pero encontró una manera mejor de expresar su sentir. Al transmitirlas a través de su música, convirtió en un don las experiencias amargas de su vida.

El Dios de los cielos es más que capaz de iluminar aun los rincones más oscuros de nuestras vidas. La luz de su amor penetra y traspasa las tinieblas más densas de nuestro dolor. Su luz nos libera de la oscuridad.

Cuando nos sentimos quebrantados por la tristeza y el pesar, Dios nos levanta. Está junto a nosotros, cuando tropezamos o trastabillamos. Nuestra caída puede deberse a nuestros propios errores o a decisiones ajenas. Una familia disfuncional, un jefe opresivo, la traición de un amigo, la enfermedad, las deudas... Estas cosas pueden, sin duda, abrumarnos y hacernos caer, pero aun así la Palabra de Dios sigue en pie. El profeta Miqueas afirma: "Tú, enemiga mía, no te alegres de mí. Aunque caí, me levantaré" (Miq. 7:8) En la fortaleza de Dios, también nosotros podemos levantarnos y regocijarnos hoy.

DETENIENDO LA ESPIRAL DESCENDENTE

Jehová dará poder a su pueblo; Jehová bendecirá a su pueblo con paz. Sal. 29:11.

Los padres de Jan la educaron en un hogar cristiano, pero ella se rebeló contra sus valores. Creyendo que la manipulaban y la controlaban demasiado, dejó su hogar y a su familia, para irse a explorar el mundo por su cuenta. A sus quince años, ya había caído en las redes del alcohol y las drogas, adicciones de las que nunca llegó a librarse completamente.

Jan trató de encontrar el amor que le hacía falta con una serie de hombres. Vivió con varios enamorados, pero nunca llegó a tener una relación verdaderamente estable.

A veces visitaba la iglesia de su infancia. Recuerdo haberla visto en algunas de las campañas evangélicas que dirigí. Tenía inquietudes espirituales, pero jamás logró captar la realidad del poder y de la presencia de Dios. Muchas veces se acercó al altar, en respuesta al llamado evangélico; muchas veces se propuso abandonar el consumo de estupefacientes, pero siempre volvió a su vida anterior habitual. No podía resistirse.

Procurar ayudarla fue terriblemente frustrante. Yo quería que experimentara el amor de Dios, que comprendiera lo que podía significar entablar una relación con él, pero la idea se le escurría como arena entre los dedos, ajena y lejana a ella.

La vida se le convirtió en una espiral descendente. Lo que comenzó como una típica rebelión adolescente creció y creció, hasta alcanzar proporciones incontrolables.

Hay un término dolorosamente triste, que suele aplicarse a gente como Jan. Son los "fracasados". Echan a perder sus vidas. Atraen todo tipo de problemas. Nunca se enderezan.

¿Por qué Jan continuó fracasando? ¿Por qué no pudo salir de sus problemas? ¿Podrían ciertas decisiones acerca de su estilo de vida haber logrado un cambio en su vida?

Yo creo que la gracia de Dios es mayor que cualquier hábito esclavizante. Como bien dice la Escritura: "Donde abundó el pecado, sobreabundó la gracia" (Rom. 5:20). Podemos hacer tres cosas:

1.Reconocer que somos débiles e incapaces de luchar contra el enemigo por nuestra propia cuenta (Juan 15:5).

2.Creer que el poder de Dios es suficiente para librarnos (Fil. 4:13).

3. Resolvernos a cerrar todos los caminos de pecado. Resistir al diablo (Sant. 4:7).

Es en este último punto donde muchos fracasan. Propongámonos, por la gracia y el poder de Dios, separarnos de la fuente de la tentación. Evitemos lo que sabemos que nos hará caer. Guardémonos de la senda de la tentación. Aunque no podemos evitarla por completo, podemos elegir evitar situaciones comprometedoras. Podemos ganar la batalla contra la tentación antes de que ésta llegue, evitando exponer nuestra vulnerabilidad. Elijamos nuestro proceder con anticipación. Nos alegraremos de haberlo hecho.

ABRAZADOS POR EL AMOR

En esto se mostró el amor de Dios para con nosotros, en que Dios envió a su Hijo unigénito al mundo, para que vivamos por él. 1 Juan 4:9.

Kim estaba emocionada! Más que emocionada... ¡Eufórica! ¡Extasiada de gozo! Steve, su esposo, acababa de ganar en la lotería de Ohio varios millones de dólares, los cuales cobraría a razón de $107.000 por año, durante 20 años. Y además, ganó otra, por $100.000. Esta pareja de Dayton podría vivir por el resto de sus vidas la vida de sus sueños, con todo lo que quisieran a su alcance.

Sólo había un problema. Ella tenía relaciones con otro hombre, y sabía que haber ganado la lotería sólo iba a acarrearle mayores problemas. No quería alejarse de esa fortuna, pero tampoco quería terminar con su aventura amorosa. Quería el dinero de Steve, pero no tenía interés en su amor. Las ganancias de la lotería dominaban su mente. Para poder quedarse con todo el dinero, decidió contratar a alguien que eliminara a su esposo.

Mientras hablaba por teléfono con su amante acerca de sus planes, el hijo de Kim, de 21 años, oyó la conversación. Pronto, la policía llegó y arrestó a la mujer por encargar la muerte de su esposo por la suma de $500. Ya había pagado $25, comprometiéndose a pagar el resto en cuanto le terminaran el "trabajo".

Sorprendentemente, Steve la visitó con frecuencia mientras estuvo en prisión. Según él, "uno no tira bajo el puente 22 años de matrimonio". Sus relaciones se afianzaron. Él procuró diligentemente que le redujeran la sentencia, y retiró las acusaciones contra ella. Y por último, pagó la fianza para liberarla. Su candor y su amorosa iniciativa tocaron las fibras más hondas del corazón de Kim. Pudo, por contraste, ver su aventura amorosa por lo que realmente había sido, una pobre imitación del amor verdadero. ¿Cómo podría resistir el amor real, auténtico, genuino de quien no estaba dispuesto a abandonarla? ¿Cómo podría ser infiel a alguien que le había sido tan fiel? No podría. No lo haría. Cuando él la rescató de la prisión, ella se echó en sus brazos, sollozando.

—¡Por favor, nunca, nunca me dejes!

Sus amigos los tildaron de locos, y ellos están de acuerdo.

—De todos modos —explica Steve—, el amor es una forma de locura. Uno no puede explicarlo lógicamente.

El amor incondicional de Dios es ciertamente inexplicable.

He aquí una verdad prácticamente inconcebible: Nada podemos hacer que disminuya el amor de Dios por nosotros. Nuestras acciones no determinan su amor; lo determina su propio corazón. Cuando le damos la espalda, igual nos ama. Cuando rechazamos su invitación a seguirle, igual nos ama. Nuestros errores pueden quebrantar su corazón. Nuestras decisiones equivocadas pueden afligirlo mucho, pero nada puede cambiar su inquebrantable amor por nosotros.

Poder desde el interior

Todo lo puedo en Cristo que me fortalece. Fil. 4:13.

Treena Kerr vivía en una mansión bellísima, de estilo colonial, en la bahía de Chesapeake. Parecía tenerlo todo. Su esposo era el famoso gastrónomo Graham Kerr, del programa televisivo *Galloping Gourmet*. Tras arduo trabajo, habían logrado alcanzar el éxito soñado. Podían darse todos los lujos, y tenían estupendos amigos.

Sin embargo, por dentro, Treena se sentía desfallecer. Su centro se estaba desmoronando. Por fuera, la gente sólo veía a la mujer alegre y encantadora, pero sus amigos más cercanos sabían que luchaba con problemas emocionales graves. De hecho, hacía años que venía decayendo... Cuando ya no sabía cómo controlar su vida, los médicos sugirieron internarla en un hospital psiquiátrico por tiempo indeterminado. Hasta entonces, sólo las dosis elevadas de *Valium* habían logrado estabilizarla.

Treena tenía en su casa una sirvienta jovencita, llamada Ruthie, que empezó a orar por ella. Ruthie sabía que todos los tratamientos habían fallado, de modo que también pidió a otros miembros de su iglesia que oraran por su patrona.

Después de tres meses de orar por ella, un día Ruthie encontró a Treena en su habitación, gritando a todo pulmón y con los ojos fijos en el techo. Armándose de valor, Ruthie sugirió:

—¿Por qué no le entrega a Dios sus problemas?

Aunque molesta, Treena aceptó el desafío.

—Está bien, Dios. Si eres tan listo, ocúpate de esto, porque yo... no puedo.

Una semana después, Treena visitó la iglesia de Ruthie, y sin pensarlo dos veces, hasta respondió al llamado que el pastor hizo desde el altar. Arrodillada y sollozando, sólo atinó a decir:

—Lo siento; perdóname, Jesús, por favor, perdóname.

Abandonó luego el recinto, sintiendo lo que extasiada describía como "el toque" de Dios. Y volvió a su hogar, dispuesta a conocer al Dios que la había salvado. Así, empezó a leer la Biblia que Ruthie le había regalado. Leyó hasta tarde en la noche. Y cuando fue a tomar las pastillas para dormir, escuchó en su interior una voz que le decía:

—De aquí en adelante, no querrás nada de esto.

La mayoría de la gente no deja de tomar *Valium* de golpe, pero esa noche, Treena vació el frasco en el lavabo del baño, durmió perfectamente y despertó al día siguiente con energía y buen semblante. De ahí en más, poco a poco, el poder de Dios transformó su vida.

La vida cristiana no consiste en apretar los dientes y aguantarse. No es asunto de luchar febrilmente para obedecer la voluntad de Dios. El cristianismo consiste en una relación con Dios que transforma la vida.

No se quede estancado

La senda de los justos es como la luz de la aurora, que va en aumento hasta que el día es perfecto. Prov. 4:18.

Dwight L. Moody, uno de los evangelistas más prolíficos de la era moderna, siempre tuvo avidez por aprender. Deseaba intensamente crecer día a día en Cristo.

Durante una de sus largas travesías evangélicas, Moody viajaba en tren con un cantante apellidado Towner, cuando un hombre ebrio, con un ojo morado, los reconoció y se puso a cantar himnos a los gritos. El evangelista no quería vérselas con el hombre, de modo que intentó pasarse a otro vagón, pero Towner le dijo que todos los demás vagones ya iban llenos.

En eso, uno de los conductores pasó por el pasillo, y Moody, todavía molesto, lo detuvo para informarle del incidente. El conductor se acercó al hombre ebrio y lo apaciguó, lo llevó luego aparte para lavarle y vendarle el ojo herido, y por último lo trajo de nuevo a su asiento, donde el hombre se quedó profundamente dormido.

Tras reflexionar un rato al respecto, Moody le confesó a su amigo que esto había representado una gran lección para él. El conductor había actuado como el buen samaritano, mientras que el propio Moody se había comportado como un fariseo indiferente. A partir de entonces, avergonzado de su actitud, Moody contó este incidente en cada predicación que ofreció durante el resto de aquel viaje misionero.

Aunque era un predicador poderoso, Moody solía sentarse a los pies de los conferenciantes invitados, Biblia en mano, para tomar nota de sus sermones. Era un vivo ejemplo de docilidad docente; siempre dispuesto a aprender, a crecer, a descubrir más y más de la verdad de Dios.

Puede que Dios trate de revelarnos algo hoy...

Las circunstancias que a diario enfrentamos revelan quienes somos, pero también nos modelan. Si no albergamos enojo ni resentimiento en nuestro corazón, no habrá circunstancia —por dura que sea— que despierte ese sentir en nosotros. Si no guardamos amargura en nuestro interior, no habrá injusticia que la agite. Si no albergamos lascivia, no habrá seducción que nos incite. Si no nos falta honradez, la oportunidad de engañar no la provocará.

Día a día, las circunstancias de nuestras vidas muestran lo que realmente hay, o no hay, en nuestro corazón. Dios quiere mostrarnos abiertamente lo que hacemos y lo que somos, para que enfrentemos ambas cosas con entereza. A veces nos permite ver revelaciones dolorosas de quienes somos realmente, a fin de que podamos, conscientemente, entregarle todo a él. Él puede encargarse eficazmente de lo que nosotros no sabemos cómo manejar. Permitamos que su Espíritu nos revele hoy lo que realmente hay en nuestro corazón, y propongámonos seguir creciendo en Jesús.

26 de marzo

FE POR LA QUE VALE LA PENA MORIR

El que tiene oído, oiga lo que el Espíritu dice a las iglesias. El que venciere, no sufrirá daño de la segunda muerte. Apoc. 2:11.

La arena del tiempo, manchada de sangre, habla de la fe del Nuevo Testamento por la que valía la pena morir. Fileas —ejecutado por su fe en el año 306, en Alejandría— fue muestra de ello; pero antes de morir, dejó un bello testimonio de su fe, registrado más tarde por testigos presenciales.

Como digno representante de su clase, el joven y rico Fileas había servido honorablemente en asuntos públicos. Además, era casado y tenía hijos que le daban muchas satisfacciones. En su época, convertirse al cristianismo significaba arriesgarlo todo, pero él corrió ese riesgo gozosamente. Tras su arresto, el prefecto de Roma en Egipto procuró inducirlo a abandonar su fe.

—Libera tu mente de esta locura que se ha apoderado de ti —le urgió.

Y Fileas le contestó con calma:

—Nunca he estado loco y estoy muy en mis cabales ahora.

—Bien —declaró entonces el prefecto—, sacrifica a los dioses.

Pero Fileas respondió que él sólo podía ofrecer sacrificios a su Dios.

—¿Qué tipo de sacrificios le gustan a tu Dios? —le preguntó—. A lo cual contestó:

—La pureza de corazón, una fe sincera y la verdad.

A lo largo del interrogatorio, Fileas se mantuvo en pie frente al juez. Con su familia llorando detrás de él, testificó elocuentemente en favor de su fe. Cuando lo presionaron nuevamente a abandonar su fe, Fileas declaró:

—El salvador de todas nuestras almas es Jesucristo, a quien sirvo en estas cadenas... He pensado mucho sobre mi situación, y estoy decidido a sufrir por él.

Poco después, Fileas fue decapitado. La gente como él nos inspira a ser fieles a la pureza del Evangelio. Nos instan a volver a la fe firme de los creyentes del Nuevo Testamento, a la entrega de los discípulos, a la fe imperturbable de los mártires. El cristianismo de hoy es a menudo fácil, acomodaticio y sin cruz; cuesta muy poco. No tiene columna vertebral. Es el producto de una fe débil que requiere poco y nada de sacrificio real; una fe superficial que promete a sus seguidores salud, riqueza y estatus social.

Sí, Jesús ofrece vida en abundancia (Juan 10:10), pero también la cruz. El Maestro dijo: "Si alguno quiere venir en pos de mí, niéguese a sí mismo, y tome su cruz, y sígame" (Mat. 16:24). Jesús es la perla de gran precio (Mat. 13:46). Sea lo que fuere, bien vale la pena dejarlo todo por él. Su incalculable valía, su insuperable encanto, su inestimable valor hacen que todos nuestros sacrificios se desvanezcan en la insignificancia. Él vale lo que cuesta.

NUESTRO GUÍA HASTA EL FIN

Porque este Dios es Dios nuestro eternamente y para siempre; él nos guiará aun más allá de la muerte. Sal. 48:14.

Lizzie Atwater abrazó con fuerza a su bebé y esperó en suspenso agonizante, mientras las bandas de merodeadores cercaban el lugar donde vivía. Dada su posición de misionera en la China durante la sublevación bóxer de agosto de 1900, sólo podía esperar una muerte segura y brutal en manos de los fanáticos que habían jurado vengarse de los extranjeros.

No obstante, aun en medio del terror, Lizzie encontró una vía de esperanza. Esto es lo que escribió a su hermana y al resto de su familia, poco antes de su muerte:

"Anhelo ver sus rostros amados; pero temo que no podrá ser en esta tierra. Me preparo para el fin en quietud y calma. El Señor está maravillosamente cerca, y no me fallará. Me sentía muy inquieta y nerviosa cuando creía tener alguna posibilidad de seguir con vida; pero Dios me ha quitado esos sentimientos, y ahora sólo oro por gracia del cielo para enfrentarme al fin con valor. Pronto, el dolor cesará para siempre, y... ¡Ah, qué dulce será la bienvenida, allá arriba!"

En enero de 1956, en la selva ecuatoriana, Roj Youderian encontró la muerte en manos de los indígenas aucas a quienes trataba de evangelizar. Días después de que se encontrara su cuerpo, su esposa Bárbara escribió esto en su diario: "Hace dos días, Dios me dio este versículo del Salmo 48: "Porque este Dios es Dios nuestro eternamente y para siempre; él nos guiará aun más allá de la muerte" (vers. 14).

En septiembre de 1956, en el Congo Belga, la Sra. Lois Carlson se esforzaba por escuchar las noticias en su radio de onda corta, a pesar de la interferencia reinante. Los nacionalistas de Simba habían invadido el hospital del Dr. Paul Carlson.

De vez en cuando, el Dr. Carlson podía enviar subrepticiamente un breve mensaje por onda corta. Lois captó éste: "No sé adónde he de ir ahora, pero sé que estaré con él".

Días después, captó otro mensaje: "Sé que estoy listo para encontrarme con mi Señor, pero pensar en ti hace que sea más difícil. Confío en que podré testificar por Cristo".

Quienes descubrieron el cuerpo asesinado del Dr. Carlson, encontraron en el bolsillo de su chaqueta un ejemplar del Nuevo Testamento. En la contratapa, el médico había escrito la fecha (el día anterior a su muerte) y una sola palabra: "paz".

Paz frente a la peor de las circunstancias. Paz en los momentos más angustiosos. Paz en la desesperación, en el desastre, en la presencia misma de la muerte. Hoy, la paz de Dios es su regalo especial para nosotros. Sean cuales fueren las circunstancias de nuestras vidas, la situación en que nos encontremos, aferrémonos por la fe a su propuesta y promesa: "Escucharé lo que hable Dios, el Señor, porque promete paz a su pueblo" (Sal. 85:8).

Abramos nuestros oídos. Escuchemos su voz. Oigamos hoy en nuestras almas su promesa de paz.

El estandarte de la lealtad

Santificad mis días de reposo, y sean por señal entre mí y vosotros, para que sepáis que yo soy Jehová vuestro Dios. Eze. 20:20.

A principios del año 1600, Dorothy Traske dirigía una escuela preparatoria privada en Londres, de cuya popularidad daba fe una larga lista de alumnos en espera de cupo.

La Sra. Traske y su esposo John eran puritanos. Como tales, creían que la Iglesia de Inglaterra necesitaba purificarse y regresar a sus raíces neotestamentarias. Un día, mientras estudiaban las Escrituras procurando ordenar sus vidas conforme a los principios que fueran descubriendo, los Traske encontraron —por casualidad— el mandamiento bíblico referido al sábado como día de reposo, y se propusieron obedecerlo. Así, la Sra. Traske comenzó por cerrar su escuela los sábados.

Cuando los padres de los alumnos le preguntaban por qué, la Sra. Traske explicaba sus convicciones. Al enterarse las autoridades, investigaron el asunto y encarcelaron a la Sra. Traske por considerar que con sus acciones "desafiaba al Estado".

La Sra. Traske languideció en prisión, por alrededor de quince años. No queriendo abrumar a sus amados fuera de la cárcel, con sus necesidades, subsistió la mayor parte de esos años con pan, agua, raíces y hierbas. Finalmente, encerrada entre esos muros grises, se enfermó y murió. Cuando la sacaron de la prisión de Gatehouse, la enterraron en el campo.

Para la Sra. Traske, el sábado era una señal de lealtad a Dios. Más que un mero día más, era el que Dios ordenaba guardar. Rechazar el sábado era rechazar al Señor del sábado; y con él, al Creador que lo había designado. La Sra. Traske enfrentó la cárcel y la muerte, no simplemente por lealtad a un día, sino por su fidelidad al mandamiento de Dios. En teoría, un período de 24 horas no difiere de otro de la misma extensión; pero según la Palabra de Dios, el sábado era decididamente diferente. El mandamiento de Dios es claro: "Acuérdate del día sábado para santificarlo" (Éxo. 20:8, Reina-Valera, 2000).

El relato del Génesis declara que "bendijo Dios al día séptimo, y lo santificó, porque en él reposó de toda la obra que había hecho en la creación" (Gén. 2:3).

El séptimo día, el sábado, es el símbolo de lealtad que Dios bendijo y santificó. Enarbolemos su estandarte. Adoremos el nombre de Dios este sábado. Si la Sra. Traske estuvo dispuesta a morir, antes que a faltar a su lealtad al sábado de Dios, ¿no deberíamos nosotros estar dispuestos a adorar a Dios cada sábado, en vez de faltar a nuestra lealtad?

Heraldos de la verdad (primera parte)

Me buscaréis y me hallaréis, porque me buscaréis de todo vuestro corazón. Jer. 29:13.

Mientras de niño asistía a la escuela de San Patricio en Norwich, Connecticut, no tenía ni idea de que Patricio de Irlanda (372-466) sentó las bases para la observancia del sábado en las islas británicas.

En su juventud, Patricio oyó el Evangelio durante una predicación, en la provincia romana de Gaul. Aceptó la verdad de Dios y pronto se sintió llamado a compartir estas buenas nuevas en Irlanda, donde había pasado algunos años como esclavo.

La poderosa predicación bíblica de Patricio llevó a miles a rendir homenaje a un nuevo señor: Jesucristo. Entre esos nuevos conversos se encontraba Conall, hijo del rey de Niall, uno de cuyos descendientes —Colombano— con el tiempo llegó a convertirse en otro de los grandes pilares del cristianismo.

Como Patricio en el pasado, Colombano mantuvo la Biblia como único fundamento de su fe e hizo hincapié en la bendición de obedecer los Diez Mandamientos, los cuales llamó "la ley de Cristo".

Alrededor del año 563 de nuestra era, Colombano se dirigió a la solitaria isla de Iona, cercana a la costa británica, donde estableció una escuela cristiana y un centro misionero. Los misioneros de Iona predicaron poderosamente la Palabra de Dios en las islas británicas.

Colombano también llegó a la conclusión de que la lealtad incondicional a Dios implicaba la observancia del sábado bíblico. En su lecho de muerte dijo:

—Ciertamente, este día es sábado para mí, porque es el último de mi laboriosa vida presente. En él, tras mis arduas faenas, guardo el sábado…

Leamos ahora lo que el historiador Andrew Lang escribió acerca de los conversos de la iglesia celta, cuyos precursores fueron Patricio y Colombano: "Trabajaban los domingos, pero guardaban el sábado de manera sabática".

A lo largo de la historia siempre hubo cristianos que observaron el sábado bíblico. A través del estudio cuidadoso de las Escrituras, descubrieron el verdadero día santo de Dios. Las palabras de David, registradas en el Salmo 42:1, bien pueden aplicarse a estos seguidores de Dios: "Como el ciervo brama por las corrientes de las aguas, así clama por ti, oh Dios, el alma mía".

Dios bendice con gemas preciosas de la verdad a quienes lo buscan sinceramente a través de su Palabra. En todas las edades ha habido estudiantes fervientes de la Biblia, que descubrieron la verdad sobre el sábado. Y a menudo tuvieron que pagarlo con su vida.

Muchos fueron torturados, golpeados, encarcelados y condenados a muerte a causa de su fidelidad al Señor del sábado. Como observadores del sábado, sigamos el ejemplo de aquellos gigantes de la fe, como Patricio y Colombano. En las páginas de la historia nos han dejado un legado de consagración, digno de imitar.

30 de marzo

HERALDOS DE LA VERDAD (SEGUNDA PARTE)

Si me amáis, guardad mis mandamientos. Juan 14:15.

En 1662, un ministro llamado Francis Bampfield fue a dar a la cárcel de Dorchester, condenado por sus creencias no conformistas. Bampfield se había convertido en uno de los más célebres predicadores de su región, en Inglaterra. Era un hombre erudito, generoso y devoto, pero nada de eso les importaba a las autoridades, porque no seguía las tradiciones de la iglesia establecida.

Para colmo, mientras estaba en prisión, Bampfield se convenció de que el séptimo día era el sábado bíblico. Siendo que los mismos puritanos proclamaban la importancia de guardar la ley moral de Dios, los Diez Mandamientos, halló que no tenía sentido observar todos menos el cuarto.

Es interesante notar cómo Bampfield trató de persuadir a sus contemporáneos puritanos. Muchos no querían aceptar el séptimo día o sábado, por considerarlo una institución judía. Pero Bampfield les hizo ver que la humanidad y el sábado fueron creados en la misma semana, en el jardín del Edén, mucho antes del nacimiento de Abrahán.

El libro del Génesis describe la bendición y santificación del sábado como el acto con el que Dios corona la creación. "Y bendijo Dios al día séptimo, y lo santificó, porque en él reposó de toda la obra que había hecho en la creación" (Gén. 2:3).

Guiado por estos textos bíblicos tan contundentes, Bampfield concluyó que "mientras duren las semanas, ellos (la humanidad y el sábado) vivirán y permanecerán juntos".

Sus contemporáneos insistían en que el día santo *cristiano* era el domingo, pero Bampfield no hallaba cómo conciliar este concepto con el ejemplo de Cristo. Leyó todo el Nuevo Testamento, pero no encontró evidencias de que Jesús hubiera guardado como santo otro día de la semana que no fuera el sábado.

En su estudio cuidadoso del Nuevo Testamento, en busca de evidencias para la observancia del sábado, encontró textos que lo convencieron de que Jesús guardaba el sábado. Jesús había dicho: "Si me amáis, guardad mis mandamientos" (Juan 14:15); y las Escrituras registraban que él, "en el día de reposo entró en la sinagoga, conforme a su costumbre, y se levantó a leer" (Luc. 4:16).

Bamfield concluyó que el hecho de que Jesús adorara a Dios en sábado era razón más que suficiente para que él también lo hiciera. Sus conclusiones tienen sentido.

Algunos sienten que la adoración "institucional" en sábado no es importante. Consideran que reciben las mismas bendiciones leyendo en casa. No le encuentran mayor sentido a asistir a la iglesia los sábados por la mañana. Olvidan una verdad vital: Jesús consideraba la adoración en sábado tan importante, que hizo de ella su costumbre.

Heraldos de la verdad (tercera parte)

Por tanto, queda un reposo para el pueblo de Dios. Porque el que ha entrado en su reposo, también ha reposado de sus obras, como Dios de las suyas. Heb. 4:9, 10.

Durante el período de la Reforma, muchos aceptaron la verdad del sábado bíblico. Uno de los disidentes convencidos al respecto fue Teófilo Brabourne, quien en la década de 1650 pastoreó una iglesia en la que se guardaba el sábado. A quienes sostenían que la observancia del sábado representaba volver al judaísmo, Brabourne les preguntaba:

—¿Rechazarían el Evangelio porque primero fue dado a los judíos? ¿Por qué, entonces, rechazar el sábado, porque fue dado primero a los judíos?

Brabourne vinculaba cuidadosamente el Evangelio con el sábado. Sus oponentes argüían que la observancia del sábado se había discontinuado para favorecer la del primer día de la semana, en honor a la resurrección de Cristo, pero Brabourne les señalaba algo que Jesús había dicho poco antes de su ascensión a los cielos. Al advertir a sus discípulos acerca de la persecución que habría de sobrevenirles, Jesús les dijo: "Orad, pues, que vuestra huida no sea en invierno ni en día de reposo" (Mat. 24:20).

Frente a esto, Brabourne sólo podía concluir que Cristo creía que sus seguidores continuarían observando el sábado, tal como él lo había hecho. Al respecto escribió: "Cristo admitió el antiguo sábado como ordenanza cristiana en la iglesia, para todos los tiempos del Evangelio después de su muerte".

Muchos observadores del sábado fueron acusados de legalismo, de volver a la antigua ley ceremonial, pero Brabourne sostenía que guardar el sábado el séptimo día no era más legalista que guardar el sábado el primer día de la semana. Era posible guardar uno u otro, por motivos equivocados.

El sábado no simboliza la justificación por las obras, sino la justificación por la fe. Cada sábado descansamos como símbolo de que, por mucho que nos afanemos, no podemos salvarnos a nosotros mismos. Descansamos en el amor de Jesús, en su tierno cuidado. Descansamos en la salvación que ganó para nosotros.

Como se señala en Hebreos 4:10, "el que ha entrado en su reposo, también ha reposado de sus obras, como Dios de las suyas". El sábado es símbolo de descanso, no de trabajo. Cuando por decreto humano se sustituye el sábado de Dios con otro día, es este otro día justamente el símbolo de la justificación por las obras, porque con este método del hombre se sustituye el método de Dios. La justificación por la fe exalta el método de salvación establecido por Dios. Cuando Cristo murió en la cruz, el sábado descansó en la tumba, revelando así que había completado su obra de salvación, abundante en gracia para todos.

Este sábado, descanse en el amor de Dios, en su salvación. Hoy el sábado declara con poder que hay gracia salvadora suficiente para todos y cada uno de nosotros.

Heraldos de la verdad (cuarta parte)

He aquí, tú amas la verdad en lo íntimo, y en lo secreto me has hecho comprender sabiduría. Sal. 51:6.

Sobre la calle Whitechapel, en el paseo Bull Stake, en Londres, John James estableció una iglesia bautista del séptimo día que llegó a ser conocida como la Mill Yard Church.

El sábado 19 de octubre de 1661, mientras James predicaba, los representantes de la ley entraron en la iglesia, interrumpieron el servicio y le pidieron que descendiera del púlpito. James —presintiendo acaso que éste sería el último de sus sermones— intentó terminar primero su exposición, pero no se lo permitieron. De inmediato, las autoridades lo arrastraron desde la plataforma del púlpito hasta afuera, acusándolo de traicionar al rey con sus palabras.

James fue confinado en la prisión de Newgate. Tras un mes de espera, se lo llevó a comparecer ante los jueces de Westminster Hall. Sin evidencias reales, el tribunal lo condenó a la horca, acusándolo de intentar derrocar al gobierno y difamar al rey.

Atado a un trineo, el 26 de noviembre de 1661, James fue arrastrado por las calles hasta llegar a Tyburn, el sitio de su ejecución. Mientras su verdugo se preparaba para cumplir con su deber, James comenzó a hablar a la multitud que presenciaba la escena. Ninguno de ellos olvidaría jamás sus palabras.

Habló con poder acerca de su esperanza en Cristo, y luego oró fervorosamente por todos los allí reunidos. Los testigos de su ejecución notaron cuán bondadosas y amables habían sido sus palabras, en comparación con el sitio terrible en que las pronunciara y el destino fatal que le aguardaba.

John James no fue una figura destacada de la historia. No fundó ningún movimiento religioso. No volvió a descubrir verdades fundamentales del Evangelio, hasta entonces ocultas u olvidadas, como lo hicieran John Wycliffe o Martín Lutero. Fue, sencillamente, uno más de los muchos creyentes que, a su manera, expresaron su lealtad incondicional a Jesucristo.

Fue, sobre todo, un hombre íntegro, cuya conciencia no claudicaría ante la tentación ni la presión. En medio de la irrelevancia moral y del cristianismo claudicante propios de la actualidad, Dios busca y llama a hombres y mujeres que "aman la verdad en lo íntimo". En el mundo de las encuestas de hoy, pocos tienen la suficiente convicción de conciencia como para atreverse a diferir de la mayoría. Reina la anarquía moral. Muchos cristianos carecen de carácter, de entereza espiritual. Desconocen la firmeza y la estabilidad manifestadas en la vida de John James.

A través de los siglos, el eco de la historia nos trae el testimonio de quienes dieron sus propias vidas por causa de su fe. Nos llega en el viento sagrado del tiempo, y dice: Mantén viva la fe. Mantén viva la fe. Mantén viva la fe.

Inquebrantable bajo la presión

Si en verdad permanecéis fundados y firmes en la fe, y sin moveros de la esperanza del evangelio que habéis oído, el cual se predica en toda la creación que está debajo del cielo. Col. 1:23.

Georgio se rehusó a transigir. Al descubrir en los Diez Mandamientos la verdad sobre el sábado, decidió que —aunque hasta donde sabía no había observadores del sábado en ninguna parte— sería fiel a su conciencia.

Como vivía en un Estado ortodoxo, lo excomulgaron de su iglesia y lo boicotearon en la comunidad. Nadie podía comprarle ni venderle nada y sus hijos no podían asistir a la escuela, porque todas las escuelas eran ortodoxas. Quedaron totalmente aislados.

Sin embargo, él creía que lo que había leído en la Biblia era correcto, de modo que se propuso ser fiel a lo aprendido, fuera cual fuese el costo. Tres años después, cuando los representantes de la Sociedad Bíblica Extranjera visitaron su país, Georgio les preguntó acerca del sábado bíblico. Ellos le contestaron con los argumentos de costumbre: que no estamos bajo la ley sino bajo la gracia, y que no importa, en esencia, qué día uno guarda. Pero no pudieron disuadirlo. Esos argumentos le parecían demasiado débiles.

Tras cuidadosa investigación, Georgio finalmente descubrió que había en Turquía algunos observadores del sábado. Como no tenía la dirección de ellos, comenzó a dirigir sus cartas a "cualquier observador del sábado que haya en Estambul, Turquía", e insistió en su búsqueda, escribiéndoles vez tras vez durante seis meses.

Finalmente, una de sus cartas llegó a una iglesia pequeña de observadores del sábado, situada en Estambul. Establecido el contacto con ellos, Georgio se enteró del movimiento mundial adventista del séptimo día, y se unió a él. Dadas las circunstancias, tuvo que mudarse de su pueblo; pero Dios lo bendijo, y sus hijos pudieron asistir sin problemas a otras escuelas no ortodoxas. Inició un pequeño negocio y prosperó, y con el tiempo llegó a ser dirigente de una pequeña iglesia adventista en Grecia.

El testimonio de Georgio no es único. Hay muchos alrededor del mundo que se entregan a la verdad con firmeza e integridad. Son gente que se aferra a la verdad; personas que no están dispuestas a transigir ni claudicar. En una sentida oración, David declaró: "Pronto está mi corazón, oh Dios, mi corazón está dispuesto" (Sal. 57:7). ¿Están nuestros corazones dispuestos a aferrarse firmemente de la verdad? ¿O cedemos fácilmente? ¿Nos acomodamos al ambiente o a la cultura popular?

Georgio se propuso un solo objetivo, que a partir de entonces influyó en todo cuanto hizo. Decidió que no haría nada que pudiera, de alguna manera, disgustar a Dios. Resolvió permitir que Dios modelara sus pensamientos a través de la lectura de las Escrituras, que el Espíritu Santo guiara sus acciones y que la voluntad de Cristo se manifestara en su conducta. ¿Por qué no hacer nuestra esa misma decisión?

¿LA MAYORÍA SIEMPRE TIENE RAZÓN?

Entrad por la puerta estrecha; porque ancha es la puerta, y espacioso el camino que lleva a la perdición, y muchos son los que entran por ella; porque estrecha es la puerta, y angosto el camino que lleva a la vida, y pocos son los que la hallan. Mat. 7:13, 14.

Dios puede sorprender hasta a los pastores con la forma en que obra. A veces, nos confronta con la verdad. Nos zarandea. Sacude nuestra complacencia.

Ray Holmes pastoreaba una iglesia luterana de 500 miembros en la parte alta de la península de Michigan. Un día, su esposa, Shirley, lo confrontó con el asunto de la observancia del sábado o séptimo día. Era cierto que a veces él se sentía incómodo en su iglesia y fuera de tono con quienes sostenían que las enseñanzas concretas de la Biblia debían actualizarse. Él quería basar su fe en la verdad bíblica, pero... ¿guardar el sábado? Le parecía imposible que tantos eruditos opuestos a la observancia del sábado pudieran estar equivocados.

Él siempre se había caracterizado por respetar la supremacía de las Escrituras. "Si la Palabra lo dice, yo lo creo" era su lema. Su fe se asentaba en las sólidas verdades de la Palabra de Dios; pero esta vez se sentía sacudido en lo más íntimo. Se había educado en la tradición de su iglesia, la cual ordenaba la observancia del primer día de la semana. Siempre había creído que, dado que Cristo resucitó el primer día de la semana, el verdadero sábado bíblico era realmente el domingo.

Resuelto a responder a las inquietudes de su esposa, el pastor Holmes estudió detenidamente las Escrituras, procurando develar la verdad. Al fin, su descubrimiento lo llevó a renunciar a su posición como pastor de la congregación luterana, y convertirse en un observador del sábado. El pastor Holmes descubrió... que la mayoría no siempre tiene razón.

¿Qué quiso decir Jesús cuando pronunció estas palabras: "espacioso es el camino que lleva a la perdición"? ¿Por qué dijo: "angosto es el camino que lleva a la vida"? De hecho, Dios no trata de ocultarnos la verdad. El camino angosto no es tal porque es difícil de encontrar, sino porque es difícil de seguir. El motivo por el cual muchos no encuentran la verdad es que no están dispuestos a seguirla. El precio de la verdad es la entrega. El corazón que se entrega descubre en la Palabra de Dios siempre más de la verdad.

El plan de Dios para nosotros es que crezcamos constantemente en nuestro andar cristiano. ¿Cuándo fue la última vez que, frente a alguna verdad de la Palabra de Dios, sintió que debía efectuar un cambio en su vida?

¿Está estancada su vida cristiana? ¿Siente el desafío de la verdad? ¿Suele sentir que el Espíritu lo reta a cambiar más aún? Al enfrentarse al desafío de la verdad, el pastor Ray Holmes respondió: "Señor, estoy dispuesto a hacer lo que me indiques". ¿Lo estamos también nosotros?

El llamado de Dios a volver

Me levantaré e iré a mi padre, y le diré: Padre, he pecado contra el cielo y contra ti. Luc. 15:18.

Lisa vivía en la hermosa isla de Oahu, en Hawai. Su vida en aquella isla paradisíaca fue de ensueño hasta la mañana en que su esposo le dijo que iría a escalar un rato, y no regresó.

Mientras recorría solo una aislada región montañosa, entre rocas volcánicas, la grava suelta cedió bajo sus pies. Cayó de cabeza en un barranco de 500 pies de altura, donde se quebró el cuello y murió. Tres días tomó a las autoridades dar con él.

Lisa tardó mucho en recuperarse. Aún después de meses de lo ocurrido, permanecía sumida en la tristeza. Fue durante esa época de intenso dolor cuando un día escuchó el llamado divino: "Venid a mí todos los que estáis trabajados y cargados, y yo os haré descansar" (Mat. 11:28).

Ella había crecido en un hogar donde se guardaba el sábado. Al sentir el llamado de Dios en su corazón, pensó que sólo volviendo a sus raíces podría encontrar descanso. Para ella, guardar el sábado simbolizaba descansar en los brazos amantes de Dios: depositar en él sus afanes, su ansiedad, la carga de su atormentado corazón. El sábado simbolizaba... volver al hogar.

En un sentido muy real, el sábado representa el hogar. Nos llama a volver a nuestro hogar original, el Edén, donde Dios apartó el sábado como día de comunión con él.

Adán y Eva pasaron juntos su primer sábado con Dios. En amante camaradería, se regocijaron ante su presencia. Ligados íntimamente, sentían vivamente la atracción del uno por el otro y de ambos por el Creador. El propósito principal del sábado es relacional. En medio del afán y los apuros de nuestra agitada vida de hoy, a menudo no le damos prioridad a las relaciones. El sábado nos llama a la pausa, para reflexionar en lo que verdaderamente importa. Nos habla de la intimidad que nuestros corazones anhelan. Es una invitación semanal a darle prioridad a nuestra relación con Dios, con nuestra familia, con nuestros amigos y allegados.

Lisa halló descanso y relaciones renovadas en el sábado, y nosotros también podemos hacerlo. Dios nos invita a experimentar la más plena de nuestras relaciones este sábado.

5 de abril

Descanso para los que trabajan demasiado

Venid a mí todos los que estáis trabajados y cargados, y yo os haré descansar. Llevad mi yugo sobre vosotros, y aprended de mí, que soy manso y humilde de corazón; y hallaréis descanso para vuestras almas. Mat. 11:28, 29.

Henry se encontraba en una carrera desenfrenada hacia la cima del mundo comercial de Chicago. Vendía condominios en un edificio de muchos pisos, en el centro, y no daba abasto. Los condominios se vendían como pan caliente.

Él trabajaba los siete días de la semana. Sin tiempo ni para dormir, menos lo tenía para Dios. Hacía años que había abandonado su educación religiosa. Para él, sencillamente, "no funcionaba", no producía el efecto que supuestamente debía producir. Ahora estaba envuelto en algo que sí daba resultados. Estaba completamente absorto en sus negocios.

De hecho, los fines de semana eran los días más ocupados en el mundo de los bienes raíces, pero un día, los padres de Henry le recomendaron que mirara un programa televisivo de *It Is Written,* titulado "Descanso para los que trabajan demasiado". En él se describía cómo el sábado bíblico representaba el remedio ideal para el estilo de vida actual, ajetreado y lleno de estrés.

El programa le llegó de cerca. Se dio cuenta de cuánto necesitaba descanso espiritual, descanso de sábado, en su propia vida. La religión siempre le había parecido un montón de reglas sin importancia. Jamás había podido entablar una relación genuina con Cristo. Ahora comprendía que acaso nunca había invertido el tiempo necesario para ella; acaso nunca le había dado a Jesucristo una oportunidad real en su vida.

Al terminar el programa, Henry llamó al número que se ofrecía en pantalla, para conseguir las direcciones de las iglesias adventistas en la zona de Chicago; y el sábado siguiente, asistió a una iglesia adventista del séptimo día cercana a su casa. Se sintió impresionado por la calidez de la gente. Cuando el pastor hizo un llamamiento al final del sermón, Henry, profundamente conmovido, respondió, poniéndose de pie.

Había llegado el momento de tomar una decisión. ¿Seguiría en su imparable aventura comercial, o tomaría tiempo —tiempo de calidad— para relacionarse con Cristo? De pie en el santuario, rodeado de sus nuevos amigos, Henry tomó su decisión.

La observancia del sábado no es una recomendación, sino un mandamiento. No es una luz amarilla intermitente en el cruce de la vida, ante la cual podemos escoger pasar rápidamente. Es una luz roja: una luz de pare. Dios nos ama demasiado para meramente recomendarnos que hagamos una pausa para refrescarnos y restaurar nuestras mentes, nuestros cuerpos y nuestras almas. En el sábado, nuestro poderoso Creador, nuestro amado Redentor y Rey venidero nos ordena detener la carrera desenfrenada de nuestras vidas, parar el trabajo incesante y hallar descanso en él.

Alimentado en la prueba

Amad a Jehová, todos vosotros sus santos; a los fieles guarda Jehová. Sal. 31:23.

Las autoridades encontraron al joven marinero Gerrit Corneliss trabajando en una barcaza. Tras llevarlo a la municipalidad, lo interrogaron y le pidieron que abandonara sus creencias en el Nuevo Testamento.

Gerrit se rehusó a hacerlo, como también a darles información alguna que pudiera conducir al arresto de sus compañeros creyentes. Para doblegarlo, le vendaron los ojos y lo colgaron de las manos, dejándolo suspendido por largos períodos. Lo golpearon con varas y lo torturaron en el potro.

Sus verdugos lo amenazaron con seguir atormentándolo hasta que cediera, pero él permaneció en silencio. Se dice que agradecía a Dios por mantener sus labios sellados.

Cuando por último decidieron quemarlo, tuvieron que cargarlo en una silla porque ya no podía caminar. Al llegar a la hoguera, Gerrit abrió sus labios, pero sólo para orar fervorosamente: "Padre y Señor, ten misericordia de mí... Tú conoces mi amor sencillo hacia ti; acéptame, y perdona a quienes me infligen este sufrimiento".

En la Edad Media, la iglesia se había vuelto poderosa, al grado de usurpar la autoridad estatal. No había, pues, mayor diferencia entre la autoridad de la Iglesia y la del Estado. Por eso, sostener creencias distintas a las prescritas por la iglesia del estado equivalía a un acto de traición; y se perseguía implacablemente a quienes creían en cualquier otro dogma.

Es interesante notar que particularmente en relación con ese tiempo de persecución, Dios hizo esta asombrosa promesa a sus seguidores: "Y se le dieron a la mujer las dos alas de la gran águila, para que volase de delante de la serpiente al desierto, a su lugar, donde es sustentada por un tiempo, y tiempos, y la mitad de un tiempo" (Apoc. 12:14).

¡Asombroso! Dios sustentó a su pueblo en el desierto. Oprimido, perseguido, atormentado, pero sustentado. Hostigado, acorralado, probado, condenado a muerte, pero sustentado. Siempre, sean cuales fueren sus pruebas, el pueblo de Dios recibe su sustento espiritual. Dios no nos abandona en nuestros momentos de mayor dificultad. No nos deja cuando las cosas van mal. Como los cristianos fieles de la Edad Media, también nosotros recibimos el sustento de la verdad. Dios utiliza los problemas que enfrentamos para enseñarnos. Usa el estrés y los reveses de la vida para fortalecernos y sustentarnos.

Sean cuales fueren las dificultades que afrontemos hoy, la promesa de Dios es nuestra. Fijemos nuestros ojos en él. El Señor nos sustentará en nuestros respectivos "desiertos".

7 de abril

La seguridad del santuario

Tengamos un fortísimo consuelo los que hemos acudido para asirnos de la esperanza puesta delante de nosotros. La cual tenemos como segura y firme ancla del alma, y que penetra hasta dentro del velo. Heb. 6:18, 19.

Hace algunos años, se llevó a cabo un ensayo de investigación para comprobar el efecto de los golpes de la vida en el sistema nervioso central. Los investigadores a cargo encerraron un cordero, solo, en su redil, con dispositivos que provocaban descargas eléctricas, conectados a su alrededor. En cuanto el cordero se acercaba a uno de los lados del redil, los investigadores accionaban un interruptor que le producía un choque eléctrico. Cuando el animalito se asustaba y corría hacia otra parte del redil, los investigadores lo acicateaban desde allí, y el corderito volvía a salir corriendo.

A lo largo del ensayo, los investigadores notaron que el cordero nunca volvía al lugar donde anteriormente había recibido una descarga eléctrica. Finalmente, tras innumerables descargas, el corderito se quedó temblando, en el medio del redil. No se animaba ya a correr. No tenía adónde ir. Estaba rodeado de descargas eléctricas. Completamente abrumado, lleno de ansiedad y de estrés, sus nervios colapsaron. El corderito sufrió lo que en el ser humano equivale a una depresión nerviosa y murió en el centro del redil.

Los investigadores tomaron luego al gemelo del cordero anterior y lo colocaron en el mismo redil; pero esta vez, pusieron a su madre con él. Cuando los investigadores acicatearon al segundo cordero del modo en que lo habían hecho con el primero, el animalito también corrió, pero no hacia otro rincón del redil, sino hacia su madre. Aparentemente, ella le transmitió confianza, pues al rato, el corderito la dejó para comenzar a comer de nuevo. La escena se repitió. Los investigadores volvieron a accionar el interruptor, el cordero corrió nuevamente hacia su madre, y una vez más, ésta lo tranquilizó.

Al cabo del experimento, los investigadores notaron una diferencia sorprendente entre los dos corderos. El segundo no temía volver al sitio donde había recibido antes una descarga eléctrica. Para sorpresa de los investigadores, los siguientes choques eléctricos no perturbaron en lo más mínimo al segundo cordero. Él no mostró ninguno de los síntomas de nerviosismo, estrés o ansiedad que su gemelo había sufrido en circunstancias similares. ¿Por qué? Porque tenía la seguridad de alguien a quien podía recurrir. Para enfrentar el estrés de que era objeto, obtenía su confianza y poder de alguien más, fuera de sí mismo.

Todos necesitamos este tipo de confianza. Hasta el filósofo ateo Julian Huxley admitió que "El hombre actúa mejor si cree que Dios existe". El corazón humano siente una profunda necesidad de alguien en quien depositar su confianza, alguien a quien recurrir cuando se encuentra en problemas, alguien que le ofrezca tranquilidad en medio del estrés y las tensiones de la vida.

Restaura mi alma

Confortará mi alma; me guiará por sendas de justicia por amor de su nombre. Sal. 23:3.

De pronto, la puerta de mi oficina se abrió de golpe. Un hombre joven, con barba desaliñada y aspecto de rufián irrumpió en la habitación. Creyendo que podría atacarme, di un paso atrás. El intérprete ruso se interpuso entre nosotros. El hombre comenzó a agitar los brazos y a hablar animadamente en ruso.

Corría el mes de marzo de 1992, y me encontraba en medio de un ciclo de conferencias en el auditorio del Kremlin de Moscú. El intérprete me explicó que el hombre en cuestión era uno de los criminales más conocidos de Moscú. Había estado en la cárcel veintiocho veces. Cargado de culpa y de desesperación por su futuro, anhelaba encontrar la paz.

Tomé mi Biblia y le leí 1 Juan 1:9: "Si confesamos nuestros pecados, él es fiel y justo para perdonar nuestros pecados". Le conté la historia del ladrón en la cruz, que encontró perdón en Cristo. Con lágrimas en sus ojos, el joven ruso se arrodilló, oró y recibió el perdón de Dios.

Me fui de Moscú y no regresé por casi un año. Cuando volví para dirigir un ciclo de evangelismo de seguimiento en un auditorio cívico enorme, el intérprete ruso me dijo:

—Sin duda va a disfrutar del coro de esta noche; todos sus integrantes se bautizaron el año pasado, durante sus reuniones de evangelismo.

En efecto, gocé del coro inmensamente. No pude evitar notar el rostro limpio y radiante de un joven de unos treinta años. Era aquel conocido criminal por el que había orado el año anterior. Su rostro irradiaba el amor de Dios. Sus ojos brillaban de asombro ante la maravilla de la gracia de Dios. Los himnos que cantaba fluían de un corazón convertido.

Dios anhela no sólo perdonarnos, sino restaurarnos: restaurar nuestro gozo, nuestra paz y nuestro propósito, a su semejanza. El apóstol Juan lo explica así: "Amados, ahora somos hijos de Dios, y aún no se ha manifestado lo que hemos de ser; pero sabemos que cuando él se manifieste, seremos semejantes a él, porque le veremos tal como él es" (1 Juan 3:2).

Si se lo permitimos, Dios nos restaurará a su semejanza. Nos hará como él. ¡Qué privilegio! ¡Qué promesa! ¡Qué maravilloso destino!

9 de abril

ASUMA SU RESPONSABILIDAD

Porque es necesario que todos nosotros comparezcamos ante el tribunal de Cristo, para que cada uno reciba según lo que haya hecho mientras estaba en el cuerpo, sea bueno o sea malo. 2 Cor. 5:10.

A sus cuatro añitos, Billy era el terror de su clase de jardín de infantes de la iglesia. Empujaba a los demás chicos, los derribaba, los atropellaba, los hacía tropezar, y —por lo general—, desordenaba todo.

Un día, su maestra le dijo:

—Billy, ¿querrías orar?

El chiquitín oró de manera sencilla:

—Jesús, por favor, ayuda a los niños pequeños para que no se caigan tanto.

Con esa petición, en sólo una línea se absolvió a sí mismo de cualquier responsabilidad por los chicos que se caían y se lastimaban.

El cambio y la responsabilidad van de la mano. No podemos experimentar ningún cambio real de conducta, sin antes responsabilizarnos de nuestras acciones. Si somos meras víctimas de nuestro entorno, el entorno es responsable, no nosotros. Si somos resultado de lo que otros nos han hecho o han hecho de nosotros, otros son responsables, no nosotros.

Todo cambio comienza con la sensación de ser dueños de nuestras acciones. A menos que nos adueñemos de nuestras acciones, excusaremos nuestra conducta. Dios nos ha dado el poder de escoger y con él el poder de ser consecuentes y cumplir con lo que hemos escogido. Su Espíritu nos impresiona a hacer lo correcto, y nos capacita para hacerlo. Aceptar que somos moralmente responsables de nuestra conducta, confesar nuestros pecados y escoger cambiar nos permite recibir el perdón y el poder de Dios. La gracia de Dios nos salva de la culpa y el dominio del pecado. Nuestro entorno influye en nuestra conducta, pero nuestra elección la determina. Nadie escoge por nosotros. Dios nos ha dado la capacidad de tomar nuestras propias decisiones morales.

No se nos juzgará sobre la base de las decisiones ajenas. Se nos juzgará por las nuestras. El llamado de Moisés al Israel de ayer llega hoy a nuestros corazones: "A los cielos y a la tierra llamo por testigos hoy contra vosotros, que os he puesto delante la vida y la muerte, la bendición y la maldición; escoge, pues, la vida, para que vivas tú y tu descendencia" (Deut. 30:19).

La elección es nuestra. Su voz todavía nos dice: "Elige la vida".

Engaño mortal

Como la nube se desvanece y se va, así el que desciende al Seol no subirá; no volverá más a su casa, ni su lugar le conocerá más. Job 7: 9, 10.

En la década de los sesenta, James Pike, un obispo episcopal de la ciudad de Nueva York, pensó que podía comunicarse con los muertos. No podía resignarse al suicidio de su hijo Jimmy, y pensaba que el joven podría intentar comunicarse con él. El obispo Pike creía que la Biblia contenía buenos principios morales, pero rechazaba su autoridad para enseñar. Pensaba que Cristo fue un buen hombre, pero no el Hijo de Dios, y rechazaba lo que la Biblia dice acerca de lo que sucede después de la muerte.

El obispo Pike se mudó a Inglaterra, para pasar un tiempo en las universidades de Oxford y Cambridge, a fin de estudiar manuscritos bíblicos. Un día, al volver a su habitación, notó ciertos sucesos extraños. Las tarjetas con la foto de Jimmy, que él había puesto en la mesita de noche, estaban abiertas. Los relojes de la habitación se habían detenido a las 8:20, precisamente la hora en que Jimmy se había suicidado. Algunos imperdibles que había dejado cerrados, sobre el tocador, estaban abiertos en ángulos que formaban figuras extrañas. El espejo estaba torcido. Las ropas de Jimmy que antes habían estado en una caja, estaban desparramadas por todas partes.

Convencido de que Jimmy estaba tratando de contactarse con él, el obispo Pike visitó a un espiritista de Londres. El médium hizo aparecer la silueta del hijo del obispo, con el siguiente mensaje:

"Sí, padre, estoy en el cielo, un lugar eterno, pero no me hables de ningún salvador. Jesús fue un buen hombre, pero no el Salvador... Éste es un lugar maravilloso, pleno de gozo y amor. Jesús fue un iluminado, un maestro espiritual extraordinario. Está aquí junto a los otros maestros cósmicos".

Tras una serie de visitas como ésta, se le ordenó al obispo ir a Jerusalén para encontrarse con su hijo en el desierto de Judea. Él y su esposa fueron al desierto de Judea y recorrieron las colinas en busca de Jimmy. El obispo se deshidrató. Su esposa fue por ayuda, pero llegó demasiado tarde. El obispo Pike murió en el desierto, buscando a su hijo muerto. Debería haberlo sabido... El consejo bíblico acerca de los muertos era claro, pero él prefirió no tenerlo en cuenta.

Satanás trata de falsificar la esperanza de la resurrección, ofreciéndonos a nuestros seres queridos ahora, con apariencia espiritual. Pero las Escrituras no ofrecen apariciones espirituales, sino la presencia real de nuestros amados en ocasión de la resurrección. Dios ofrece más, mucho más que unos espíritus sin cuerpos. Él nos ofrece reunirnos con nuestros amados nuevamente, en la gloriosa mañana de la resurrección.

11 de abril

La esperanza bienaventurada, una esperanza mejor

Pues nada perfeccionó la ley, y de la introducción de una mejor esperanza, por la cual nos acercamos a Dios. Heb. 7:19.

Un hermoso día de verano, un hombre y su hijita de nueve años nadaban juntos en el océano. Habían estado chapoteando en las olas por un rato, cuando de pronto, la marea comenzó a retirarse con bastante más fuerza, llevándose a la niña fuera del alcance de su padre. Necesitarían ambos ayuda para volver a traerla hacia la orilla.

Afortunadamente, en vez de ceder al pánico, el padre le gritó:

"Flota y nada tranquila, no te asustes. Volveré enseguida para sacarte".

Cuando el hombre volvió al lugar de la escena, con un bote y varios socorristas, su corazón se estremeció. Su hija no estaba allí. La marea la había arrastrado mucho más lejos. Los minutos parecían horas, pero cuando finalmente la encontraron, la chiquita estaba flotando tranquila, tal como su padre le había indicado.

Cuando le preguntaron luego cómo se las había ingeniado para mantenerse tan tranquila, estando sola y lejos de la orilla, la nena contestó:

"Sólo hice lo que papá me dijo que hiciera. Sabía que él iba a volver. No me dio miedo".

La esperanza de esta niñita valiente la mantuvo viva. La ayudó a sobrevivir, hasta que pudieron rescatarla.

La esperanza fortalece nuestro espíritu, alienta nuestros corazones, elevándonos de lo que es a lo que va a ser. Alguien ha dicho: "Uno puede vivir días, sin alimento; horas, sin agua; minutos, sin aire; pero sólo segundos, sin esperanza". Esperanza es lo que nuestros corazones más anhelan.

En lo más profundo de nuestro ser nos preguntamos, ¿queda aún algo de esperanza?; ¿esperanza para nuestro mundo preocupado, gastado y desgarrado por la guerra?; ¿esperanza para nuestros hijos confundidos y caóticos?; ¿esperanza para nuestra tierra contaminada y superpoblada?; ¿esperanza para nuestro mundo dominado por el miedo y afligido por el hambre?

La esperanza del retorno de nuestro Señor nos mantiene a flote en el mar de la incertidumbre de este mundo. Pablo habla sobre la "esperanza en Dios", en medio de las vicisitudes de la vida (Hech. 24:15), y señala que "la esperanza no avergüenza" (Rom. 5:5).

Afirma que "en esta esperanza fuimos salvos" (Rom. 8:24). En Colosenses 1:5 habla de la "esperanza que os está guardada en los cielos". Nuestra esperanza es la segunda venida de nuestro Señor (1 Tes. 4:13-17). En Tito 2:13, Pablo llama a la segunda venida de Jesús "la bendita esperanza". En Hebreos 7:19, se nos dice que el sacrificio de Cristo en la cruz nos da "una mejor esperanza, por la cual nos acercamos a Dios".

Fe intrépida

Conforme a la fe murieron todos éstos, sin haber recibido lo prometido, sino mirándolo de lejos, y creyéndolo y saludándolo, y confesando que eran extranjeros y peregrinos sobre la tierra. Heb. 11:13.

La fe contempla más allá de lo que es. Contempla lo que va a ser. Se ase de la mano de Dios en cada prueba. Considere si no, la fe de Henri Arnaud y su comunidad de valdenses. Los valdenses constituían un grupo pequeño de cristianos fieles que creían en la Biblia y se animaban a ser diferentes. Se rehusaban a aceptar los decretos de la iglesia respaldada por el estado, en lugar de la Palabra de Dios. Para ellos, los mandamientos de Dios eran más importantes que las tradiciones de los hombres. La iglesia mayoritaria respondió con un ejército para destruirlos.

Una mañana de primavera, desde lo alto de una montaña, los valdenses alcanzaron a oír gritos a lo lejos. Se trataba del coronel DePerot y sus tropas, listos para el ataque.

—¡Muchachos, vamos a dormir allá esta noche! —alardeó el coronel, e invitó a todos los habitantes de la aldea a la ejecución pública en la horca, que tendría lugar el día siguiente— ¡Venid y ved el fin de los valdenses!

En la cima de la montaña, el dirigente valdense Henri Arnaud abrió su Biblia y le leyó a sus compañeros los versículos 2 y 3 del Salmo 124: "A no haber estado Jehová por nosotros, cuando se levantaron contra nosotros los hombres, vivos nos habrían tragado".

DePerot y su tropa de 4.000 hombres comenzaron a subir la montaña. Todo iba bien hasta que los mejores escaladores del grupo casi llegaron a la muralla de troncos del fuerte montañés. Desde allí, los hombres de Arnaud les lanzaron una lluvia de piedras. Las tropas retrocedieron. El coronel DePerot resultó herido y tuvo que pedir refugio en el fuerte valdense. Así, tal como lo había predicho —aunque no en las condiciones que hubiera preferido—, el coronel pasó la noche en lo alto de la montaña... por gentileza de los valdenses.

A la noche siguiente, los soldados de DePerot rodearon el fuerte, pero los valdenses ya se habían escapado, ascendiendo a las cumbres más altas, lejos del alcance del enemigo.

Los soldados maldijeron su suerte:

"Parece que el cielo tiene un interés especial en conservar a esta gente".

Pero no. No fue siempre así. Llegó el día en que los soldados enemigos lograron atrapar a 250 valdenses, encendiendo una hoguera a la entrada de la cueva donde se habían refugiado. Mientras el humo llenaba la cueva, los valdenses cantaron alabanzas a Dios hasta exhalar su último aliento.

Como otros miles de mártires, los valdenses prefirieron morir, antes que poner en peligro su integridad. Aceptaron el martirio, antes que renunciar a su fe. El testimonio de aquellos fieles mártires nos llama a seguir su ejemplo de lealtad.

Testificando en los juicios

Pero antes de todas estas cosas os echarán mano, y os perseguirán, y os entregarán a las sinagogas y a las cárceles, y seréis llevados ante reyes y ante gobernadores por causa de mi Nombre. Y esto os será ocasión para dar testimonio. Luc. 21:12, 13.

Dios usa a menudo nuestras peores tribulaciones para lograr el mayor bien posible. Las convierte en nuestro testimonio de fe. Esto fue especialmente cierto durante la Edad Media. Un notable interrogatorio nos llega de un tribunal eclesiástico del siglo XVI, en Londres. El obispo Bonner interrogaba a un joven llamado Thomas Haukes, acusado de herejía.

—¿Crees —preguntó el obispo, indignado— que en el bendito sacramento del altar permanecen el cuerpo y la sangre misma de Cristo?

—Creo —respondió Haukes— lo que Cristo me ha enseñado.

Esto no satisfizo al obispo. Él quería saber, exactamente, qué pensaba el prisionero que Cristo quiso decir con las palabras: "Tomad, esto es mi cuerpo" (Mar. 14:22).

Haukes admitió que no estaba de acuerdo con la doctrina de la transubstanciación que la iglesia oficial sostenía, por la cual el pan y el vino se convertían literalmente en el cuerpo y la sangre de Cristo. Señaló que ninguno de los apóstoles había enseñado eso. Explicó que el pan y el vino sin fermentar simbolizaban el cuerpo quebrantado y la sangre derramada de Cristo.

Esto enojó aún más al obispo.

—¡Ah! ¿Así que no aceptas más que lo que las Escrituras enseñan?

En efecto, ésta era la posición de Thomas Haukes. Quería que se le enseñara sólo y directamente de la Palabra de Dios. Anteriormente, incluso se habían burlado de él por no tener otra cosa que su "lindo librito de Dios".

Haukes replicó:

—¿Acaso no es suficiente para mi salvación?

—Sí, es suficiente para nuestra salvación —contestó Bonner—, pero no para nuestras instrucciones.

Y con esto, sentenció a Thomas Haukes a la pena de muerte. Pero el joven consideraba que bien valía la pena dar la vida por su fe. Su creencia en las Escrituras era firme. Las mofas y burlas del obispo no lo afectaban. Thomas Haukes había aceptado el consejo del sabio: "Compra la verdad, y no la vendas; la sabiduría, la enseñanza y la inteligencia" (Prov. 23:23).

En pleno siglo XXI, las Escrituras también nos hablan. Nos llaman a la lealtad. La verdad nos insta a seguirla. Puede que la verdad se tergiverse, pero no se puede cambiar; puede descuidarse, pero no puede pasarse por alto indefinidamente. Puede rechazarse, pero al fin nos juzgará a todos. Lo único seguro es aceptar la verdad, creerla y seguirla.

Fe en medio de las llamas

Sobre todo, tomad el escudo de la fe, con que podáis apagar todos los dardos de fuego del maligno. Efe. 6:16.

Durante la Reforma, Dios utilizó a hombres y mujeres de diversos talentos, para realizar una poderosa transformación espiritual.

Tres hombres universitarios encabezaron la propagación de la reforma. Un joven erudito brillante, llamado Nicholas Ridley, comenzó a escribir sobre la necesidad de volver al Evangelio. Su colega, Hugh Latimer, hombre resuelto y locuaz, se convirtió en un poderoso predicador, que proclamó la reforma desde el púlpito. Y Thomas Cranmer, otro amigo de la universidad, llegó a ser un dirigente eclesiástico capaz, que con el tiempo llevó a cabo la reforma en la iglesia de Inglaterra como arzobispo de Canterbury.

El erudito, el predicador y el administrador trabajaron arduamente para liberar a su iglesia del estancamiento de la superstición y la tradición. Pero todo eso acabó cuando la reina Mary ascendió al trono. Bajo su reinado —acusados de ser herejes, traidores y proscritos—, los tres fueron condenados a muerte y ejecutados en Oxford, Inglaterra.

Su caso fue singular. Cientos de creyentes murieron por su fe durante el reinado de la sanguinaria reina Mary, pero estos tres sobresalieron por su manera de enfrentar la muerte.

La noche anterior a su ejecución en la hoguera, Nicholas Ridley invitó a sus amigos a su celda para una gran fiesta. Cuando éstos llegaron, lo encontraron vestido con sus mejores galas y sumamente animado. Ridley les dijo que ésta era una gran ocasión.

"Mañana me casaré".

Ridley no pensaba en la muerte horrible que le aguardaba, sino en su unión final con Cristo. Cuando, atado a la estaca, Thomas Cranmer sintió las llamas de la hoguera saltando sobre él, extendió la mano derecha hacia el fuego. Fue con esa mano que, en un momento de debilidad, firmó su tristemente célebre retractación. Ahora, la sostuvo sobre las llamas hasta que se le puso negra, tras lo cual clamó: "Señor Jesús, recibe mi espíritu".

Cuando en la estaca a la que había sido atado, las llamas de la hoguera comenzaron a arder, Hugh Latimer se inclinó hacia su compañero de martirio y dijo: "Por la gracia de Dios, este día encenderemos una vela tal en Inglaterra, que confío nunca más se apagará".

Estos hombres enfrentaron sus muertes barbáricas con calma y firmeza extraordinarias. Alcanzaron justa fama por sostener valientemente su fe. Su fe les hizo ver más allá de las llamas. El fuego de la persecución no pudo consumirla. Saltó de las cenizas, ascendiendo con la blanca estela de humo hacia el cielo carmesí, hasta el trono mismo de Dios.

Permitamos hoy que Dios llene nuestros corazones con esta clase de fe.

15 de abril

El tremendo poder de la influencia

Porque ninguno de nosotros vive para sí, y ninguno muere para sí. Rom. 14:7.

En una mañana húmeda y calurosa de 1965, me embarqué en un avión de una aerolínea brasileña, para volar desde Manaos —la antigua capital del caucho, en plena selva— hasta Belén, en la desembocadura del río Amazonas. En ningún momento imaginé que la experiencia de ese día en el avión quedaría para siempre grabada en mi mente. Fija en mi conciencia, influye en mis acciones aún hoy.

Mientras me abrochaba el cinturón de seguridad, preparándome para un viaje tranquilo, al alzar los ojos vi a un religioso hindú que venía por el pasillo del avión. Su bata blanca y larga, sus cabellos cayéndole hasta los hombros y su barba abundante llamaron mi atención; pero más me sorprendió cuando se sentó junto a mí. Su mirada cálida y su sonrisa amable me tranquilizaron al instante.

Durante el viaje, conversamos sobre nuestras respectivas filosofías de vida. Por supuesto, yo compartí con él "las buenas nuevas" acerca de Jesús, mi mejor amigo. Le hablé de su misericordia inagotable, su amor ilimitado y su poder infinito, y también de su creación, su salvación, su amistad, su sacerdocio y su pronto regreso.

Mi interlocutor no dijo mucho, más bien me dejó hablar a mí. Pero al final de las dos horas de vuelo, para mi total sorpresa, me puso la mano sobre el hombro y con su rostro a escasos centímetros del mío, me habló clara y pausadamente.

"Hijo —señaló—, cada persona con la que nos relacionamos a lo largo de la vida influye sobre nosotros. No hay encuentros casuales. Ninguna vida es accidental. Influimos los unos en los otros para vida eterna o para muerte. Gracias por hablarme acerca de los nobles principios del reino celestial".

Después, se dio vuelta y se fue.

A menudo he pensado en aquel encuentro "casual". En realidad, el hombre tenía razón. No hay encuentros casuales. Nuestras palabras y acciones ejercen una influencia poderosa en los demás. Para el Salvador, cada encuentro era una oportunidad de compartir el amor del Padre. Algunos de los momentos en que transformó vidas para bien surgieron como resultado de encuentros inesperados. No fueron "eventos de testimonio" planificados. Fueron encuentros divinos en la rutina diaria de la vida. Los encuentros de Jesús con Nicodemo, con la mujer samaritana, con Zaqueo, con el ladrón en la cruz y con el centurión romano fueron oportunidades espontáneas. Cada mañana, Jesús se ponía a disposición del Espíritu Santo para que lo guiara.

Hoy también nosotros podemos influir para bien en la vida de quienes nos rodean. Podemos compartir el amor de Dios con alguien que nos necesite. Alguien necesita nuestras palabras de esperanza y aliento. Pongámonos a disposición del Espíritu Santo. Estemos alertas. Puede que hoy nos encontremos con algún hijo de Dios que tenga necesidad.

Una esperanza genuina

Bendito el Dios y Padre de nuestro Señor Jesucristo, que según su grande misericordia nos hizo renacer para una esperanza viva, por la resurrección de Jesucristo de los muertos, para una herencia incorruptible, incontaminada, e inmarcesible, reservada en los cielos para vosotros. 1 Ped. 1:3, 4.

Durante un viaje a Rusia, con motivo de un ciclo de conferencias en el Estadio Olímpico de Moscú, conocí a una mujer a quien llamaré Tania. Según me contó, sus padres habían emigrado a China hacía unos años, donde se enriquecieron con la comercialización del té. Con el tiempo, decidieron volver a la entonces Unión Soviética para establecer en Kazakhstan el mismo negocio.

Justo cuando comenzaban a prosperar, Stalin comenzó a hacer una purga en la elite rica del país. Tania tenía 17 años cuando la policía secreta apresó a su padre y lo mató de un tiro en la cabeza. Durante la segunda guerra mundial, mataron también a su hermano, a su hermana y a su esposo. En el lapso de dos años, perdió a todos sus seres queridos.

Tania luchaba contra la depresión. Provenía de un hogar judío ortodoxo, pero tenía muy poco interés en la religión. Le había ido bien en otros aspectos. Había avanzado en los círculos educativo y diplomático, pero siempre sentía como que le faltaba algo.

Nunca pudo resignarse a todo el sufrimiento que su familia había padecido. Se resistía a aceptar la irrevocabilidad terrible de la muerte cruel que sus amados habían experimentado.

Un día, alguien en la calle le ofreció un folleto en el cual se anunciaba un ciclo de conferencias cristiano. Ella asistió a las reuniones y aceptó a Jesucristo.

Como creyente, Tania se sentía mejor, pero había algo todavía que no acababa de entender. ¿Por qué un Dios de amor podía permitir tanto sufrimiento? ¿Qué pasa, realmente, cuando uno muere? No todas las piezas del rompecabezas parecían encajar.

En otra ocasión, al pasar frente al Estadio Olímpico de Moscú, vio un enorme letrero que anunciaba "El método de la Biblia para una vida nueva", y decidió asistir.

Tania fue cada noche, incluso aquella en la que hablé sobre el pronto regreso de Jesús. Al terminar la reunión, vino hacia mí y me dijo:

"Pastor, me sentí profundamente conmovida hoy".

Tras mostrarme viejas fotografías de su familia, y contarme acerca de sus trágicas muertes, su rostro se iluminó al decirme que ahora confiaba en que volvería a verlos. Ya no estaba afligida como antes. Tania esperaba la reunión final con los redimidos, en ocasión de la Segunda Venida de Cristo.

¿Ha perdido usted a algún ser amado en las garras de la muerte? Si así ha sido, acepte en lo más profundo de su ser la esperanza genuina que la venida de nuestro Señor ofrece.

Engaños mortales

Como la nube se desvanece y se va, así el que desciende al Seol no subirá; no volverá más a su casa, ni su lugar le conocerá más. Job 7:9, 10.

Poco después de que predicara acerca de la muerte en un ciclo de conferencias evangélicas en las Filipinas, un tifón azotó la ciudad de Legaspi. Uno de los asistentes a las reuniones era un oficial del ejército filipino, que había escuchado con atención lo que la Biblia enseña acerca de la muerte.

Esa noche, casi de madrugada, el rugido del viento lo despertó. Los postigos de la casa se agitaban salvajemente contra las paredes. El viento aullaba por entre las rendijas de las ventanas. La lluvia martilleaba con insistencia el techo de hojalata. Cuando el oficial filipino abrió los ojos, vio una bella silueta arriba de su cama. Quedó anonadado. ¡Parecía ser su esposa!

Su piel era de un impecable color oliva; su cabello, largo, suelto y negro. Sus magníficos ojos pardos lucían claros y atractivos. Se convenció de que se trataba de su esposa, pero no como había sido a sus 60 años, cuando falleció, sino como cuando tenía 35.

Ella se le acercó y le habló con su voz inconfundible:

"Querido, ¡te he extrañado tanto! ¡Deseo tanto abrazarte!"

Aunque él también anhelaba ir hacia ella y abrazarla, se acordó de la conferencia bíblica acerca de la muerte. Recordó que la Biblia dice que "como la nube se desvanece y se va, así el que desciende al Seol no subirá; no volverá más a su casa, ni su lugar le conocerá más" (Job 7:9, 10). Recordó también el versículo de Apocalipsis que dice "que son espíritus de demonios, que hacen señales" (Apoc. 16:14); y 2 Corintios 11:14, donde el apóstol asegura que "el mismo Satanás se disfraza como ángel de luz".

Se convenció de que por mucho que este ser luciera como su esposa, o que su voz sonara como la de ella, *no era* ella; así que levantó la vista y ordenó:

"En el nombre de Jesucristo, ¡vete! ¡Vete, en el nombre de Jesús!"

Cuando al día siguiente el oficial Filipino me contó esta historia, añadió:

"La silueta ¡se esfumó delante de mis ojos!"

La Biblia es sumamente clara. Los muertos no pueden comunicarse con los vivos. Cualquier voz que quebrante el silencio de la muerte no es la voz de Dios. Es la voz de un demonio disfrazado como alguno de nuestros seres queridos. ¿No es típico del diablo aprovecharse de la gente en sus momentos de mayor angustia? ¿No es propio de él cautivar los afectos de los familiares de la persona fallecida, personificando a ésta frente a sus amados que la lloran? El diablo "es mentiroso" (Juan 8:44).

El diablo usa a los médium, a los espiritistas y a los adivinadores para apoyar sus declaraciones, pero la enseñanza de la Palabra de Dios es clara al respecto: "pero los muertos nada saben" (Ecl. 9:5).

Acepte la enseñanza bíblica y se salvará de miles de peligros.

Regreso a casa

Mas era necesario hacer fiesta y regocijarnos, porque este tu hermano era muerto, y ha revivido; se había perdido, y es hallado. Luc. 15:32.

Apagó el motor de su Honda 750 y se detuvo por un momento en la playa de estacionamiento de la iglesia. Las ideas corrían por su mente. No había asistido a la iglesia por bastante tiempo, y ahora estaba llegando 15 minutos tarde. ¿Qué diría la gente al verlo así, vestido con una camiseta y vaqueros desteñidos? ¿Les ofendería su cabello largo?

Siguió caminando. En su interior, sufría. Algo le faltaba... Pero hoy había sentido que este era su día de "volver a casa". Dentro de sí, una voz lo urgía: "¡Hazlo, Chad!"

Entró al santuario tan quedamente como pudo, esperando poder sentarse en la última fila sin que nadie lo notara, pero estaba llena. Mientras caminaba por la nave lateral de la iglesia, parecía que todas las bancas estaban ocupadas. La congregación cantaba suavemente... "Tierno y amante, Jesús nos invita. Llámate a ti, y a mí". Algunos volvieron la cabeza. Chad sentía que todos lo miraban.

Nervioso, decidió sentarse directamente en el piso. Quedó así por un rato, sintiendo docenas de miradas taladrándole la espalda. De pronto, oyó pasos detrás de él. Era el primer anciano de la iglesia. Chad pensó que venía a echarlo, pero para su total asombro, el hombre se sentó junto a él y, tocándolo suavemente en el hombro, solamente le dijo:

"¡Feliz de verte, muchacho! —Luego, colocándole un himnario en las manos, agregó—. Es el himno 206.

Palabras bondadosas, un gesto amable, un sermón conmovedor, una invitación a cenar... Chad supo que había llegado al hogar.

La Biblia describe a la iglesia de diversas maneras. La llama "cuerpo de Cristo", "esposa del Cordero", "manada pequeña", "remanente para nuestro Dios", "columna y baluarte de la verdad".

Mi imagen favorita de la iglesia viene del Antiguo Testamento. Dios había ordenado a los israelitas construir seis ciudades, ubicadas estratégicamente en todo el territorio, para que funcionaran como ciudades de refugio. Si alguno cometía un crimen, podía refugiarse en ellas hasta que se procesara su caso. Allí lo acogían confiadamente. Fuera lo que fuese que hubiera hecho, le otorgaban una audiencia justa. En las ciudades de refugio hallaba protección y seguridad. La iglesia es la ciudad de refugio de Dios en un mundo hostil. Es el abrigo de amor, aceptación y perdón de Dios.

Esta semana, entrarán por las puertas de nuestra iglesia personas heridas, maltratadas, quebrantadas, golpeadas... Abrámosles los brazos y el corazón para recibirlos. Y si es usted quien llega ensangrentado de la carretera de la vida, sepa que hay aún un lugar de refugio que le espera.

19 de abril

POR QUÉ LAS COMPAÑÍAS DE SEGURO ESTÁN EQUIVOCADAS

El campo es el mundo; la buena semilla son los hijos del reino, y la cizaña son los hijos del malo. El enemigo que la sembró es el diablo; la siega es el fin del siglo; y los segadores son los ángeles. Mat. 13:38, 39.

Un incidente ocurrido hace algunos años en Lake Worth, Florida, llama nuestra atención al origen del mal en el universo. Un hombre había demandado a su compañía de seguros por un accidente provocado por la descarga eléctrica de un cable de alta tensión. La compañía se rehusó a pagar, alegando que el incidente había ocurrido debido a un "acto de Dios". Y los magistrados estuvieron de acuerdo.

Entonces, el hombre respondió ingeniosamente. Entabló un juicio contra "Dios y su compañía", en el que demandó a 55 iglesias cristianas de su ciudad. Durante el proceso en los tribunales, uno de los ministros alegó que la expresión "acto de Dios" (utilizada en estos casos en los Estados Unidos) era inadecuada, porque Dios no causa los accidentes. Más bien debería decirse que este tipo de situaciones corresponde a "actos de Satanás".

Hay dos fuerzas opositoras en el universo —una es buena y otra es mala—; se trata de los poderes del cielo y los poderes del infierno. Como autor del amor y del orden, Dios no es responsable de ninguno de los males que acosan nuestro planeta. Éste es el dominio de Satanás. Odio, sufrimiento, culpa, vergüenza, dolor, remordimiento... todo puede cargarse justamente sobre el gran usurpador.

A menudo, la gente se pregunta por qué, si Dios es tan bueno, el mundo es tan malo. ¿Por qué tiene que sufrir la gente inocente? Son varias las razones. A veces, nosotros mismos nos acarreamos el desastre, por lo que elegimos ser o hacer. El adolescente que pasa toda la noche en una fiesta, y al regresar a casa —manejando a 150 km por hora— sufre un accidente, puede echarle la culpa a Dios, pero Dios no es responsable de eso. Por otra parte, el joven adulto promiscuo que contrae una enfermedad transmitida sexualmente, también sufre las consecuencias de sus propias elecciones.

A veces, sufrimos por las elecciones de los demás. Los miles y millones de víctimas de las tantas guerras sufridas, padecieron por culpa de gobernantes egoístas, despiadados y sin escrúpulos. Los niños maltratados sufren en manos de adultos pervertidos. Dios no siempre interviene. Permite que el mal siga su curso. No nos quita nuestro libre albedrío. Lucifer hizo una elección trágica en el cielo, pero Dios le permitió hacerla. Y lo mismo sucedió con Adán y Eva.

Cuando la elección de otra persona inflige sufrimiento a una de sus criaturas, Dios permanece al lado de ésta para alentarla, animarla, sostenerla, inspirarla y fortalecerla. Podemos estar absolutamente seguros de que él nunca nos abandonará. Con tal de salvarnos, su amor tiende puentes sobre los abismos más insondables.

UN DOMADOR DE LEONES EN EL PUEBLO

Mi Dios envió su ángel, el cual cerró la boca de los leones, para que no me hiciesen daño, porque ante él fui hallado inocente; y aun delante de ti, oh rey, yo no he hecho nada malo. Dan. 6:22.

Un crudo día de invierno, casi al final de la segunda guerra mundial, una mujer ya mayor salía de lo que había parecido algo peor que una guarida de leones. Dejaba el campo de concentración de Ravensbruck, donde, sistemáticamente, sometiéndolos al hambre y a trabajos forzados, se había provocado la muerte de incontables seres humanos. Cuando los pesados pórticos de hierro se cerraron detrás de ella, Corrie Ten Boom apenas podía creer que estaba viva... y libre.

Los nazis la habían arrestado por esconder judíos en su hogar en Holanda. Ella y su familia creían en un Dios que alberga y protege a todos, y se habían propuesto seguir su ejemplo.

Esta mujer serena y apacible nunca había imaginado que llegaría a sobrevivir los horrores del campo de concentración, pero Dios la sostuvo durante sus sufrimientos. En Ravensbruck, Corrie fue testigo del trato brutal infligido a cientos de mujeres. Muchas perecieron, y entre ellas su propia hermana Betsy. Pero también muchas murieron con el nombre de Jesús en los labios, gracias al testimonio de estas dos hermanas. "Por esas mujeres —escribiría Corrie después— bien valió la pena todo nuestro sufrimiento".

Ella quedó libre por un error de oficina. Una semana después, todas las mujeres de su edad murieron en la cámara de gas de Ravensbruck.

Para cuando salió de aquella guarida de leones, Corrie había aprendido una lección inestimable, que compartió de ahí en más en todas partes. Su testimonio llegó a todo el mundo: "No hay lugar en la tierra tan oscuro o profundo, que el amor divino no pueda abarcar".

El amor de Dios penetra en los campos de concentración y en las guaridas de los leones. Dondequiera que estén los hijos de Dios, él está con ellos. Como el antiguo himno dice: "Cuando te quiero, cerca tú estás; de nada temo, buen Salvador; siempre bondoso me sostendrás, cuando te quiero más". El Dios que envió a su ángel para cerrar la boca de los leones para salvar a Daniel, es firme y fiel por siempre.

¿Oye hoy los rugidos de los leones? Quizás anden merodeando en su sendero los de la duda y los del desaliento; o tal vez sienta que los de la ira y los del resentimiento están por acabar con usted. Acaso parezca que los de la lascivia y los de la seducción sensual están al acecho, listos para devorarle, pero Dios todavía cierra la boca de los leones y libera a sus cautivos.

Cuando "el diablo, como león rugiente, anda alrededor buscando a quien devorar" (1 Ped. 5:8), Dios no permanece cruzado de brazos. Él todavía doma leones. Lo hizo por Daniel, y lo hará por nosotros. Regocijémonos, porque hay un "domador" en los alrededores.

21 de abril

La realidad de la resurrección

No os maravilléis de esto; porque vendrá hora cuando todos los que están en los sepulcros oirán su voz; y los que hicieron lo bueno, saldrán a resurrección de vida; mas los que hicieron lo malo, a resurrección de condenación. Juan 5:28, 29.

En un pequeño cementerio inglés hay una lápida singular. Muestra, esculpido en mármol, un ángel inclinado, llave en mano, apuntando hacia un cerrojo. Con la otra mano se protege los ojos mientras mira hacia arriba. Al pie de la lápida se lee: "Hasta que él venga".

A través de los ojos del ángel, el escultor intenta que veamos la gloria de Dios en la venida de Cristo. Cuando Jesús vuelva, los sepulcros se abrirán, y los creyentes resucitarán para vida eterna.

La muerte no es el fin de todo. El sepulcro no es un ataúd eterno. Para el cristiano creyente en las Escrituras, la muerte es sólo un breve descanso, hasta el regreso de su Señor.

La Biblia describe la muerte como un sueño, 53 veces. Cuando Jesús describió la muerte de Lázaro a sus discípulos, sencillamente declaró: "Nuestro amigo Lázaro duerme; mas voy para despertarle" (Juan 11:11). Jesús resucitó a Lázaro milagrosamente para demostrar su poder sobre el sepulcro. No tenemos por qué temer a la muerte. Nuestro amado Señor marca el sepulcro de cada creyente.

Un día, nuestro Señor regresará. Aparecerá en el cielo, llenándolo del esplendor de su gloria. Y cuando esto suceda —tal como hace siglos llamara a Lázaro—, llamará por su nombre a cada uno de nuestros amados que hoy duermen el sueño de la muerte. Para entonces, sus tumbas se abrirán y ellos saldrán triunfantes; pero habrá una gran diferencia. Cuando Lázaro resucitó, no lo hizo en la gloria de un cuerpo inmortal. Resucitó para testificar del poder de nuestro Señor, pero después, murió de nuevo. Ahora, sin embargo, cuando nuestros amados resuciten, lo harán para nunca más morir. En sus cuerpos inmortales pulsará una nueva vida. Resucitarán con todo el vigor y la vitalidad de la juventud: serán perfectos. Y si nosotros, que ahora vivimos, estuviéremos vivos para entonces, también —como ellos— seremos transformados ¡en un instante!, para recibir nuestros gloriosos cuerpos inmortales.

¡Qué esperanza! ¡Qué promesa! Que la realidad de la resurrección anime hoy nuestros corazones.

La esperanza de la resurrección

He aquí, os digo un misterio: No todos dormiremos; pero todos seremos transformados, en un momento, en un abrir y cerrar de ojos, a la final trompeta; porque se tocará la trompeta, y los muertos serán resucitados incorruptibles, y nosotros seremos transformados. 1 Cor. 15:51, 52.

La esperanza de la resurrección cobró vida para mí cuando mi abuelita materna —que siempre había fumado mucho— falleció de cáncer al pulmón. Mi madre sufría inmensamente, viéndola adelgazar de manera tan precipitada. De 130 libras que antes pesaba, había bajado a 85.

Sumado al dolor de contemplar su agonía física, Mamá cargaba otro dolor. No podía quitarse de la mente la idea de que su madre podría tener que afrontar mayores sufrimientos aún, en el purgatorio, por tiempo indeterminado. Y esto era más de lo que podíasoportar.

Antes del funeral de la abuela, Papá se acercó a Mamá y le preguntó dulcemente...

"¿Me permitirías compartir contigo lo que la Biblia dice acerca del estado de los muertos?"

Mi padre era adventista del séptimo día y había estudiado bastante sobre este tema. Mi madre era católica. Papá nunca discutía con ella sobre sus creencias religiosas, pero sentía que ahora había llegado el momento. Mamá estaba desesperada. Necesitaba y anhelaba tener esperanza. La perturbaba la idea de lo que pudiera pasarle a su madre, más allá del sepulcro.

La respuesta bíblica que Papá le dio, le pareció sorprendente. Él abrió las Escrituras en el libro de Eclesiastés, y le leyó el versículo 5 del capítulo 9: "Los que viven saben que han de morir; pero los muertos nada saben". Luego, saltó al versículo 10: "Todo lo que te viniere a la mano para hacer, hazlo según tus fuerzas; porque en el sepulcro, adonde vas, no hay obra, ni trabajo, ni ciencia, ni sabiduría".

Mientras Papá compartía con ella estos textos bíblicos, Mamá sintió como si le quitaran un gran peso de encima. Él continuó explicándole que, según la Biblia, quienes murieron siendo fieles a Dios, "durmieron en Cristo" (1Cor. 15:18). Y ella comprendió que su madre estaba dormida; no sufriendo en el así llamado purgatorio.

Las palabras de aliento de mi padre a mi madre, en sus momentos de luto y de tristeza, me impresionaron profundamente. Mientras él citaba las claras enseñanzas de la Palabra de Dios, yo encontré algo sólido donde construir mi fe.

Por primera vez en mi vida, el horrendo terror de la muerte dejó de dominarme. Al consagrarme a Cristo, la esperanza de la resurrección ardió con fuerzas en mi corazón. Nadie está exento del toque de la muerte; pero las buenas nuevas son que Jesús es quien tiene "las llaves de la muerte y del sepulcro" (Apoc. 1:18).

23 de abril

LA ORACIÓN FUNCIONA

Siempre orando por vosotros, damos gracias a Dios, Padre de nuestro Señor Jesucristo... Por lo cual también nosotros, desde el día que lo oímos, no cesamos de orar por vosotros, y de pedir que seáis llenos del conocimiento de su voluntad en toda sabiduría e inteligencia espiritual. Col. 1:3, 9.

El 14 de abril de 1912, el lujoso *Titanic* salió de Southampton, rumbo a Nueva York. Nadie imaginó que sería su único viaje. Cuando con las máquinas a todo vapor, el transatlántico chocó contra un iceberg, se le destrozó buena parte del casco y comenzó a hundirse. En apenas instantes, había desaparecido, y con él, más de 1.500 personas que se ahogaron en aquella trágica noche.

De aquel fatídico incidente, me impresionó especialmente la historia de un hombre poco conocido, el coronel Archibald Gracie. La noche del hundimiento del *Titanic*, su esposa no podía dormir. A miles de kilómetros del lugar de la tragedia, esperaba con ansias la llegada de su esposo, procedente de Liverpool, Inglaterra. Un extraño presentimiento la dominaba.

Temprano, casi de madrugada, se despertó y se puso a orar. No sabía que el *Titanic* había chocado contra un iceberg, y menos, que su esposo había saltado por la borda a las aguas heladas del Atlántico y luchaba por su vida. Cuando acabó su oración, la Sra. Gracie sintió una cálida sensación de paz. Más tarde comentaría:

"Fue como sentir el abrazo de Dios. Volví a mi cama, y me dormí".

Mientras tanto, el coronel Gracie pensaba que había llegado el momento del adiós definitivo.

En eso, un bote salvavidas surgió de la nada. Desesperado, Gracie se aferró del borde del bote, sintiendo que unos brazos muy fuertes lo subían a bordo.

Dios contesta las oraciones. Es emocionante para el hombre saber que su esposa ora por él. Bendito el hombre cuya esposa conoce a Dios y ora por su esposo. Bendita la mujer cuyo marido conoce a Dios y ora por ella. Bendita la gente joven cuyos padres conocen a Dios y oran por ellos.

La oración intercesora es bíblica. Mientras permanecía confinado en una prisión romana, el apóstol Pablo les aseguró a los filipenses que oraba por ellos. Les dijo: "Siempre en todas mis oraciones rogando con gozo por todos vosotros" (Fil. 1:4). Y a los colosenses les dijo algo similar: "no cesamos de orar por vosotros" (Col. 1:9).

Pablo creía que sus oraciones ejercían una influencia positiva. Estaba convencido de que hay poder en la oración. Por cierto, Elena G. de White creía firmemente en el poder de la oración intercesora. Instó al pueblo de Dios a orar más, escribiendo lo siguiente: "No reconocemos debidamente el valor del poder y la eficacia de la oración. La oración y la fe harán lo que ningún poder en la tierra podrá hacer" (*El ministerio de curación*, p. 407).

Encubierto o revelado

Mas si así no lo hacéis, he aquí habréis pecado ante Jehová; y sabed que vuestro pecado os alcanzará. Núm. 32:23.

El joven irrumpió en el cuartel de policía, vociferando. Alguien había entrado a robar a su casa, y se había llevado varios objetos de valor. Él había alcanzado a ver al ladrón, y demandaba ahora que la policía hiciera algo al respecto.

El oficial de turno lo llevó hasta la biblioteca en la que guardaban los libros de fotos y antecedentes de los criminales, y lo ayudó a buscar entre ellos.

De pronto, el oficial se detuvo en una página, para mirar minuciosamente una foto. Luego, miró el rostro del joven y dijo:

—¡Un momento! Este hombre... ¡es usted!; y aquí dice que hay una orden de búsqueda y captura pendiente.

El propietario enfurecido que había irrumpido en el cuartel de policía demandando justicia, acabó siendo reconocido como un criminal buscado.

La mayoría de los criminales no pueden esconderse por siempre. Tarde o temprano se los captura, y sus crímenes salen a la luz. Es raro ver casos de crímenes en serie en los que no se encuentra a los culpables; pero para Dios, esas "rarezas" no existen. Tarde o temprano, todos nuestros pecados saldrán a la luz. Por eso el apóstol Pablo declara, categóricamente, que "no hay cosa creada que no sea manifiesta en su presencia; antes bien todas las cosas están desnudas y abiertas a los ojos de aquel a quien tenemos que dar cuenta" (Heb. 4:13).

A la luz de la omnisapiente presencia divina, cada pecado está expuesto. No podemos ocultarlo. Porque él conoce nuestros pecados secretos, nos insta a reconocerlos ante él: a confesárselos cuanto antes. Si lo hacemos, él los cubrirá en el día del juicio. David dijo: "Bienaventurado aquel cuya transgresión ha sido perdonada, y cubierto su pecado (Sal. 32:1).

La elección es sencilla: esconder ahora nuestros pecados, para verlos expuestos ante el universo y condenarnos en el día del juicio, o confesarlos abiertamente ahora, para que Jesús los cubra en el día del juicio final. Lo cierto es que nadie puede esconder sus pecados para siempre. Llegará el día en que saldrán a la luz. Nuestro Dios amante, lleno de misericordia y perdón, nos invita a recurrir a él de inmediato, con toda nuestra carga de culpa y de pecado. La elección es nuestra.

Las buenas obras se recompensan

El alma que pecare, ésa morirá; el hijo no llevará el pecado del padre, ni el padre llevará el pecado del hijo; la justicia del justo será sobre él, y la impiedad del impío será sobre él. Eze. 18:20.

Todo lo que el muchacho intentaba hacer era robar un banco. Y todo lo que la anciana trataba de hacer era una buena obra...

Ella vio que el joven detuvo su auto frente al Citizens National Bank de Whittier, California, y entró al banco, apurado. También notó que el muchacho había dejado las llaves en el auto, de modo que las tomó, lo buscó en el banco, y cuando lo vio hablando con una cajera, lo interrumpió para decirle:

"Joven, si sigue olvidando sus llaves en el auto, alguien se lo va a robar".

El muchacho acababa de decirle a la cajera que tenía un revólver escondido y que quería todo el dinero que tuviera en la caja; pero la anciana bondadosamente insistía en retarlo. El joven la miró fijamente por un instante y finalmente desistió de su intento. Tomó las llaves, salió corriendo del banco y se fue.

¿No sería magnífico que todos los problemas de crímenes pudieran resolverse así de fácil? ¿No sería estupendo que las obras buenas pudieran vencer a las malas?

Aunque esta historia es única, realmente sirve para ilustrar una verdad vital: las buenas obras influyen positivamente en los demás. Dice el sabio: "No te niegues a hacer el bien a quien es debido, cuando tuvieres poder para hacerlo" (Prov. 3:27). Cuando Lucas, el médico amado, describió a Jesús en el libro de los Hechos, dijo que "anduvo haciendo bienes" (Hech. 10:38). ¿No le gustaría que éstas fueran las palabras que se leyeran en el epitafio de su lápida? A mí sí me gustaría que me recordaran de este modo: "Mark Finley, un hombre que pasó haciendo el bien".

Jesús vivió haciendo bien a los demás, desinteresadamente. Bendijo todo lo que tocó. Partió el pan y alimentó 5.000 personas en las colinas de Galilea. Tocó los ojos de los ciegos y los hizo ver; destapó los oídos de los sordos; devolvió el habla a los mudos y el andar a los lisiados. En cada lugar al que fue, el Maestro hizo el bien. Sus palabras eran palabras de esperanza, de estímulo y de aliento.

Éste sería un buen lema por el cual vivir: "Haré todo el bien que pueda, a toda la gente que pueda, de la mejor manera que pueda". Usted y yo podemos ejercer una influencia positiva, dondequiera que vivamos o estemos... Dios no espera de nosotros que andemos por andar, espera que andemos haciendo el bien. Nos llama a bendecir a los demás a lo largo del viaje de nuestras vidas.

¿Cómo le gustaría que le recordaran? En lo personal, no encuentro muchas descripciones mejores que ésta: "Un cristiano consagrado, que amó profundamente a Jesús, y que pasó haciendo el bien".

26 de abril

El pecado es pecado todavía

La ley de Jehová es perfecta, que convierte el alma; el testimonio de Jehová es fiel, que hace sabio al sencillo. Los mandamientos de Jehová son rectos, que alegran el corazón; el precepto de Jehová es puro, que alumbra los ojos. Sal. 19:7, 8.

La profesora universitaria Christina Sommers escribió un artículo titulado: "Ética sin virtud". En él criticaba la manera en que se enseña ética y valores en los colegios de los Estados Unidos. Según ella, se debate demasiado sobre asuntos sociales complicados en los cuales lo mismo da una opinión que otra, pero prácticamente no se instruye al alumnado en lo que respecta a la decencia, la responsabilidad y el honor propios.

Una de las colegas de la Dra. Sommers —que también enseña ética— no estuvo de acuerdo con ese enfoque. A su parecer, lo que realmente cuenta es la injusticia social.

Sin embargo, al final del semestre, esta otra profesora entró a la oficina de la Dra. Sommers cargando una pila de exámenes.

—¿Qué pasó? —preguntó la Dra. Sommers.

—¿Puedes creer? ¡Se copiaron en los exámenes finales sobre justicia social, que debían hacer en sus casas! ¡Plagiaron!

Sus alumnos habían copiado material de otras fuentes, para obtener las mejores calificaciones en la clase de ética. Ahora era la colega de la Dra. Sommers quien buscaba con ansias material de enseñanza sobre decencia personal. Quería ayudar a sus alumnos a guardar la ley en sus corazones.

La Dra. Sommers asegura que encuentra "una cantidad sorprendente de jóvenes que piensan que no hay bien ni mal; las decisiones morales dependen de cómo uno se sienta".

Pero no; el bien y el mal son más que asuntos de opinión personal. Nosotros no los definimos. Dios lo hace.

Los Diez Mandamientos constituyen la norma divina de moralidad absoluta y objetiva. Definen el pecado. Tal como claramente señala el apóstol Juan: "Todo aquel que comete pecado, infringe también la ley; pues el pecado es infracción de la ley" (1 Juan 3:4). Quebrantar la ley de Dios es violar los principios eternos de su gobierno. Nosotros podremos racionalizar y excusarnos, pero la desobediencia todavía es pecado.

Algunos justifican sostener relaciones amorosas fuera del matrimonio, aludiendo que "es cosa de ellos", "es su vida privada". Otros excusan el robo en el lugar de trabajo, como compensación por lo poco que les pagan. Y muchos no ven nada malo en el asesinato del carácter o de la reputación ajena, que comúnmente se conoce como chisme. No obstante, transgredir la ley de Dios sigue siendo pecado. Dios todavía tiene una norma. Extendiéndonos su poder, nos invita a vivir vidas consecuentes, vidas obedientes. Dios no conforma su ley a nuestras normas personales; más bien nos invita a conformarnos a la suya, mediante su gracia.

27 de abril

Para sobreponerse a la depresión (primera parte)

Y me ha dicho: Bástate mi gracia; porque mi poder se perfecciona en la debilidad. Por tanto, de buena gana me gloriaré más bien en mis debilidades, para que repose sobre mí el poder de Cristo. 2 Cor. 12:9.

Charles Spurgeon, el gran predicador de la era victoriana, sufría de períodos de honda depresión. Cierta vez le dijo a un amigo, que "hay mazmorras debajo del castillo de la desesperación".

A pesar de eso, Spurgeon seguía percibiendo la perspectiva divina. Las buenas nuevas esenciales sobre la gracia de Dios y la redención eran bien reales para él.

Un día, camino a su casa, después de un arduo día de trabajo, empezó a sentirse sumamente fatigado y deprimido. Sabía que muchos podían —y solían— contarle sus problemas; pero él no contaba con muchos para contarles los suyos. Y sentía, una vez más, que la vieja mazmorra lo apresaba.

En eso, un texto bíblico que le vino a la mente, lo rescató. "Bástate mi gracia; porque mi poder se perfecciona en la debilidad" (2 Cor.12:9). Al llegar a su casa, Spurgeon buscó el versículo en el texto original en griego. Esta vez, ese solo trocito de buenas nuevas le llegó aún con más fuerzas. Dios parecía estar hablándole directamente a él: "Te basta con mi gracia".

Spurgeon contestó en voz alta:

"¡Debo pensar que sí, Señor!" —y se echó a reír. Adquirió en ese instante el corazón alegre que "es una buena medicina" (Prov. 17:22). Recordando aquel incidente, Spurgeon comentaría después: "Por primera vez entendí la risa santa de Abrahán. ¡La incredulidad se vuelve tan absurda!"

En una de sus cartas a sus amigos, escribiría luego lo siguiente: "¡Oh, hermanos! Sean grandes creyentes. Un poquito de fe llevará sus almas al cielo, pero mucha fe les traerá el cielo a sus almas".

Spurgeon descubrió una importante verdad. El cielo no es meramente el espacio ilimitado que rodea a la Tierra; es vivir en la presencia de Dios. Aunque como cristianos anticipamos con ansias la recompensa final —la tierra nueva en la que no habrá sufrimiento, ni lágrimas, ni carencias ni enfermedad, ni muerte—, hay una dimensión del cielo que a menudo pasamos por alto. Cuando los fariseos interrogaron a Jesús acerca del reino de Dios, él sucintamente declaró: "El reino de Dios ya está entre vosotros" (Luc. 17:21).

Cuando Cristo entra a nuestra vida mediante su Espíritu Santo, el reino de Dios se instala en nuestro corazón. El Espíritu de Dios sana nuestras heridas, seca nuestras lágrimas y nos da nueva esperanza. Con Spurgeon descubrimos que basta con la gracia de Dios. Aun en nuestras circunstancias más difíciles, dondequiera que esté Jesús, estará el cielo para nosotros. Regocijémonos hoy con el Cristo que llena nuestras vidas. El reino de Dios está dentro de nosotros.

Para sobreponerse a la depresión (segunda parte)

Y todos daban buen testimonio de él, y estaban maravillados de las palabras de gracia que salían de su boca. Luc. 4:22.

Durante sus períodos de depresión, el escritor William Styron encontraba ayuda y alivio en un amigo que lo llamaba a diario para preguntarle cómo se sentía.

"Porque él había pasado por esto meses atrás —explica Styron—, su apoyo era tremendamente valioso. Era una forma de insistencia, un inclinarse hacia mí para decirme: 'Mira, todo va a estar bien. Te vas a recuperar. Todo el mundo se recupera' ".

Styron cree que este aliento constante que su amigo le ofrecía era aun más importante para él que la propia intervención médica. Y señala que era importante, hasta cuando no podía creer en esas palabras de aliento. De alguna manera misteriosa, tocaban su corazón.

No son las palabras sabias ni grandilocuentes las que se necesitan oír en los momentos de depresión, sino las expresiones sencillas que demuestran el interés y la preocupación de quienes las pronuncian. El solo hecho de acompañar al que sufre ejerce una influencia positiva.

Jesús ejemplificó esto a lo largo de su ministerio. Cuando la mujer samaritana se acercó al pozo de Jacob al mediodía, el Salvador se dio cuenta de que algo andaba mal. Ésta era la hora más caliente del día. El sol ardiente de Palestina es prácticamente inaguantable. Al mediodía, la mayoría de la gente procura protegerse de él, tomando una siesta o descansando en el ambiente fresco de sus hogares. Para recoger agua del pozo, convenía ir en las horas tempranas de la mañana, pero esta pobre mujer cargada de culpa venía sola al mediodía, quizá para evitar el escarnio, la burla de las mujeres del pueblo que sabían de sus relaciones adúlteras. Llegó al pozo profundamente desalentada, pero Jesús le dio ánimo; le habló de un "agua viva" que podía saciar la sed más intensa del alma.

Jesús siempre nos alienta. Al escriba que vino a interrogarlo, le contestó, "No estás lejos del reino de Dios" (Mar. 12:34). ¡Imagínese el estremecimiento, la emoción que habrá inundado el alma de este hombre ante tamaña respuesta! No, no estás lejos del reino de Dios. Y a una cananita titubeante y humilde, le dijo: "Oh, mujer, grande es tu fe" (Mat. 15:28). Por sorprendente que parezca, así habló el Maestro.

Alce la cabeza. Permita que el gozo llene su corazón. Jesús hoy le habla palabras de aliento; y desea... que también nosotros sigamos su ejemplo. William Styron encontró la ayuda que necesitaba, cuando un amigo lo animó. Sus amigos cuentan con usted. No los defraude.

29 de abril

PARA SOBREPONERSE A LA DEPRESIÓN (TERCERA PARTE)

Por nada estéis afanosos, sino sean conocidas vuestras peticiones delante de Dios en toda oración y ruego, con acción de gracias. Fil. 4:6.

Independientemente de nuestras circunstancias, siempre tenemos la oportunidad de escoger. Podemos concentrarnos en lo que no nos gusta o en lo que nos gusta. Lo que contemplamos influye enormemente en nosotros y en los demás.

Una mujer joven llamada Sandra entró un día a la oficina del pastor de su iglesia y le contó una historia larga y dolorosa. Según ella, nada de lo que hacía podía complacer a su esposo. Cada día temía el momento en que su esposo llegaba del trabajo. Aparentemente, su esposo la trataba con desdén.

Sandra era una mujer atractiva y brillante, pero la sensación de rechazo que sentía la había convertido en una esposa tensa y deprimida.

El pastor decidió entrevistar al esposo de Sandra. Joe se sorprendió muchísimo al saber que estaba contribuyendo a la depresión de su esposa. No podía comprender cómo su esposa podía leer e interpretar de ese modo su actitud.

Afortunadamente, el pastor tenía una sugerencia específica para el caso. "Joe —le dijo—, me gustaría que eligiera diez cualidades positivas de su esposa y le agradeciera a Dios por ellas. Agradézcale a Dios dos veces al día, una por la mañana y otra al regresar del trabajo a su casa".

Esto no parecía terriblemente difícil, y siendo que su matrimonio se estaba deteriorando, Joe estuvo de acuerdo con el plan. Así, comenzó a agradecer a Dios por las cualidades de Sandra que más le gustaban. Se concentró en lo que le atraía, en vez de pensar en lo que le molestaba.

Para su grata sorpresa, pronto comprobó que Sandra estaba cambiando delante de sus ojos. Era ahora más alegre y afectuosa, y a medida que él seguía agradeciendo a Dios por ella, ella crecía en respeto propio y motivación. Con esta sencilla "fórmula", Sandra salió de su depresión.

Un poquito de gratitud alcanza para mucho. Concentrarse en las cualidades positivas —propias y ajenas— contribuye a su expansión.

Lo que le decimos a los demás tiene un poder extraordinario. Note si no, estos sorprendentes pasajes del libro de Proverbios:

"La congoja en el corazón del hombre lo abate; mas la buena palabra lo alegra" (Prov. 12:25).

"El hombre se alegra con la respuesta de su boca; y la palabra a su tiempo, ¡cuán buena es!" (Prov. 15:23).

"Manzana de oro con figuras de plata es la palabra dicha como conviene" (Prov. 25:11).

Para sobreponerse a la depresión (cuarta parte)

Bendeciré a Jehová en todo tiempo; su alabanza estará de continuo en mi boca. Sal. 34:1.

Desde la caída de la Unión Soviética, he recogido muchos relatos en relación con la fe ante las persecuciones. Sobre ese tiempo de horror en el oscuro aislamiento de su celda, un pastor escribió lo siguiente: "Durante esos largos períodos de confinamiento solitario, mi corazón disfrutaba de la presencia de Dios. Como el apóstol Pablo, me pasaba horas cantando himnos. Dios nunca me abandonó, ni siquiera en las horas más duras y sombrías. Las promesas de nuestro Señor Jesucristo obran en toda circunstancia de la vida".

También leí de otro pastor a quien habían encerrado en una celda colectiva, junto a 70 endurecidos criminales. El domingo de Pascua, este pastor pidió que le concedieran el privilegio de cantar un himno frente a sus compañeros de prisión.

Todos guardaron silencio; y el hombre comenzó a cantar canciones de alabanza. Cantó durante una hora, sin que nadie se moviera. Y como todas las miradas seguían fijas en él, continuó cantando alabanzas a Dios, una hora más.

Hay un poder espiritual inusual en la alabanza. Eleva nuestros espíritus, suministra energía al ser entero, revitaliza nuestra vida espiritual. Las Escrituras relacionan la alabanza con el regocijo. "Por lo que se gozó mi corazón, y con mi cántico le alabaré" (Sal. 28:7). Elena G. de White señala que "Nada tiende más a fomentar la salud del cuerpo y del alma que un espíritu de agradecimiento y alabanza" (*El Ministerio de Curación*, p. 194).

Y añade: "Es una ley de la naturaleza que nuestros pensamientos y sentimientos resultan alentados y fortalecidos al darles expresión. Aunque las palabras expresan los pensamientos, éstos a su vez siguen a las palabras. Si diéramos más expresión a nuestra fe, si nos alegrásemos más de las bendiciones que sabemos que tenemos: la gran misericordia y el gran amor de Dios, tendríamos más fe y gozo" (*El Ministerio de Curación,* p. 195).

Nuestras palabras no sólo revelan nuestro carácter, sino que lo forman. Llenemos nuestra boca de alabanza, permitamos que nuestros labios expresen gratitud a Dios por su bondad. Observemos cómo la alabanza pulveriza nuestros sentimientos de desánimo. La alabanza es un arma de la que no podemos prescindir.

1º de mayo

Para el agotamiento por exceso de trabajo (primera parte)

Porque así dijo Jehová el Señor, el Santo de Israel: En descanso y en reposo seréis salvos; en quietud y en confianza será vuestra fortaleza. Isa. 30:15.

El Sr. Jacobsen sabía que su trabajo como administrador de una empresa floreciente demandaba mucho de él. Sabía también, que él mismo era un individuo hiperactivo que rara vez descansaba lo suficiente. Sin embargo, esto era, precisamente, lo que más le gustaba. Amaba su trabajo. Además, siempre había un programa más que promover, un conflicto más que resolver entre los empleados, o una meta más que alcanzar en términos de ventas.

De hecho, el Sr. Jacobsen usaba sus dolores de pecho, sus noches de insomnio y su apretada agenda como condecoraciones por sus méritos. Lo enorgullecían, porque simbolizaban su dedicación al trabajo; pero un día, el dolor agudo que sintió en el pecho lo obligó a consultar a su médico.

Tras examinarlo, el doctor le preguntó si últimamente había estado bajo mucha presión. Con algo de sarcasmo, Jacobsen contestó:

—¡Presión! ¿Es que acaso hay vida sin ella?

El facultativo se limitó a recetarle algo... que el hombre no esperaba.

—No sé a qué se dedica actualmente —acotó—, pero le recomiendo que vaya buscando otro trabajo.

Esto despertó abruptamente al Sr. Jacobsen. ¡Podría tener que dejar la empresa! Algo andaba mal. Aunque tenía sólo 29 años, estaba al borde de un ataque al corazón.

Para muchos, no es nada fácil detener su frenética carrera hacia el agotamiento por exceso de trabajo. Sólo lo hacen por prescripción médica, o cuando ya no dan más.

Hay momentos en la vida en los que Dios nos invita a reevaluar nuestras prioridades. Su espíritu nos llama a la reflexión. La vida tiende a acelerarse y pasar de largo, antes de que siquiera nos demos cuenta. Sin tiempo para reflexionar, vivimos saltando de una actividad a otra sin pensar.

La meditación no ocurre espontáneamente; hay que planearla. ¿Siente que va muy deprisa?, ¿que la corriente lo lleva, río abajo, precipitadamente?, ¿alcanza a ver rocas peligrosas, en las aguas turbulentas que se avecinan? He aquí algunos consejos bíblicos que podrían serle de utilidad: "Bueno es esperar en silencio la salvación de Jehová" (Lam. 3:26).

"Guarda silencio ante Jehová, y espera en él" (Sal. 37:7).

"Cuando me acuerde de ti en mi lecho, cuando medite en ti en las vigilias de la noche" (Sal. 63:6).

El consejo de Dios es claro. No deje que su vida vuele sin sentido. Deténgase. Medite. Descanse. Espere confiadamente en él. Evalúe sus prioridades. Respire hondo y permita que el Dios de la eternidad le dé una nueva perspectiva hoy.

Para el agotamiento por exceso de trabajo (segunda parte)

Así que, somos embajadores en nombre de Cristo, como si Dios rogase por medio de nosotros; os rogamos en nombre de Cristo: Reconciliaos con Dios. 2 Cor 5:20.

Mark Ritchie trabaja en uno de los ambientes más estresantes que uno pueda imaginar. Es comerciante de materias primas en el Mercado de Chicago, el mercado de divisas a plazos y primas de acciones más grande del mundo. Allí se pueden ganar o perder fortunas en fracciones de segundos. Cientos de hombres y mujeres mantienen sus ojos fijos en los tableros de cotizaciones electrónicos, mientras agitan los brazos frenéticamente, gritando y transmitiendo señales con las manos. Como fanáticos deportivos en partidos de desempate, su intensidad no cesa sino hasta que suena la campana de cierre.

Mark Ritchie ha trabajado en este ambiente lleno de presiones por muchos años. Convirtió a CRT, su empresa comercial, en lo que el *Wall Street Journal* denomina "la envidia de la industria"; pero algo lo ha librado de sucumbir ante las presiones y demandas constantes de la Bolsa. En medio de ese torbellino, Ritchie mantiene la calma gracias a su fuerte sentido de valores.

Es un cristiano consagrado que procura introducir los valores de Cristo en el mundo frenético de la Bolsa. Su mayor pasión es ayudar a que los pobres se conviertan en empresarios independientes. Ésta es una de las maneras en que invierte sus ganancias. A través de Ceretech, su agencia de desarrollo, Ritchie trata de conectar a la gente con la tecnología adecuada. Alrededor de ciento veinte mujeres de los barrios pobres de Nairobi ahora producen materiales tejidos, con fines lucrativos, gracias a máquinas fáciles de usar que Ritchie les proporciona.

Ritchie no es inmune a los riegos del comercio de materias primas. Una vez perdió $200.000 en el mercado de oro, en un día. Las presiones no le son desconocidas, pero hay algo en su vida que vale más que lo que las cotizaciones dictan al final del día. Su mayor alegría es utilizar sus recursos para ayudar a otros. Y para él es más importante ayudar a su esposa Nancy con sus cinco hijos, que hacer su agosto en el mercado.

Si Ritchie de pronto se enterara que sólo le quedan cinco minutos de vida, no necesitaría correr al teléfono para dejar un mensaje a sus amados abandonados. No se daría cuenta, a último momento, de que perdió lo más importante de la vida. Sabría que hizo el tipo de inversiones adecuadas.

Las investigaciones realizadas en el campo del estrés en relación con el agotamiento por exceso de trabajo, muestran que las personas con sentido de propósito desinteresado viven mucho mejor frente al estrés, que quienes sólo buscan el poder, la posición o abultar su billetera.

Sanado en el quebranto

Y el que cayere sobre esta piedra, será quebrantado; y sobre quien ella cayere, le desmenuzará. Mat. 21:44.

A pesar de sus continuos conflictos, Israel es un sitio inspirador. La antigua ciudad de Jerusalén, dividida por sus contiendas religiosas, guarda un lugar especial en mi corazón. Siempre, cuando la visito, siento su bendición.

Un día, asistí a una pequeña iglesia adventista en el centro de Jerusalén, donde me reuní con unas sesenta o setenta personas, para el servicio de adoración. Juntos celebramos el rito de la Santa Cena. Como de costumbre, antes de participar del pan y del jugo de la vid, procedimos a lavarnos los pies mutuamente, siguiendo el ejemplo de Jesús, que lavó los pies de los discípulos antes de la última cena.

Para esta ceremonia, la iglesia se dividió en dos grupos. Los participantes llenaron las palanganas con agua y se colocaron las toallas sobre el hombro.

En eso, un hombre árabe, procedente de Belén, se acercó a un hombre judío. Ambos creían en Cristo. El árabe se arrodilló ante su hermano judío, y le pidió permiso para lavarle los pies. Mientras tanto, una mujer judía se arrodilló delante de una cristiana de origen árabe, procedente de Jericó, para lavarle los pies y secárselos con una toalla. En toda la iglesia, generaciones enteras de animosidad se disolvían en este rito de humildad.

Después del lavamiento de los pies, en grupitos de dos, cada uno oró por el otro, para pedir la bendición divina sobre su vida y la de sus amados. Fue una experiencia inolvidable. La paz de Cristo representó la diferencia. En vez de matarse unos a otros, se lavaron mutuamente los pies. En lugar de despedazarse unos a otros, permitieron que Cristo sanara sus heridas. En vez de lanzarse piedras y rocas unos a otros, dejaron que la Roca de los siglos quebrantara sus corazones. Ellos mismos, habiendo caído sobre la roca de Jesucristo, se habían quebrantado.

Se requiere cierto quebrantamiento para realmente poder perdonar a quien nos ha herido. A veces, necesitamos estar o sentirnos destrozados, para poder volver a estar enteros. El cuerpo de Cristo fue partido en la cruz, para poder sanarnos; pero eso no es todo. A menos que nuestros corazones sean quebrantados en la cruz, no podremos recibir la sanidad esperada. Jesús usa esta analogía para describir el proceso de la conversión. Dice: "Y el que cayere sobre esta piedra será quebrantado; y sobre quien ella cayere, le desmenuzará" (Mat. 21:44)

Permitamos que Cristo quebrante nuestro corazón con su amor, su misericordia y su perdón. Dejemos que desmenuce toda dureza, todo resentimiento y amargura. Para que un judío lave los pies de un árabe —o viceversa— se requiere una buena medida de quebranto, tanta, como la que necesitamos para perdonar a nuestros ofensores, pero el quebranto es el camino hacia la sanidad.

Perdonados como perdonamos

Y perdónanos nuestros pecados, porque también nosotros perdonamos a todos los que nos deben. Luc. 11:4.

Me ha tocado ver cómo Cristo obra en familias divididas por hondas heridas, cómo su paz disipa la amargura... He sido testigo de la reconciliación entre personas distanciadas por años.

Nunca olvidaré a aquel hombre, en Brasil, que asistió a las reuniones espirituales de fin de semana del programa *It Is Written* (Está escrito). Cargaba un profundo resentimiento contra su hermano, de quien estaba distanciado desde hacía 25 años. El conflicto se había originado a causa de una acalorada discusión por un préstamo, que el hermano menor había pedido y que el mayor se había negado a dar; pero en las reuniones, el hermano menor descubrió —con asombro— que su rencor se disolvía, dando paso a la paz de Jesucristo...

Para aumento de su asombro y sorpresa, un día el joven se dio cuenta de que su hermano ¡estaba sentado al otro lado de la nave central de la iglesia! Esa noche ocurrió una reconciliación maravillosa. Hubo lágrimas y abrazos. Y 25 años de animosidad se disolvieron en el amor y la paz de Cristo. La paz y el amor de Cristo brillaron a través de la amarga oscuridad que había separado a estos hermanos por un cuarto de siglo.

La actitud del hermano ofendido cambió cuando comparó su propio caso con el de Cristo. Sea lo que fuere que mi hermano me haya hecho —pensó—, peor me porté yo contra Cristo. Por grande que fuera la injusticia cometida contra mí, mayor ha sido la que yo cometí contra el Señor.

Si Cristo, a quien traté tan mal, me perdona tan generosamente, debo perdonar a mi hermano de la misma manera. Nada de lo que mi hermano me haya hecho es tan malo como mis propios pecados contra Jesucristo.

Me tocó ver cómo estos dos hombres, por tanto tiempo separados, ahora se abrazaban. Fui testigo de sus expresiones de profundo pesar por la forma como hasta entonces se habían tratado. Escuché cómo se pedían perdón. Perdonar a alguien que no merece nuestro perdón es característico de la verdadera piedad.

El Espíritu de perdón es el Espíritu de Cristo. Por pequeña o grande que sea la falta o la injusticia cometida contra nosotros, nuestro Dios perdonador nos invita hoy a convertirnos en canales de su perdón. Anhela que extendamos su perdón amante a todos los que nos rodean.

5 de mayo

Entregue su enojo a Dios

Mejor es el que tarda en airarse que el fuerte; y el que se enseñorea de su espíritu, que el que toma una ciudad. Prov. 16:32.

No hay mejor revancha para nuestro enojo que entregárselo a Dios. Ben, un muchacho que creció en un barrio de Detroit, puede enseñarnos cómo. Vivió su niñez y buena parte de su juventud en una de esas zonas donde la ira corre libremente por las calles, y donde vengarse de cualquiera que le falte el respeto a uno es un modo de vivir.

Para cuando entró a la escuela secundaria, Ben ya era de temer. Una tarde, mientras escuchaba la radio, un amigo le preguntó burlonamente por qué escuchaba una música tan desagradable. Ofendido, arremetió contra él. Enceguecido de furia tomó la navaja que guardaba en el bolsillo trasero de su pantalón, la abrió de golpe, y arremetió contra el abdomen de su amigo. Felizmente, la hoja de la navaja dio con fuerza contra la hebilla del cinturón de su amigo, se quebró en el impacto y cayó al piso.

Ben se quedó petrificado, con los ojos clavados en la navaja rota. Las piernas le temblaron. Casi había matado a alguien... Casi había matado... ¡a su mejor amigo!

Este incidente lo movió a encarar responsablemente su enojo. No podía seguir así. Comprendió en ese instante que tenía que hacer algo, pero también, que ya le era imposible controlar su mal genio por sus propios medios. Desesperado, Ben oró:

"Señor, tú tienes que quitarme este mal. Si no lo haces, jamás podré librarme de él. Tú puedes transformarme".

Al regresar a su casa, Ben se encerró en el cuarto de baño y comenzó a leer el libro de Proverbios. Dio así con varios textos que trataban específicamente sobre el problema de la ira sin control y los extremos a los que conduce. Las palabras parecían escritas para él. Le impresionaron especialmente los textos de Proverbios 16:32 y 19:11: "Mejor es el que tarda en airarse que el fuerte; y el que se enseñorea de su espíritu, que el que toma una ciudad". "La cordura del hombre detiene su furor, y su honra es pasar por alto la ofensa".

Estos pasajes le dieron esperanza y un blanco que alcanzar. Ben se comprometió a leer la Biblia todos los días, y entregó sus problemas y su ser entero a Dios. Las manos armadas que un día arremetieron impulsivamente contra alguien, llegaron a ser nada menos que las manos disciplinadas y expertas de uno de los neurocirujanos pediatras más respetados de los Estados Unidos, Ben Carson.

Hoy, Dios también puede encargarse de nuestro enojo; pero sólo... si se lo entregamos. ¿Siente ira en su corazón? ¿Por qué no prueba entregársela a Dios en oración?

Vidas reconstruidas

El Espíritu de Jehová el Señor está sobre mí, porque me ungió Jehová; me ha enviado a predicar buenas nuevas a los abatidos, a vendar a los quebrantados de corazón, a publicar libertad a los cautivos, y a los presos apertura de la cárcel. Isa. 61:1.

La resistencia y la fuerza moral extraordinarias de los niños de familias traumatizadas continúan asombrando a los psicólogos. Aunque sean objeto de negligencia y maltrato, los niños pueden —y logran— recuperarse, amar y tener esperanza.

Sarah Moskovitz escribió *Love Despite Hate: Child Survivors of the Holocaust and Their Adult Lives* (Amor a pesar del odio: Niños sobrevivientes del holocausto y sus vidas adultas), un libro fascinante en el que relata las historias de 24 personas a las que entrevistó, que en su niñez fueron liberadas de los campos de concentración de los nazis. Es difícil imaginar un ambiente más terrible que ése para la infancia de cualquiera. Sin embargo, Sarah Moskovitz escribió: "Las predicciones acerca de los niños sobrevivientes indicaban que se convertirían en gente antisocial y con grandes problemas. No obstante, en la actualidad, casi todos participan activamente en la comunidad, son fuertemente religiosos y viven sus vidas en un plano profundamente espiritual". De alguna manera, estos chicos encontraron valores espirituales en medio de los horrores de la guerra y de la muerte.

El poder de Cristo, que "venda a los quebrantados de corazón" y abre la cárcel "a los presos", es por lejos mayor que el de la sujeción a las influencias de nuestra temprana infancia. Los humanistas seculares consideran la herencia y el ambiente como los principales modeladores de nuestro destino. Como cristianos, no negamos los efectos de la herencia ni del ambiente, como tampoco las influencias recibidas en la temprana infancia. Comprendemos el peso y la importancia de los estilos de crianza; pero también creemos que la mayor influencia sobre el carácter es la del poder dinámico y transformador del Evangelio. Hay adultos bien adaptados, que sufrieron lo indecible cuando niños. Sólo el poder de Cristo en sus vidas logró cambiarlos. Pablo escribió: "si alguno está en Cristo, nueva criatura es" (2 Cor. 5:17). Efectivamente, en Cristo, Dios hace de nosotros una nueva creación. En él, el poder de la gracia es mayor que el de nuestros genes defectuosos. En Cristo, la influencia del Padre Celestial es más poderosa que el dominio de cualquier padre terrenal. Aferrémonos a ese amor hoy. Permitamos que nos libre de las prisiones oscuras en las que por tanto tiempo hemos permanecido encerrados.

7 de mayo

Escogidos por Dios

Porque los ojos de Jehová contemplan toda la tierra, para mostrar su poder a favor de los que tienen corazón perfecto para con él. 2 Crón. 16:9.

Geeta Lall se crió en la India. Huérfana a temprana edad, quedó bajo la tutela de un profesor universitario jubilado, in cristiano bautista, que la llevaba fielmente a la escuela dominical.

Por la providencia milagrosa de Dios, un vendedor de libros adventista llegó un día a alquilarles una habitación en su hogar. Con el tiempo, ese vendedor se casó con la prima de Geeta, y en 1946, cuando estalló la guerra entre hindúes y musulmanes, Geeta fue a pasar con ellos sus vacaciones escolares. Lo que vivió entonces, lo cuenta así...

"Un día, un pastor adventista visitó a mi prima en su hogar. Durante su estancia, se me pidió que le sirviera una bebida frutal en lugar del té acostumbrado. Esto me llamó la atención. Mi prima me explicó que era porque los adventistas se abstenían de tomar té o bebidas alcohólicas, así como de comer cerdo o fumar.

Sentí curiosidad por saber más. Adentrándome en la sala, comencé poco a poco a preguntarle al pastor acerca de la fe adventista. Durante nuestra conversación, él mencionó que el séptimo día era el verdadero día de descanso santo. Yo le dije que no. Eso habría sido en la época del Antiguo Testamento, pero cuando Cristo vino a morir por nosotros, cambió el día al domingo, el día en que resucitó de entre los muertos.

El pastor me escuchó en silencio, pero luego me desafió a encontrar un texto en el Nuevo Testamento que declarara que Cristo había cambiado el día de descanso. Si yo llegaba a encontrarlo, él se haría bautista, pero si yo no lo hallaba, debería tomar estudios bíblicos con él. Sin pensarlo dos veces, me apresuré a decirle que si no encontraba un texto que mostrara que Cristo había suplantado el sábado por el domingo, ¡yo me haría adventista!

Demás está decir que no pude encontrar el texto en cuestión, aunque lo busqué larga y diligentemente en la Biblia. Y para colmo, ¡hasta encontré que Cristo mismo solía ir a la sinagoga los sábados!

Empecé, pues, con los estudios bíblicos, tal como habíamos quedado, y en abril de 1946 me uní a la Iglesia Adventista de Calcuta. Dos meses después, junto con otros estudiantes, me fui al Colegio Spicer, donde pasé los siguientes seis años de estudios. En medio de la guerra y de la confusión, de la tristeza y de la soledad, Dios me arrancó de una ciudad de seis millones de habitantes".

Ciertamente, los ojos del Señor contemplan toda la tierra. Dios mira y ve. Sabe todas las cosas. Y busca a sus hijos de corazón sincero. Envía su Espíritu para impresionar el nuestro. Arregla las circunstancias de nuestras vidas para inducirnos a buscarle. Pone a otros cristianos consagrados en nuestro camino para compartir su amor.

Patricio: un campeón para Dios

Y me buscaréis y me hallaréis, porque me buscaréis de todo vuestro corazón. Jer. 29:13.

Tras arrestarlo en la quietud de su villa rural, lo golpearon y lo arrastraron hasta el barco que lo esperaba. Para cuando volvió en sí, Patricio se dio cuenta de que lo estaban llevando a Irlanda, como esclavo. Allí permaneció sirviendo como tal, hasta que descubrió una vía de escape y huyó hacia Galia, donde posteriormente escuchó predicar sobre el Evangelio de Jesucristo, y lo aceptó. Tras su bautismo, sintió que debía predicar el Evangelio en la tierra de su esclavitud, de modo que volvió a Irlanda. Una vez allí, predicó sermones bíblicos conmovedores que condujeron a multitudes a los pies de la cruz. Hasta los altos reyes de Irlanda quedaron impresionados con su predicación espiritual y profunda.

Con el tiempo, junto a miles de nuevos conversos, Patricio bautizó a Conall, hijo del rey. Más adelante, Colombano —bisnieto de Conall y aspirante al trono por herencia real de su madre Eithne— también aceptó el mensaje antes predicado por Patricio. Se cree que incluso llegó a renunciar al trono para dedicarse a la causa de Cristo. Como Patricio en el pasado, Colombano mantuvo la Biblia como único fundamento de su fe e hizo hincapié en la necesidad de obedecer con amor los Diez Mandamientos, a los cuales llamó "la ley de Cristo".

El Espíritu de Dios obró poderosamente a través de Colombano, quien —alrededor del año 563— fundó una escuela cristiana y un centro misionero en la pequeña isla de Iona, cerca de la costa británica. Es probable que él haya copiado a mano el Nuevo Testamento, unas trescientas veces, y también sendas porciones del Antiguo Testamento.

Según el Dr. Leslie Hardinge, en su obra *The Celtic Church in Britain* (La iglesia celta en Gran Bretaña), una de las características distintivas de los celtas fue su sagrado respeto por el sábado bíblico.

Patricio y Colombano, estos campeones de Dios —esclavo fugitivo uno, y heredero al reino el otro— mantuvieron encendida la luz de la verdad en Irlanda y en Escocia, en la edad del oscurantismo.

En cada época, Dios tiene hombres y mujeres que permanecen leales a la verdad, independientemente de las consecuencias. En nuestros días hay quienes dejan las "ofertas del mundo" por causa de Cristo. Sus corazones arden con un único deseo, servir a su Maestro. Atraídos por su Salvador, las tentaciones del mundo ya no los seducen. Son "firmes en la fe"; personas entregadas, consagradas y dedicadas; héroes y heroínas del reino de Dios: sus verdaderos campeones. Dios hoy nos invita a unirnos a ellos.

Testigos valdenses

Y Daniel propuso en su corazón no contaminarse con la porción de la comida del rey, ni con el vino que él bebía; pidió, por tanto, al jefe de los eunucos que no se le obligase a contaminarse. Dan. 1:8.

En su obra, *Truth or Propaganda* (Verdad o propaganda), mi amigo y ex colega, el pastor George Vandeman, del programa televisivo *It Is Written* (Está escrito), cuenta este relato fascinante.

Hace años, un pastor condujo a un grupo de jóvenes en una excursión por los valles valdenses del Piamonte, Italia. Una noche, mientras ellos cantaban y contaban historias misioneras alrededor de una fogata, algunos de los valdenses de la zona se acercaron sigilosamente a escucharlos, resguardados por la oscuridad. Los testimonios de los jóvenes y los himnos que cantaban acerca de la segunda venida de Cristo conmovieron profundamente a los valdenses. Cuando los relatos y los himnos cesaron, un anciano valdense se acercó a la fogata y dijo: "¡Ustedes tienen que seguir adelante! Nosotros, los valdenses, nos sentimos complacidos por nuestra herencia. Nos enorgullece la historia de nuestro pueblo y su lucha por conservar en alto la luz de la verdad en las laderas de estas montañas y en los valles. Éste es el gran legado que recibimos del pasado; pero, por triste que sea admitirlo, tenemos que reconocer que... no tenemos futuro. Hemos abandonado las enseñanzas que una vez creímos, y no estamos adelantándonos con valor para enfrentar el futuro. ¡Son ustedes los que tienen que continuar con esta obra!"

El clamor de los siglos desciende por los corredores del tiempo, resonando en nuestros oídos en este mismo instante. Alguien tiene que seguir. Alguien tiene que llevar la antorcha de la verdad. Alguien tiene que conservar fielmente la verdad por la que Cristo murió. Alguien tiene que permanecer en guardia, hasta que él venga.

Dios está buscando gente dispuesta a mantenerse firme como Daniel, que se propuso en su corazón servir a Dios. Proponerse es decidirse, escoger, determinarse. El corazón es, en el lenguaje bíblico, el asiento de la decisión. Daniel escogió no violar su conciencia. Determinó no desagradarle en ningún aspecto de su vida. La transigencia es la ruta al desastre espiritual. Daniel mantuvo en alto la antorcha de la verdad. Se mantuvo inflexiblemente de parte de lo recto.

Dios honró la fidelidad de Daniel. Reyes e imperios se alzaron y cayeron, pero Daniel permaneció firme. Su testimonio nos llega a través de las edades. Nos insta a mantener en alto la antorcha de la verdad. Las palabras del anciano valdense resuenan en nuestros oídos en esta generación: "¡Ustedes tienen que seguir adelante!"

Y nosotros no podemos —no debemos— fallarle.

Vaya más despacio

Bienaventurado el hombre que... guarda el día de reposo para no profanarlo, y que guarda su mano de hacer todo mal. Isa. 56:2.

Se cuenta que el biólogo Tomás Huxley, habiendo llegado tarde a la ciudad en la que tenía que dar una conferencia, tomó un taxi y ordenó al conductor que manejara a toda velocidad.

Obediente, el taxista echó a correr desaforadamente, dando tumbos por las calles, mientras el biólogo, ya aliviado, se arrellanaba en el asiento posterior del coche. De pronto, Huxley dio un salto y exclamó:

—¡Oiga! ¿Usted sabe adónde quiero ir?

—No, señor —replicó el taxista—, pero estoy corriendo lo más ligero que puedo.

Hoy en día, hay muchísima gente en movimiento. Siempre están yendo deprisa a alguna parte. Van muy apurados, aun sin saber adónde. Los mueve un pánico frenético, pero no saben por qué. Se esfuerzan hasta el límite para alcanzar el éxito apetecido, y luego se preguntan qué es, realmente, el éxito. Dios tiene la respuesta.

El sábado nos invita a reflexionar en los valores importantes de la vida. Nos recuerda nuestras raíces; nos habla de un Dios Creador, que se interesa íntimamente por nosotros. Entre el ritmo febril de la vida en el siglo XXI, el sábado nos insta a reevaluar nuestras prioridades.

Cuando el faraón de Egipto recargó excesivamente a los hijos de Israel con un programa de construcción masivo, Moisés los urgió a volver a la observancia del sábado. Enfurecido por esto, el faraón le reclamó a Moisés: "He aquí el pueblo de la tierra es ahora mucho, y vosotros les hacéis cesar de sus tareas" (Éxo. 5:5). En este pasaje, el término "descansar" también puede traducirse como "guardar el sábado". Moisés sabía que el pueblo de Israel podría, fácilmente, perder la perspectiva. Sabía que sus cargas podrían oscurecer su visión de Dios. Por eso, los invitó a aminorar el paso y disfrutar del descanso sabático.

Reevaluemos nuestras prioridades. Comuniquémonos de nuevo con nuestro Creador. Volvamos a nuestras raíces. En el ritmo vertiginoso de nuestro tiempo, el Señor del sábado aún nos insta a volver a descubrir los valores eternos. Sin esta pausa para reflexionar y adorar, perderemos fácilmente nuestra perspectiva. Con ella, nos mantendremos centrados.

Vivir es Cristo

Porque para mí el vivir es Cristo, y el morir es ganancia. Fil. 1:21.

Como Pablo, Juan Hus también basó su vida en la entrega sin reservas a su Señor. Condenado a la hoguera, aguantó valientemente lo que se conocía como "la ceremonia de la degradación". Durante ella, los dignatarios eclesiásticos presentes lo despojaron de su identidad como sacerdote y como cristiano, públicamente.

En primer lugar, le quitaron el cáliz de la comunión y lo denunciaron; pero Hus replicó:

"Espero beber del cáliz de Cristo en el reino de Dios".

Luego, los oficiales le quitaron sus vestiduras, una a una, pronunciando a cada paso la maldición correspondiente; pero Hus señaló que estaba más que dispuesto a sufrir el oprobio por el nombre del Señor.

Por último, le colocaron sobre la cabeza una corona de papel bien alta, en la que se veían tres diablos peleando por la posesión de un alma, y al pie, una inscripción que decía: "Éste es un hereje confeso". Tras esto, los obispos entonaron la maldición final: "¡Encomendamos tu alma al diablo!"

Pero Juan Hus contestó con calma: "Mas yo la encomiendo al más misericordioso Señor Jesucristo".

Este hombre valiente decía, en efecto: "Pueden quitarme todo lo que quieran y hasta degradarme en público, pero no pueden quitarme lo más precioso de mi vida: mi relación con el Señor Jesucristo".

Juan Hus se hizo eco de las palabras que el apóstol pronunciara siglos antes. Fue durante su encarcelamiento en Roma cuando Pablo escribió la Carta a los Filipenses, obra calificada como "la carta del gozo". Privado de su libertad y con su reputación manchada, su corazón igual rebosaba de gozo. Estaba por perder la vida, pero se sentía contento. Jubilosamente escribió: "porque para mí el vivir es Cristo" (Fil. 1:21).

Y más adelante agregó: "Pero cuantas cosas eran para mí ganancia, las he estimado como pérdida por amor de Cristo. Y ciertamente, aun estimo todas las cosas como pérdida por la excelencia del conocimiento de Cristo Jesús, mi Señor, por amor del cual lo he perdido todo, y lo tengo por basura, para ganar a Cristo. (Fil. 3:7, 8).

Si le han despojado de todo, pero todavía tiene a Jesucristo, él es suficiente. Uno puede quedarse sin salud, sin dinero, sin trabajo, sin posesiones y hasta sin familia. Puede que le hayan destrozado el corazón... que sienta el peso del dolor y la tristeza; sin embargo, aun así, de alguna manera Cristo le sostiene. Él le da las fuerzas para perseverar. El apóstol Pablo y el gran reformador Juan Hus encontraron que Cristo era suficiente para afrontar las pruebas más terribles. Usted y yo también podemos descubrir lo mismo.

JUZGADO POR LAS OBRAS

Y vi a los muertos, grandes y pequeños, de pie ante Dios; y los libros fueron abiertos, y otro libro fue abierto, el cual es el libro de la vida; y fueron juzgados los muertos por las cosas que estaban escritas en los libros, según sus obras. Apoc. 20:12.

El 25 de mayo de 1979, John A. Spenkelink —vagabundo de 30 años de edad, acusado de asesinato— murió en la silla eléctrica en el Estado de Florida, Estados Unidos. El tribunal supremo de la nación rehusó aplazar su muerte, y convirtió así a Spenkelink en la primera persona que sufrió la pena capital en los Estados Unidos, desde que Gary Gilmore demandó enfrentarse al pelotón de ejecución en 1977.

Es difícil describir la tensión en la sala del tribunal cuando el jurado estaba por anunciar su veredicto. Tras la presentación de la evidencia y la revisión exhaustiva del caso, el presidente del jurado se puso de pie ante la sala repleta de gente que aguardaba ansiosamente la decisión del jurado. El juez preguntó: "¿Cuál es su veredicto?"

Por un instante que pareció eterno, todo el mundo contuvo la respiración. La palabra "inocente" podía conjurar un suspiro de alivio en la mayoría de los presentes, inundar de alegría el corazón del abogado defensor y liberar de las garras de la desesperación a los seres amados del acusado. Pero no fue así en el caso de John Spenkelink. "Culpable" fue el veredicto. Y con esta sola palabra, su vida fue truncada para siempre.

Una sola palabra. Una sencilla declaración, en una dirección o en otra. Todos enfrentamos uno de estos dos veredictos. En cualquier juicio, el jurado examina y pesa la evidencia meticulosamente. En el drama del destino, al abrirse los registros del cielo en la sala del tribunal divino, cantidades innumerables de seres celestiales examinan la evidencia. Dios revela su increíble amor. Ha intentado salvar a cada ser humano. Ha hecho todo lo posible para redimirnos. No hay nada que no haría por nuestra salvación. El juicio en los cielos revela cómo hemos respondido al llamado de Dios. Aunque la salvación es sólo por fe, nuestras obras revelan la autenticidad de ésta. La fe que no se manifiesta en obras buenas no es genuina. No es fe. Es presunción. El apóstol Santiago lo dice claramente: "¿Mas quieres saber, hombre vano, que la fe sin obras es muerta?" (Sant. 2:20). Nuestras obras importan. Donde no hay obras buenas genuinas, no hay fe genuina.

Permitamos hoy que nuestra fe se revele en una vida de obediencia. En el juicio final divino, ni la vergüenza ni la pretensión servirán de nada. Sólo la fe bíblica revelada en obras buenas permanecerá.

13 de mayo

La ley de Dios: un espejo

Pero sed hacedores de la Palabra, y no tan solamente oidores, engañándoos a vosotros mismos. Porque si alguno es oidor de la Palabra, pero no hacedor de ella, éste es semejante al hombre que considera en un espejo su rostro natural. Porque él se considera a sí mismo, y se va, y luego olvida cómo era. Sant. 1:22-24.

El Dr. Arthur Bietz contaba de una princesa africana que vivía feliz, en medio de los elogios de sus súbditos por su belleza y gracia increíbles. Infortunadamente, su estima personal se vino abajo el día en que un viajante que llegó a su aldea le vendió un espejo. Cuando la princesa se contempló en él, se horrorizó tanto del reflejo de su fealdad, ¡que rompió el espejo!

Tal como el espejo, la ley de Dios revela exactamente quiénes somos. Es posible que al asomarnos a ella nos sintamos tan horrorizados con lo que veamos, como se sintió la princesa africana; pero destruir la ley o ignorarla no cambiará nuestra condición. Las imperfecciones permanecerán.

Quizás un vistazo ocasional a la ley de Dios nos haga sentir satisfechos. En nuestra presunción, puede que pensemos que estamos bastante bien, pero Jesús revela que la obediencia a la ley es asunto del corazón. He aquí algunos de los ejemplos que el propio Maestro señaló:

Transgredir el sexto mandamiento, "No matarás" (Éxo. 20:13), tiene que ver con mucho más que el acto físico de quitarle la vida a alguien. Todo enojo, resentimiento y amargura descontrolados constituyen una violación de dicho mandamiento.

Transgredir el séptimo mandamiento es mucho más que cometer el acto físico del adulterio. La mirada lasciva precede al acto adúltero. Cualquiera que permite que su mente se llene de actos sexuales, desnudez, pornografía o amoríos lascivos fuera del matrimonio, en su propia realidad o en la fantasía, a través de vídeos, películas o programas televisivos, transgrede el séptimo mandamiento.

A la luz de la ley divina, todos somos pecadores perdidos. Nuestra única esperanza reside en la gracia de Dios. Nuestro orgullo farisaico y nuestra presumida complacencia jamás podrán salvarnos. Sólo la gracia de Dios puede redimirnos. Sin ella, estamos irremediablemente perdidos. Alabemos ahora a Dios por su gracia inefable y suficiente. Decidamos, por esa gracia, obedecer su ley con amor.

Dificultades con un propósito

Porque de la manera que abundan en nosotros las aflicciones de Cristo, así a
por el mismo Cristo nuestra consolación. 2 Cor. 1:5.

En uno de sus muchos viajes al Himalaya, el evangelista indio Sundhar Singh conoció a un predicador tibetano al que la gente trataba con extremada reverencia. Él proclamaba a Cristo sin temor a represalias, aunque sabía que —por ello— a otros predicadores los habían perseguido violentamente. El predicador le contó a Singh su historia.

Anteriormente, había sido secretario de un sacerdote budista, pero un día conoció a Jesús, a través de un cristiano procedente de la India. Con el tiempo, él mismo se declaró seguidor de Jesucristo, y al primero a quien confesó su nueva fe fue a su propio maestro, el sacerdote budista.

Poco después, el predicador fue sentenciado a muerte. Frente a las paredes del templo, unos hombres envolvieron su cuerpo con una piel de yak (buey montaraz del Tíbet) humedecida, cosieron meticulosamente los bordes, y lo pusieron a secar bajo el sol ardiente, para que al contraerse la piel del animal, comprimiera al hombre hasta matarlo.

Como el predicador no se moría con la rapidez esperada, sus agresores traspasaron la piel del yak y el propio cuerpo del hombre con espadas calentadas al rojo vivo. Luego, le arrancaron la piel y lo arrastraron por las calles, hasta un muladar en las afueras de la ciudad, donde —tras someterlo aun a más maltratos— finalmente lo arrojaron allí. Para entonces, su cuerpo ya no mostraba señales de vida. La muchedumbre se retiró, y las aves de rapiña se le acercaron; pero esta víctima mutilada estaba viva todavía...

Así, se las ingenió como mejor pudo para escapar de allí y recuperarse, y luego, en vez de huir por su vida, volvió a la aldea y comenzó a predicar acerca de Jesucristo. Podía todavía testificar sobre su fe y hablar del gran Dios que le había acompañado. Y ahora, la gente lo escuchaba maravillada.

Dios permite a veces que pasemos por experiencias traumáticas, para acentuar la credibilidad de nuestro testimonio. Cuando pasamos por circunstancias sumamente difíciles, tenemos la oportunidad de fortalecer nuestra fe. Antes que destruir nuestra fe, las experiencias difíciles de nuestras vidas la fortalecen, haciéndola creíble ante quienes observan nuestra lealtad inquebrantable a Dios. El apóstol Pablo, que tanto sufrió, afirma que nuestro Padre celestial "nos consuela en todas nuestras tribulaciones, para que podamos también nosotros consolar a los que están en cualquier tribulación, por medio de la consolación con que nosotros somos consolados por Dios" (2 Cor. 1:4).

Alentamos, porque a nuestra vez recibimos aliento. Consolamos a los demás en los momentos difíciles de sus vidas, porque Dios nos ha consolado en los nuestros. Abramos, pues, nuestros corazones para recibir el consuelo de Dios. Lo necesitaremos para poder consolar a quienes Dios ponga en nuestro camino esta semana.

Problemas

En seis tribulaciones te librará, y en la séptima no te tocará el mal. Job 5:19.

Se cuenta la historia de una mujer sumamente afligida que visitó a un monje en la China, para pedirle que la ayudara a sobreponerse a su profunda tristeza. El monje le dijo que para disipar su pesar, debía conseguir una semilla de mostaza procedente de un hogar donde nunca se hubiera conocido la pérdida ni la tristeza.

Al día siguiente, la mujer visitó uno a uno los hogares de la ciudad, para inquirir al respecto, pero no encontró ninguna familia que no hubiera experimentado algún tipo de tragedia. Lo que sí notó —y le llamó la atención— fue que cuanto más gente entrevistaba, más sentía a todos como si fueran de su propia familia. Entonces, la mujer comprendió lo que le había querido decir el monje. El sufrimiento ajeno nos hermana y pone en perspectiva nuestro propio dolor.

Recientemente, entrevisté a Melodie Homer para uno de nuestros programas televisivos de *It Is Written* (Está escrito). Leroy, el esposo de Melodie, fue el copiloto del vuelo 94 de United Airlines que se estrelló el 11 de septiembre de 2001. La vida de Melodie cambió en un instante. ¿Cómo puede uno reaccionar cuando escucha esas palabras terribles: "Su esposo ha muerto"?

El testimonio de Melodie me impresionó profundamente. Su fe me levantó el ánimo. Su valor frente a la pérdida y el dolor me inspiró. Su firme esperanza en Cristo, aun ante su tragedia personal, llenó de esperanza mi propio corazón. Mis dificultades y preocupaciones ya no me parecieron tan grandes. Si Dios pudo sostener a Melodie en medio de su terrible aflicción, podrá sin duda sostenerme a mí.

Poco después de transmitir la entrevista con Melodie en nuestro programa, recibí un mensaje por correo electrónico procedente de Camerún, África. Hasta ese día, su autor nunca había visto el programa *It Is Written*, pero la entrevista con Melodie lo conmovió. En su mensaje nos dijo: "Su historia fue una verdadera inspiración para mí e hizo que mis problemas, relativamente pequeños, parecieran apenas un grano de mostaza en la mano de Dios".

No importa el tamaño o la intensidad de nuestras tristezas; Dios es mayor que ellas, y quiere y puede ayudarnos a sobrellevarlas. No estamos solos frente al dolor o la aflicción, porque en este mismo momento, otros están viviendo tragedias similares o aun peores que las nuestras. Con todo, el testimonio de Job sigue siendo veraz: "En seis tribulaciones te librará, y en la séptima no te tocará el mal" (Job 5:19).

Siete es el número perfecto, que representa la entereza, la integridad, lo completo. Regocijémonos, porque la liberación de nuestra aflicción es completa. La gracia sanadora de Dios nos abarca por completo.

Libres de verdad

Y conoceréis la verdad, y la verdad os hará libres. Juan 8:32.

Antes de que Abrahán Lincoln proclamara la abolición de la esclavitud, un esclavo llamado Joe fue llevado a empellones a una subasta pública. Amargado y resentido, el hombre murmuraba: "¡No voy a trabajar! ¡No voy a trabajar!", pero a pesar de ello, un rico hacendado lo compró, lo llevó a su carruaje, y en éste al sitio donde tenía su plantación.

Una vez allí, detuvo el carruaje frente a un bungalow encantador, adornado con cortinas, flores y un caminito de adoquines que daba hacia el lago cercano. Luego, volviéndose hacia Joe, sonrió.

—Este es tu nuevo hogar. No tienes que trabajar por él. Te compré, para dejarte libre.

Por un momento, Joe quedó como petrificado. Luego, los ojos se le llenaron de lágrimas. Abrumado de gozo, exclamó:

—¡Señor, le serviré para siempre!

Cristo también nos ha comprado... para dejarnos libres. En él nos libramos del cautiverio y de la esclavitud del pecado. Aunque seamos cristianos, puede que pequemos, pero el pecado ya no nos controla. Tenemos en nosotros un nuevo poder, el poder de la gracia de Dios.

Por eso el apóstol Pablo declara que "el pecado no se enseñoreará de vosotros; pues no estáis bajo la Ley, sino bajo la gracia" (Rom. 6:14). El término "dominio" equivale a "señorío". El pecado no es más nuestro señor. Jesús lo es.

Elena G. de White escribió: "No es la función del Evangelio debilitar las demandas de la santa ley de Dios, sino elevar a los hombres para que puedan guardar sus sagrados preceptos" (*Fe y obras,* p. 52).

El Evangelio nos eleva. Nos pone donde Dios quiere que estemos. En Cristo somos libres. Y lo mejor de todo es que nuestra obediencia nace de un corazón agradecido, lleno de amor y aprecio por su Señor. Cuando verdaderamente apreciamos el inmenso sacrificio de Cristo, no podemos sino servirle y alabarle por siempre. La libertad de que gozamos en Cristo no es para continuar viviendo en pecado, sino para romper sus cadenas e impedir su señorío sobre nosotros. ¿Cómo no regocijarnos de que en Cristo somos verdaderamente libres?

Fe duradera

Yo soy la resurrección y la vida; el que cree en mí, aunque esté muerto vivirá. Juan 11:25.

Hace aproximadamente un siglo, dos abogados cruzaban en tren el Estado de Kansas. Uno era cristiano, el otro, agnóstico. El viaje iba para largo, y ellos pasaban el tiempo mayormente charlando de cosas intrascendentes.

En eso, el abogado agnóstico se volvió a su amigo cristiano y le dijo:

—Lew, estamos perdiendo el tiempo. ¿Por qué no hablamos de temas más importantes? ¿Es inspirada la Biblia? ¿Es divino Cristo?

Con el pasar de las millas, el escéptico parecía ganar terreno. El abogado cristiano se sentía cada vez más avergonzado de no poder responder adecuadamente a las preguntas y comentarios de su amigo. Y el escéptico aprovechaba la ocasión para presionarlo:

—Lew, ¿por qué no eres budista, musulmán o seguidor de Confucio? ¿No son todas las religiones igualmente buenas? ¿No eres cristiano, acaso, simplemente por accidente geográfico, por haber nacido en un país cristiano?

Las preguntas que el escéptico Robert Ingersoll formulara entonces deben responderse. No van a desaparecer sólo por ignorarlas. No podemos esconder la cabeza bajo la arena y hacer de cuenta que no existen.

Permitamos que nuestra mente se remonte al siglo II de nuestra era. El circo romano se llena por completo. Más de ochenta mil personas, de pie, gritan a más no poder. Los leones están despedazando a los cristianos. ¿Qué genera esta fe que desafía a la muerte? ¿Por qué están dispuestos a morir, antes que a renunciar a creer en Jesucristo?

Sólo hay una razón. Creen que Jesús fue más que un hombre bueno, más que un maestro ético o un filósofo moral. Creen que Jesús fue el divino Hijo de Dios. Aceptan las palabras que Jesús dirigió a Marta: "Yo soy la resurrección y la vida; el que cree en mí, aunque esté muerto, vivirá" (Juan 11:25).

Sobre las profecías del Antiguo Testamento acerca del lugar de nacimiento de Jesús (Miq. 5:2), su linaje (Gén. 49:10), su nacimiento virginal (Isa. 7:14), su ministerio (Isa. 61:1-3) y su muerte (Sal. 22, Isa. 53), estos creyentes de ayer fundamentaron su fe, y estuvieron dispuestos incluso a morir, antes que abjurar o retractarse de ella. Creían, sin la más mínima sombra de duda, que la vida eterna que Jesús ofrecía era real.

Nosotros también podemos tener esa confianza. El que fuera su Mesías es también el nuestro. Su ofrecimiento de vida eterna es real, y puede sostenernos ante cualquier adversidad.

La Palabra eterna de Dios

Sécase la hierba, marchítase la flor; mas la palabra del Dios nuestro permanece para siempre. Isa. 40:8.

En el siglo XIX, algunos historiadores afirmaban que la antigua ciudad de Babilonia había sido construida por orden de la reina Semiramis. La Biblia, sin embargo, acredita la construcción de esta bella ciudad al rey Nabucodonosor. Según las Escrituras, este rey exclamó: "¿No es ésta la gran Babilonia que yo edifiqué para casa real con la fuerza de mi poder, y para gloria de mi majestad?" (Dan. 4:30).

En 1899, Robert Koldewey comenzó las excavaciones de las antiguas ruinas de Babilonia, desenterrando decenas de miles de ladrillos secados al horno, todos tomados de los muros y templos de la ciudad y con la marca del sello del rey Nabucodonosor. Entre los hallazgos, figuraba una tabla grabada en caracteres cuneiformes, en la que se contaban los logros del citado rey. En ella, Nabucodonosor decía: "¡Oh, Babilonia! ¡Delicia de mis ojos! ¡Excelencia de mi reino! ¡Vive para siempre!"

La inscripción de la Casa de la India Oriental, actualmente en Londres, dedica seis columnas de escritura babilónica, a la descripción de los enormes proyectos de construcción de Nabucodonosor. La pala del arqueólogo confirma, una vez más, la exactitud de la Palabra de Dios.

Otro asunto que en su momento dio que hablar a los críticos fue la ausencia, en los registros seculares, del nombre de Belsasar como rey de Babilonia. Aunque las Escrituras lo mencionaban, fuera de ellas no había evidencia de la existencia de su reinado. Sin embargo, quienquiera que visite hoy el Museo Británico, encontrará un cilindro que prueba que —tal como la Biblia indicaba— Belsasar gobernó Babilonia juntamente con su padre.

Algunas asombrosas profecías acentúan la credibilidad del relato bíblico. Una de las más notables es la del profeta Isaías en relación con el rey Ciro de Persia y su consiguiente ataque a la poderosa ciudad de Babilonia. El nombre del hombre que dirigiría los ejércitos contra Babilonia fue profetizado 150 años antes de su nacimiento. Isaías escribió: "Así dice Jehová a su ungido, al Ciro, al cual tomé yo por su mano derecha, para sujetar naciones delante de él y desatar lomos de reyes; para abrir delante de él puertas, y las puertas no se cerrarán" (Isa. 45:1). Estas profecías se cumplieron al pie de la letra. Ciro dividió el río Éufrates, y pasó con sus tropas por el lecho seco del río que corre a través de la ciudad de Babilonia. Encontró las puertas internas abiertas, tal como estaba predicho.

¿Se cumplieron las profecías de la Biblia? Absolutamente. En el pasillo persa del Museo Británico se exhibe el cilindro de Ciro, hallado entre las ruinas de Babilonia. En ese cilindro de arcilla, Ciro relata su conquista de Babilonia. En verdad, las piedras hablan, aun cuando se haya hecho hasta lo imposible por silenciar la autenticidad de la Biblia.

Fortaleza en la debilidad

Por lo cual, por amor a Cristo me gozo en las debilidades, en afrentas, en necesidades, en persecuciones, en angustias; porque cuando soy débil, entonces soy fuerte. 2 Cor. 12:10.

Como buen cristiano, cada mañana, Dave Dravecky se encomendaba a Dios. Si a usted le gusta el béisbol, quizás se haya enterado de lo que le sucedió al ex lanzador de los Gigantes de San Francisco. Cuando un tumor canceroso en uno de sus brazos amenazó con truncar su carrera, Dave no demandó que Dios lo sanara. Se entregó serenamente a la voluntad divina. Su fe y su paz dieron, silenciosamente, un testimonio poderoso ante millones de personas.

Dios hizo un milagro por él. Aunque su operación requería que le quitaran casi todo el músculo del brazo que usaba para lanzar la pelota —contra todo pronóstico— volvió a jugar. Miles de fanáticos de San Francisco lo aplaudieron a más no poder cuando apareció de nuevo en el montículo del Candlestick Park. Increíblemente, hasta ganó el juego.

¡Dave Dravecky regresó!, pero el milagro del regreso le duró menos de una semana. Estaba jugando en Montreal, ganando otra vez, cuando de pronto, al lanzar la pelota, el brazo se le quebró. Dave se desplomó al pie del montículo. La multitud entera presenció horrorizada, el accidente.

Mientras lo quitaban del campo de juego, Dave afirmó serenamente su fe en Dios; fe que no decayó durante los largos meses de incertidumbre que siguieron, al fin de los cuales los médicos concluyeron que ya nada podían hacer, sino amputarle el brazo.

¿Se amargó Dave Dravecky porque en vez de curarlo, Dios permitió que quedara discapacitado para siempre? No. Los comentaristas deportivos de todo el país se maravillaban de su fe, sólida como la roca. En lo personal, considero que Dave necesitó más fe para confiar en el Dios que parecía haberle fallado, que la que habría requerido para demandar el milagro de la curación total y definitiva. Creo que en la entrega confiada de Dave Dravecky a Dios, se efectuó un milagro aun mayor que el de la propia sanidad física.

El apóstol Pablo experimentó este mismo tipo de fe. Él también sufría de una enfermedad incurable. Tres veces le pidió a Dios que lo sanara milagrosamente; pero la respuesta de Dios fue insólita: "Bástate mi gracia, porque mi poder se perfecciona en la debilidad" (2 Cor. 12:9). Alentado por las posibilidades que esta promesa entrañaba, Pablo no se preocupó más por su mal: "Por lo cual, por amor a Cristo me gozo en las debilidades, en afrentas, en necesidades, en persecuciones, en angustias. Porque cuando soy débil, entonces soy fuerte" (2 Cor. 12:10).

Parecería que hay una correlación positiva entre nuestra fortaleza espiritual y nuestra flaqueza humana. Dios nos socorre en nuestros momentos de mayor necesidad. Él está cerca, y por fe podemos asirnos de su mano. Nuestra fe nos asegura que él no nos dejará.

Promesa de protección

Con sus plumas te cubrirá, y debajo de sus alas estarás seguro. Sal. 91:4.

Se cuenta la historia de un leñador australiano que construyó una cabaña al borde de un bosque. Un día, al volver de su trabajo, se quedó pasmado al ver que su hogar había quedado reducido a un montón de ruinas quemadas. Todo lo que quedaba de él eran unos trozos de madera chamuscada y metal ennegrecido. Yendo hacia donde solía estar su antiguo gallinero, el leñador sólo halló un montículo de cenizas y alambres quemados. Caminaba distraídamente entre los escombros cuando, de pronto, notó algo que le llamó la atención. Parecían plumas chamuscadas. Las hizo a un lado con el pie y, para su sorpresa, descubrió cuatro pollitos vivos, milagrosamente protegidos por las alas de una madre amante.

En el lenguaje más bello y significativo de las Escrituras, Dios describe lo que hará por cada uno de sus hijos cuando sobrevengan las plagas sobre la tierra. "Con sus plumas te cubrirá, y debajo de sus alas estarás seguro" (Sal. 91:4).

Sólo en la eternidad comprenderemos —realmente— el poder protector de Dios. Aquí y ahora, "vemos por espejo, oscuramente" (1 Cor. 13:12), sin embargo, aun así estoy convencido de que más de una vez me he salvado de situaciones peligrosas, sólo porque Dios me cuidó. Dios nos protege en maneras insospechadas, que sólo conoceremos cuando lo veamos cara a cara.

Elena G. de White escribió: "El poder omnipotente del Espíritu Santo es la defensa de toda alma contrita. Cristo no permitirá que pase bajo el dominio del enemigo quien haya pedido su protección con fe y arrepentimiento" (*El Deseado de todas las gentes,* p. 455).

Esa promesa es para cada uno de nosotros. En Cristo estamos seguros y a salvo. En él, todos nuestros temores se desvanecen. "El Salvador está junto a los suyos que son tentados y probados. Con él no puede haber fracaso, pérdida, imposibilidad o derrota; podemos hacer todas las cosas mediante Aquel que nos fortalece" (*Ibíd.*).

Cuando le asalte el enemigo, fije su mente en el todopoderoso liberador. Él nunca les ha fallado a las almas confiadas que dependen de él; así que, tampoco nos fallará a nosotros. Él es nuestro refugio, nuestra serenidad, nuestro divino protector. En él estaremos a salvo hoy, mañana y siempre.

El sentido de la prueba

Antes que fuera yo humillado, descarriado andaba; mas ahora guardo tu Palabra. Bueno eres tú, y bienhechor. Sal. 119:67.

Un ocupado redactor y corrector de pruebas contrajo una grave afección a los ojos. Las largas y tediosas horas dedicadas a la lectura minuciosa de manuscritos los habían cansado. Pensando que acaso necesitaba un nuevo par de anteojos, fue a consultar a un oculista. Éste le dijo que en realidad, no necesitaba gafas nuevas, sino descansar sus ojos. El redactor le explicó que eso era prácticamente imposible, pues su trabajo requería permanecer sentado casi todo el día, inclinado sobre un escritorio, leyendo y escribiendo. El oculista le preguntó entonces dónde vivía, a lo cual él replicó que de cara a los Pirineos, la majestuosa cadena montañosa de Francia.

—Vaya a su casa, y trabaje como de costumbre —prescribió el oculista—, pero cada hora, deje su escritorio y vaya al porche para mirar un rato las montañas. Mirarlas a lo lejos, descansará sus ojos, después de tanto forzarlos en la lectura de manuscritos e impresos.

A veces, también nosotros necesitamos mirar a lo lejos. Cuando las dificultades cotidianas pesan demasiado, llegamos a sentirnos desanimados. La vida se convierte en una verdadera molienda. Las pruebas y los obstáculos nos abruman, y nos preguntamos por qué, si Dios nos está guiando, la vida está tan llena de retos.

He aquí una clave para enfrentar esos retos. Cada prueba que enfrentamos constituye una oportunidad para buscar en Dios la solución; es una oportunidad para hacer una pausa y "mirar a lo lejos".

"La senda de la sinceridad e integridad no es una senda libre de obstrucción, pero en toda dificultad hemos de ver una invitación a orar" (*El Deseado de todas las gentes,* pp. 620, 621).

Las dificultades son puertas hacia Dios. Los obstáculos son oportunidades para conocerle mejor. Las pruebas son instrumentos de enseñanza que nos revelan defectos de los que antes no nos habíamos percatado. "Las pruebas y los obstáculos son los métodos de disciplina que el Señor escoge, y las condiciones que señala para el éxito" *(El ministerio de curación,* p. 373*).*

Podemos testificar con el salmista David, "antes que fuera yo humillado, descarriado andaba; mas ahora guardo tu Palabra. Bueno eres tú, y bienhechor" (Sal. 119:67). Aun en medio de las pruebas, las dificultades y las aflicciones, Dios es bueno. Animémonos a "mirar a lo lejos". En él, todos nuestros problemas se ponen en perspectiva. En él vemos la vida con más claridad.

Dejando un legado

Porque el que me envió, conmigo está; no me ha dejado solo el Padre, porque yo hago siempre lo que le agrada. Juan 8:29.

Osvaldo Glait arriesgó su vida repetidamente por la verdad sobre el sábado. Las autoridades lo arrestaron en 1545, mientras cumplía una misión evangelizadora en Europa central. Pasó un año y seis semanas encarcelado, hasta la madrugada en que oyó los pasos atronadores de los soldados acercándose por el pasillo hacia su celda. Los mercenarios lo ataron de pies y manos, lo arrastraron por toda la ciudad, y finalmente lo echaron a las aguas del Danubio. Ni imaginaban siquiera que la verdad por la que este hombre había dado su vida pronto se extendería por Europa central, como se extienden las ondas producidas por las piedras que se tiran en la charca...

Osvaldo contempló su vida en perspectiva, mirando más allá de las circunstancias inmediatas. Sabía que su influencia se extendería más allá de la muerte. Confiaba en que la verdad por la que arriesgaba su vida finalmente triunfaría.

La mayoría de la gente vive para el momento inmediato. Absortos en sus intereses personales, sólo se preocupan por el presente, por lo que les pasa aquí y ahora; pero los grandes hombres y mujeres de fe de todos los siglos consideraron siempre la vida de modo muy diferente. Su objetivo era complacer a Dios; su pasión, vivir para Cristo. La lealtad a la verdad divina representaba todo para ellos. Con el apóstol Pablo proclamaban: "prosigo a la meta, al premio del supremo llamamiento de Dios en Cristo Jesús" (Fil. 3:14).

¿Qué tipo de legado dejaremos a quienes nos rodean? ¿Será de entrega a la voluntad de Dios o de transigencia con el mal? ¿Será de consagración o de complacencia? El testimonio de Osvaldo Glait resuena en los corredores del tiempo, llamándonos a la entrega consagrada. Nos invita a una dedicación real, profunda y total; a ponernos de parte del deber "aunque se desplomen los cielos". Nuestro Señor no sólo espera que estemos dispuestos a morir por él, sino que estemos dispuestos a vivir por él ahora y siempre.

23 de mayo

Getsemaní: Crisis en el jardín

Yendo un poco adelante, se postró sobre su rostro, orando y diciendo: Padre mío, si es posible, pase de mí esta copa; pero no sea como yo quiero, sino como tú. Mat. 26:39.

La literatura médica indica que es posible, bajo el estrés que produce el terror excesivo o el cansancio extremo, que el hombre exude gotas de sangre. Voltaire, en una de sus obras sobre las guerras civiles en Francia, también describía una escena en la que un hombre sudaba sangre.

Según su relato, poco después de la masacre de San Bartolomé, el rey Carlos IX fue presa de una extraña enfermedad que los doctores de la época no pudieron curar. Exudaba sangre, a través de los poros de la piel. Voltaire contaba que esto le ocurrió como "resultado del temor excesivo, de su violenta lucha interna y de la venganza divina contra el pecado".

Hubo una noche cuando nuestro Salvador sudó gruesas gotas de sangre. El destino del mundo estaba en juego. Se decidía algo particularmente grave. Jesús se enfrentaba a la elección más difícil de su vida: volver al cielo, asegurando su propia salvación, o enfrentar la cruz como un pecador condenado, para asegurar la nuestra. Elena G. de White lo describe así: "Había llegado el momento pavoroso, el momento que había de decidir el destino del mundo. La suerte de la humanidad pendía de un hilo. Cristo podía aun ahora negarse a beber la copa destinada al hombre culpable. Todavía no era demasiado tarde. Podía enjugar el sangriento sudor de su frente y dejar que el hombre pereciese en su iniquidad... ¿Sufrirá el inocente las consecuencias de la maldición del pecado, para salvar a los culpables? Las palabras caen temblorosamente de los pálidos labios de Jesús: 'Padre mío, si no puede este vaso pasar de mí sin que yo lo beba, hágase tu voluntad" (*El Deseado de todas las gentes,* pp. 641, 642).

Tres veces repitió Jesús esta oración de entrega. No podía soportar la idea de nuestra perdición. La sangre que brotó de su frente aquella noche terrible prefiguraba la que habría de derramar a través de sus manos, sus pies y su costado... Era la sangre redentora, la sangre de su sacrificio, la sangre salvadora derramada por usted y por mí: la vida que Dios vertió en la cruz a un precio infinito. Ante ella, sólo cabe que nos postremos y digamos:

"¡Gracias, Señor! ¡Gracias, porque estuviste dispuesto a derramar tu propia sangre, para que nosotros pudiéramos experimentar el derrame de tu gracia!"

Redimidos por la sangre del Cordero

Y de Jesucristo, el testigo fiel, el primogénito de los muertos, y el soberano de los reyes de la tierra. Al que nos amó, y nos lavó de nuestros pecados con su sangre. Apoc. 1:5.

A la tenue luz del alba, Eliud atraviesa el campamento de Israel, llevando un corderito blanco. Se encamina hacia el tabernáculo, para degollarlo. Lo induce a ello una esquirla en la memoria... un pecado que le carcome el alma... Tiene que hacer algo...

A la entrada del atrio del tabernáculo, Eliud espera junto a otros que también han traído sus ofrendas por el pecado. Observa cómo el sacerdote realiza el antiguo ritual. Y ahora... llega su turno.

Se arrodilla junto al cordero y le coloca una de sus manos sobre el cuello. El sacerdote se acerca. Eliud coloca su otra mano sobre la cabeza del animalito y confiesa su pecado. Trata de no mirar a los ojos al corderito confiado.

Pronto le cortan la cabeza. Con un tajo certero, su sangre se derrama sobre el suelo. El corderito tiembla, patea en un reflejo, y cae sin vida. Los asistentes del sacerdote llevan al animalito muerto hasta el altar grande. Drenan su sangre en la zanja al pie del altar, y colocan luego su cuerpo sobre el enrejado, para que las llamas lo consuman.

Este sacrificio inaudito muestra el perdón divino. La gracia es tan real para Eliud, como la sangre que aún mancha sus manos...

La gracia de Dios es gratuita, pero no por ello sin costo. Costó la vida del propio Hijo de Dios. Todos los sacrificios del Antiguo Testamento prefiguraban la muerte de Cristo. Sin la muerte del cordero degollado, no había posibilidad de perdón.

Pero, no se me malinterprete. La sangre de aquellos millones de sacrificios jamás podría expiar nuestros pecados. Esto sólo podría lograrse por medio de la sangre del sacrificio eterno. La Escritura es clara al respecto: "la paga del pecado es muerte" (Rom. 6:23). El pecado es terrible. Destruye todo lo que toca. Dios instruyó a su pueblo a ofrecer sacrificios, para recordarles la naturaleza horrenda y mortífera del pecado. "Y sin derramamiento de sangre no se hace remisión" (Heb. 9:22).

La expiación por nuestros pecados costó la vida misma de Dios, sacrificada libremente en el Calvario. Cada animalito sacrificado prefiguraba esa muerte en el Calvario. Y éstas son las mejores noticias jamás oídas: que Jesucristo, el divino Hijo de Dios, ofreció su vida en el Calvario. Murió la muerte que nosotros merecemos. Pagó el precio de nuestros pecados. Como Eliud, también nosotros podemos acercarnos confiados, no al santuario del Antiguo Testamento, sino a la cruz de Cristo.

Cuando en nuestra imaginación nos acercamos al Calvario, confesando nuestros pecados, nuestra culpa se transfiere al Cordero de Dios inmaculado. ¡Quedamos libres! La penalidad del pecado queda saldada. ¡Bendito sea Dios, que nos ha redimido!

Baje de su pedestal

Yo soy la luz del mundo. Juan 8:12.

A lo largo de la historia ha habido quienes, en nombre del cristianismo, han distorsionado el carácter de Dios. Un campesino egipcio llamado Antonio fue considerado "santo" por haber vivido solo, en el desierto, casi noventa años.

Simeón el estilita llevó el rechazo del cuerpo a nuevas alturas. Como si vivir solo en el desierto no fuera suficiente, construyó una plataforma a sesenta pies del suelo, y vivió en ella por treinta y siete años, vestido con pieles de animales.

Y Macario, un ermitaño que vivía en Alejandría, también se convirtió en un personaje legendario. Durante uno de sus ayunos, permaneció en un rincón de su celda, sin hablar ni moverse, por cuarenta días.

La idea de que el cristiano no debe tener contacto con el mundo para no contaminarse con el mal es una perversión del cristianismo. Es un malentendido de la misión de Cristo, quien se atrevió a meterse en el nido de serpientes de este mundo, para salvarnos del veneno de su pecado. Jesús rogó por los suyos al Padre, con estas palabras: "No ruego que los quites del mundo, sino que los guardes del mal" (Juan 17:15).

Alguien ha dicho que el cristiano es como un bote en el agua. Está bien que el bote esté en el agua; malo sería que el agua entrara al bote. Del mismo modo, está bien que el cristiano esté en el mundo; malo sería que la mundanalidad entrara al corazón del cristiano. Es la voluntad de Dios que los cristianos transformemos el mundo en que vivimos. En él debemos ser como la luz y la sal.

En efecto, Dios nos llama a iluminar la oscuridad; a darle sabor a nuestro ambiente, positivamente. Nos llama a darle forma al mundo, no a que el mundo nos dé forma. Llenos del Espíritu de Cristo y motivados por su amor, lancémonos a nuestro mundo de hoy para transformarlo para bien.

No subamos a nuestro pilar beato, como Simeón el estilita, para contemplar desde allí cómo el mundo marcha hacia su destrucción final en el lago de fuego. Bajémonos de nuestras "alturas". Comuniquémonos con la gente que nos rodea. Compartamos el amor y la gracia de Cristo con ellos y observemos cómo Dios obra milagros en sus vidas.

Dios bueno, mundo malo

Después hubo una gran batalla en el cielo: Miguel y sus ángeles luchaban contra el dragón; y luchaban el dragón y sus ángeles. Apoc. 12:7.

En 1981, Harold S. Kushner escribió un libro que prometía responder a una pregunta formulada a diario desde los días de Job. El libro, titulado *When Bad Things Happen to Good People* (*Cuando a la gente buena le pasan cosas malas*) se convirtió, de la noche a la mañana, en todo un éxito de librería.

No obstante, la respuesta de Kushner a la pregunta universal sobre el sufrimiento se limitaba a la estrechez de su propio concepto de Dios. Empezando con el rechazo del poder de Dios en la creación de este mundo, Kushner seguía con el rechazo del relato literal de los sucesos milagrosos registrados en el Antiguo Testamento. Concluía que a la gente buena le ocurren cosas malas porque el Dios que puso en movimiento el universo no puede intervenir en contra de las leyes naturales.

La Biblia presenta un cuadro muy diferente. Ciertamente, Dios no carece de poder. Al contrario, es todopoderoso, pero por el momento, escoge limitar su poder. Hay dos fuerzas en el universo, la del bien y la del mal. En la parábola de la cizaña, los siervos del dueño del campo le preguntan con asombro: "Señor, ¿no sembraste buena semilla en tu campo? ¿De dónde, pues, tiene cizaña?" Y el amo les responde: "Un enemigo ha hecho esto" (Mat. 13:27, 28).

Según el registro bíblico, en el cielo, un ángel rebelde se sublevó contra el gobierno de Dios (Isa. 14:12-14). La Biblia lo llama diablo, Satanás, la serpiente antigua, el dragón, Lucifer y el maligno. Este maníaco egoísta vive obsesionado con la idea de controlar el universo. Su mayor deseo es usurpar el trono de Dios. El diablo está detrás de todas las enfermedades, sufrimientos y tristezas que afligen nuestro mundo.

En su infinita sabiduría, Dios permite que la gran controversia entre el bien y el mal tenga lugar ante el universo. Permite a Satanás cierta medida de libertad; como también permite que los seres humanos elijan lo que a veces causa su propio sufrimiento o el ajeno. ¿Por qué le pasan cosas malas a la gente buena? Porque nos encontramos en medio de un conflicto cósmico entre el bien y el mal.

Las buenas nuevas son que Cristo entró al campo de batalla, enfrentó a Satanás, y le ganó ya en la cruz. En Cristo, la victoria es segura. Y un día, la guerra terminará.

27 de mayo

¿DÓNDE ESTÁ DIOS CUANDO LA GENTE INOCENTE SUFRE?

Aunque ande en valle de sombra de muerte, no temeré mal alguno, porque tú estarás conmigo; tu vara y tu cayado me infundirán aliento. Sal. 23:4.

Cómo podemos responder a la tragedia en nuestras vidas? ¿Dónde está Dios cuando la gente inocente sufre? ¿Cómo encontrarle sentido a los golpes duros de la vida?

Creo, sinceramente, que hay un modo de hacerlo. La Biblia presenta un cuadro de Dios extraordinariamente animador; un cuadro que nos alienta frente a las crisis, nos da esperanza en la desesperación, y paz en los momentos de aflicción.

El mundo en que vivimos es el campo de batalla entre un odio intenso y un amor aun mayor. El bien y el mal libran un combate mortal. Y el Dios que todo lo sabe no siempre interviene para prevenir o evitar las consecuencias del mal. Todavía no elimina todo el sufrimiento.

Dios valora la libertad. Permite que los hombres y las mujeres elijan y decidan, aun cuando sus elecciones y decisiones sean totalmente equivocadas. Para evitarlo, la única opción sería quitarles la libertad de escoger; lo cual los convertiría en meros robots. De modo que Dios decide permitir al mal seguir su curso, pero él mismo está presente, en medio del sufrimiento humano.

Él llora con el pesar y el dolor de los que sufren. Los sostiene, los fortalece y los apoya. Anima a los quebrantados de corazón y abraza a los heridos.

El bien conocido Salmo 23:4, declara: "Aunque ande en valle de sombra de muerte, no temeré mal alguno, porque tú estarás conmigo". El Salmo 46:1, añade: "Dios es nuestro amparo y fortaleza, nuestro pronto auxilio en las tribulaciones". En medio de nuestro dolor y pesar, Dios está presente. Más allá de las lágrimas, del quebranto y de la tristeza combinados, podemos oírlo decir: "Yo sanaré tu corazón quebrantado... vendaré tus heridas. Yo estoy contigo en tus momentos de mayor necesidad".

Dice la promesa: "El eterno Dios es tu refugio, y acá abajo los brazos eternos; él echó delante de ti al enemigo" (Deut. 33:27). Y el salmista responde: "Como prodigio he sido a muchos, y tú mi refugio fuerte. Sea llena mi boca de tu alabanza, de tu gloria todo el día" (Sal. 71:7, 8).

Sigamos su ejemplo. Permitamos que nuestros labios y nuestro corazón se llenen de alabanzas. ¡Regocijémonos! Dios está con nosotros. No nos ha prometido que jamás nos alcanzarán los males de este mundo, pero sí que estará presente cuando esto suceda. No nos ha prometido que nunca sufriremos, pero sí que estará con nosotros en nuestro sufrimiento. Hay algo mucho más grandioso que la ausencia de dolor... es la presencia de Dios en nuestro dolor.

Suceda lo que suceda hoy, aceptemos su promesa: "Yo estoy con vosotros todos los días, hasta el fin del mundo" (Mat. 28:20).

Abre mis ojos

Jehová abre los ojos a los ciegos. Sal. 146:8.

Una noche, en 1849, un adolescente británico llamado J. Hudson Taylor se arrodilló junto a su cama, para rogarle a Dios por una consagración más profunda. Al terminar su oración, Hudson descubrió el propósito de su vida. Iría a China por Cristo. Dios lo había llamado.

A partir de ese día, todo lo que Hudson Taylor hizo se relacionaba con su misión. Las agencias misioneras procuraban disuadirlo. No tenía buena salud ni preparación religiosa formal. Tampoco contaba con el capital necesario para su capacitación médica. Y para completarla, la indiferencia que la mayoría de la gente mostraba hacia China era increíble. Para la mayoría de los cristianos, las necesidades de los millones de habitantes de ese país formaban un punto ciego en el ojo. No las veían... ¡Les parecía una tierra tan remota, tan intangible!

No así para Hudson Taylor. En una carta a su hermana, le decía: "Siento más deseos que nunca de ir a China. Esa tierra está siempre presente en mis pensamientos. ¡Pobre China descuidada! ¡A casi nadie le importa!"

Hudson Taylor siguió suplicando a las juntas misioneras, hasta que finalmente una agencia lo envió a la tierra de sus sueños. Taylor estableció allí la Misión Nacional China, trabajando en regiones remotas donde antes ningún extranjero se había aventurado a ir. Fue ésta la primera de las misiones de "fe" de diversas confesiones religiosas, que abrió el camino al evangelismo mundial en el siglo XIX.

Hudson Taylor jugó un papel clave en el nacimiento del movimiento misionero moderno. Abrió los ojos de muchos que habían estado ciegos a las necesidades de los millones de seres que en ese país vivían y morían sin conocer el Evangelio. ¿Cómo pudo ver él, claramente, cuando los demás parecían tener un punto ciego? Creo que encontraremos la respuesta en su formación temprana. Desde muy jovencito, Hudson aprendió a responder a Dios en las cosas pequeñas. Su conciencia se sensibilizó con la práctica.

Cuando la voz de Dios le sugirió dar su última moneda de media corona a una familia necesitada, él se la dio. Cuando Dios le sugirió hablar con un compañero cínico acerca de Jesucristo, Hudson le habló, y como resultado, sucedieron cosas maravillosas.

Hudson sintió más interés y entusiasmo y vio con más claridad que sus contemporáneos, porque permitió que Dios lo instruyera, paso a paso.

¿Hay puntos ciegos en su vida? ¿Hay cosas que le impiden escuchar la voz de Dios? ¿Hay obstáculos, tal vez imperceptibles, que aún no le permiten ser todo lo que Dios quiere que sea? ¿Por qué no orar de esta manera?: "Señor, te ruego que abras mis ojos, para que pueda ver —ver, realmente— mi pecado y tu gracia restauradora. Ayúdame también a ver todo punto ciego o defecto de carácter que posea. Concédeme un corazón dispuesto a entregarte todos estos puntos ciegos. En el nombre de Jesús, amén".

UNO EN CRISTO

Pero ahora en Cristo Jesús, vosotros que en otro tiempo estabais lejos, habéis sido hechos cercanos por la sangre de Cristo. Efe. 2:13.

Al bajar del avión en Poonah, India central, me sentí como en medio de una sauna gigante. La temperatura era de 115 °F (46 °C) a la sombra. Soplaba algo de brisa, pero en segundos, el sudor que brotaba profusamente de mi frente, me bañaba el rostro.

Mi anfitrión y colega en el ministerio, John Wilmot, me recibió en el aeropuerto. Mientras nos dirigíamos a una villa hindú, John me dijo: "Mark, yo llevé a cabo una serie de reuniones evangélicas aquí. Quiero que conozcas a una señora que asistió a las conferencias. Era hindú y se convirtió al cristianismo. La luz de Cristo se refleja en su rostro".

Viajamos en coche por una callecita angosta, de tierra, hasta llegar a una chocita de paredes de barro y techo de paja, de aproximadamente seis pies de ancho y ocho de largo.

Al bajar del auto, una mujer mayor nos saludó. Tenía arrugas profundas en el rostro y el cabello largo, suelto, ondeándole en la espalda. Me llamó la atención el brillo radiante de sus ojos. No hablábamos el mismo idioma, pero yo sabía que era una hermana en Cristo.

Con un gesto, nos invitó a pasar a su hogar. Tuvimos que inclinarnos y entrar gateando a la choza. Una llama vacilante iluminaba la oscuridad. Pude ver la estera en el piso, y en la penumbra, algo colgado sobre la pared. Era una lámina en la que se representaba a Jesús.

Mientras permanecíamos allí, sentados, sin poder comunicarnos verbalmente, ella se mantenía sonriente, a menudo moviendo la cabeza hacia la lámina sobre la pared. El rostro de Jesús y la belleza de su gloria se reflejaban en el rostro de ella, testificando de nuestro parentesco en Cristo.

Cristo rompe las barreras de la raza y de la etnia, de los conflictos y de los celos, del poder y de la posición. La marcada aspereza que tanto caracteriza a la interacción de hoy se suaviza en él. Cristo tiende un puente entre las luchas por la supremacía y las actitudes defensivas que separan a la gente. Él erradica la crítica y el chisme que tanto destruyen las relaciones.

En Cristo, somos parte de una familia. Se nos perdona, para que a nuestra vez podamos perdonar. Cuanto más nos acerquemos a él, más nos acercaremos uno al otro; porque cuando nos allegamos a Cristo, nos allegamos a los demás.

Tendamos hoy la mano a quienes nos rodean, del mismo modo en que Cristo nos la tendió a nosotros. Abracémoslos, como Cristo nos abraza. En él somos una familia unida.

No pase por alto la invitación

El Señor no retarda su promesa, según algunos la tienen por tardanza, sino que es paciente para con nosotros, no queriendo que ninguno perezca, sino que todos procedan al arrepentimiento. 2 Ped. 3:9.

Un general estadounidense apellidado Taylor se encontró con su destino el día en que enfrentó a un ejército enemigo cuatro veces más grande que el suyo. Las fuerzas mexicanas del general Santa Anna amenazaban con destruir sus tropas. Aunque el ejército enemigo era mucho más numeroso, Taylor se las ingenió para superar en estrategia a su adversario, y ganó una decisiva victoria en la batalla de Buenavista.

Así se convirtió en héroe nacional de su patria. Cuando se retiró a su plantación cerca de Baton Rouge, comenzó a recibir muchísimas cartas de felicitaciones. Al principio, Taylor apreciaba este tipo de correspondencia, pero pronto se le hizo difícil manejarla. Muchas de las cartas destinadas a él venían con franqueo insuficiente y comenzaron a apilarse en la oficina de correos.

Por último, el general Taylor decidió declinar el recibo de toda nueva correspondencia. El administrador de correos local tuvo que mandarlas, de ahí en más, a la oficina de cartas no reclamadas, con sede en Washington.

Esto podría haber significado el fin de la historia y de la carrera de Taylor, de no ser por la visita fortuita de un viejo amigo. Este hombre le preguntó de pronto si había recibido una carta muy importante, procedente de Filadelfia. El general no había recibido ninguna carta en esos días, pero su amigo lo persuadió a ponerse en contacto con el correo para pedirles que le enviaran la carta en cuestión.

Así fue cómo el general Zacharías Taylor recibió, por fin, la invitación para asistir a la convención política en Filadelfia, donde habrían de nominarlo como candidato a la presidencia de su país. Taylor se convirtió en el duodécimo presidente de los Estados Unidos de América, aunque casi perdió el llamado.

La más asombrosa invitación extendida jamás al ser humano es la de Cristo mismo, pidiéndole acompañarlo por la eternidad; pero es posible perderla. Estoy convencido de que la gente descuida la salvación más de lo que la rechaza. El autor de la Carta a los Hebreos da a entender lo mismo: "¿Cómo escaparemos nosotros, si descuidamos una salvación tan grande?" (Heb. 2:3).

Sea que se dé cuenta o no, uno puede descuidar la salvación. Ésta entraña mucho más que nuestra respuesta inicial al llamado de Cristo. Cada día, él nos invita a seguirlo. Envía su Espíritu a nuestros corazones y nos urge a servirlo. Y cada día, nos insta a ejercer nuestro libre albedrío, a elegir responder a su amoroso reclamo del modo en que lo hicimos la primera vez. ¿Por qué no decirle de nuevo: "Señor, acepto tu invitación. Soy tuyo… tuya… hoy"?

31 de mayo

El Dios que interviene

Y se airaron las naciones, y tu ira ha venido, y el tiempo de juzgar a los muertos, y de dar el galardón a tus siervos los profetas, a los santos y a los que temen tu nombre, a los pequeños y a los grandes, y de destruir a los que destruyen la tierra. Apoc. 11:18.

No sé si habrá notado cuánto nos hemos acercado, en las últimas décadas, a la posibilidad de una guerra nuclear. Cada vez que los dirigentes de Rusia o de los Estados Unidos viajan, les acompaña un asistente con un portafolios cargado de controles electrónicos. Los estadounidenses lo llaman el "fútbol nuclear". Se trata, en esencia, de los controles que podrían dar inicio a la guerra nuclear.

La ex Unión Soviética tiene tres juegos operativos de estos dispositivos. El presidente ruso tiene uno, que sólo puede activarse en conjunción con otro que controla el ministro de defensa. El tercer portafolios suele estar a cargo del ministro de defensa y puede reemplazar a cualquiera de los dos antes mencionados.

Después del frustrado golpe de estado de 1991, en Moscú, el cuerpo de inteligencia occidental perdió de vista el paradero del tercer portafolios. Nadie sabía adónde había ido a parar. ¿Lo tendría alguno de los golpistas? Los oficiales se vieron obligados a pensar en la grave posibilidad de que cualquier maniático pudiera desatar una guerra nuclear. Afortunadamente, tras algunas horas de angustia, el tercer juego de controles apareció en el ministerio de defensa ruso.

Nunca antes la humanidad había tenido la capacidad de autodestruirse. Los devastadores efectos del desastre relacionado con el reactor nuclear de Chernobyl constituyen un constante y terrible recordatorio de la destrucción que podría causar una explosión nuclear de grandes proporciones.

Hoy es posible matar a millones de personas con sólo apretar unos cuantos botones de control nuclear. ¿Se reducirá el mundo a un globo de cenizas que gira en el espacio? ¿Experimentaremos la pesadilla de un invierno nuclear?

La Palabra de Dios nos da esperanza. Nuestro Señor intervendrá. Él destruirá a "los que destruyen la tierra". La ayuda viene en camino.Con las promesas divinas el futuro es brillante. Este mundo no está en manos del hombre, sino en manos de Dios. Nuestro glorioso Libertador determinará nuestro destino.

El mayor evento de todas las épocas está cerca. Nuestro Señor prometió que volvería en tiempos como éstos que vivimos. Él tiene muchos mejores planes para nuestro mundo, que la destrucción a causa de un desastre nuclear. Estamos a las puertas de un nuevo mundo. ¡Y esto es algo como para cantar! "¡Siervos de Dios, la trompeta tocad: ¡Cristo muy pronto vendrá! A todo el mundo las nuevas llevad: ¡Cristo muy pronto vendrá!" (*Himnario adventista*, N° 174).

La fórmula de la felicidad

Si sabéis estas cosas, bienaventurados seréis si las hiciereis. Juan 13:17.

Para Mike, las leyes no tenían sentido; especialmente, las de tránsito. Pensaba que las normas existían "para las abuelitas y los afeminados"; de manera que corría a la velocidad que quería, adondequiera que fuera. Y tenía suerte; apenas le ponían una o dos multas al año, y aun así, a menudo las impugnaba y ganaba en los tribunales.

Un día, tras tomarse unas copas en el bar, Mike salió apurado, sin rumbo fijo, y pasó por una zona escolar a 45 millas por hora.

Lamentablemente, en ese momento, una nenita de seis años cruzaba la calle. En la embestida, la chiquita voló por el aire, dejando los zapatos sobre el pavimento...

En el hospital del condado, la vida de la niña quedó, por varios días, pendiente de un hilo. Noche tras noche, sus desesperados padres se quedaron en vela orando. Jennifer sobrevivió, pero su recuperación fue lenta y dolorosa.

Mike nunca más consideraría las leyes de tránsito del modo en que lo había hecho antes. Se dio cuenta de que no se trataba de reglas ridículas, sino de normas que protegían a la gente. Si él las hubiera obedecido, habrían evitado que aquella criaturita sufriera el dolor y el horror que pasó.

El propósito de la ley divina es similar. Dios nos la ha dado por una razón elemental: nuestra protección. Los Diez Mandamientos no fueron escritos por un Dios aguafiestas, cuyo motivo es mantenernos alejados de la felicidad. La ley de Dios no restringe nuestra dicha, antes nos libera, para que la gocemos a lo sumo. La obediencia es la puerta a la felicidad.

"Mucha paz tienen los que aman tu ley, y no hay para ellos tropiezo" (Sal. 119:165).

"El que guarda la ley es bienaventurado" (Prov. 29:18).

"Si sabéis estas cosas, bienaventurados seréis si las hiciereis" (Juan 13:17).

La felicidad viene de conocer y hacer la voluntad de Dios. La ley de Dios no es una piedra de molino atada a nuestro cuello; es, más bien, una piedra de apoyo, un sendero a la felicidad genuina y duradera. El Dios que nos ha hecho sabe mucho mejor que nosotros lo que necesitamos para ser felices. De eso podemos estar seguros.

Los que cambian el mundo

Para que seáis irreprensibles y sencillos, hijos de Dios sin mancha en medio de una generación maligna y perversa, en medio de la cual resplandecéis como luminares en el mundo. Fil. 2:15.

En un discurso conmovedor ante los dirigentes claves del partido comunista, Karl Marx declaró enfáticamente: "El propósito de la filosofía es interpretar el mundo. El propósito del comunismo es cambiar el mundo". Por ya setenta años, la iglesia y el comunismo han venido coincidiendo —y a la vez, chocando— precisamente en este punto. Ambos se proponían cambiar el mundo, pero con métodos diametralmente opuestos.

Efectivamente: el propósito de la iglesia es cambiar el mundo radicalmente.

El objetivo de la iglesia no es transigir con el mundo, sino cambiarlo; no es conformarse a él, sino transformarlo. El blanco de la iglesia no es unirse a las perversiones del mundo, sino contribuir a su conversión. La iglesia es el ruedo de la gracia. Sus miembros deben resplandecer, "en medio de una generación maligna y perversa" (Fil. 2:15).

El libro *Hechos de los apóstoles* comienza con las palabras: "La iglesia es el medio señalado por Dios para la salvación de los hombres. Fue organizada para servir, y su misión es la de anunciar el Evangelio al mundo". Elena G. de White señala: "La iglesia es la depositaria de las riquezas de la gracia de Cristo; y mediante la iglesia se manifestará con el tiempo, aun a los principados y potestades en los cielos (Efe. 3:10), el despliegue final y pleno del amor de Dios" (p. 9).

Se espera que la iglesia sea una fuerza viva en el mundo, no meramente una naturaleza muerta; pero para ello, cada miembro debe transformarse por la gracia de Dios.

¿Qué es, realmente, la iglesia? Aunque organizada para el cumplimiento de su misión, la iglesia no es solamente una institución corporativa. Tampoco es una estructura burocrática. Es, más bien, un cuerpo de cristianos convertidos, salvados por gracia, consagrados a la voluntad de Dios, y con una misión. La iglesia es el pueblo de Dios redimido para servir, ayudando en todas partes en el nombre de Jesús. Somos todos: los administradores, los pastores, los laicos, los jóvenes, los niños, los ancianos... Usted y yo, compartiendo el amor de Dios y proclamando su verdad a todos, en todas partes. Todos nosotros somos la iglesia.

La iglesia nunca será lo que Dios quiere que sea, mientras yo no sea lo que Dios quiere que sea. Cierto evangelista dijo: "El mundo no ha visto aún lo que Dios puede llegar a hacer por medio de nuestra voluntad y a través del hombre que se consagre totalmente a él. Por su gracia, yo seré ese hombre".

¿Es esta también su decisión de hoy? ¿Será usted ese hombre, esa mujer, ese muchacho, esa chica? Por la gracia de Dios, puede serlo.

El principio de la banana

Por esto, mis amados hermanos, todo hombre sea pronto para oír, tardo para hablar, tardo para airarse. Sant. 1:19.

Una mujer me dijo una vez que había aprendido a usar el "principio de la banana", con su hija adolescente.

Yo me preguntaba qué principio sería ése, cuando ella se apresuró a explicármelo. Se había dado cuenta de que cada vez que procuraba hablar con su hija, la joven permanecía callada. Parecía que no se animaba a compartir lo que realmente sentía.

Un día, la mujer fue por una banana a la cocina, se sentó después junto a su hija y le preguntó algo. Mientras la chica contestaba, la madre peló la banana con deliberada calma y le dio un mordisco. Tras masticar lentamente el bocado, le preguntó algo más a la hija, y le dio otro mordisco a la banana. Repitiendo este método durante toda la velada, logró por fin que su hija conversara libremente de un montón de cosas.

¿Qué había sucedido? La madre se había asegurado de escuchar pacientemente a la joven, después de cada pregunta. Mientras su hija contestaba, no la interrumpió con críticas, comentarios ni consejos. Simplemente, se limitó a escuchar y masticar...

El "principio de la banana" significa: Tómese tiempo para escuchar. Pregunte lo que desea saber, y luego escuche atentamente.

Jesús dominaba el arte de formular preguntas, para escuchar luego pacientemente las respuestas de la gente. Él se concentraba en los demás. La mayoría de las personas se centran en sí mismas. Para ellas, escuchar es sólo una pausa. Apenas pueden esperar que su interlocutor pare de hablar, para decir lo que tienen en mente. Tienen más interés en descargar sus propias ideas que en escuchar realmente las ajenas.

Olvidan un principio vital: uno no puede saber lo que piensa el otro, si habla todo el tiempo. La esencia del cristianismo es el interés por otros. El amor permite que los demás expresen libremente sus más profundas ideas y sentimientos. Amar a alguien es interesarse genuinamente en él. El apóstol Juan escribió: "Amados, amémonos unos a otros; porque el amor es de Dios. Todo aquel que ama, es nacido de Dios, y conoce a Dios" (1 Juan 4:7).

Usted no puede amarme, si no me conoce. Y no puede conocerme, si no se toma el tiempo de escuchar mi corazón. Así que... tome una banana. Pélela, con calma. Pregúnteme algo y cómase un trocito... Y luego, escuche con el corazón, tanto como con los oídos.

Rodee de bien el mal

El le dijo: No tengas miedo, porque más son los que están con nosotros que los que están con ellos. 2 Rey. 6:16.

Durante la Guerra de la Independencia, un miliciano estadounidense se acercó solo a un puñado de mercenarios contratados por el ejército británico, que habían ido al bosque por comida. Notando que los mercenarios dormían al lado de sus armas, el soldado americano se les acercó sigilosamente, les quitó las armas y luego, apuntándoles con su mosquete, les ordenó pararse y rendirse. Con amenazas en voz alta, el soldado americano se las ingenió para llevarlos consigo al campamento. Su entrada causó tal conmoción, que hasta fue llevado a la presencia del mismísimo general Washington.

El general le preguntó:

—¿Cómo pudo vérselas con estas tropas enemigas, actuando solo?

Y el miliciano contestó:

—Bueno... ¡Yo los rodeé!

Cuando las fuerzas sirias rodearon a Elías, éste reconoció que Dios ya había cercado al ejército enemigo. Con Dios a su lado, uno solo es mayoría. No hay mal ni enemigo que sea más grande o más poderoso que Dios. Con su ayuda, podemos ganar nuestras más encarnizadas batallas.

Hay en esto una extraña paradoja. Uno no puede vencer el mal luchando contra él. Cuanto más uno lucha, más impotente se siente. La única manera de vencerlo es concentrándose en el poder de Dios. Uno vence sobre el mal, rodeándolo de bien. "Porque las armas de nuestra milicia no son carnales, sino poderosas en Dios para la destrucción de fortalezas, derribando argumentos y toda altivez que se levanta contra el conocimiento de Dios, y llevando cautivo todo pensamiento a la obediencia a Cristo" (2 Cor. 10:4,5).

El apóstol Pablo nos insta a ser "poderosos en Dios". Nos urge a "cautivar todo pensamiento en obediencia a Cristo". Vencemos el mal, a través de las armas espirituales de la oración, la fe y la Palabra de Dios. Rodeamos el mal con las promesas de Dios, invocando el poder de lo alto para que nos rescate de las garras del enemigo.

Hoy, por el poder infalible del Omnipotente, la victoria es nuestra. El enemigo que nos ataca está a su vez cercado por las fuerzas del Señor de los ejércitos. Hoy, sea lo que fuere que enfrente, recuerde que Dios es más poderoso y más fuerte que lo que más le preocupa. Por medio de la fe, descanse en los brazos del Omnipotente.

Revestido de humanidad

Por lo cual debía ser en todo en todo semejante a sus hermanos, para venir a ser misericordioso y fiel sumo sacerdote en lo que a Dios se refiere, para expiar los pecados del pueblo. Heb. 2:17.

Cuando James Irwin —miembro de la tripulación de la nave espacial Apolo— caminó en la Luna, se sintió maravillado y empequeñecido ante la grandeza de Dios. A más o menos un año de su misión espacial, se retiró de las fuerzas aéreas y creó la *Interdenominational Christian High Flight Foundation*, organización dedicada a compartir las buenas nuevas de que "el andar de Dios en la Tierra es más importante que el andar del hombre en la Luna".

El capitán Irwin tiene razón. La noticia más extraordinaria de la historia fue que Jesucristo vino a la Tierra como hombre, que habitó en cuerpo de carne, que murió en nuestro favor y que luego resucitó de entre los muertos. Porque Jesús llegó a ser como nosotros, puede entendernos. "Al tomar nuestra naturaleza, el Salvador se vinculó con la humanidad por un vínculo que nunca se ha de romper" *(El Deseado de todas las gentes,* p. 17).

"Fue tentado en todo según nuestra semejanza, pero sin pecado" (Heb. 4:15).

Me pregunto cómo puede esto ser verdad. ¿Entiende Jesús, realmente, cómo se siente una mujer, cuando su esposo la engaña con otra? Él nunca se casó. ¿Cómo puede entender el divorcio? ¿Entiende, realmente, las ansias del toxicómano? ¿Puede de veras identificarse con el sentir de la pareja joven que acaba de perder a su bebé recién nacido? Él nunca tuvo hijos. En todo esto pensaba hasta que descubrí este principio eterno: es posible experimentar las mismas emociones sin pasar por las mismas experiencias.

Jesús comprende el rechazo y la traición, porque sufrió ambos de parte de Judas, el "amigo" que comía de su pan (Sal. 41:9; Juan 13:26). Jesús entiende el dolor físico, porque lo sufrió intensamente en la cruz. Entiende nuestras ansias, porque ayunó cuarenta días en el desierto. Ninguno de nosotros puede experimentar mayores ansias que las que padeció Jesús allí. No hay dolor emocional mayor que el que él soportó.

En cada aspecto de la vida —físico, mental, emocional o espiritual— Satanás desencadenó sus más feroces ataques contra Jesús. Lo tentó en cada aspecto en que nos tienta a nosotros, pero con más saña aún. Satanás no necesita usar todo su poder contra nosotros, pero lo usó todo contra Jesús. No hay nada en lo que Satanás pueda tentarnos, que Jesús no pueda entender.

Lleve sus tentaciones a Cristo. Recurra a él con todos sus conflictos y todas sus batallas espirituales. Él entiende. Él libra. Puede estar seguro de ello.

6 de junio

El sacerdote que guardaba el sábado

Porque de cierto os digo que hasta que pasen el cielo y la tierra, ni una jota ni una tilde pasará de la ley, hasta que todo se haya cumplido. Mat. 5:18.

Andrew Fisher, otrora sacerdote católico, sopesó cuidadosamente su decisión de observar el sábado como día de adoración a Dios. Sostuvo que el mandamiento referente al sábado no era parte de la ley ceremonial, porque fue instituido en la semana de la creación, antes de la instauración del sistema de sacrificios. Citando Mateo 5:17, 18, mostró que Jesús se rehusaba a invalidar siquiera una letra de la ley. Y con el texto de Santiago 2:10-12, demostró que los discípulos no cambiaron el mandamiento del sábado. Valientemente, señaló a la Iglesia Católica como origen de la apostasía. Además, sugirió que el domingo como día de adoración y culto fue, en manos del papado, el cumplimiento directo de la profecía de Daniel referente al intento de "cambiar los tiempos y la ley" (Dan. 7:25). A consecuencia de esto, Fisher perdió la vida. En 1529, él y su esposa fueron condenados a muerte.

Hay cosas por las que vale la pena morir. El rey Salomón, el hombre más sabio que alguna vez viviera, dijo: "compra la verdad y no la vendas" (Prov. 23:23).

Andrew Fisher y su esposa tuvieron valor moral, temple espiritual.

Otros hay que no están dispuestos a morir —ni a vivir— por nada ni por nadie. Flotan no más. Se dejan llevar por la corriente, marchando al son de la multitud, porque no quieren ser ni parecer diferentes de la mayoría. Aunque también hay gente que es como José, como Daniel o como Pablo, de éstos hay mayor necesidad.

Bien dice Elena G. de White: "La mayor necesidad del mundo es la de hombres que no se vendan ni se compren; hombres que sean sinceros y honrados en lo más íntimo de sus almas; hombres que no teman dar al pecado el nombre que le corresponde; hombres cuya conciencia sea tan leal al deber como la brújula al polo; hombres que se mantengan de parte de la justicia aunque se desplomen los cielos" (*La educación*, p. 57).

Andrew Fisher y su esposa hicieron una decisión fundamental. Harían lo correcto porque era correcto, y dejarían el resultado en las manos de Dios. El lema de sus vidas fue: "Vale la pena seguir la verdad". La verdad es y será verdad, independientemente de la fe o de la negación que despierte en la mayoría, y de la aceptación y la popularidad, o del rechazo, de que sea objeto.

¿Permanecerá usted del lado de los hombres y las mujeres fieles de todas las edades? ¿Consagrará su vida a la rectitud, independientemente del costo? ¿Se regirá por principios, sea cual fuere el resultado? ¿Se propondrá seguir la verdad a cualquier costo y dejarle el resultado a Dios?

EL ESPECIALISTA DEL CORAZÓN

Porque un niño nos es nacido, Hijo nos es dado, y el principado sobre su hombro; y se llamará su nombre Admirable, Consejero, Dios fuerte, Padre eterno, Príncipe de paz. Isa. 9:6.

En Sydney, Australia, un as de las reparaciones, que trabajaba por cuenta propia, había creado un anuncio singular para atraer a los clientes. Decía: "Aquí se arregla de todo, excepto corazones rotos".

Lo bueno es que la excepción de aquel restaurador es la especialidad de nuestro Señor.

Jesús se especializa en restaurar vidas destrozadas. El profeta Isaías exclama con júbilo: "Porque un niño nos es nacido, hijo nos es dado" (Isa. 9:6). Jesús es nuestro. El pasaje citado le adjudica a Jesús cinco nombres que lo caracterizan. Dice, en primer lugar, "y se llamará su nombre Admirable". Y no cabe duda. Jesús es *admirable,* es un Salvador, Redentor y Señor. Su amor, su gracia, su misericordia y su perdón son admirables.

El siguiente nombre es *Consejero.* Él es, fundamentalmente, consejero. Escucha comprensivamente, cuando le presentamos nuestras necesidades. Nos guía bondadosamente en las encrucijadas de la vida. Nos da sabiduría al tomar nuestras decisiones. Se interesa en satisfacer nuestras necesidades. Inclina su oído para escuchar nuestras inquietudes. Nunca está demasiado ocupado para atendernos. Y es, además, *Dios fuerte.* Nunca ha perdido batalla alguna contra el enemigo. Se ha enfrentado a Satanás y lo ha vencido. Los demonios huyen de su presencia. Él rompe las cadenas que nos atan. Nos libra de nuestros hábitos esclavizantes. Renueva nuestras mentes y transforma nuestras actitudes. Y es, también, nuestro *Padre eterno.* Sí, es eterno. Es seguro. Podemos contar con él. Siempre está allí y nunca nos defraudará. Desde la eternidad y por la eternidad es de fiar. Es el Padre amoroso que algunos jamás han tenido.

Y como si fuera poco, es, además, *Príncipe de paz.* Trae paz al corazón atribulado. Calma las mentes inquietas. Ordena las vidas caóticas. Es, en verdad, todo un especialista del corazón. El cielo nos ha dado un Salvador maravilloso, un Consejero comprensivo, un Dios todopoderoso, un Padre eterno y un Príncipe de paz consolador. Permitamos hoy que nuestro espíritu se reconforte y regocije en sus tiernos cuidados.

Saber y hacer

Cualquiera, pues, que me oye estas palabras, y las hace, le compararé a un hombre prudente, que edificó su casa sobre la roca. Mat. 7:24.

El 11 de julio de 1804, el vicepresidente de los Estados Unidos, Aaron Burr, retó a duelo a Alexander Hamilton. Ambos sostenían una enconada rivalidad, tanto en lo político como en lo personal. Hamilton aceptó el reto, así que, se encontraron en el Jersey Palisades, que da al río Hudson, en el Estado de Nueva York.

La bala que disparó Aaron Burr traspasó el hígado y la espina dorsal de su rival. Tras treinta horas de agonía, Hamilton murió.

Es interesante notar que, para entonces, ya se había promulgado la prohibición de los duelos. Aun retar a duelo o aceptar el reto era ilegal.

Alexander Hamilton mismo había contribuido a la ejecución y proclamación de ese decreto. Había argüido en su favor, y había ayudado a convertirlo en ley; pero esa ley no había llegado a ser un principio vigente en su propia vida.

Una cosa es saber lo que está bien, y muy otra es hacerlo. La ley por la que Alexander Hamilton luchó no fue la que aplicó en su vida. En esto, no fue coherente. Sus acciones no correspondían a sus creencias. Y lo mismo ocurre en la vida de muchos. Creen una cosa y viven otra. Sus convicciones íntimas no hallan expresión en su estilo de vida. ¿Por qué? ¿Cuál es la diferencia entre la creencia y la acción?

La diferencia radica en la comprensión del poder transformador de la vida, que tiene la voluntad habilitada por Dios. He aquí dos notables declaraciones de la pluma inspirada: "La fuerza de carácter consiste en dos cosas: la fuerza de voluntad y el dominio propio" (*Consejos para los maestros,* p. 213). "Usted puede hacer de sí misma lo que elija ser" *(Testimonios para la iglesia,* t. 2, p. 500).

Cuando decidamos positivamente colocar nuestras vidas bajo el control de Dios, él habilitará nuestra voluntad para que hagamos lo correcto. Aunque nuestra voluntad sea débil al momento de ponerla del lado del bien, nuestro Señor la facultará para hacer el bien.

Dios nos ha dado el poder de elegir. Nuestra elección unida al poder de Dios es invencible. Dios no sólo nos inculca elegir el bien, sino que cuando nos decidimos a hacerlo, nos habilita para que lo logremos y sostiene nuestra decisión. Él nos invita a poner nuestra voluntad del lado del bien. Cuando lo hacemos, obra milagros en nuestras vidas.

¿Elegiremos hoy hacer el bien, en todo aspecto de nuestras vidas?

Carta de un amigo

Estad quietos, y conoced que yo soy Dios. Sal. 46:10.

Se ha sentido alguna vez particularmente solo o sola? Recuerdo que en el verano de 1965 viví momentos de intensa soledad. Acababa de terminar mi primer año universitario en el Atlantic Union College, en un pueblo rural de Nueva Inglaterra, a 70 kilómetros hacia el oeste de Boston, Massachussets. El consejo administrativo de la universidad me había elegido para que pasara el verano como estudiante misionero en el Brasil. (Yo nunca había viajado fuera de los Estados Unidos.)

Volé, pues, a São Paulo, y de allí a Belem do Pará, en la desembocadura del río Amazonas, donde me uní a un equipo misionero que viajaba en la lancha *Luzeiro VI*. Juntos recorrimos el Amazonas, alejados de la civilización cerca de un mes.

Durante aquellos largos días y noches de verano, a menudo extrañé mi hogar. Pensaba mucho en mis padres, pero sobre todo, en mi novia. Anhelaba volver a la sede de la misión, sólo para saber si había recibido alguna carta de ella. Sin teléfonos ni correos electrónicos ni faxes ni ningún otro medio de comunicación por el estilo, las cartas eran mi única conexión con mi hogar y con mis seres queridos. Me levantaban el ánimo; me hacían saber que alguien en casa me amaba y se interesaba por mí.

Las cartas pueden hacer mucho bien. Inspiradas por Dios, pueden influir en uno profunda y positivamente. Los lazos de amor entre mi novia y yo, alimentados y sostenidos a través de aquellas cartas, nos llevaron finalmente al altar.

Hay alguien que le ama mucho, que se interesa profundamente en su vida y que piensa en usted constantemente. Él le ha escrito una serie de cartas, inspiradas por su Espíritu. Cada una de sus páginas revela su amor.

Ha de ser muy frustrante para él ver que la mayoría de las veces estamos demasiado ocupados para leer sus cartas de amor. La ocupación constante es enemiga de la espiritualidad; es como un cáncer espiritual que socava la energía vital del alma. Uno no puede forzar ni apresurar la espiritualidad. No puede correr a toda velocidad a la presencia de Dios. No en vano dice la Escritura: "Estad quietos, y conoced que yo soy Dios" (Sal. 46:10).

Alguien que le ama mucho le ha escrito una preciosa colección de cartas. ¿Por qué no toma tiempo hoy para leerlas?

10 de junio

El bien y el mal todavía existen

Hay camino que al hombre le parece derecho,
pero su fin es camino de muerte. Prov. 14:12.

Abraham Lincoln enfrentaba una grave crisis. Por décadas, el tema de la esclavitud había perturbado a la Unión. La Constitución se había hecho a un lado al respecto. El Acuerdo de Missouri de 1820 había conservado un cierto equilibrio entre los estados libres y los estados con esclavos, pero la situación no podía permanecer así, indefinidamente. Y ahora, los estados del sur se alistaban para segregarse. Según ellos, su economía entera y todo su estilo de vida dependían del trabajo de los esclavos.

Lincoln quería sobre todo mantener la Unión. Era un reconciliador, un constructor de puentes. Hizo todo lo que pudo para evitar que su país se dividiera. La consigna de la guerra de la independencia —"Unidos, permanecemos; divididos, caemos"— era también el lema de Lincoln. Pero él veía, además, otro principio en juego: lo que llamaba "la injusticia monstruosa de la esclavitud". Al respecto, dijo: "Si la esclavitud no está mal, nada está mal. No recuerdo cuándo no pensé ni sentí de esta manera sobre esto".

Para Lincoln, que los seres humanos se adueñaran de otros seres humanos no estaba bien. No importaba cuántos estuvieran de acuerdo con esta práctica, cuánto dependía de ella la economía del país ni lo que la gente amenazaba hacer si se la abolía. La esclavitud seguía estando mal.

El 1º de enero de 1863, Abraham Lincoln emitió finalmente la Proclama de la Emancipación, declaración simbólica que preparó el camino para la verdadera libertad. Lincoln enfrentó la crisis y se sostuvo en su postura. Con su proclamación, Estados Unidos dio un paso gigantesco hacia su conversión en verdadera tierra de los libres.

¿Hay cosas en las que cree tan profundamente como para sostener su postura? Muchos consideran que no hay bien ni mal. En la pantalla de su radar espiritual, lo moral no se registra o se ve muy borroso. Para ellos, el bien y el mal son asuntos de preferencia individual.

Vivimos en una época similar a la de los jueces, cuando "cada uno hacía lo que bien le parecía" (Juec. 21:25), días como los de Isaías, cuando "cada cual se apartó por su camino" (Isa. 53:6). Por eso, las palabras de Salomón cobran especial relevancia para esta generación: "Hay camino que al hombre le parece derecho; pero su fin es camino de muerte" (Prov. 14:12).

Ésta es nuestra propia postura: el asunto del bien y del mal no depende del juicio ni de la opinión humana, sino de la voluntad expresa de Dios. Lincoln se jugó por el bien, contrariando la voluntad de la mayoría. Dios nos invita a hacer lo mismo. Nos insta a sostener nuestra postura sobre la base de los principios de su Palabra y a adherirnos a ella.

¿Es su conciencia una guía segura?

Y por esto procuro tener siempre una conciencia sin ofensa ante Dios y ante los hombres. Hech. 24:16.

Recientemente, un estudiante universitario y yo nos enfrascamos en una conversación sobre temas de moral. Su comentario tipificaba otros que ya había escuchado.

Cuando le pregunté cómo definía la diferencia entre el bien y el mal, contestó: "Dejo que mi conciencia me guíe. Si no siento que algo está mal, sé que estoy seguro. Escucho mis convicciones".

Está declaración contiene su porción de verdad. Hasta cierto punto, la comparto. Es cierto que el Espíritu de Dios nos convence de lo que está bien y de lo que está mal. Si estamos en contacto con Dios, la voz suave y apacible del Espíritu nos guía. Pero analicemos este asunto con más detenimiento.

¿Es la conciencia sola una guía segura? ¿Qué es la conciencia? Es la voz que, dentro de nosotros, nos insta a cumplir con nuestro deber. Es la voz interior que nos convence de pecado, la íntima sensación de percepción del bien o del mal. Dios nos ha dado la conciencia como una especie de sistema de radar moral. Nuestra conciencia no funciona en el vacío. Recibe la influencia de lo que asimilamos a través de la mente. Nuestro ambiente, nuestras elecciones y aun las sugerencias de los demás contribuyen a su forma. La Biblia habla acerca de la "buena conciencia" (Hech. 23:1; 1 Tim. 1:5), la "limpia conciencia" (1 Tim. 3:9) y la conciencia que la sangre de Cristo limpia "de obras muertas para que sirváis al Dios vivo" (Heb. 9:14). Muestra, además, cómo la conciencia se contamina (1 Cor. 8:7), y entonces la califica como débil (1 Cor. 8:12), cauterizada (1 Tim. 4:2) y mala (Heb. 10:22).

Esto nos hace volver a nuestra pregunta inicial: ¿Es la conciencia sola una guía segura? Sí y no. Si la Palabra de Dios le da forma, si es sensible a la dirección del Espíritu Santo, si está preparada para elegir correctamente, y está abierta a la influencia de consejos buenos, es confiable. Pero si está manchada por la desobediencia, endurecida por el pecado, bajo la influencia de cristianos transigentes, y acostumbrada a elecciones equivocadas, no es de fiar.

La Palabra de Dios está por encima de nuestra conciencia. Su ley sobresale por sí sola, externa a nuestra conciencia. Nuestra conciencia no moldea la voluntad de Dios; debe, más bien, moldearse a ella.

Abramos nuestro corazón al Espíritu Santo y permitámosle moldear nuestra conciencia. Llenemos nuestra mente de su Palabra y dejemos que le dé forma. Que nuestra conciencia santificada pueda hoy guiar nuestras vidas.

12 de junio

SOBRELLEVANDO LOS UNOS LAS CARGAS DE LOS OTROS

Sobrellevad los unos las cargas de los otros, y cumplid así la Ley de Cristo. Gál. 6:2.

Cuando uno visita la ciudad de los niños *Boy's Town*, fundada por el padre Flanagan cerca de Omaha, Nebraska, ve a la entrada, una estatua interesante.

Representa a dos chicos con los que el padre Flanagan se encontró una vez. El mayor, sonriente, lleva a cuestas a un chiquito que no puede caminar.

En aquel encuentro, el sacerdote le había preguntado al muchachito mayor si no le cansaba cargar al más pequeño. La respuesta del muchacho está grabada en la estatua: "No. No es pesado; es mi hermano".

La esencia del cristianismo es el amor que se expresa en palabras alentadoras, buenas obras y actitudes atentas. El amor siempre se revela a sí mismo a través de la acción. El apóstol Juan escribió: "En esto hemos conocido el amor, en que él puso su vida por nosotros; también nosotros debemos poner nuestras vidas por los hermanos" (1 Juan 3:16). Jesús reveló su amor en la cruz. Cada gota de la sangre que vertió nos habla de su amor ilimitado.

A la luz de su amor, damos nuestras vidas en amor, sacrificándonos por los demás. Nosotros también nos entregamos en la cruz. Nos entregamos no sólo a Jesús en sacrificio, sino a la comunidad cristiana en servicio. "El argumento más poderoso en favor del Evangelio es un cristiano amante y amable" (*El ministerio de curación,* p. 373). "Sin manifestarse en actos externos, el amor no puede existir más de lo que puede el fuego mantenerse ardiendo sin combustible" (*Testimonies,* t. 1, p. 695).

"El deber tiene un hermano gemelo: el amor" (*Testimonies,* t. 4, p. 62).

El amor sin acción ni cumplimiento del deber es sólo sentimentalismo. El cumplimiento del deber sin amor es pesado; no es más que puro legalismo. El amor de Cristo, rebosando en nuestros corazones, se extiende en actos de bondad hacia quienes nos rodean. Nuestro mayor gozo proviene de ser una bendición para otros. Llevar sus cargas no es un yugo irritante, es una oportunidad de servir. Es un privilegio glorioso atender a los demás, siguiendo las huellas de Aquel que "no vino para ser servido, sino para servir" (Mat. 20:28).

Unámonos al muchachito indigente de la ciudad de los niños. Digamos como él, "no es pesado, es mi hermano".

VENGA COMO ESTÉ

Todo lo que el Padre me da, vendrá a mí; y al que a mí viene, no le echo fuera. Juan 6:37.

Las estaciones de televisión de Barcelona, España, transmitían programas en los que los desempleados podían hablar sobre sus calificaciones para posibles trabajos. Un hombre llamado Bernardino conmovió a los televidentes con su historia de pesares y de hambre. La gente llamaba a la estación para ofrecerle todo tipo de trabajos y hasta contribuciones en efectivo. Él llegó a hacer arreglos para colectar el dinero; pero cuando ya se iba del estudio, lo esperaba la policía...

Las autoridades policiales lo habían reconocido. Se trataba de un tristemente célebre ladrón, conocido como El Niño, buscado por robo de joyas valuadas en miles de dólares.

Muchos que ansían la ayuda divina, a la vez temen exponerse. Su profundo sentimiento de culpa los mantiene alejados de Dios. Lo ven como un policía, listo para arrestarlos; o como un juez, presto a condenarlos. Creen que tienen que "limpiarse" antes de ir a él. Su sentido de culpabilidad les impide acercarse a Dios, tales como son.

Sin embargo, Dios aconseja exactamente lo contrario. En la página 31 de *El camino a Cristo,* Elena G. de White declara: "Si percibís vuestra condición pecaminosa, no aguardéis hasta haceros mejores a vosotros mismos. ¡Cuántos hay que piensan que no son bastante buenos para ir a Cristo! ¿Esperáis haceros mejores por vuestros propios esfuerzos?... No debemos permanecer en espera de persuasiones más fuertes, de mejores oportunidades, o de tener un carácter más santo. Nada podemos hacer por nosotros mismos. Debemos ir a Cristo, tales como somos".

Los brazos de Cristo están abiertos para recibir al culpable. Si no fuéramos pecadores, no tendríamos necesidad de recurrir a Jesús. Él rechaza el orgullo, la arrogancia y la justicia propia; no al pecador. Amorosamente, nos alienta con estas palabras: "al que a mí viene, no le echo fuera" (Juan 6:37).

Jesús nos invita a acudir a él con nuestras vidas agobiadas por la culpa, la ansiedad, el temor, las preocupaciones, el estrés, los fracasos y las debilidades; en suma, con toda nuestra carga de pecado, para depositarla a sus pies. Si acudimos a él, nos abrazará con amor y nos encaminará de nuevo por la senda del bien.

14 de junio

TOMÁS JEFFERSON Y NUESTRO DEBER PARA CON DIOS

Quien se dio a sí mismo por nosotros, para redimirnos de toda iniquidad y purificar para sí un pueblo propio, celoso de buenas obras. Tito 2:14.

El monumento a Tomás Jefferson es imponente. Al caminar entre sus clásicas columnas, uno se siente pequeño ante la visión de aquel hombre que se esforzó tanto para lograr que su país fuera verdaderamente democrático.

"El Creador ha dotado, a todos los hombres, de ciertos derechos inalienables", escribió. Y sus palabras... cambiaron la historia.

En estas paredes memorables encontramos otra de sus frases, menos conocida: "Cuando pienso que Dios es justo, tiemblo por mi país".

Es una declaración sencilla, pero dice mucho acerca de la perspectiva de este hombre y su visión del mundo. Jefferson tenía un fuerte sentido de la justicia de Dios y de nuestra obligación moral ante su santidad.

No era un cristiano ortodoxo; en parte, porque había visto muchos abusos cometidos en nombre de la religión cristiana. Sin embargo, tanto él como los demás autores de la constitución norteamericana percibían agudamente nuestra obligación moral para con Dios.

Jefferson consideraba el sistema moral de Jesús como "el más perfecto y sublime que jamás se haya enseñado". Admiraba a Cristo, sobre todo, porque "él introdujo su mirada escrutadora en el corazón del hombre, erigió su tribunal en la región de sus pensamientos, y purificó las aguas en la fuente".

El Evangelio ofrece la redención no sólo de la culpa, sino también del poder del pecado. Cristo anhela purificarnos por dentro. Y a través de sus mensajeros, nos pide que colaboremos con él. Santiago dice: "Purificad vuestros corazones" (Sant. 4:8). Pedro alienta a los que se han "purificado... por la obediencia a la verdad" (1 Ped. 1:22). El anciano apóstol Juan dice de los que esperan el regreso del Señor, que "todo aquel que tiene esta esperanza en él, se purifica así mismo, así como él es puro" (1 Juan 3:3).

El Dios misericordioso nos perdona. El Dios justo y todopoderoso anhela y puede purificarnos. Cuando Juan nos urge a purificarnos, no pretende que nos sumamos en una introspección egocéntrica o en una purificación autosuficiente o farisaica. Se refiere, más bien, a una actitud, a un arrepentimiento genuino —una sana tristeza por el pecado—, que le permita obrar en nosotros. Él es el "fuego purificador", quien "se sentará para afinar y limpiar la plata; porque limpiará a los hijos de Leví, los afinará como a oro y como a plata, y traerán a Jehová ofrenda en justicia" (Mal. 3:2,3). Nosotros no podríamos afinarnos o limpiarnos sin Dios; pero él tampoco lo hará sin nosotros. Por eso, el Dios amante nos invita tiernamente a acudir a él para recibir su misericordia, mientras que el Dios justo nos invita, del mismo modo, a acudir a él para recibir su purificación.

En buenas manos

El que tiene al Hijo, tiene la vida; el que no tiene al Hijo de Dios, no tiene la vida. 1 Juan 5:12.

Conocí a Peter en Gdansk, Polonia. Su madre, devota cristiana, oraba a diario por él. Cuando en 1987, visité Gdansk para llevar a cabo una serie de conferencias evangélicas en el teatro Lenin, ella me pidió que orara por su hijo.

Semanas después, me enteré de que Peter tenía un tumor cerebral. Desde la perspectiva humana, la única solución posible era operarlo —lo cual los cirujanos hicieron—, pero no pudieron extirparlo del todo. El tumor continuó creciendo, y los tratamientos de radiación fueron poco eficaces.

Por entonces, Peter comenzó a escuchar las grabaciones de mis sermones de la serie de evangelismo. El Espíritu Santo lo convenció, y abrió su corazón a Jesús. Poco a poco, la esperanza del cielo se convirtió en algo real para Peter. Sintió... ¡que era hijo de Dios!

En cuestión de meses, el joven perdió sesenta libras. En sus dos últimas semanas de vida, ya no comía. Su peso había bajado a 84 libras, y vomitaba de continuo. En una fría mañana de octubre, su madre llamó a la iglesia para pedirme que fuera a verlos de inmediato. Peter se estaba muriendo...

Me arrodillé delante de él, con una palangana en las manos para recogerle el vómito. Su piel se había vuelto cetrina. Los ojos se le movían sin dirección. Hasta su aliento olía ya a muerte. El último deseo de Peter fue... que lo bautizara.

Le expliqué que, en sus condiciones, sería imposible bautizarlo por inmersión. La debilidad de su estado impedía poder transportarlo hasta la iglesia. Y llevarlo a un lago o un río era impensable. Le aseguré que Cristo lo aceptaba, tal como estaba; pero aún así, me suplicó que lo bautizara. Era su último deseo. Quería sentirse lavado, limpio... que todos sus pecados se fueran con el agua...

Me llegó al corazón. Le pedí a su madre que llenara la bañera con agua tibia. Peter se desnudó hasta la cintura, y yo lo llevé en brazos hasta el baño. Nos arrodillamos allí, mientras yo oraba. La presencia de Dios nos rodeaba. Fue uno de esos momentos en los que sentí que podía extender la mano y tocar a Dios. Luego de orar, coloqué a Peter dentro de la bañera, el "sepulcro de agua" del bautismo, y cuando lo alcé de nuevo, una enorme sonrisa se dibujó en su rostro. Contento, me dijo: "Soy de Cristo. La eternidad está delante de mí, y la muerte ya no me asusta, porque mi destino es el cielo".

Nuestro amoroso Señor permitió que Peter viviera pacíficamente un mes más.

Peter tuvo la seguridad de la vida eterna. ¿La tiene usted? Dios quiere dársela ahora mismo. El apóstol Juan declara que la vida eterna es un regalo que Dios nos ofrece ahora. "Estas cosas os he escrito a vosotros que creéis en el nombre del Hijo de Dios, para que sepáis que tenéis vida eterna" (1 Juan 5:13).

16 de junio

El corazón agradecido

Lleguemos ante su presencia con alabanza. Sal. 95:2.

Una actitud de agradecimiento contribuirá en gran manera a reducir el estrés y a mantenernos saludables. Podemos aprender a manifestar esta actitud en toda circunstancia: sea que nos llegue el infortunio o la desgracia, o que todo marche viento en popa.

Hace muchos años, unos bandidos asaltaron a un predicador inglés que viajaba a un pueblo vecino. Esa noche, el predicador escribió esto en su diario: "Hoy, me robaron. No obstante, estoy agradecido. En primer lugar, porque aunque se llevaron todo lo que tenía, en realidad, no se llevaron mucho. Estoy agradecido porque, aunque se llevaron mi billetera, no me quitaron la vida.Y sobre todo, estoy agradecido, porque fui yo a quien robaron; y no yo quien robó".

Aprendamos a vivir continuamente agradecidos. Las cartas de Pablo nos dan esta receta divina: "Dad gracias en todo, porque ésta es la voluntad de Dios para vosotros en Cristo Jesús" (1 Tes. 5:18).

"Y la paz de Dios gobierne en vuestros corazones... y sed agradecidos" (Col. 3:15). "Sean conocidas vuestras peticiones delante de Dios en toda oración y ruego, con acción de gracias" (Fil. 4:6). Las cortes del cielo cantan "la bendición y la gloria y la sabiduría y la acción de gracias y la honra y el poder y la fortaleza, sean a nuestro Dios por los siglos de los siglos. Amén" (Apoc. 7:12).

La gratitud es la expresión natural del corazón convertido. Cuando nuestras vidas están llenas de quejas, testificamos que Dios nos ha tratado duramente. El espíritu de queja se proyecta en Dios. Refleja una raíz de amargura interior. Donde hay murmuración, hay algún problema en el corazón.

Por otra parte, el corazón agradecido acepta tanto los gozos como las tristezas de la vida. El espíritu de queja surge cuando la vida no marcha de la manera que uno quiere, o cuando uno no obtiene exactamente lo que ansía. "No estemos pensando siempre en nuestras necesidades y nunca en los beneficios que recibimos. No oramos nunca demasiado, pero somos muy parcos en dar gracias. Constantemente estamos recibiendo las misericordias de nuestro Dios..." (*El camino a Cristo,* p. 103).

Todos podemos cultivar un corazón agradecido. Piense hoy en algo que le inspire gratitud. Exprese esa gratitud a algún familiar, o a algún amigo o compañero de trabajo. Prepare una lista de siete cosas por las que siente gratitud. Alabe a Dios por las bendiciones que le ha prodigado. Haga de cada día del año, un día de agradecimiento.

PAZ EN MEDIO DE LA TORMENTA

Tarde y mañana y a mediodía oraré y clamaré, y él oirá mi voz. Él redimirá en paz mi alma de la guerra contra mí, aunque contra mí haya muchos. Sal. 55:17, 18.

El 3 de febrero de 1943, un torpedo atacó al *S.S. Dorchester* en el Atlántico norte. Lleno de soldados estadounidenses, el buque de transporte se inundó rápidamente y comenzó a escorar a estribor. A bordo, reinó el caos. Se dañó el aparato de radiotelegrafía, y los hombres corrieron, desesperados, de un lado a otro del barco. Muchos huyeron de la bodega, sin chalecos salvavidas. Los botes salvavidas atestados zozobraron y las balsas, a la deriva, se alejaron antes de que nadie pudiera alcanzarlas. Según algunos sobrevivientes, entre toda esa confusión sobresalía sólo una islita de orden: el sitio donde cuatro capellanes permanecían de pie, sobre el estribor en pendiente.

George Lansing Fox, pastor procedente de Chicago; Alexander David Goode, rabí de la ciudad de Nueva York; Clark Poling, ministro de Schenectady, Nueva York; y John Washington, sacerdote de Nueva Jersey, guiaron con calma a los demás hacia las estaciones de los botes. Distribuyeron entre la gente los chalecos salvavidas que estaban en el pañol, y ayudaron a los hombres que, helados de terror, se acurrucaban a un lado de la nave. Los sobrevivientes recuerdan todavía el sonido del llanto, de las súplicas, de las oraciones y aun de las maldiciones proferidas por muchos de los hombres, pero sobre todo, el de las palabras de ánimo y confianza que los capellanes pronunciaban.

Cuando el suministro de chalecos salvavidas se acabó, los cuatro capellanes entregaron los suyos. Uno de los últimos hombres que abandonó la cubierta inundada del barco, se dio vuelta y vio a los capellanes todavía firmes, de pie, tomándose de los brazos para mantener el equilibrio. A través de las olas, sus voces aún se oían orando en latín, hebreo e inglés. Uno de los marinos dijo:

—Fue lo más bello que jamás haya visto, o esperé ver, de este lado del cielo.

Sólo una cosa le dio a estos cuatro hombres la habilidad de permanecer en calma en medio de circunstancias tan caóticas: la paz de Dios que reinaba en sus corazones. El término hebreo que en castellano traducimos como "paz" es *shalom,* y la raíz de este vocablo significa "calidad de entero, completo, perfecto".

Cuando nuestra mente está en paz, estamos enteros, completos, perfectos. Ninguna ansiedad abrumadora nos destroza. Ningún miedo devastador destruye nuestro gozo. Ninguna preocupación paralizante arranca nuestra felicidad. En toda circunstancia, Dios nos ofrece su regalo de paz. "No se puede hacer desdichado al hombre que está en paz con Dios y sus semejantes... El corazón que está en armonía con Dios se eleva por encima de las molestias y pruebas de esta vida" (*Testimonios para la iglesia*, t. 5, p. 461). La promesa divina a través del profeta Isaías, sigue en pie en el siglo XXI: "Tú guardarás en completa paz a aquel cuyo pensamiento en ti persevera; porque en ti ha confiado" (Isa. 26:3).

18 de junio

Resolviendo los problemas a la manera de Dios

Por tanto, si tu hermano peca contra ti, vé y repréndele estando tú y él solos; si te oyere, haz ganado a tu hermano. Mat. 18:15.

Las quejas entraban en tropel a su oficina. Morgan tenía un trabajo hecho "a la medida" para él. Parecía que todos los alborotadores del recinto universitario venían a su internado. Por los pasillos, sólo se oían quejas y más quejas. Nadie parecía llevarse bien. El preceptor ya no daba más. No podía resolverlo todo.

Un día, después de leer en el Evangelio según San Mateo el consejo de Jesús, que dice: "Si tu hermano peca contra ti, ve y repréndele estando tú y él solos; si te oyere, has ganado a tu hermano" (Mat. 18:15), se le ocurrió algo. Propondría al estudiantado actuar conforme a esas palabras de Cristo.

Convocó, pues, a todos a reunión y estableció una nueva norma: de allí en más, antes de acudir a él con cualquier queja, cada uno tendría que hablar personalmente con la persona de la que quisiera quejarse. Tendría que tratar el problema, primero directamente y en privado, con la persona que le hubiera ofendido.

Dicho esto, el preceptor Morgan esperó para ver qué sucedería. Al principio, temió que todo este asunto de "ir al hermano" los llevara a constantes confrontaciones. Sin embargo, pronto comenzó a notar que el internado estaba más calmo que de costumbre. Ya nadie llegaba a su oficina para presentar una queja.

El Sr. Morgan descubrió que los estudiantes habían puesto en práctica las palabras de Jesús, y que los resultados no podían ser mejores. Por grandes o pequeños que fueran, todos los problemas y conflictos se estaban resolviendo rápidamente.

Los estudiantes del internado continuaron *actuando* sobre la base de la palabra de Cristo, y por lo mismo, siguieron obteniendo excelentes resultados. Hacia el fin del año escolar, el internado a cargo del Sr. Morgan se había convertido en un modelo para el resto de la universidad. Lo que había sido el peor lugar del recinto universitario, se convirtió en el mejor.

Yo he visto funcionar este principio en mi propio ministerio, por 35 años. Cuando se sigue, los corazones se sanan, las barreras caen y los conflictos se resuelven. Propóngase no comentar con nadie la conducta negativa de un tercero, sin antes hablar con éste al respecto. Acuda a él o a ella, en el espíritu del amor cristiano. Preséntele el problema con humildad. Dele a Dios la oportunidad de obrar. Los problemas que a sus ojos son enormes pueden disiparse con sólo permitir que la otra persona se explique. Dedíquese a resolver los problemas de relaciones interpersonales a la manera de Dios, y vea lo que sucede.

Fortaleza espiritual en una cárcel en Siberia

Bienaventurado el hombre que tiene en ti sus fuerzas... Irán de poder en poder. Sal. 84:5, 7.

La fe del pastor Mikhail Azaroz lo condujo hasta un campamento para prisioneros en Siberia.

Entre los hombres encarcelados con él en la misma celda se contaba un gigante sanguinario llamado Yura. Él y su pandilla de criminales se la pasaban aterrorizando a los demás prisioneros. Nunca tocaron al pastor Mikhail, pero los gritos y gemidos de sus víctimas eran desgarradores.

Cuando el pastor comenzó a orar sobre esto, un versículo vino a su mente: "Os doy potestad... sobre toda fuerza del enemigo" (Luc. 10:19).

Mikhail sintió que Dios lo estaba dirigiendo a hacer algo. Esa noche, cuando Yura empezó a gritar como de costumbre: "¡Quiero ver sangre!", el pastor lo tomó de un brazo y le dijo que las Escrituras decían que no debemos hacer a los demás lo que no queremos que los demás nos hagan.

Todos se quedaron pasmados ante la escena. Yura tironeó para soltarse de la mano del pastor, y le gritó:

—¡No quiero lastimarlo, viejo! ¡Vaya y siéntese en su litera!

—Hagamos un trato —replicó el pastor—, deme una hora de su tiempo y yo le contaré sobre mi pasado.

Yura lo pensó por un momento. Sabía que Mikhail siempre había dicho la verdad. Volviendo la mirada hacia sus compinches, preguntó:

—¿Lo dejamos hablar?

Los criminales se encogieron de hombros, y Yura ordenó:

—¡Hable, pues!

El pastor comenzó a hablarles... Les contó acerca de su fe y de las persecuciones que los creyentes tenían que soportar. Habló durante una hora... se extendió a dos... y aun a tres. Para entonces, ya los guardas venían a apagar todas las luces.

Aunque parezca mentira, Yura todavía quería saber más; de modo que Mikhail le prometió continuar al día siguiente. Siguió así, noche tras noche, hablando a estos hombres acerca de Jesús. Y la violencia en esa celda cesó.

Este pastor cristiano solitario probó que, aun en el gulag, Dios es más fuerte que la brutalidad; y más grande y poderoso que la bestia salvaje que se aloja en el corazón más duro de los hombres.

Del mismo modo, Dios puede cambiar a sus familiares, a sus compañeros de trabajo o de estudio, a sus vecinos, y aun a toda su comunidad... a través de usted.

Para reducir nuestros temores

No temáis, manada pequeña, porque a vuestro Padre le ha placido daros el reino.
Luc. 12:32.

Patricia siempre había sido una persona orientada hacia la gente, feliz en el entorno familiar, y madre de tres hijas a las que había guiado a través de los altibajos propios de la niñez y de la adolescencia. Ahora, las chicas —ya casadas— se habían mudado, y su esposo se estaba enfrascando cada vez más en los negocios.

Hallándose sola la mayor parte del tiempo, comenzó a preguntarse qué propósito tenía ahora su vida. Y en las noches, cuando procuraba conciliar el sueño en su casa vacía, se llenaba de miedo...

Pronto se dio cuenta de que si no controlaba ese miedo, éste la controlaría. Tenía que fijar su mente en algo más que su pasado o su temor... Patricia se volvió hacia Dios, y le pidió que le diera un propósito definido al que pudiera aferrarse, aun en una casa vacía.

Dios le contestó. La ayudó a comprender que podría convertirse en una mujer nerviosa y quejumbrosa, centrada en su soledad, o aceptar su situación y procurar con alegría acercarse a los demás.

Concentró su atención en promesas como ésta: "Porque yo sé los pensamientos que tengo acerca de vosostros, dice Jehová, pensamientos de paz, y no de mal, para daros el fin que esperáis" (Jer. 29:11).

¡Qué promesa! Dios disipa nuestros miedos invitándonos a pensar en el futuro que está preparando para nosotros. Por negativas que sean nuestras circunstancias presentes, Dios ha planeado un futuro positivo. La Escritura dice: "No temáis, manada pequeña, porque a vuestro Padre le ha placido daros el reino (Luc. 12:32). "Esforzaos, no temáis". (Isa. 35:4).

Patricia encontró una salida para sus miedos, al dirigir su mente hacia el propósito que sentía que Dios le estaba dando. Hizo del llamado divino el punto focal de sus pensamientos, y de este modo halló una alternativa al cavilar constantemente en su soledad y en los peligros que la rodeaban.

Patricia se dirigió a Dios —la torre de fortaleza— para buscar en él un nuevo sentido a su vida. Decidió no ser más una víctima pasiva, presa fácil del miedo. Aceptó la realidad de que Dios era más fuerte que sus miedos. Bien dice Elena G. de White: "Ante la fe viviente, el temor escéptico se desvanecerá" (*Testimonies to ministers,* p. 226).

El miedo imagina lo peor. La fe ve lo mejor de Dios. La fe confía en que Dios llevará a cabo sus mejores planes para nuestras vidas. Si alguna vez el miedo asalta su mente, deje que la fe lo eche. Concéntrese en las promesas poderosas de Dios y viva en esperanza.

Tiempo de despertar

Poned la mira en las cosas de arriba, no en las de la tierra. Col. 3:2.

A veces, el filósofo escocés Adam Smith se sumía de tal modo en sus pensamientos, que hasta se olvidaba de dónde estaba.

Un domingo por la mañana, salió a su jardín en camisón, sin darse cuenta. Y pronto, absorto como estaba procurando resolver un complejo problema teórico, hasta se fue a la calle y caminó doce millas hacia un pueblo vecino, totalmente ajeno a lo que le rodeaba.

En eso, el son de las campanas de la iglesia alcanzó sus oídos y, de alguna manera, su conciencia, así que —aunque todavía absorto en el problema que le ocupaba— se dirigió hacia la iglesia, entró a ella, y se sentó en una de las bancas... Los feligreses se asombraron al verlo en su medio, vestido sólo con el camisón, pero él, sumido como estaba en sus cavilaciones, había perdido de vista la realidad.

Aunque sonreímos al imaginarnos a este filósofo distraído entrando a la iglesia en camisón, es posible que también nosotros nos preocupemos tanto por lo que nos inquieta, que perdamos de vista las realidades eternas. El apóstol Pablo declara: "y esto, conociendo el tiempo, que es ya hora de levantarnos del sueño; porque ahora está más cerca de nosotros nuestra salvación que cuando creímos" (Rom. 13:11).

Como "Satanás está jugando el juego de la vida por nuestras almas" (*Testimonies,* t. 6., p. 148), trata de mantener nuestras mentes extasiadas y absortas en las cosas de este mundo. A la luz de la eternidad, es ya tiempo de que despertemos de sus engaños. Su estrategia consiste en ocuparnos con las cosas del presente, para que no le demos mayor lugar a la eternidad en nuestros pensamientos; nos llena la cabeza de lo terreno, a fin de que no quede en ella lugar para lo celestial.

La respuesta de Dios a esto es: "Poned la mira en las cosas de arriba, no en las de la tierra (Col. 3:2).

La batalla entre Cristo y Satanás se libra en nuestras mentes. Invitemos hoy a Jesús a tomar control de nuestros pensamientos... Pidámosle que reine supremo en nuestra mente. Tomémonos tiempo, para permitir que su Espíritu moldee nuestras ideas. Y así ganaremos la batalla por nuestras mentes.

El cazador celestial

¿Adónde me iré de tu Espíritu? ¿Y adónde huiré de tu presencia? Si subiere a los cielos, allí estás tú; y si en el Seol hiciere mi estrado, he aquí, allí tú estás. Sal. 139:7, 8

Hace algunos años, di un ciclo de evangelismo en el hotel Holiday Inn de Brockton, Massachusetts. Una noche, luego de predicar sobre cómo descubrir la verdad bíblica, hice un llamado a quienes desearan aceptar a Jesús, seguir la verdad y prepararse para el bautismo. Una mujer de alrededor de treinta años respondió.

Era ésta su primera noche en nuestras reuniones, pero ya conocía la iglesia. En Canadá, donde residía, había tomado ya algunos estudios bíblicos con un pastor adventista, había aceptado a Jesús y hasta había empezado a asistir al culto en una iglesia cercana. Disgustado por esto y deseoso de distraerla de su propósito, su esposo le había sugerido tomarse unas breves vacaciones para asistir a la boda de su hermano en Brockton, Massachusetts.

Cuando cerca de Brockton intentaron encontrar habitación en algún hotel, sólo hallaron una disponible en el Holiday Inn, donde "coincidentemente" celebrábamos nuestras reuniones.

—¡No podemos escaparnos! —exclamó el esposo—. ¡Otra vez caímos en este asunto de la Biblia!

Uno no puede escaparse de Dios. El teólogo inglés C. S. Lewis acuñó la expresión "perro de caza del cielo", para describir con ella el amor inevitable de Dios. Como el perro de caza en plena cacería, Dios no cede en su búsqueda de nosotros. El salmista así lo reconoce, al decir: "¿Adónde me iré de tu Espíritu? ¿Y adónde huiré de tu presencia? Si subiere a los cielos, allí estás tú; y si en el Seol hiciere mi estrado, he aquí, allí tú estás. Si tomare las alas del alba y habitare en el extremo del mar, aun allí me guiará tu mano, y me asirá tu diestra" (Sal. 139:7-10).

La historia de la Biblia trata, más que de nuestra búsqueda de Dios, de su propia búsqueda de nosotros. Cuando Adán y Eva pecaron en el Edén, Dios los buscó allí, y con tono amoroso les preguntó dónde estaban (Gén. 3:9).

Cuando, disgustado y desalentado, Elías se escondió en una cueva, Dios lo siguió también para preguntarle:

"¿Qué haces aquí, Elías?" (1 Rey. 19:9).

Después de negar a Jesús, Pedro quería huir, escaparse de todo y de todos. Por eso, se fue a Galilea a pescar; pero Jesús lo siguió y le preguntó: "Simón, hijo de Jonás, ¿me amas más que éstos?" (Juan 21:15).

¡Qué Dios maravillosamente insistente! No nos dejará así no más. Cuando huimos de él, él corre hacia nosotros. Alabémosle hoy por su obstinado amor.

Un diálogo real

Sino que en la ley de Jehová está su delicia, y en su ley medita de día y de noche. Sal. 1:2.

El mundo de Jeremy Levin se le vino abajo cuando los musulmanes chiítas lo capturaron, y lo llevaron como prisionero al valle de Bekaa, en el Líbano. Levin, jefe de la agencia para la CNN en Beirut, se sentía aislado, desamparado y temeroso. El único momento en que veía a otro ser humano era cuando sus captores lo acompañaban al baño, una vez al día. De cuclillas, en un rincón del cuarto sin ventanas donde lo habían encerrado, hora tras hora y mes tras mes, Jeremy sentía que necesitaba hablar, pero temía volverse loco si hablaba consigo mismo, de modo que consideró la posibilidad de hablar con Dios.

Al principio, se sintió un poco incómodo. Aunque era nieto de un rabino, Jeremy había decidido —hacía ya mucho tiempo— que sólo creería en cosas concretas, cosas que pudiera tocar y sentir. Había rechazado su patrimonio religioso. Pero con tan poco para tocar y sentir en aquella celda solitaria, optó por probar hablar con Dios. Para su sorpresa, pronto notó que había entablado un diálogo real: una conversación, a la que ambas partes contribuían.

La oración es mucho más que un monólogo. Mientras meditamos serenamente, abriendo nuestros corazones a Dios, él nos habla. Su Espíritu impresiona el nuestro. Es verdad que con el trajín de la vida del siglo XXI, es difícil oír su voz; se ahoga en la confusión de nuestra vida diaria. Sin embargo, el salmista describe al justo como alguien que "medita" en la Ley de Dios "de día y de noche" (Sal. 1:2); alguien que medita en "las obras del Señor" (Sal. 77:11, 12) y en el Señor mismo, "en las vigilias de la noche" (Sal. 63:6).

La meditación cristiana, como parte de una vida de oración significativa, es muy diferente del misticismo oriental. La meditación cristiana no consiste en intentar vaciar o aclarar la mente, sino en llenarla, concentrándola en el amor de Dios, en su ley, en sus obras, en su bondad y en su generosidad; en suma, consiste en llenarla de Dios, pensando en él. Así, en esos momentos de quietud, percibimos su preciosa cercanía.

"Las relaciones entre Dios y cada una de las almas son tan claras y plenas como si no hubiese otra alma por la cual hubiera dado a su Hijo amado" (*El camino a Cristo*, p. 100).

La meditación prepara el ambiente para que captemos la voz de Dios. Es la atmósfera en la que Dios, serenamente, impresiona nuestras almas. En el silencio y la quietud, podemos oír su voz. ¿Por qué no desarrollar este hábito de devoción esta semana? Tomemos nuestras Biblias y encontremos algún lugar tranquilo, temprano por la mañana, o más tarde, en la noche. Comencemos con el primero de los salmos... Leamos algunos versículos y pidámosle a Dios que nos hable a través de su Palabra. Estemos atentos a su voz.

Si nunca antes lo ha hecho, es posible que le tome unos días acostumbrarse a este patrón de meditación; pero si insiste en probarlo, no tardará en percibir la presencia de Dios, y sentirá, cada vez con más fuerza, el deseo de pasar más momentos especiales de comunión con él.

24 de junio

La ocupación excesiva, enemiga de la devoción

Y mientras tu siervo estaba ocupado en una y en otra cosa, el hombre desapareció. 1 Rey. 20:40.

El rey sirio Ben Hadad cercó a Israel con miles de soldados. Comparado con su ejército, el de Israel se veía insignificante; sin embargo, el profeta de Dios había prometido que la victoria sobre el enemigo sería total. Apoyado en esa certeza, Israel arrolló a los sirios en el campo de batalla, pero el rey Acab aceptó una tregua y dejó a Ben Hadad vivo.

A manera de reprimenda, el profeta le contó luego al rey Acab la historia de un siervo al que se le había encomendado vigilar a un prisionero de guerra. Ocupado en otros de sus muchos quehaceres, el siervo olvidó su tarea principal, aun cuando su vida dependía de ella; y el prisionero... se le escapó.

El objetivo del profeta era claro. La victoria total era alcanzable, había estado a la mano... pero Acab había dejado que se le escurriera entre los dedos. ¿Podría esta parábola aplicarse a nosotros? ¿Será que como Acab le hemos dado tregua al mal?

La victoria está a nuestro alcance, pero estamos demasiado ocupados para aprovecharla. El triunfo es real, pero estamos demasiado ocupados para reclamar el cumplimiento de las promesas de Dios. Estamos demasiado ocupados para dedicarnos al estudio de la Biblia, la oración o la meditación sobre las Escrituras.

¿Necesita revitalizar su vida espiritual? Ante el ritmo frenético de la vida de hoy, a continuación le presentamos tres sugerencias para la renovación espiritual.

1. Utilice la Biblia como material para concentrarse en el tema de su oración. Hay diez capítulos sobre la muerte de Cristo en las Escrituras: dos, en el Antiguo Testamento (el Salmo 22 e Isaías 53); y ocho más, en el Nuevo Testamento: Mateo 26 y 27, Marcos 14 y 15, Lucas 22 y 23, y Juan 18 y 19. Sobre sus rodillas, abra la Biblia. Lea un versículo por vez. Ore acerca de lo que acaba de leer.

2. Vuelva a descubrir las promesas preciosas de Dios. Según el pionero adventista J. N. Loughborough, hay más de 3.500 promesas en la Biblia. Compre algún libro de promesas bíblicas. Lea unas cuantas cada día, y reclame por fe su cumplimiento.

3. Lea detenidamente los Evangelios o las cartas de San Pablo. Escriba un resumen de cada capítulo, en una o dos líneas.

A medida que pase tiempo con Dios en su Palabra, su vida espiritual cobrará fuerza y energía. La espada del Espíritu decapitará al dragón de la ocupación excesiva en su vida.

El sábado, puerta del hogar espiritual

Por tanto, queda un reposo para el pueblo de Dios. Porque el que ha entrado en su reposo, también ha reposado de sus obras, como Dios de las suyas. Heb. 4:9, 10.

En su apartamento de Copenhague, Kurt, un joven danés, se sentó a leer una pila de periódicos viejos. A medida que hojeaba los titulares, se dio cuenta de que buscaba mucho más que las noticias. Su inquietud de otrora había regresado, y no sabía cómo librarse de ella.

Kurt era un hombre apuesto de 28 años, cabello negro y complexión robusta. Había crecido en el seno de una familia rica, tenía una buena educación y gozaba de un sueldo excelente e inmejorables beneficios, en su especialidad en computadoras; pero sentía, como nunca antes, que le faltaba algo importante...

De pronto, Kurt paró su lectura de periódicos aparentemente sin objeto... Algo acababa de llamarle la atención. Se trataba de una conferencia cuyo tema era: Cómo obtener paz mental.

Esto es precisamente lo que necesito, pensó, pero al fijarse en la fecha de la conferencia, se dio cuenta de que había tenido lugar dos semanas atrás. Se regañó a sí mismo por no haber leído antes el periódico; pero decidió que, de todas maneras, iría al teatro donde se habían dado las conferencias, para intentar conseguir alguna información sobre los organizadores. Para su sorpresa, cuando llegó al teatro, encontró que el ciclo de conferencias continuaba.

Lo conocí, pues, esa noche en Copenhague, mientras saludaba a los asistentes, después de la presentación de mi conferencia sobre el sábado bíblico.

Kurt me llevó un instante aparte, y me dijo: "Esta es la primera vez que asisto a una reunión cristiana. Sentí el llamado de Dios en mi corazón. Tengo la sensación de que Dios me está invitando a entrar en su descanso. He sido una persona inquieta toda mi vida; como un chico separado de su hogar y siempre pensando en volver. Para mí, pastor Mark, el sábado es como la puerta del hogar".

¡Qué razón tenía! El sábado es la puerta del hogar. Nos da acceso a nuestras raíces. Nos permite conectarnos con nuestro pasado. Nos lleva de regreso hasta el mismo jardín del Edén, a un mundo perfecto y a un Creador amoroso.

En el descanso del sábado descubrimos la totalidad del ser y la unidad con Dios. Nuestros corazones son uno con nuestro Hacedor. Nuestras mentes están en paz con nuestro Redentor. Descansamos en el cuidado de nuestro Creador, en la justicia de nuestro Redentor, en el interés de nuestro Intercesor, y en el amor de nuestro Señor que volverá por nosotros.

El sábado satisface nuestra íntima necesidad de volver al hogar original. En sus preciosas horas sagradas, hallamos el verdadero descanso del alma.

¡Qué Salvador!

Pero cuando se manifestó la bondad de Dios nuestro Salvador, y su amor para con los hombres, nos salvó, no por obras de justicia que nosotros hubiéramos hecho, sino por su misericordia, por el lavamiento de la regeneración y por la renovación en el Espíritu Santo. Tito 3:4, 5.

Ocurrió un viernes santo, el 17 de abril de 1987. Debbie Williams y media docena de amigos saltaron de un avión a 12.000 pies (3.600 m) de altura, bajo los cielos despejados de Phoenix, Arizona. A escasos segundos de su caída libre, Debbie giró en espiral —descenso en picado rápido— para llegar a la altura de cuatro compañeros que estaban debajo de ella, pero calculó mal, y dio contra uno los saltadores. El choque, a (cincuenta millas) por hora, la dejó inconsciente. Se precipitó en picada a tierra, con el paracaídas sin abrir y sin posibilidades de abrirlo. Con el rostro cubierto de sangre, pasó como un rayo al lado de Gregory Robertson, su instructor de salto, quien al verla, cambió de inmediato la posición de su propio cuerpo para intentar alcanzarla.

Con el mentón contra el pecho, los dedos de los pies apuntando al cielo, y los brazos pegados a ambos lados del cuerpo, Gregory aceleró a 180 millas (290 km) por hora, pero cuando miró hacia ella, Debbie parecía aún descender muy lejos de él.

Como un misil humano, Gregory continuó acelerando más y más. A medida que el horizonte parecía acercársele, movió sus hombros ligeramente, para guiar su descenso hacia la joven inconsciente. Y llegó por fin a su lado, como un superhombre sin capa. Alargando la mano hacia ella, agarró la cuerda de reserva de Debbie, le dio un tirón y se alejó rápidamente. El paracaídas de Debbie se abrió, y ella comenzó a descender suavemente.

A 610 metros (2.000 pies) de altura, y a sólo doce segundos de tocar tierra, Gregory abrió su propio paracaídas. Ambos sobrevivieron. Debbie se recuperaría totalmente de sus lesiones, y quedaría por siempre agradecida a quien la había librado de un choque fatal.

También nosotros pasamos por circunstancias similares. Alguien nos ha salvado de una muerte segura. Cuando Jesús nos rescató en la cruz, íbamos de cabeza al desastre. La maldición del pecado nos condenaba a la perdición eterna. Caíamos irremisiblemente en el sepulcro, en el lago de fuego, en la segunda muerte, y en la expulsión eterna de la presencia de Dios: Pero en eso... apareció el Salvador.

Cuando Jesús nació, el ángel del Señor se presentó ante los pastores que cuidaban los rebaños, y les dijo: "os ha nacido hoy, en la ciudad de David, un Salvador, que es CRISTO el Señor" (Luc. 2:10, 11). Y así también lo atestiguaron quienes verificaron por sí mismos el testimonio de la mujer samaritana: "verdaderamente éste es el Salvador del mundo" (Juan 4:42). Pedro declara: "A éste, Dios ha exaltado con su diestra por Príncipe y Salvador" (Hech. 5:31).

El Dios de lo inesperado

El primer día de la semana, muy de mañana, vinieron al sepulcro, trayendo las especias aromáticas que habían preparado, y algunas otras mujeres con ellas. Y hallaron removida la piedra del sepulcro. Luc. 24:1, 2.

Todo comenzó como cualquier otro día. El sol salió, las aves cantaron, los gallos cacarearon y los asnos rebuznaron... Como de costumbre, la gente se despertó, se estiró, bostezó, se levantó y desayunó mendrugos y pescado seco.

Las dos Marías se apresuraron a llegar al lugar del entierro de Jesús, para realizar una tarea común. No era la esperanza lo que las movía, era el deber y la devoción. No esperaban nada a cambio. Después de todo, ¿qué podía ofrecer un hombre muerto? La última vez que habían visto el cuerpo de Jesús, estaba magullado, golpeado y ensangrentado.

María sabía que había que hacer esto; alguien tenía que preparar el cuerpo de Jesús para su sepultura. Pedro no se había ofrecido. Tampoco Andrés, ni Juan. Ninguno de los leprosos, de los sufrientes sanados o de los pecadores perdonados había ofrecido ayudar. Las dos Marías decidieron actuar. Ellas iban a hacerlo. No las impulsaba ningún motivo egoísta. No daban para recibir; daban por dar, daban... por amor.

Hay veces en las que se espera que también nosotros amemos, sin esperar nada a cambio; momentos en los cuales se nos llama a dar a gente que jamás da las gracias; ocasiones en las que Dios nos pide que perdonemos a gente que nunca nos perdonará. A veces se nos llama a llegar temprano y a irnos tarde, sin que nadie lo note. Y hay momentos cuando hacemos lo que hay que hacer, sólo porque hay que hacerlo.

Dios vio sus lágrimas aquella mañana. Conocía su dedicación. Honró su servicio fiel. Y el Dios de lo inesperado hizo algo inaudito. En el curso de un día ordinario, las dos Marías vieron... lo extraordinario: ¡al Señor mismo, resucitado!

Sus corazones se llenaron de gozo. ¡Su Señor estaba vivo! Mientras corrían del sitio de la tumba vacía hacia donde estaban los apóstoles, "Jesús les salió al encuentro, diciendo: ¡Salve! Y ellas acrcándose, abrazaron sus pies, y le adoraron..." (Mat. 28:9).

Deténgase por un momento y capte la fuerza, el poder de esta idea: en el ciclo ordinario de la rutina diaria, dos mujeres se encuentran, cara a cara, con el Señor vivo. ¡Qué Dios de bendiciones inesperadas! Usted y yo también podemos encontrarlo hoy, en las actividades propias de nuestras respectivas rutinas, mientras cumplimos nuestros deberes diarios...

Cuando sirvamos por el placer mismo de servir, sin esperar nada a cambio, nuestros corazones sentirán una extraña calidez, y nos encontraremos con Dios mismo. Hoy llegará con sus bendiciones inesperadas... porque el Señor vive y está, con las manos abiertas, listo para bendecirnos.

Dios todavía quita las piedras

Y hubo un gran terremot; porque un ángel del Señor, descendiendo del cielo y llegando, removió la piedra, y se sentó sobre ella. Mat. 28:2.

Imagínese la reunión de la junta administrativa de la iglesia, el sábado de noche anterior a la resurrección. María se dirige al pequeño grupo de seguidores de Cristo, reunidos en el aposento alto, y les dice: "Mañana temprano, vamos a ir al sepulcro de Cristo, para ungir su cuerpo".

Pedro, el mayor de los asambleístas, es el primero en responder. "¿Ungir el cuerpo? ¡Vaya insensatez! ¡Es muy peligroso! Hay soldados romanos por todas partes y muchísima tensión". Tomás añade: "Y además, ¡es imposible! ¿Quién va a quitar la piedra?" Todos en la junta coinciden. La misión es demasiado peligrosa. Los soldados romanos vigilan el sepulcro. La piedra pesa cientos de kilos. ¿Cómo estas dos frágiles mujeres van a poder siquiera mover la piedra a un costado?

Las dos Marías no tienen todas las respuestas, pero sí mucha fe. A la mañana siguiente, bien temprano, mientras Jerusalén duerme, se apresuran a llegar al sepulcro; pero cuál no será su sorpresa, al ver que... ¡Alguien ya ha quitado la piedra!

Dios es el Dios de las sorpresas, el Dios de lo inesperado. A su Palabra, el asno habla, el agua fluye de la roca, el maná desciende del cielo, los cuervos traen alimentos al hombre, el agua se torna en vino y Pedro encuentra una moneda en la boca de un pez.

Cuando "por fe andamos, no por vista" (2 Cor. 5:7), Dios quita las piedras por nosotros; piedras... de duda, de desaliento, de desesperación... Él es el Dios que hace posible lo imposible. Definitivamente, hay cosas que para los hombres son imposibles, "mas para Dios todo es posible" (Mat. 19:26).

Como está escrito: "La fe es el poder viviente que... planta el estandarte en el corazón del campamento enemigo" *(Hijos e hijas de Dios,* p. 204). "La fe alivia toda carga y todo cansancio" *(Profetas y reyes,* p. 130). "Los obstáculos que Satanás acumula sobre nuestra senda... desaparecerán ante el mandato de la fe" (*El Deseado de todas las gentes,* p. 398).

Por fe, tomémonos de la mano de Dios y notemos cómo quita las piedras de nuestro camino. Creamos en sus promesas y esperemos milagros. Confiemos en él en toda circunstancia, y observemos cómo obra en nuestras vidas.

Héroes de fe: Abrahán

He aquí mi pacto es contigo, y serás padre de muchedumbre de gentes. Gén. 17:4.

El sello particular de la experiencia de Abrahán fue su fe inquebrantable en la voluntad de Dios. Con esto no digo que Abrahán nunca dudó. Su vida se vio marcada por el fracaso. El Antiguo Testamento revela su falta de confianza. A veces, lo muestra impaciente, y en ocasiones, hasta mentiroso o fraudulento; pero su fe crecía de continuo. A lo largo de su vida, desarrolló una confianza inquebrantable en Dios.

Pidiéndole que abandonara su hogar en Ur de los caldeos, Dios escogió a este patriarca para convertirlo en recipiente especial de sus bendiciones, y lo sometió a la primera gran prueba de fe cuando Abrahán tenía setenta y cinco años de edad. Le prometió que haría de él el padre de una gran nación, si pasaba la prueba de fe, yéndose a la tierra desconocida de Canaán, 643 km (400 millas) al sur de Harán. Dios le prometió: "Bendeciré a los que te bendijeren... y serán benditas en ti todas las familias de la tierra" (Gén. 12:3).

Abrahán le creyó a Dios. Por fe, se fue. Su fe debe haber sido inusualmente fuerte, porque cuando Dios lo llamó, él embaló las pertenencias de su familia y se marchó. Sin embargo, su fe no fue perfecta. Cuando el hambre se propagó por todo Canaán, él no esperó que Dios lo sustentara; huyó a las tierras fértiles de Egipto en busca de alimento. Y una vez allí, recurrió a la mentira, haciendo pasar a su esposa Sara como hermana. No objetó para nada que se la llevaran al palacio del faraón. Sólo la intervención divina evitó que Sara se convirtiera en una de las esposas de los gobernantes egipcios.

Su fe fue puesta a prueba una vez más, mientras esperaba —ya por largos años— convertirse en padre. Y falló otra vez, cuando procuró tener un hijo con Agar, una de las siervas de Sara. Sintiéndose culpable, Abrahán se arrepintió profundamente; y con el tiempo, Sara finalmente concibió a Isaac.

La prueba de fe final llegó en el momento culminante de la historia de su vida. Dios le ordenó ofrecer a su hijo Isaac en sacrificio. El anciano patriarca siguió las instrucciones de Dios. Despertó a su hijo. Cortó la leña. Subió al monte Moria y erigió el altar. Hasta alzó el cuchillo... Cuando ya se alistaba a matar a su hijo fiel y obediente, "el ángel de Jehová le dio voces desde el cielo, y dijo: Abraham, Abraham... No extiendas tu mano sobre el muchacho, ni le hagas nada; porque ya conozco que temes a Dios" (Gén. 22:11, 12). Dios mismo proveyó un carnero para el sacrificio. La fe venció.

Dios probó la fe de Abrahán vez tras vez. Y ante cada reto, su fe se profundizó.

Dios también prueba a diario nuestra fe. Cada día nos desafía a que confiemos más en él. Cuando, como Abrahán, fallamos en nuestra prueba, nos prepara otra. Dios nunca nos abandona. Nos fortalece a diario frente a cada prueba, y lo seguirá haciendo hasta el día en que pasemos la prueba final, y vayamos con él al hogar.

Héroes de fe: Pedro

Y dejando luego sus redes, le siguieron. Mar. 1:18.

Hay días como ningún otro: días de prueba, de decisión; días de encrucijada, cuando seguimos un camino que nos cambia para siempre. Pedro tuvo uno de esos días.

Él y sus compañeros acababan de pasar una noche de pesca sin suerte. Cansados y desanimados, acercaron el bote a la orilla del mar de Galilea, y lavaron las redes en silencio. (¿Qué se puede decir, tras toda una noche de pesca... sin pesca? No hay de qué alardear...)

En eso, Jesús llegó y le pidió permiso a Pedro para utilizar su bote como plataforma para predicar. Le pidió incluso, que lo alejara un poco de la costa. Y una vez en él, Jesús se sentó y enseñó la Palabra a la gente. Cuando concluyó, Jesús instó a Pedro a bogar mar adentro y echar las redes de nuevo. Aunque al principio la idea no lo convencía del todo, Pedro finalmente decidió probar. "Maestro, toda la noche hemos estado trabajando, y nada hemos pescado; mas en tu palabra echaré la red" (Luc. 5:5).

Para su sorpresa, de inmediato las redes comenzaron a tironear agitadamente, con una carga de peces increíble. Pedro quedó pasmado de asombro. Se dio cuenta de que esto era más que "buena suerte". Percibió que estaba en presencia del Divino al que la naturaleza toda obedece. Anonadado y consciente de su indignidad, sólo atinó a caer a los pies de Cristo, diciendo: "Apártate de mí, Señor, porque soy hombre pecador" (Luc. 5:8). Pero Jesús nunca se apartaría. Mientras Pedro reconocía su propia culpabilidad y debilidad, Jesús vio en él su increíble potencial, vio en él a alguien a quien podría moldear hasta convertirlo en un predicador de su gracia.

—¡No temas! —replicó Jesús— Desde ahora serás pescador de hombres" (Luc. 5:10). Y Pedro dejó todo para seguirlo.

Aunque a los tropezones y revelando vez tras vez su debilidad, Pedro llegó a ser el líder de una revolución religiosa. En el día de Pentecostés, cuando el Espíritu Santo obró a través de su sermón, más de tres mil personas se bautizaron. Juntamente con Pablo, fue uno de los apóstoles que ejerció mayor influencia en la iglesia cristiana primitiva.

Aquella noche junto al mar cambió para siempre la vida de Pedro. Nunca más volvió a ser el mismo.

Puede que hoy sea, para usted o para mí, un día como aquél. Un día de decisiones... Jesús ve en nosotros un potencial increíble; ve mucho más allá de nuestras faltas y debilidades. Ve lo que podemos lograr, por medio de su Espíritu. "No tiene límite la utilidad de aquel que, poniendo el yo a un lado, deja obrar al Espíritu Santo en su corazón y vive una vida completamente consagrada a Dios" (*El Deseado de todas las gentes,* p. 251).

Si usted ya ha dedicado su vida a Cristo, sepa que Dios hoy quiere llevarle a aguas más profundas, quiere darle... algo más; y si todavía no le ha entregado su vida plenamente, sepa que él quiere invitarle a una aventura de fe que le sorprenderá.

Héroes de la fe: José

Vosotros pensáistes mal contra mí, mas Dios lo encaminó a bien. Gén. 50:20

La prueba de la honestidad es una prueba muy fuerte en favor de la inspiración de la Biblia. Las Escrituras no encubren los conflictos o las fallas de sus héroes.

José, por ejemplo, creció en medio de una tensa atmósfera familiar de celos y discordia. La primera vez que se menciona a José, además de su nacimiento, es cuando él le trae a su padre un informe (Gén. 37:2) acerca de la mala conducta de sus hermanos. Los relatos de sus sueños de supremacía ante sus hermanos y de que cada uno de ellos se inclinaría a él, le agregaron combustible a la rivalidad. Enojados y resentidos, los hermanos tramaron un complot para asesinar a José. Luego de arrojarlo a una cisterna vacía lo vendieron como esclavo.

La suerte de José fue de mal en peor. Potifar lo compró como esclavo, pero el joven hebreo se distinguió por su duro trabajo. Rápidamente se ganó la confianza y el respeto de Potifar. Cuando la esposa de Potifar le hizo proposiciones inmorales, José clamó: "¿Cómo, pues, haría yo este grande mal, y pecaría contra Dios?" (Gén. 39:9).

La disposición de José de hacer lo correcto lo llevó a un calabozo egipcio. Pero aunque estaba aislado, solo, y prisionero en una tierra extraña, José no perdió su fe.

Mientras estaba en prisión, José ayudó al jefe de los coperos del faraón y le interpretó uno de sus sueños. Cuando el copero fue liberado, se olvidó de José... hasta que el faraón tuvo un sueño extraño. El copero sabía exactamente a quién debía llamar.

José le dijo al faraón que el interpretar sueños estaba más allá de su poder como ser humano, pero que Dios podía revelar el significado. Y agregó: "Dios será el que dé respuesta propicia a Faraón" (Gén. 41:16). Cuando Faraón relató los detalles misteriosos, José le reveló el significado que Dios le dio. El faraón reconoció la importancia de la interpretación de José, y rápidamente lo nombró gobernador de Egipto, segundo después de él.

La historia de José está repleta de lecciones para nosotros. José creció en virtud y sabiduría en medio de la adversidad. Sus dificultades no lo amargaron, sino que lo convirtieron en una mejor persona. Sus vicisitudes le enseñaron a confiar en Dios. José pudo reconciliarse con sus hermanos y superar la discordia que había destrozado a su familia.

Al igual que José, un hombre o una mujer de fe pueden cambiar al mundo. Dios y una sola persona son mayoría. Dios puede tomar la circunstancia más desesperada y la puede usar para gloria de su nombre y bendición de la humanidad. Permita usted que él haga esto en su vida el día de hoy.

Héroes de la fe: Moisés

Por la fe dejó a Egipto, no temiendo la ira del rey; porque se sostuvo como viendo al Invisible. Heb. 11:27.

Moisés es la figura prominente del Antiguo Testamento. Por naturaleza tímido y humilde, buscó permanecer al margen. Pero cuando el Señor lo llamó a rescatar a los israelitas de la esclavitud egipcia, este hombre de fe reveló el valor, la tenacidad y la convicción moral de un verdadero héroe. Aunque más de una vez Moisés reveló sus grandes flaquezas, fue el gran líder espiritual de su pueblo.

Moisés pudo morir en su infancia. Al sentirse amenazado por el número creciente de israelitas en Egipto, el faraón emitió un decreto para matar a todos los niños hebreos. recién nacidos. La madre de Moisés lo escondió, luego lo colocó en una cesta de juncos "y lo puso a la orilla del río" (Éxo. 2:3). Providencialmente, la hija del faraón descubrió al niño que lloraba. La hermana de Moisés, María, quien vigilaba al niño a la distancia, ofreció la asistencia de su madre para criar a Moisés.

La madre de Moisés lo crió durante sus primeros doce años. Luego fue educado en la escuela del palacio real del faraón. Podemos suponer que Moisés tuvo la mejor educación académica: lectura, escritura, historia, geografía, ciencias políticas, administración, liderazgo y entrenamiento militar. Estas lecciones le fueron útiles cuando más tarde sacó a los israelitas de Egipto.

Dios transformó la maldición del decreto de muerte del faraón en una bendición. El mismo decreto que el faraón emitió para *destruir* a Israel, Dios lo usó para educar a Moisés a fin de que pudiera *liberar* a Israel. Un decreto de muerte contribuyó a la vida. Dios usó un instrumento de esclavitud para establecer la libertad. Dios tornó la derrota en victoria a través de un hombre fiel, humilde y santo.

Dios transforma las maldiciones en bendiciones. Él tomó la cruz, un instrumento de crueldad, sufrimiento y muerte, y la tornó en salvación. Jesús nos libra de la maldición de la muerte. Todo lo que Satanás lanza en su contra, Jesús lo transforma en una bendición.

Moisés prefigura a Cristo. En el Nuevo Testamento Jesús es el Moisés de su pueblo. Él es el libertador, el poderoso conquistador que nos llevará a la victoria. No importa qué dificultades esté enfrentando hoy, Jesús es aún el poderoso libertador. Él aún transforma las maldiciones en bendiciones. Él aún transforma las derrotas en victorias. Él aún nos libera de la esclavitud. Él aún nos hace triunfar.

Héroes de la fe: Josué

Mira que te mando que te esfuerces y seas valiente; no temas ni desmayes, porque Jehová tu Dios estará contigo en dondequiera que vayas. Jos. 1:9.

Hay una extraordinaria inscripción grabada en una piedra en el jardín del Parlamento Israelí en Jerusalén. Aarón y Hur sostienen los brazos de Moisés mientras Josué guía al ejército hebreo a la victoria en las llanuras de Refidim.

El nombre Josué significa "Jehová salva". Dios pelearía sus batallas. Josué es un modelo de obediencia fiel. Él fue la única persona a quien se le permitió ascender al monte Sinaí con Moisés cuando se dio la Ley (Éxo. 24:13). Moisés lo eligió, de la tribu de Efraín, para ir a espiar la tierra prometida (Núm. 13:17). Luego de su retorno, Josué y su compañero Caleb fueron los únicos espías que animaron al pueblo a confiar en que Dios les entregaría Canaán en sus manos.

Así como Moisés dirigió a Israel por el mar Rojo, Josué hizo que el pueblo cruzara el río Jordán por tierra seca. Josué experimentó el poder de Dios en Jericó cuando las murallas cayeron. Josué continuó tomando una ciudad de Canaán tras otra. "Todos estos reyes y sus tierras los tomó Josué de una vez; porque Jehová el Dios de Israel peleaba por Israel" (Jos. 10:42).

Josué fue fiel y Dios peleó sus batallas. Cuando somos fieles y confiamos, obedecemos y dependemos de Dios, él pelea y triunfa y derrota las fuerzas satánicas que luchan en contra de nosotros. La batalla es suya, no nuestra. Así como los israelitas pelearon fieras batallas contra sus enemigos, nosotros también peleamos batallas diarias contra las fuerzas del mal. "Porque no tenemos lucha contra sangre y carne, sino contra principados, contra potestades, contra los gobernadores de las tinieblas" (Efe. 6:12). Pero con el poder de Dios la victoria es cierta. Así como sucedió con Josué, nosotros también podemos ser valientes y esforzados, porque el Señor nuestro Dios está con nosotros.

Héroes de la fe: Daniel

Daniel propuso en su corazón no contaminarse. Dan. 1:8.

La historia de Daniel abarca dos imperios mundiales. Comienza cuando el rey de Babilonia, Nabucodonosor, tomó cautivos de entre los judíos de Jerusalén y los llevó al exilio en el 605 a.C. Se extiende a los días de Ciro bajo el imperio persa. La vida de Daniel demuestra que la fidelidad a Dios puede conducir al éxito, aun bajo las circunstancias más adversas.

Como cautivo en una tierra extranjera, Daniel determinó en su juventud serle fiel a Dios. Cuando tuvo que asistir al lujoso salón de banquetes del rey de Babilonia, rehusó adorar a los ídolos del rey, a beber de su vino, y a comer de sus viandas impuras. Sin embargo, lo hizo con tal tacto que eventualmente se ganó el corazón de sus captores.

La integridad de Daniel continuó a través de toda su vida. Ya octogenario, se enfrentó a su prueba más grande. Sus colegas complotaron en su contra. Ellos con astucia influyeron ante el rey para que emitiera un decreto que prohibiera adorar a ningún otro dios, salvo al rey, durante 30 días. Daniel no podía cumplir con ello. El precio de la desobediencia era muy alto.

El profeta no tomó su decisión basado en las consecuencias de sus acciones. Lo hizo basado en su fidelidad a la Palabra de Dios. Si él hubiera considerado las consecuencias —la muerte en la cueva de los leones—, hubiera cedido. No es algo grato pensar en ser despedazado miembro por miembro por leones feroces y sanguinarios. Somos propensos a ceder cuando las consecuencias se tornan en la fuerza motora para tomar una decisión.

Uno de los entrenadores más exitosos de la historia del fútbol americano profesional fue Vince Lombardi, de los Empacadores de Green Bay. Un reportero le preguntó: "¿Por qué su equipo es tan notablemente diferente? ¿Por qué se esfuerza tanto en el campo de juego?" Los jugadores respondieron: "No jugamos para las masas que están en las bancas o los millones que ven el juego por televisión. No nos preocupa mayormente lo que dicen los medios de comunicación. Jugamos por un solo motivo: los ojos del entrenador. Cuando revisamos la filmación el lunes de mañana queremos estar seguros de que Lombardi quedó satisfecho".

Daniel no jugó para la muchedumbre. Él vivió para agradar a su Padre celestial. Él jugó para "los ojos del Padre".

Cuando se muestre la filmación final de la vida, lo que va a contar realmente es una vida que se haya vivido para agradar a Dios. Todos los grandes héroes de la fe vivieron por un propósito. Ellos estaban más allá de la muchedumbre, vieron la vida desde una perspectiva diferente. No vivieron para agradarse a sí mismos o a los demás, el propósito principal de su vida fue agradar a Dios. Al tomar esta decisión fundamental, Daniel vivió una vida centrada en Dios. La fórmula de Dios para una paz verdadera y un éxito duradero es la misma hoy.

HÉROES DE LA FE: DAVID

Jehová no mira lo que mira el hombre; pues el hombre mira lo que está delante de sus ojos, pero Jehová mira el corazón. 1 Sam. 16:7.

Las noticias sorprendieron a todo Israel. Era uno de los hallazgos arqueológicos más increíbles de los últimos tiempos. Los arqueólogos habían desenterrado un trozo de piedra con una referencia al rey David. Por primera vez, una fuente no bíblica confirmaba el reinado del rey más famoso de Israel.

El nombre de David aparece más de mil veces en el Antiguo y Nuevo Testamentos, más que ningún otro personaje bíblico. David fue pastor, soldado, guerrero, músico, poeta, compositor, autor, rey y arquitecto de un imperio. No sólo cambió la historia de Israel en su tiempo, sino que dejó su marca en la nación para todos los tiempos. David tomó una nación débil y la convirtió en un poderoso imperio.

David llegó a ser prominente en un tiempo especial. Los reinos de Asiria y de Egipto estaban declinando. David utilizó su experiencia militar para unificar las fuerzas de Israel. Organizó ejércitos fuertes y bien entrenados y los convirtió en una poderosa máquina de guerra. Bajo su liderazgo se expandieron las fronteras de la nación, se redujeron los impuestos, y hubo prosperidad. Bajo el reinado de David se fundó Jerusalén como la capital política y religiosa de la nación.

Los salmos de David revelan su intensa devoción a Dios. Hay veces que David se eleva a las alturas del éxtasis. En otros momentos está en el pozo de la desesperación. Algunas veces los salmos muestran que se siente perdonado, mientras que otras veces siente que el Señor lo condena duramente. Hay veces cuando David perdona a sus enemigos, mientras que en otras ocasiones los quiere aniquilar.

Cuando el profeta Natán confrontó a David a causa de su relación adúltera con Betsabé, David clamó: "Ten piedad de mí, oh Dios, conforme a tu misericordia; conforme a la multitud de tus piedades borra mis rebeliones" (Sal. 51:1).

Tres grandes verdades espirituales se destacan en la vida de David. En primer lugar, fue honesto. No fue hipócrita. Él hacía y expresaba lo que sentía. Fue honesto al expresar sus dudas, faltas y emociones. En segundo lugar, el corazón de David estaba con Dios. En las cambiantes circunstancias de la vida anhelaba agradar a Dios. En tercer lugar, David creía que Dios siempre estaba a su lado, sentía la presencia de Dios.

Dios nos habla hoy a nosotros. Nos invita a que le expresemos en forma honesta nuestros sentimientos. Nos anima a ser francos con él y a conocerlo. Nunca vamos a sorprenderlo. Él nos insta a que creamos que siempre está con nosotros, ¡y lo está!

A pesar de las cambiantes emociones que bullen en nuestro interior, y de las circunstancias cambiantes a nuestro alrededor, Dios es constante. Podemos contar con ello.

Héroes de la fe: Ester

Entonces entraré a ver al rey, aunque no sea conforme a la ley; y si perezco, que perezca. Ester 4:16.

Alguna vez se ha lamentado usted por sus circunstancias? ¿Ha deseado alguna vez que su infancia hubiese sido diferente? ¿Ha sentido alguna vez que nació sin suerte? Ester podría haber pensado de esta manera. Huérfana desde muy temprano en la vida, fue criada por su primo Mardoqueo. Años atrás, luego de la caída de Jerusalén en el 586 a.C., los babilonios habían tomado cautiva a su familia.

Ester nunca conoció a sus padres verdaderos. Era judía en una tierra extraña, criada en un ambiente hostil como parte de una minoría despreciada. Cuando Vasti, la esposa del rey persa Artajerjes, humilló a éste en público, Ester fue una de las muchas jóvenes que fueron sumadas al harén y puestas bajo la custodia del eunuco del rey. El corrupto estilo de vida palaciego en esos tiempos desafiaba la fe de Ester.

Mardoqueo estaba pendiente de ella, aun en el palacio del rey. Él la instó a mantener en secreto su origen. Durante un año Ester se entrenó en la vida del harén. Cuando finalmente apareció ante el rey, "el rey amó a Ester más que a todas las otras mujeres, y halló ella gracia y benevolencia delante de él más que todas las demás vírgenes" (Est. 2:17). Enamorado de su belleza, gracia y carácter, Asuero inmediatamente la nombró su nueva reina.

¿Cuál era la estrategia de Dios en todo esto? ¿Por qué fue Ester exaltada a una posición tan importante? Amán, uno de los príncipes del rey, trazó un plan para destruir a Mardoqueo y a los judíos. Todo judío sería aniquilado.

Mardoqueo escuchó los rumores del complot. Apeló a Ester para que hablara de ello en público. "Porque si callas absolutamente en este tiempo, respiro y liberación vendrá de alguna otra parte para los judíos; mas tú y la casa de tu padre pereceréis. ¿Y quién sabe si para esta hora has llegado al reino?" (Est. 4:14).

Ester enfrentó el desafío, y Dios respondió. Gracias a su valor el pueblo de Dios fue liberado.

En el divino drama del destino, Dios lo ha colocado a usted en el mundo para un tiempo como éste. Nosotros no elegimos vivir al comienzo del siglo XXI, es un designio de Dios. Tal como Ester, hemos sido llamados al reino para un tiempo como éste.

Dios nos llama a la fidelidad. No importan nuestros antecedentes, él quiere que le seamos leales. Ester marcó una poderosa diferencia en su mundo. Nosotros podemos hacer la diferencia en el nuestro hoy.

Enfrente este día con valor. Usted es un hombre de Dios, una mujer de Dios, un joven de Dios, destinado para vivir en este tiempo, en este día, para impactar el mundo en su nombre.

Héroes de la fe: Juan

Y uno de sus discípulos, al cual Jesús amaba, estaba recostado al lado de Jesús. Juan 13:23.

Juan y su hermano Santiago, los hijos de Zebedeo, fueron los primeros discípulos a quienes Jesús llamó. Eran pescadores comunes y corrientes, y no había nada particularmente especial en su crianza o en su familia. El único aspecto a destacar en sus caracteres era que Jesús les llamó "hijos del trueno" (Mar. 3:17).

Jesús vio algo bueno en este Juan tan temperamental. El Maestro miró más allá de la superficie, a lo profundo de su alma. No vio lo que era sino lo que podría llegar a ser, refinado y ennoblecido por su gracia.

Jesús creyó en Juan, y Juan le respondió. Cristo se deleita en tomar un material aparentemente sin esperanza y en hacerlo objeto de su gracia. Juan se convirtió en uno de los discípulos más amantes y tiernos. Como parte del círculo íntimo de Cristo, Juan estuvo con él en el monte de la transfiguración, en el Getsemaní y en la cruz. Cuando María Magdalena informara a los discípulos que la tumba de Jesús estaba vacía, Juan corrió hacia la tumba y creyó.

El evangelio de Juan nos da un informe de la vida del Salvador de parte de un testigo primario. Con su pluma entintada en amor, Juan escribió las epístolas que conocemos como primera, segunda y tercera de Juan. Hacia el final de su vida el emperador Dominiciano lo exiló a la isla de Patmos por causa de su fe.

Jesús cambió a Juan de un tizón impaciente, listo a explotar por cualquier cosa, en un hombre amable y amante. Juan escribió: "Amados, si Dios nos ha amado así, debemos también nosotros amarnos unos a otros" (1 Juan 4:11). Juan creyó que la esencia del cristianismo era el amor. El amor de Cristo fluyó de su corazón a las personas que lo rodeaban, aun a sus enemigos.

La historia de Juan nos muestra una verdad eterna. Cuando pasamos tiempo con Jesús, nos transformamos a su semejanza. Cuando aceptamos lo que Jesús declara que somos, nos transformamos en lo que él ve que somos. Gracias a Dios él ve en nosotros lo bueno y si se lo permitimos, él nos convertirá en la clase de persona que quiere que seamos.

Jesús mira más allá de la superficie. Él ve el potencial que yace en el interior de toda persona. Hoy puede usted convertirse en lo que Dios ya sabe que usted es.

Héroes de la fe: Pablo

Pero cuando agradó a Dios... revelar a su Hijo en mí, para que yo predicase entre los gentiles. Gál. 1:15, 16.

Después de Jesús, el apóstol Pablo fue la voz más poderosa e influyente en la iglesia cristiana. Pablo nació en una familia judía ultra conservadora en la ciudad griega de Tarso, en la región sur del Asia Menor. Al crecer en medio de dos culturas, la griega y la judía, Pablo tuvo una preparación singular para el trabajo que más tarde desarrollaría al proclamar el Evangelio.

Pablo lo expresó de esta manera en una asamblea de fariseos y saduceos: "Yo soy fariseo, hijo de fariseo" (Hech. 23:6). Los fariseos eran los judíos más estrictos y fieros perseguidores de los cristianos. Eran militantes que protegían la ortodoxia judía.

Alrededor de 35 d.C., cinco años después de la crucifixión de Jesús, Pablo viajó a Damasco con cartas para el sumo sacerdote, declarando que los cristianos eran criminales que debían morir. En ese tiempo tenía probablemente 30 años. Dios eligió ese momento para cambiar el curso entero de la vida de Pablo. El Señor se le apareció en visión, y le dijo: "Saulo, Saulo, ¿por qué me persigues?" (Hech. 9:4).

Cegado por una luz gloriosa, y postrado en tierra, Pablo sólo pudo contestar: "¿Quién eres, Señor?" Una voz le dijo desde el cielo: "Yo soy Jesús, a quien tú persigues" (vers. 5).

Pablo nunca fue el mismo otra vez. Este encuentro con Jesús transformó su vida. Consagró su vida entera a proclamar al Cristo que amaba.

El apóstol Pablo sintió que debía compartir su fe con tantos como fuera posible. Centró sus esfuerzos en las ciudades más grandes del Asia Menor. Viajó por el mundo del Mediterráneo, desde su ciudad natal, Tarso, a través de Siria, Arabia, Grecia y Turquía. Su primer viaje misionero, que comenzó en Antioquía, se extendió por casi 2.000 kilómetros. Sus siguientes viajes lo llevaron aun más lejos. En estos viajes frecuentes fue apedreado, azotado con varas, encarcelado, padeció naufragio, estuvo en peligros de bestias salvajes, fue asaltado, y dejado por muerto. Pero siguió testificando de su Señor (1 Cor. 11:24-27).

La fe de Pablo marcó la diferencia. Su entrega a Jesús transformó su vida. Para Pablo, la fe era una realidad activa, dinámica y viva, que lo llevó a compartir al Cristo que amaba con toda persona que estaba a su alcance.

¿Hace su fe una diferencia en su vida? ¿Es ella el poder transformador que influye en todo lo que hace? ¿Es el Cristo viviente el centro de su vida como lo fue para Pablo?

En el día de hoy permita que el Cristo vivo, amante y transformador de la vida sea también el centro de su vida.

Héroes de la fe: María

Pero María guardaba todas estas cosas, meditándolas en su corazón. Luc. 2:19.

Dios eligió a María para una tarea especial. La llamó para ser la madre del Mesías. Dios envió al ángel Gabriel quien se le apareció con estas palabras: "¡Salve, muy favorecida!... Has hallado gracia delante de Dios. Y ahora, concebirás en tu vientre, y darás a luz un hijo, y llamarás su nombre Jesús" (Luc. 1:28-31).

Esta inesperada noticia confundió a María. ¿Cómo podía ser cierto? Aunque ella estaba comprometida con José, era aún una virgen ¿cómo podría ahora concebir un hijo? "El Espíritu Santo vendrá sobre ti", le dijo Gabriel, "y el poder del Altísimo te cubrirá con su sombra" (vers. 35).

La respuesta sincera de María fue genuina. "He aquí la sierva del Señor", dijo ella (vers. 38). Aunque el Evangelio no dice mucho acerca de María, nos dice lo suficiente como para revelar su gran fuerza de carácter. Ella era sincera, honesta, tierna de corazón, pura, obediente y compasiva. Era profundamente perceptiva. Aunque probablemente estaba en su adolescencia, ella comprendió la magnitud del llamado de Dios.

María reconoció la "bajeza" de su estado, y que desde ese momento le dirían "bienaventurada todas las generaciones". Ella aceptó la verdad eterna de que Dios "esparció a los soberbios" y "quitó de los tronos a los poderosos", a la vez que "exaltó a los humildes" y "a los hambrientos colmó de bienes" (vers. 48-53).

La vida de María estuvo marcada por cimas y valles. Comienza con José amenazando con dejarla cuando se entera de que está embarazada. Continúa con un agotador viaje de Nazaret a Belén. Incluye un pesebre como cuna del recién nacido. Sus emociones se convierten en temor al escuchar las amenazas de Herodes de matar a todos los niños varones menores de dos años. Con José y el recién nacido ella escapa a Egipto.

Es en las rodillas de María que Jesús aprende los cantos de Sion y las promesas de los profetas. De ella aprende lecciones de sumisión y confianza, devoción y obediencia.

Ella sonríe cuando el niño da su primer paso, y llora cuando los hombres clavan sus pies a un madero. A través de su vida ella cree en él. Nunca lo abandona.

Las tareas que Dios encomienda no son siempre fáciles o populares. Hay altos y bajos, alegrías y tristezas. Así como llamó a María, Dios nos llama a ser fieles. Él nos llama a estar del lado de Jesús, ahora y para siempre.

Julio 10

Un recordativo para no olvidar

Señor, digno eres de recibir la gloria y la honra y el poder; porque tú creaste todas las cosas, y por tu voluntad existen y fueron creadas. Apocalipsis 4:11.

Nuestro mundo necesita desesperadamente el mensaje reafirmador de la creación. Por este motivo Dios nos dio el sábado. A mediados del siglo XIX, a medida que la teoría de la evolución se afirmaba en el mundo intelectual, Dios envió un mensaje de esperanza. Se encuentra en Apoc. 14:6, 7:

"Vi volar por en medio del cielo a otro ángel, que tenía el evangelio eterno para predicarlo a los moradores de la tierra, a toda nación, tribu, lengua y pueblo, diciendo a gran voz: Temed a Dios y dadle gloria, porque la hora de su juicio ha llegado; y adorad a aquel que hizo el cielo y la tierra, el mar y las fuentes de las aguas".

El mensaje de Dios para los últimos días es un llamado para que los seres humanos lo adoren como el Creador de los cielos y la tierra. La base de toda adoración es el hecho de que Dios nos creó. Juan, el autor del Apocalipsis, lo declara brevemente con estas palabras:

"Señor, digno eres de recibir la gloria y la honra y el poder; porque tú creaste todas las cosas, y por tu voluntad existen y fueron creadas" (Apoc. 4:11).

Dios es digno de toda gloria precisamente porque nos ha creado. Si Dios no nos hubiese creado, si meramente evolucionamos y la vida es un accidente cósmico, no hay razón para adorarlo.

Dios nos ha dado el sábado como un símbolo eterno de su poder creativo y de su autoridad. Es un recordativo semanal de que no somos nuestros, sino de que él nos creó. La vida no puede existir aparte de él. "Porque en él vivimos, y nos movemos, y somos" (Hech. 17:28).

Cuando Joy tenía 4 años, nació su pequeño hermanito. Joy comenzó a pedirles a sus padres que la dejaran estar un tiempo a solas con el nuevo bebé. Sus padres pensaron que al igual que otros niños de 4 años, ella, celosa, podría sacudir o golpear al bebé, así que le negaron el pedido.

Con el tiempo, sin embargo, viendo que Joy no mostraba señales de estar celosa, decidieron dejar que tuviera su conferencia privada con el bebé. Encantada, Joy fue al cuarto del bebé y cerró la puerta, pero ésta quedó algo entreabierta, de tal manera que los padres, curiosos, pudieron observar y escuchar. Vieron que Joy caminó en silencio hacia su hermanito, puso su rostro cerca del rostro del bebé, y dijo: "Bebé, dime cómo es Dios, porque se me está olvidando".

La verdad es que todos tendemos a olvidarnos de Dios. Es por eso que él nos dice "Recordad". El sábado es un recordativo semanal de lo que Dios es, y de su llamado a renovar nuestra relación con él.

El sábado nos prepara para la comunión con nuestro Creador. Nos hace maravillarnos en nuestro Hacedor. Para gozar lo eterno, para esperar lo celestial. Cuando es tan fácil olvidar, el sábado nos hace recordar cómo es Dios.

Un adelanto de la eternidad

Y de mes en mes, y de día de reposo en día de reposo, vendrán todos a adorar delante de mí, dijo Jehová. Isa. 66:23.

Selecciones del Reader's Digest publicó un artículo del ya fallecido Harvey Penick. La frase introductoria captó mi atención: "Para el golfista profesional Harvey Penick, de 90 años, el éxito ha demorado en llegarle". Su primer libro de golf, *El librito rojo de Harvey Penick*, tuvo ventas de más de un millón de copias. Su publicador cree que es de los libros de deportes de mayor venta de todos los tiempos. La historia de cómo se llegó a publicar el libro es fascinante.

Harvey Penick no escribió por dinero. En la década de 1920 Penick compró un cuaderno rojo de espiral, y comenzó a escribir sus propias observaciones personales sobre golf. Durante 70 años nunca le mostró el libro a nadie más que a su hijo. En 1991 Penick compartió su libro con un escritor local y le preguntó si él pensaba que valía la pena publicarlo. El sorprendido escritor contactó a la gigantesca casa publicadora Simon and Schuster. A la tarde siguiente los publicadores concordaron en darle un adelanto de $90.000 dólares.

El extasiado escritor le dio la noticia a la esposa de Penick. Cuando el escritor vio a Penick más tarde esa misma noche, el anciano estaba preocupado. Penick le dijo que con todos los gastos médicos que tenía no había manera de poder adelantarle a Simon and Schuster ese dinero para que le publicaran el libro. El escritor le tuvo que explicar que sería él, Penick, el que iba a recibir el dinero.

Con el sábado, Dios nos ha dado un "adelanto" de la eternidad. Cada sábado el cielo toca la tierra. Y como el autor judío Abraham Heschel tan apropiadamente lo señalara, el sábado es un "palacio en el tiempo". El sábado cambia nuestra atención de las cosas temporales a las eternas. Nos llama a entrar en un descanso celestial, a experimentar hoy el sabor del cielo. Nos llama a una relación con nuestro Creador que continuará a través de la eternidad. El sábado es un adelanto de la eternidad. Hay mucho más incluido, pero el sábado es el primer adelanto.

¿Será posible que en medio de las ocupaciones de la vida nos sintamos demasiado exhaustos en el sábado para renovar nuestra relación con Dios? ¿Será posible que en medio del estrés cotidiano, el sábado sea un día de adoración superficial en lugar de uno de amistad íntima? ¿Será posible que Dios nos esté llamando a algo más profundo, a algo más elevado, a algo más grande de lo que alguna vez hayamos experimentado?

Dios desea que tengamos un nuevo sentido del profundo significado del sábado. Él anhela que experimentemos un genuino reavivamiento. ¿Puede usted escucharlo hoy hablándole a su corazón: "Venid a mí todos los que estáis trabajados y cargados, y yo os haré descansar" (Mat. 11:28)?

Al igual que Harvey Penick, se nos ha dado un adelanto. No un adelanto de 90.000 dólares de parte de Simon and Schuster, sino un adelanto de la eternidad de parte de un amante Padre celestial que nos ha dado el sábado lleno de bendiciones.

Conquiste su montaña

Dame, pues, ahora este monte, del cual habló Jehová en aquel día. Jos. 14:12.

Todd Huston es un joven increíble. Todd fijó el record mundial de haber escalado el pico más alto en cada uno los Estados Unidos. El récord anterior fue de 101 días. Todd rompió ese record al completar por sí solo sus 50 ascensos en 66 días, 22 horas y 47 minutos.

Su ascenso más difícil fue al monte McKinley en Alaska. El monte McKinley se eleva en la cadena de montañas de Alaska a más de 6.000 metros, el punto más alto en Norteamérica. Su cima entrecortada está a 3,5 grados sur del círculo ártico. La montaña está perpetuamente cubierta de una nube de nieve y hielo. Los alpinistas que han intentado el ascenso saben que los cambios de la montaña son caprichosos e implacables.

Uno de las pruebas más grandes que tuvo Todd fue cuando se encontró con un grupo de alpinistas que bajaban del monte McKinley. "¿Cómo está allá arriba hoy?", preguntó Todd. Uno de los hombres sacudió su cabeza. "Tormentas y vientos fuertes. Estuvimos tres días atrapados en el paso Denali".

Todd Huston tuvo que tomar una decisión. ¿Lo intentaría? ¿Sortearía ese tremendo obstáculo con una sola pierna? Es que Todd perdió una pierna en un accidente de esquí acuático cuando tenía 14 años.

La fe y el valor de Todd lo impulsaron a seguir.

Hace algún tiempo entrevisté a Todd en el programa de televisión *It Is Written* (Está escrito). Le pregunté cómo pudo conquistar las montañas que escaló, y no solamente las montañas físicas sino también las montañas del desánimo y la desilusión. La contestación de Todd fue derecho al grano.

"Si te fijas en tu aflicción o en tu enfermedad y te enfocas en eso, vas a vivir alrededor de ello, me dijo. Pero, si te enfocas en el Señor, él va a hacer que tú lo logres".

A los 85 años, Caleb rehusó escuchar a los que dudaban a su alrededor. Les instó a los israelitas a tomar la tierra prometida. "Dame, pues, ahora este monte", clamó (Jos. 14:12). "Y trae a los gigantes. Muéstrame las ciudades fortificadas. El Señor y yo las conquistaremos".

Elena de White escribió: "Los incrédulos habían visto sus temores cumplidos. No obstante la promesa de Dios, habían dicho que era imposible heredar la tierra de Canaán, y no la poseyeron. Pero los que confiaron en Dios y no consideraron tanto las dificultades que se habían de encontrar como la fuerza de su Ayudador todopoderoso, entraron en la buena tierra" (*Patriarcas y profetas*, pp. 548, 549).

Con Dios, usted también puede conquistar las montañas que hay delante suyo. Al igual que Caleb y Josué, clame hoy: "Oh, Dios, dame esta montaña", y siga adelante por fe.

Aún fuertes

Velad, estad firmes en la fe; portaos varonilmente, y esforzaos. 1 Cor. 16:13.

Nikita Krushchev, primer ministro de la ex Unión Soviética, dio un importante discurso sobre el estado de los asuntos de la nación ante el concilio supremo soviético, en Moscú. En su discurso hizo algo totalmente nuevo al comentar abiertamente los despiadados excesos de la era de Stalin. Mientras Krushchev hablaba, alguien en el auditorio envió una nota con un comentario muy duro. "Primer ministro Krushchev, ¿dónde estaba usted cuando Stalin cometía estas atrocidades?".

Krushchev, enojado, gritó: "¿Quién envió esta nota?".

Nadie respondió.

"Le voy a dar un minuto para ponerse de pie", dijo Krushchev.

Los segundos pasaban y aun así nadie se movía.

"Está bien, les voy a decir lo que yo estaba haciendo —dijo Krushchev—. Estaba haciendo exactamente lo que el escritor de esta nota está haciendo. ¡nada! Yo tenía miedo de ser diferente".

Temor de ser diferente. Temor de tomar una posición. Temor de estar firme. Me parece que si alguna vez en la historia de este mundo Dios nos llama a estar firmes, es ahora.

Todo gran héroe de la fe estuvo dispuesto a estar firme. Moisés se mantuvo firme frente al ejército del faraón. Elías se mantuvo firme frente a los profetas de Baal. Pablo se mantuvo firme frente al legalismo rígido. Juan estuvo firme cuando se enfrentó a la adoración del emperador, y Jesús en la sangrienta cruz tomó la decisión más valiente de todas.

El amor siempre demanda consagración. El costo es un corazón que se ha rendido por completo al Maestro, y la disposición a mantenerse firme. Si no estamos dispuestos a mantenernos firmes y de parte de la verdad, caeremos presa del error. Si no tenemos el valor de mantenernos firmes en nuestras convicciones y nuestros principios, y leales a nuestra conciencia, nuestros corazones se endurecerán al transigir. Al igual que Pilato, Judas y el rey Agripa, nuestras almas quedarán desoladas.

Hay un camino mejor. Por la gracia de Cristo, manténgase firme en sus convicciones sin violar su conciencia. Se sentirá feliz de haberlo hecho.

La extraña obra de Dios

Para hacer su obra, su extraña obra, y para hacer su operación, su extraña operación. Isa. 28:21.

El libro *Bitter Harvest (Cosecha amarga)* aborda la historia de un empleado de una compañía de granos en Michigan que por equivocación confundió un veneno mortal con un suplemento vitamínico, y lo mezcló con el grano.

El grano envenenado contaminó al ganado, las gallinas y los cerdos de muchas granjas. Los agricultores no tuvieron otro camino que aislar a los animales contaminados, matarlos y quemar sus restos para evitar la propagación de la contaminación. Ellos sabían que si no destruían a sus animales toda la industria ganadera de Michigan se vería perjudicada.

Dios no quiere "que ninguno perezca" (2 Ped. 3:9). Es su voluntad que "todos los hombres sean salvos y vengan al conocimiento de la verdad" (1 Tim. 2:4). Pero hay algunos a quienes aun Dios no puede salvar. Ellos han elegido el pecado en lugar de la justicia, la rebelión en lugar de la obediencia, centrarse en sí mismos en lugar de servir por amor. Si Dios los llevara al cielo, ellos lo infectarían otra vez con el virus del pecado. Si Dios no actuase para erradicar el pecado, su efecto maligno eventualmente destruiría al universo entero.

Dios nos ofrece el perdón de nuestros pecados pasados y el poder para vivir una vida cristiana en el presente. Su gracia provee el perdón cuando hemos fracasado y fuerzas para no caer en esos fracasos vez tras vez.

En el momento final Dios debe actuar. Él debe librar al universo del pecado. "Nuestro Dios es fuego consumidor" (Heb. 12:29). Un Dios santo finalmente consumirá el pecado. El pecado y los pecadores serán consumidos, transformados en cenizas (Mal. 4:1-3; 2 Tes. 2:8; Sal. 37:20).

Hoy Dios nos invita a elegir entre estas opciones: permitirle que consuma el pecado en nosotros a través de la acción consumidora de su Espíritu Santo, o que nos consumamos junto con nuestros pecados en la acción consumidora de su pronta venida. Un Dios amante llora cuando los pecadores son destruidos.

La destrucción de los malignos es una obra extraña e inusual, pero no se la puede evitar si el universo ha de estar seguro para siempre. ¿Permitirá usted que Jesús haga su obra de limpieza en su corazón en el día de hoy? ¿Permitirá usted que el fuego de su presencia lo purifique interiormente?

Nuestra elección determina nuestro destino

Os he puesto delante la vida y la muerte, la bendición y la maldición; escoge, pues, la vida. Deut. 30:19.

Robert Ingersoll, uno de los más conocidos incrédulos del siglo pasado, nació en el hogar de un pastor. Después de escuchar a su padre predicar sobre el fuego del infierno, Ingersoll dijo: "Si Dios es eso, si Dios puede quemar a millones y miles de millones de personas, hombres, mujeres, niños y bebés, yo no creo que él exista. Yo creo que él es un producto de la imaginación humana".

Ingersoll concluyó que un Dios que podría atormentar a las personas durante millones de años no debía ser un Dios amante. Además, decidió que un Dios tal no debía realmente existir.

Y estaba en lo correcto. No existe un Dios vengativo que se deleita en afligir y causar sufrimiento.

Mi mente nunca podría adorar a un Dios que atormentase a las personas en el infierno durante millones y millones de años. ¿Podría usted pensar en un cielo en el cual los redimidos vieran desde allí a otras personas sufriendo en el infierno? Un popular escritor religioso dijo que si se extinguieran los fuegos del infierno y si los perdidos cesaran de sufrir se terminaría uno de los principales deleites de los redimidos. En otras palabras, decía que uno de los gozos del cielo será ver cómo sufren los malvados. ¡Qué distorsión! ¡Qué idea distorsionada de Dios!

La figura que la Biblia presenta de Dios es dramáticamente diferente. El amor de Dios no le permite atormentar a los pecadores durante las interminables edades de la eternidad. Su justicia no le permite pasar por alto sus pecados. El pecado es un material combustible en la presencia de un Dios santo. Dios deja que los pecadores hagan su propia elección. Sin el escudo de su amante protección, ellos serán destruidos en las llamas de su santidad.

La agonía más profunda del infierno es la tortura mental de los pecadores al saber que están desterrados de la presencia de Dios para siempre. Dios ofrece la vida. Ellos han elegido la muerte. Las palabras del antiguo profeta resuenan a través de los siglos. "A los cielos y a la tierra llamo por testigos hoy contra vosotros, que os he puesto delante la vida y la muerte, la bendición y la maldición; escoge, pues, la vida, para que vivas tú y tu descendencia" (Deut. 30:19).

La salvación es una elección. La pérdida eterna es una elección. Al final cada uno de nosotros obtendrá lo que haya elegido para la eternidad.

Hoy el Dios del cielo apela a cada uno de nosotros para que elijamos la vida.

Viendo a través de los ojos de Dios

Pero a vosotros los que oís, os digo: Amad a vuestros enemigos, haced bien a los que os aborrecen. Luc. 6:27.

Rodney Robertson podía predecir que iba a ser una noche mala. Trabajaba en un refugio para personas sin hogar a fin de pagar sus estudios en el seminario, y se había acostumbrado a las situaciones desafiantes, pero esa noche parecía que iba a ser particularmente difícil. Afuera la lluvia salpicaba la tierra fría. Al poco tiempo todas las camas y las colchonetas estaban ocupadas, pero la gente seguía llegando. Hubo discusiones. Las personas maldecían con enojo. Algunos comenzaron a pelearse por las colchonetas.

En medio de esa tensión, José, un hombretón, entró de repente y tiró al piso su colchoneta. Logró arrancarse las botas y desplomarse en el estupor de su borrachera. El mal olor de los pies de José inmediatamente llenó el ambiente. Las personas a su alrededor insistían en que Rodney hiciera algo al respecto.

La solución obvia era persuadir a José de que se diera una ducha, pero Rodney no lo podía despertar. Parecía que José estaba muerto, sin embargo respiraba. Rodney y otros dos compañeros de trabajo pensaron en arrastrar a José a la ducha, pero éste pesaba más de cien kilos.

Algunos de las personas del refugio demandaron que Rodney sacara a José otra vez a la calle. Pero otros gritaron en protesta. Parecía que para que alguien ganara, otro tenía que perder.

Entonces Rodney tuvo una idea: ¿por qué no traían la ducha hasta donde estaba José? Encontró una palangana y un líquido para lavar los platos, con perfume de limón. Rodney se arrodilló frente al borracho, y comenzó a sacarle sus sucias medias. El hedor casi lo hacía desistir.

Durante varios minutos Rodney le lavó los pies a José con una toalla enjabonada. Cuidadosamente los secó con otra toalla. De repente notó que los demás lo rodeaban. Rodney se levantó despacio y miró a su alrededor.

Todos le sonreían, aun los más quejosos. Algunas personas que nunca le habían sonreído antes ahora lo estaban haciendo, hombres y mujeres de todas las razas.

Hubo un prolongado silencio. Esa noche no hubo más gritos ni amenazas. Las personas que tenían colchonetas se las entregaban a los que no tenían. El conflicto terminó por la acción de alguien que no tenía que tomar partido, alguien que no tenía que agradarles, alguien que estuvo dispuesto a ser como Jesús, el líder que se atrevió a ser siervo.

Un acto de bondad puede cambiar a toda la oficina. Un acto de amor desprovisto de egoísmo puede cambiar a una familia. Un acto de ternura puede cambiar un aula. La amabilidad rompe barreras, la bondad salta los muros, la bondad construye puentes. El doctor Lucas dijo que nuestro Padre celestial es "benigno para con los ingratos y malos" (Luc. 6:35). Dios muestra su bondad para con nosotros en todas sus acciones. Nos invita a ser bondadosos con los que nos rodean durante este día.

Todo viento de doctrina: Dios aún guía a su iglesia (primera parte)

Edificaré mi iglesia, y las puertas del Hades no prevalecerán contra ella. Mat. 16:18.

Los metodistas de Swanquarter, Carolina del Norte, se habían comprometido a construir una iglesia para adorar a su Dios. La única propiedad que podían comprar era un terreno bajo y pantanoso en una parte indeseable de la ciudad. Sin más alternativa, aseguraron el título y la tierra y se pusieron a trabajar. Muy pronto su obra de amor estuvo terminada, una pequeña estructura blanca levantada sobre pilares de ladrillo.

El domingo 16 de septiembre de 1876, ellos gozosamente dedicaron la nueva casa para Dios. Tres días más tarde una terrible tormenta se abatió sobre el pueblo. Durante toda la noche y el día siguiente el viento rugió y las aguas subieron.

Al fin la tormenta cesó. Los pobladores se aventuraron fuera de sus casas. Para su sorpresa, la pequeña iglesia blanca estaba flotando por la calle. Flotó por la calle Oyster Creek, flotó a lo largo de la calle Main a través de Swanquarter, luego misteriosamente dobló hacia la derecha y se detuvo exactamente en la propiedad que los metodistas habían querido comprar primero pero que el dueño no les quiso vender. El dueño creyó que la mano de Dios había conducido la iglesia hacia su terreno y de inmediato, ofreció vender la propiedad.

Hoy esta iglesia colocada allí por la mano de Dios, se llama "Providencia". Los vientos soplaron, las brisas huracanadas se arremolinaron, pero la iglesia sobrevivió.

La mano de Dios aún está sobre su iglesia. Todos los huracanes del infierno no la pueden destruir.

Nuestro Señor prometió que su iglesia sobreviviría. "Y yo también te digo, que tú eres Pedro, y sobre esta roca" [la declaración de Pedro de que Jesús era el Mesías], "edificaré mi iglesia, y las puertas del Hades no prevalecerán contra ella" (Mat. 16:18).

La iglesia de Dios sobrevivirá. Los vientos de la anarquía y el fanatismo soplarán; las tormentas de arena de la duda levantarán nubes de confusión; las brisas suaves del laodiceanismo harán dormitar a miles de personas del pueblo de Dios; pero su iglesia sobrevivirá. Soplará "todo viento de doctrina" (Efe. 4:14), pero "no hay nada en el mundo que Dios ame más que su iglesia" (*Testimonies,* t. 6, p. 42).

La iglesia de Dios no se desorganizará ni se quebrará (*Mensajes selectos,* t. 2, p. 79). Cristo y su iglesia no sólo sobrevivirán, sino que triunfarán.

Julio 18

Todo viento de doctrina: El torbellino de la falta de ley (segunda parte)

He aquí que el mal irá de nación en nación,
y grande tempestad se levantará de los fines de la tierra. Jer. 25:32.

El Dr. Shervert Frazier se desempeñó como director del Instituto Nacional de la Salud. En su libro *Psychotrends (Psicotendencias)* expresó su preocupación por la creciente violencia en nuestra sociedad. El Dr. Frazier describió lo que él llamó una "sociedad coviolenta", una sociedad que "celebra el caos mientras que simultáneamente lo condena". La violencia termina siendo algo amoral e inevitable.

En otras palabras, las noticias de las seis de la tarde nos muestran la trágica fotografía de un niño derribado en la calle por un tiroteo al azar. Luego la película de las ocho de la noche nos muestra a un héroe que mata o destruye a los malos de manera espectacular y emocionante. ¡Y eso es entretenimiento!

Vivimos en un mundo en el que valores diferentes compiten por nuestra lealtad y atención. Una importante revista en los Estados Unidos recientemente describió a este país como "América la violenta". Otro artículo declaró que 23.700 personas fueron asesinadas en Estados Unidos en un año reciente. Un muchacho promedio de 18 años ha sido testigo de 200.000 actos de violencia en la televisión, entre ellos 40.000 asesinatos.

Aquí hay dos cuestiones significativas. En primer lugar, la violencia genera violencia. Nuestras mentes son moldeadas por lo que ponemos en ella. Elena de White escribió que "el carácter de nuestra espiritualidad se determina por el alimento que introducimos en la mente" (*Testimonies,* t. 8, p. 169). La violencia ha entrado en nuestros hogares. No nos engañemos, nuestra mente no es como una roca por la que resbala la violencia como si fuera agua, con poco o ningún efecto. Nuestras mentes son como esponjas que absorben las experiencias de nuestra vida.

Algo muere en nuestro interior cuando la violencia de los medios de comunicación estimula nuestras mentes. Quedamos anestesiados ante el sufrimiento de los demás, y sufrimos una callosidad espiritual en nuestras propias almas.

Hay una segunda cuestión. La Palabra de Dios predice que Jesús retornaría en un tiempo de crimen y violencia sin precedentes. El salmista dice: "Tiempo es de actuar, oh Jehová, porque han invalidado tu ley" (Sal. 119:126).

Jesús agrega estas palabras apropiadas: "Por haberse multiplicado la maldad, el amor de muchos se enfriará. Mas el que persevere hasta el fin, éste será salvo" (Mat. 24:12, 13).

El torbellino de anarquía que está destruyendo a la sociedad actual indica que la venida de nuestro Señor está cerca. En esta hora de crisis Jesús nos invita a vivir vidas consagradas y obedientes. Anclados en Cristo, el torbellino de la falta de ley no nos puede mover.

TODO VIENTO DE DOCTRINA: EL VIENTO HELADO DEL FORMALISMO (TERCERA PARTE)

Este pueblo de labios me honra; mas su corazón está lejos de mí. Mat. 15:8.

Jesús pronunció sus más severa reprobación contra el formalismo de los fariseos. Les llamó "sepulcros blanqueados... llenos de huesos muertos" (Mat. 23:27). Dijo que eran "hipócritas", que simplemente hacían una representación (Mat. 15:7). Declaró que ellos estaban "sin entendimiento" (vers. 16). Un rígido formalismo amenazó al pueblo de Dios en el primer siglo, y nos amenaza hoy también.

Elena de White escribió: "Ni la más dura descripción señala lo nocivo de la adoración formal" (*Testimonies,* t. 9, p. 143). "No obtenemos ni una centésima parte de la bendición que podríamos tener al reunirnos para adorar a Dios" (*Testimonies,* t. 6, p. 362).

El formalismo se enfoca en lo externo en lugar de hacerlo en el corazón. Coloca la importancia suprema en los rituales, las ceremonias, las formas y las tradiciones que ocultan la adoración del corazón y el espíritu. Cuando el viento helado del formalismo sopla en nuestras vidas, enfatizamos lo externo y dejamos de lado lo interno. La conducta externa reemplaza la conversión del corazón. Hay conformidad sin transformación, deber sin devoción, obligación sin pasión.

Jesús ofrece algo mucho mejor que un frío formalismo que antepone una pesada tarea y una obligación opresiva antes que un corazón lleno de gozo y adoración. Jesús nos ofrece la presencia interna del Espíritu Santo. Jesús nos invita a tener algo más que "apariencia de piedad" que niega "la eficacia de ella" (2 Tim. 3:5). Él se ofrece a sí mismo.

Anhelo que los vientos del Espíritu soplen en nuestras iglesias. Anhelo un "reavivamiento de la verdadera piedad en nuestro medio" que es "la mayor y más urgente de todas nuestras necesidades" (*Mensajes selectos,* t. 1, p. 141). No podemos esperar un reavivamiento genuino sin orar y estudiar la Biblia con corazón sincero. El espíritu mora en nuestro corazón a través de la Palabra. Todos los reavivamientos genuinos a través de la historia han estado basados en la Palabra.

Muchas personas adoptan nuevas formas de adoración como respuesta al formalismo. Si bien éstas pueden crear una euforia temporal, no tienen valor si no se adora con el corazón. El asunto no es tanto la forma de adoración sino el corazón del que adora. Dios nos invita a venir a adorar con nuestros corazones llenos de un nuevo aprecio por él a través de su Palabra. Cuando nuestros corazones se quebranten ante nuestros fracasos personales, Cristo los llenará con su perdón. Con el corazón lleno de gozo por haber sido perdonados, alabaremos constantemente a nuestro Redentor, sus verdades se nos tornarán más preciosas.

Julio 20

Todo viento de doctrina: El viento quemante del fanatismo (cuarta parte)

Porque vendrá tiempo cuando no sufrirán la sana doctrina, sino que teniendo comezón de oír, se amontonarán maestros y apartarán de la verdad el oído y se volverán a las fábulas. 2 Tim. 4:3.

El fanatismo puede tomar muchas formas. En los días de Moisés los fanáticos bailaron alrededor del becerro de oro. Ciertamente tenían entusiasmo, definidamente eran fervientes, pero estaban en rebelión contra Dios.

Los fanáticos tienden a creer que tienen una línea directa con Dios. Su juicio independiente se torna supremo. Ellos justifican su conducta basados en lo que creen que es la voluntad de Dios para ellos. Sus propios pensamientos se convierten en la esencia de su religión.

Algunos fanáticos hacen sus propias reglas.

En 1985 se desató una ola de divorcios entre los miembros de la Capilla de la Comunidad en Seattle. En un año unas doce parejas se divorciaron o comenzaron los trámites de divorcio. La razón no fue difícil de encontrar. Se suponía que hombres y mujeres, en su mayoría no casados entre sí, experimentaban un nivel más profundo de amor espiritual entre ellos. Hicieron estas deducciones al pasar mucho tiempo juntos, y especialmente al bailar juntos en la iglesia. Las expresiones de afecto con un cónyuge ajeno llevaron a la rotura de muchos hogares.

El pastor creía que tenía una línea directa con Dios, lo que le daba "una verdad nunca antes revelada al hombre". La congregación no se despertó hasta que muchas familias se separaron.

La fe bíblica siempre está centrada en la Palabra. Cualquier experiencia de adoración que cambie el énfasis de la autoridad de la Palabra de Dios a la supremacía de los sentimientos personales puede llevar al fanatismo. La fe bíblica siempre es parte de una comunidad de creyentes. Se debe ser cauteloso cuando alguien declara que tiene una nueva luz. Lo mismo cuando alguien declara que tiene una comunicación directa con Dios, no importa cuán sincero sea.

La fe bíblica cree en el triunfo de la Palabra de Dios. Los fanáticos a menudo creen y enseñan que la iglesia de Dios está corrupta o en estado de apostasía. Elena de White escribió: "Algunos han sostenido que a medida que nos acercamos al fin del tiempo, cada hijo de Dios actuará independientemente de cualquier organización religiosa. Pero el Señor me ha indicado que en esta hora no es posible que cada hombre sea independiente" (*Joyas de los testimonios*, t. 3, p.406).

Permanezca en la iglesia, porque por la gracia de Dios ella triunfará al final.

Todo viento de doctrina: Las mortales brisas de la herejía (quinta parte)

Procura con diligencia presentarte a Dios aprobado, como obrero que no tiene de qué avergonzarse, que usa bien la palabra de verdad. 2 Tim. 2:15.

El bioterrorismo plantea una nueva amenaza para la sociedad norteamericana. Las muertes que ocurrieron por exposición a las esporas de ántrax, enviadas por el sistema de correos, nos mostraron nuestra vulnerabilidad ante una enfermedad que casi ni habíamos imaginado. ¿Qué pasaría si un terrorista envenenara nuestros suministros de agua o de alimentos? ¿Qué pasaría si un maníaco demente se apoderara de un avión fertilizador y rociara un estadio lleno de gente? Las pestilencias que puede acarrear el aire tienen la capacidad de afectar a decenas de miles de vidas.

La herejía ocasiona una destrucción similar. Cuando las brisas cargadas de la pestilencia de la herejía soplan por en medio de la iglesia, muchos de los hijos de Dios desarrollan enfermedades espirituales mortales.

La iglesia siempre ha enfrentado la herejía. Pablo advirtió al joven Timoteo sobre "Himeneo y Fileto", quienes desviaron de la verdad a algunos (2 Tim. 2:17). Interrogó a la iglesia de Galacia: "¡Oh, gálatas insensatos! ¿Quién os fascinó para no obedecer a la verdad?" (Gál. 3:1). Pablo estaba preocupado por los judaizantes que estaban entrando en la iglesia y declaraban que la salvación se obtenía por obediencia a las leyes judaicas, no solamente por fe en Cristo. Muchos se desviaron y perdieron sus almas como resultado de sus herejías.

En su sermón maestro sobre las señales de los últimos días, Jesús declara: "Mirad que nadie os engañe. Porque vendrán muchos en mi nombre, diciendo: Yo soy el Cristo; y a muchos engañarán" (Mat. 24:4, 5). Elena de White escribió: "Se aproximan rápidamente los días cuando habrá gran perplejidad y confusión. Satanás, envuelto en vestiduras angélicas, engañará si es posible a los mismos elegidos. Habrá muchos dioses y muchos señores. Soplará todo viento de doctrina" (*Testimonies*, t. 5, p. 80).

¿Cómo podemos guardarnos de ser engañados por el engañador maestro? He aquí tres principios que Dios nos ha dado:

1. *Amar la verdad.* Jesús dijo: "El que quiera hacer la voluntad de Dios, conocerá si la doctrina es de Dios, o si yo hablo por mi propia cuenta" (Juan 7:17).

2. *Conocer la verdad.* Jesús dijo: "Y conoceréis la verdad, y la verdad os hará libres" (Juan 8:32. Conocer la verdad nos libera de los engaños de Satanás.

3. *Compartir la verdad.* Cuando Jesús invitó a sus discípulos, "Venid en pos de mí" (Mat. 4:19), él sabía que al seguir su voluntad y compartir su verdad ellos verían fortalecida su fe. He aquí el suero divino para vacunarnos contra la herejía. Amar la verdad, conocer la verdad y compartir la verdad. Al hacer ésto permaneceremos arraigados en ella.

Todo viento de doctrina: Las tormentas de arena de la duda (sexta parte)

¡Hombre de poca fe! ¿Por qué dudaste? Mat. 14:31

Las tormentas de arena pueden ser mortales, ya que bloquean nuestra visión. Al manejar en medio de una tormenta de arena por las planicies secas de Texas, a veces lo más prudente es parar a la orilla de la carretera.

Uno de los engaños de Satanás son las tormentas de arena de la duda. Satanás hizo dudar a Eva en el Edén. Le preguntó: "¿Conque Dios os ha dicho: No comáis de todo árbol del huerto?" (Gén. 3:1). La pregunta de Satanás tenía por objetivo crear dudas. Sus tácticas son hoy las mismas. Si él puede engañarnos para que dudemos del amor de Dios, que cuestionemos su verdad, o que nos tornemos escépticos hacia la organización de la iglesia de Dios, él sabe que estamos en el camino hacia el desastre espiritual.

La marca distintiva del pensamiento del siglo XXI es una mente abierta. Hay lugar para la investigación y el cuestionamiento, para una mente abierta. También hay lugar para una mente cerrada. Yo sé que Dios me ama. Yo sé que su Palabra es la verdad. He aceptado su mensaje del sábado bíblico. Creo que su iglesia triunfará. En cuanto a estas grandes verdades eternas mi mente está cerrada. No tengo que levantarme cada mañana pensando si tal vez Dios me ama; no tengo que cuestionarme a diario respecto a mis convicciones.

Cuando el Dr. Lucas le escribió a Teófilo, anhelaba que éste conociera "bien la verdad de las cosas en las cuales has sido instruido" (Luc. 1:4). Algunos asuntos deben establecerse para siempre en nuestro corazón.

Si llenamos nuestra mente con dudas, seremos indecisos. Si llenamos nuestra mente con preguntas, nos tornaremos escépticos. No todas las preguntas tienen contestación de este lado de la eternidad. La pregunta principal es: ¿Tengo suficiente evidencia para creer? Una vez que esa pregunta queda contestada, entonces llega un momento en que cierro mi mente a las dudas.

Elena G. de White tuvo una experiencia increíble con D. M. Canright. El pastor Canright dejó la Iglesia Adventista del Séptimo Día y le escribió a la Sra. White sobre sus dudas. Ella le contestó: "Rehusé escucharla [su carta]. El hálito de la duda, de la queja y la incredulidad es contagioso; si hago que mi mente sirva de canal para la corriente de agua sucia, turbia y contaminada que procede de la fuente de Satanás, alguna sugestión podría permanecer en mi mente y contaminarla" (*Mensajes selectos*, t. 2, p.187).

Las tormentas de arena de la duda, instigadas por Satanás, sólo pueden llevar a la ruina eterna. Llene su mente con la Palabra de Dios, sature su alma con la verdad de Dios, convénzase en su corazón que Dios le ama. Su verdad triunfará.

Todo viento de doctrina: Los suaves céfiros del laodiceanismo (séptima parte)

He aquí, yo estoy a la puerta y llamo; si alguno oye mi voz y abre la puerta, entraré a él, y cenaré con él, y él conmigo. Apoc. 3:20.

El mar estaba revuelto durante el viaje de Pablo a Roma. Era peligroso navegar. Pablo instó al capitán a pasar el invierno en un lugar llamado Buenos Puertos.

El resto de la tripulación estaba nerviosa y quería que el capitán prosiguiera. El Dr. Lucas escribió: "Y soplando una brisa del sur, pareciéndoles que ya tenían lo que deseaban, levaron anclas e iban costeando Creta" (Hech. 27:13). Soplaba una suave brisa llamada céfiro. El capitán y la tripulación se adormecieron. Se sintieron seguros. Creyeron que eran capaces de sortear cualquier tormenta.

Las suaves brisas pronto se transformaron en fieros vientos huracanados. Con furia los vientos arremetían contra las olas. Sólo la providencia de Dios salvó la embarcación.

Las suaves y cálidas brisas nos adormecen. Así es como Laodicea se halla en un estado de letargo espiritual, creyéndose espiritual. Laodicea cree que todo está bien en su experiencia espiritual.

Hace algún tiempo visité Laodicea, en la parte sur y central de Turquía. Laodicea era un próspero centro comercial en los tiempos de Juan. Su población sobrepasaba los 100.000 habitantes. Su negocios bancarios eran la envidia de todo el mundo romano. Cuando un terremoto destruyó parte de la ciudad a mediados del siglo I, los orgullosos laodicenses rehusaron la ayuda de Roma. Ellos querían reconstruir la ciudad por sí mismos.

Laodicea era el centro de la moda, se especializaba en la producción de telas de lana. Laodicea también era un centro médico, en el que se producía un ungüento médico para los ojos y los oídos. Los orgullosos habitantes de Laodicea tenían todo lo que necesitaban. Estaban convencidos de que ninguna ciudad podía competir con la suya.

El mensaje de Juan el revelador a la iglesia de Laodicea es importante para la iglesia de Dios de la actualidad. Su mensaje trata del orgullo espiritual y de buscar la humildad de corazón. Dios dice: "Tú dices: Yo soy rico, y me he enriquecido, y de ninguna cosa tengo necesidad; y no sabes que tú eres un desventurado, miserable, pobre, ciego y desnudo" (Apoc. 3:17). La esencia de Laodicea es vivir para sí.

Dios anhela que cada uno de nosotros tenga una nueva y vital experiencia con él. Anhela tener una amistad espiritual con nosotros. Él nos dice: Yo estoy a la puerta y llamo; si alguno oye mi voz y abre la puerta, entraré a él, y cenaré con él, y él conmigo (vers. 20). La puerta es nuestro ego, nuestro orgullo, nuestro egoísmo. La puerta es hacer las cosas como nosotros queremos, con nuestras propias fuerzas. Nuestro Señor anhela llenar nuestros corazones, guiar nuestros pensamientos y moldear nuestras mentes.

Las bendiciones del cielo envueltas en un solo paquete

El que no escatimó ni a su propio Hijo, sino que lo entregó por todos nosotros, ¿cómo no nos dará también con él todas las cosas? Rom. 8:32.

El comediante Billy Crystal estaba en Manhattan filmando una película el día que su hija Lindsay cumplía once años. La llamó a Los Ángeles y se disculpó por estar ocupado con su trabajo, pero le prometió que recibiría muy pronto un paquete. Lindsay quedó chasqueada, pero le agradeció por el regalo que iba a recibir.

Más tarde, ese mismo día llegó un paquete muy extraño a la puerta del frente: una caja de cartón de unos dos metros de altura. Lindsay la abrió allí mismo, ¡y su papá estaba dentro! Él había tomado un vuelo de Nueva York a Los Ángeles enseguida, después de su llamada telefónica.

Lindsay abrazó repetidamente a su padre, diciendo: "Pellízcame, pellízcame". No podía creer que este extraño regalo fuera una realidad.

El papá de Billy Crystal falleció de un ataque al corazón cuando Billy tenía 15 años. "He perdido 25 cumpleaños sin la compañía de mi papá. No voy a dejar que eso les pase a mis niñas".

Crystal le dio a su hija el regalo más valioso que posiblemente podía dar él mismo. El Cielo nos ha dado el regalo más precioso en Jesús. Él se dio por nosotros.

Al darse a sí mismo Jesús derrama todas las bendiciones del cielo sobre nosotros. Este pensamiento llenó al apóstol Pablo de tanto gozo que exclamó: "El que no escatimó ni a su propio Hijo, sino que lo entregó por todos nosotros, ¿cómo no nos dará también con él todas las cosas?" (Rom. 8:32).

Cuando el Padre dio a su Hijo, nos dio todo el paquete. Todas las bendiciones del cielo son nuestras. Piense en ello. Dios libremente nos da perdón, poder, fuerza, sabiduría, provisiones para las necesidades diarias, seguridad, afirmación, autoestima, y muchas cosas más. Todo esto es nuestro en Cristo. Las bendiciones del cielo no tienen fin. "Dios tiene un cielo lleno de bendiciones para los que cooperen con él" (*Palabras de vida del Gran Maestro*, p. 111). "Cualesquiera bendiciones pueda dar el Señor, él tiene un suministro infinito, un depósito interminable del cual podemos retirar" (*Testimonies*, t. 5, p. 71).

Cristo provee todas las cosas buenas de la vida. En él nada nos falta. Cada respiración nuestra es un regalo de Dios. La comida que comemos proviene de la abundancia del cielo. El amor y el afecto que experimentamos en nuestras relaciones terrenales fluyen del corazón de Dios a través de su Hijo. Podemos regocijarnos en el día de hoy porque todas las bendiciones del cielo están envueltas en un paquete único, Jesús.

Tire de la cuerda de la fe

Yo soy la vid vosotros los pámpanos; el que permanece en mí, y yo en él, éste lleva mucho fruto; porque separados de mí nada podéis hacer. Juan 15:5.

Los amigos de Sandy estiraron sus cuellos hacia el cielo azul y alcanzaron a ver su pequeño cuerpo lanzándose del avión. Esta era la primera vez que Sandy iba a saltar sin una línea, y esta vez ella iba a tirar de la cuerda para abrir el paracaídas por sí misma.

Sus amigos abajo hicieron el conteo con ella: uno un mil, dos un mil, tres un mil. Pero el paracaídas no se abría. Nada sucedía. Esperaron, y vieron que Sandy caía más y más bajo. ¿Por qué no tiraba de la cuerda? Si algo estaba funcionando mal, ¿qué pasaba con su paracaídas de emergencia?

Trágicamente, la joven cayó al suelo y murió instantáneamente. Cuando el equipo de tierra corrió al lugar, notaron que su paracaídas está aún perfectamente doblado en su mochila. ¿Qué había pasado?

Luego vieron que la tela de su mameluco estaba rasgada a la derecha de su pecho. Pareciera que ella había estado rasgando desesperadamente. De hecho, había penetrado a través de su ropa y había llegado a lastimar su piel con sus uñas. La terrible verdad se hizo clara. ¡Su cuerda estaba del lado *izquierdo*! En un momento de pánico ella se había olvidado de eso y había estado tironeando, halando y rasgando del lado derecho, pero allí no estaba.

¿Es posible que estemos desesperadamente tironeando de una cuerda que no existe? Toda vez que confiamos en nuestra propia fuerza para sobrellevar la tentación estamos tirando de una cuerda que no existe. Toda vez que confiamos en nuestro propio poder para sobreponernos al enemigo estamos cortejando el desastre. No era que Sandy no hubiera hecho un gran esfuerzo. Ella estaba desesperada. Intentó salvarse con todas sus fuerzas. Su problema fue que su esfuerzo estaba mal encaminado.

Las Escrituras hacen dos declaraciones que se equilibran mutuamente. La primera dice: "No puedo hacer nada". La segunda dice: "Todo lo puedo". Jesús dijo: "Separados de mí nada podéis hacer" (Juan 15:5). Sin él nuestros mejores esfuerzos son en vano. Sin él no tenemos poder. Sin él nuestros mejores esfuerzos están destinados al fracaso. "De nada vale el esfuerzo humano sin el poder divino" (*Profetas y reyes*, p. 357). Cuando luchamos contra el mal con nuestras propias fuerzas, todos nuestros mejores esfuerzos están condenados al fracaso. El apóstol Pablo tira de la cuerda apropiada cuando declara triunfalmente: "Todo lo puedo en Cristo que me fortalece" (Fil. 4:13).

A través de Jesús el débil se hace fuerte. En su fortaleza y poder somos vencedores. Nuestro Señor nunca perdió una batalla con el enemigo, y no lo va a hacer ahora. Tómese de su poder. Luche con su fuerza. Ríndase a su gracia. Y tire de la cuerda de la fe.

La feliz reunión

Luego nosotros los que vivimos, los que hayamos quedado, seremos arrebatados juntamente con ellos en las nubes para recibir al Señor en el aire, y así estaremos siempre con el Señor. 1 Tes. 4:17.

Al retornar una mañana de una corta caminata, escuché sonar el teléfono. Me apresuré a contestarlo. Al otro lado de la línea, una extraña voz femenina parecía estar muy preocupada.

—¿Es usted el pastor Finley?" —me preguntó la mujer. Le dije que sí lo era, y ella continuó—: "Yo soy la enfermera de la oficina del Dr. Adams, en Trenton, Georgia. ¿Conoce usted a una adolescente de nombre Jenny?"

—Sí. ¿Pasa algo?

—Me temo que sí, pastor —contestó ella— Jenny estaba cuidando del bebé de la familia Jarod. Los padres del bebé no estaban en la casa. El bebé se ahogó en su cuna —La enfermera hizo una pausa—. "Pastor, ¿cree usted que pueda venir a Trenton de inmediato? ¿Puede venir a consolar a Jenny? Y... pastor, ¿puede usted... decirles a los padres que su bebé está muerto?

Manejé a gran velocidad en las curvas entre Wildwood y Trenton, con muchos pensamientos girando en mi cabeza. ¿Debía contactar primero a Jenny o a los padres del bebé? Decidí ir primero a la casa de los padres del bebé.

Al llegar a la casa, noté que había dos niñitos jugando en la tierra con unos autitos y camiones de juguete. El más chico me miró, con el rostro sombrío, y dijo: "Señor, el bebé está muerto". Obviamente los padres ya se habían enterado.

Entré en la casa y encontré a la mamá acurrucada en el sillón junto a su esposo. Él tenía su brazo alrededor de sus hombros, mientras ella lloraba inconsolablemente. Sus sollozos partieron mi corazón. No me podía imaginar lo que sería pasar por este horror.

Caminé hasta donde estaba sentada la joven madre y puse mi mano sobre su hombro. En medio de sus lágrimas y sollozos me miró y dijo: "Pastor, gracias por venir".

Durante algunos momentos no pude decirle nada. Y luego simplemente le dije: "Señora, no tengo forma de comprender su dolor. No puedo entender el dolor y el sufrimiento por el que está atravesando. No he perdido a ninguno de mis hijos. Pero hay Uno que sí puede entender. Su Hijo murió. Él estuvo dispuesto a dejar la gloria del cielo para morir en la cruz para que la muerte de nuestros seres queridos no sea para siempre.

"Jesús comprende su dolor. Él conoce su sufrimiento. Llegará un día cuando el Cristo vivo y todopoderoso descenderá del cielo y los justos muertos resucitarán y se encontrarán con él en el aire".

Pude ver que en medio de sus lágrimas había una nueva esperanza naciendo en la corazón de esa madre desconsolada.

Dándole gloria a Dios en medio de las pruebas

Hermanos míos, tened por sumo gozo cuando os halléis en diversas pruebas. Sant. 1:2.

El joven Claude de Praet pasó cinco largos días en la prisión hasta que supo de qué se le acusaba. Finalmente, en la mañana del sexto día, el carcelero abrió la puerta de su celda y lo escoltó al cuarto de los interrogatorios. Tres jueces estaban solemnemente sentados en sillas de altos respaldos. Había un empleado con pluma y papel listo para escribir el testimonio del prisionero. El alguacil de la corte comenzó el interrogatorio.

Claude estaba siendo juzgado por una sola razón. Sus creencias eran diferentes de las de la iglesia popular. Claude aceptaba la autoridad de la Biblia en lugar de la de la iglesia. Él creía que la salvación se obtiene a través de Jesucristo, y no a través de los sacramentos de la iglesia.

Este interrogatorio ocurrió en 1556, en la ciudad de Ghent, en la actual Bélgica. Descubrimos algo increíble sobre la fe de este hombre en las cartas que consiguió sacar de la prisión. Escribió acerca de su juicio: "Mi corazón está lleno de gozo por el Señor, mi Dios, de tal manera que mis dificultades y ansiedad desaparecen como la tierra que se barre de la calle".

¿Qué provocó estos sentimientos? La llegada del carcelero a su celda para escoltarlo ante sus acusadores. El comienzo del interrogatorio. Su prueba estaba recién comenzando. Entonces, ¿por qué estaba tan contento? Porque finalmente tenía la oportunidad de testificar de su fe, y podía mostrar lo que Dios había hecho en su vida. Viniera lo que viniera, sus adversarios iban a saber lo que Jesús significaba para él.

Claude escribió: "Me sentí de buen ánimo, con mi corazón elevado hacia el Señor, mi Dios, olvidándome de mí mismo y de las cosas de este mundo".

Cada prueba es una oportunidad para testificar de la bondad de Dios. Aun los no cristianos están felices cuando les va bien en la vida. Si la única vez que estamos felices es cuando todo va bien, nuestro testimonio no es mejor que el de los que no son cristianos. Pero si nos regocijamos ante la bondad de Dios en medio de nuestras pruebas, daremos un testimonio positivo acerca de un Dios que nos sostiene en medio de las dificultades de la vida.

Claude de Praet vio su juicio como una oportunidad de compartir a Cristo. ¿Está usted pasando por una prueba difícil hoy? ¿Un problema con su familia o sus amigos, o con su salud? Quizá tenga usted una prueba en sus relaciones interpersonales, o una prueba en su trabajo. Si es así, pregúntese: "¿Cómo puedo ser un testimonio para las personas que me rodean durante esta prueba? ¿Cómo puede ser glorificado Cristo en este problema? ¿Cómo puedo usar esta experiencia para traer honor al nombre de Cristo?"

Si enfrentamos cada desafío de la vida con la idea de traer gloria a Dios, nuestras pruebas serán la puerta para oportunidades únicas de testificación.

Que la oración de cada uno de nuestros corazones sea: "Señor, enséñame a ver en cada prueba una oportunidad de dar gloria a tu nombre".

El orgullo, un cáncer espiritual

Ciertamente la soberbia concebirá contienda. Prov. 13:10.

Sucedió en un suburbio de Boston en agosto de 1973. Usted se acordará de la historia del consejero presidencial Chuck Colson y su inesperado encuentro con Dios. Había ido a visitar a un amigo, de nombre Tom Phillips y no sabía que este ejecutivo había experimentado una conversión. Sentado en la elegante sala de Phillips, Colson comenzó a quejarse de cuán injustamente lo estaba tratando la prensa. El asunto Watergate comenzaba a salir a luz.

Luego de que a Colson se le terminaran sus argumentos, Phillips suavemente dijo: "Si tan sólo hubieras creído en la justicia de tu causa, nada de esto hubiese sido necesario". Y acercándose a él le dijo: "Ustedes tenían que destruir a sus enemigos. Tenían que destruirlos porque no podían confiar en ustedes mismos".

La frente de Colson se llenó de gotas de transpiración. Parecía que hacía demasiado calor en el cuarto.

Colson trató de explicarle a su amigo que en política hay que hacer ciertas cosas para sobrevivir. Phillips le preguntó si podía leerle de un libro de C. S. Lewis llamado *Mere Christianity* (Sólo cristianismo). Colson se arrellanó en el sillón, aún a la defensiva.

Phillips leyó algo que tocó profundamente el corazón de Colson. "El orgullo ha sido la causa principal de la miseria en toda nación y en toda familia desde que comenzó el mundo... El orgullo siempre significa enemistad... El orgullo es un cáncer espiritual que carcome toda posibilidad de amor..." A medida que Phillips leía, Colson vio pasar delante de sí escenas de su vida. Vio cómo se había convertido en un arrogante. Vio cómo paso a paso se había alejado del amor.

Más tarde, esa misma noche, mientras conducía su auto de vuelta a su casa, comenzó a comprenderlo todo, y estalló en llanto incontrolable. Finalmente dejó su actitud defensiva, vio el vacío terrible tras su máscara de seguridad propia. Colson pronunció la primera oración verdadera de su vida, y se entregó al Dios de amor. Más tarde ese hombre que había estado tan atrapado en su orgullo encontró gran gozo en ministrar a las personas en la cárcel.

El orgullo es una de las peores cárceles. Salomón lo expresó de esta manera: "Antes del quebrantamiento es la soberbia, y antes de la caída la altivez de espíritu" (Prov. 16:18). "La soberbia del hombre le abate; pero al humilde de espíritu sustenta la honra" (Prov. 29:23).

El orgullo es un sentimiento de complaciente satisfacción y superioridad. Se exageran los logros propios al mismo tiempo que se rebajan los de los demás.

Dios nos invita a venir con humildad ante él, reconociendo que todas nuestras habilidades, todas nuestras oportunidades, todos nuestros talentos, provienen de él. Junto con Charles Colson descubriremos el verdadero significado de la vida al sometERNOS humildemente al Dios que nos creó.

EL PODER SANADOR DEL PERDÓN

Si mirares a los pecados, ¿quién, oh Señor, podrá mantenerse? Pero en ti hay perdón, para que seas reverenciado. Sal. 130:3.

Cuando Corrie Ten Boom fue liberada por error del campo de prisioneros de Ravensbruck, en Alemania, fue una de las pocas personas que salieron con vida. Posteriormente, ella fundó un hogar en Holanda para los ex prisioneros de guerra. Dijo que la diferencia entre los que habían sufrido un colapso mental y aquellos que se habían recuperado de las horribles experiencias fue su capacidad para perdonar. Aquellos que no podían perdonar, que albergaban amargura y resentimiento, quedaban a menudo mentalmente desequilibrados de por vida.

Corrie tomó el mensaje del perdón y el amor de Dios y lo trajo a las ciudades destruidas por las bombas y al pueblo sufriente de Alemania. Una noche ella dio una conferencia en Munich. Luego de describir elocuentemente el perdón de Dios a cientos de sus expectantes oyentes, notó a un hombre en el grupo. Luego del servicio, él se le acercó. Era un hombre robusto, de aproximadamente un metro ochenta de estatura, con ojos profundos y rostro cuadrado. Inmediatamente lo reconoció como uno de los guardias más crueles de Ravensbruck.

Ahora este hombre estaba ante Corrie. Él extendió su mano pidiendo su perdón. Corrie recordó ésto más tarde al escribir: "Yo quería escupir su rostro. Quería acercarme y abofetearle la cara. Todo dentro de mí clamaba por venganza. Pero me dije a mí misma: 'Yo sé que a menos que lo perdone, cada gota de amor dentro de mí se secará. Yo sé que la amargura, el resentimiento y la indisposición a perdonar van a carcomer mi vida espiritual' ".

El perdón es elegir liberar a otra persona de nuestra condenación porque Cristo nos ha liberado a nosotros de la suya. Es tratarlos como si ellos siempre nos hubieran amado, porque Cristo siempre nos ha amado.

En contra de sus profundos sentimientos, Corrie tomó la mano del hombre y lloró: "Hermano, te perdono". Ella rememora: "Cuando extendí mi mano, lo hice en contra de todo lo que sentía dentro de mí. Cuando dije esas palabras, 'Hermano, te perdono', inmediatamente fluyó en mi vida una nueva paz".

El perdón es sanador. Cuando perdonamos a otro que no lo merece, abrimos nuestro corazón a la sanidad de Dios. El perdón es el remedio de Dios para la ira, la amargura y el resentimiento. Se nos anima a cultivar "un espíritu perdonador" (*Testimonies*, t. 3, p. 98).

Dios puede llenar al corazón perdonador con su amor. El corazón endurecido es el que resiste el amor de Dios. En el día de hoy pídale a Dios que le dé un corazón perdonador. Al igual que Corrie Ten Boom, acérquese a los que le han hecho daño y dígales: "Hermano, hermana, te perdono".

Rendirse y confiar

He aquí Dios es salvación mía; me aseguraré y no temeré. Isa. 12:2.

En uno de los más magníficos pasajes de todas las Escrituras, Jesús poderosamente declara la esencia de la vida cristiana. Marcos 14:36 dice: "Y decía: Abba, Padre, todas las cosas son posibles para ti; aparta de mí esta copa; mas no lo que yo quiero, sino lo que tú".

Abba es la palabra hebrea con la que un niño se dirige a su padre, una palabra cotidiana y familiar que indica la obediencia y confianza de un niño. Aun cuando él no comprendía, Jesús llamó a su Padre "Papito". Enfrentando la cruz, luchando contra las tinieblas y la desesperación, tentado a desconfiar, él llamó a su padre "Papito".

La vida puede ser cruel, pero Dios no lo es.

La vida puede ser injusta, pero Dios no lo es.

La confianza no significa que yo entiendo lo que está sucediendo o que lo acepte. La confianza no significa que me gusta lo que está sucediendo o que sea justo. No significa que las experiencias son justas o aun que yo las merezca. La confianza no significa que yo creo que Dios ocasionó aquello que estoy enfrentando.

La confianza significa que yo entiendo que Dios me ama, y que él me va a hacer triunfar al pasar por esta experiencia.

La confianza significa que a pesar de lo que está sucediendo, aún mantengo mi seguridad en Dios.

La confianza significa que yo descanso en su cuidado y amor, aun cuando no entiendo lo que sucede.

La confianza significa que yo creo que él no desea ningún mal para mí, que él es mi amigo.

"[Dios] nunca chasqueará a los que ponen su confianza en él" (*Testimonies*, t. 9, p. 213). Por eso me rindo a él en absoluta confianza. Con el profeta Isaías proclamo: "Me aseguraré y no temeré". Con el autor del himno puedo cantar:

"Jesucristo es nuestro amigo;
de esto pruebas mil mostró,
al sufrir el cruel castigo,
que el culpable mereció.
Y su pueblo redimido
hallará seguridad
fiando en este amigo eterno
y esperando en su bondad".

Fueron acabados (primera parte)

Fueron, pues, acabados los cielos y la tierra, y todo el ejército de ellos. Gén. 2:1.

Nochebuena de 1968. Ese fue un año largo y difícil para Norteamérica. En enero de 1968 Corea del Norte capturó al buque USS. Pueblo. En febrero y marzo, las bajas en Vietnam alcanzaron cifras alarmantes. El sentimiento del pueblo en contra de la guerra llegó a su máxima expresión. En la primavera, Martin Lutero King, hijo, y Robert F. Kennedy fueron asesinados. El verano no trajo ningún alivio, mientras avanzaban lentamente las posibilidades de paz en Vietnam y se intensificaban las protestas en contra de la guerra. Sin duda, el año 1968 fue un año digno de olvidarse en los Estados Unidos.

Pero en la Nochebuena un rayo de esperanza atravesó las tinieblas. La alegría de un logro alcanzado inspiró a todos los estadounidenses. Por primera vez en la historia los hombres pudieron dar vueltas alrededor de la Luna. ¡Y fueron norteamericanos los que lo lograron! Casi no podíamos creer lo que veíamos en las dramáticas fotos de la superficie lunar que se pasaban por la televisión. Los astronautas Frank Borman, James Lovell y William Anders enviaban sus deseos de Navidad. En un momento increíble durante la Nochebuena, esos astronautas leyeron de un libro escrito siglos antes, las palabras conocidas de Gén. 1:1: "En el principio creó Dios los cielos y la tierra".

Mientras giraban alrededor de la Luna, y observaban a la Tierra desde una distancia de más de 400.000 kilómetros, los astronautas nos hicieron recordar que la vida no es un accidente cósmico. "En el principio creó Dios los cielos y la tierra".

Hay un significado profundo, un implicación práctica y una verdad duradera en estas palabras. Consideremos esta escena de la creación con más detenimiento.

Cuando Dios completó la semana de la creación, la coronó con la creación de Adán y Eva. Él gozosamente exclamó a todo el universo: "Está acabado".

Génesis 2 describe la escena de esta manera: "Fueron, pues, acabados los cielos y la tierra, y todo el ejército de ellos". Las palabras "fueron acabados" en la creación nos habla de algo que Dios hizo. La creación es la obra de Dios. Nosotros no evolucionamos. No nos creamos a nosotros mismos. Las palabras "Fueron acabados" hablan de un creador que terminó su creación y de un creador que cuida de las cosas que él hizo. Nunca más debemos pensar que somos de poco valor.

A la luz del amor de Dios nosotros fuimos "acabados" en la mañana de la creación. Él declaró un amor tan completo que desterró para siempre los sentimientos de separación, abandono y soledad. Con el apóstol Pablo podemos proclamar: "Así que ya no sois extranjeros ni advenedizos, sino conciudadanos de los santos, y miembros de la familia de Dios" (Efe. 2:19).

Dios nos creó. Él nos ama. No somos huérfanos cósmicos. Somos hijos de la familia de Dios. Y ésta es una razón suficiente para regocijarnos.

Fueron acabados (segunda parte)

Jesús... dijo: Consumado es. Y habiendo inclinado la cabeza, entregó el espíritu. Juan 19:30.

Las palabras que Jesús pronunció al morir fueron "consumado es". ¿Qué quiso decir con ésto? ¿Qué era lo que estaba terminado?

Se había acabado la culpa. En Jesús "ninguna condenación hay" (Rom. 8:1). El que "no conoció pecado, por nosotros lo hizo pecado" (2 Cor. 5:21). Toda nuestra culpa fue clavada en la cruz, en el cuerpo de Cristo. Se rompió la esclavitud del pecado. Fue acabado. Jesús fue "obediente hasta la muerte" (Fil. 2:8). En la cruz Jesús demostró que el poder de la gracia es mayor que el poder del pecado. Las tentaciones más fuertes de Satanás no pudieron detener su intención de salvarnos. La cruz ofrece libertad de la esclavitud del pecado. La gracia nos libera, y el pecado no es más nuestro dueño. Está acabado.

Al pie de la cruz se termina el temor a la muerte. Allí se ganó la guerra contra el pecado. Cristo transformó la tumba en un túnel. Para Jesús la cruz no fue el fin. Aun en la muerte es victorioso. La mañana de la resurrección revela que él tiene poder sobre la tumba.

Los niños rumanos tienen una hermosa leyenda que revela maravillosamente el significado de la cruz.

Un noble rumano vivía en un palacio. Tenía vastas tierras, campos, ganado, caballos, ovejas y muchos siervos. Un campesino tenía una sola cabaña con unas pocas ovejas y cabras cerca de la propiedad del rico. El hombre rico y avaro les pagó a algunos del pueblo para que por la noche condujeran los animales del hombre pobre hasta sus tierras. Luego declaró que el hombre pobre era irresponsable y que debía entregar todas sus pertenencias.

Se realizó un juicio en la plaza del pueblo. Se acusó exageradamente al campesino. El hombre perdió todo lo que poseía. Todo el pueblo se burlaba de él. El noble lo escupió en el rostro. El pobre campesino comenzó a rondar por el campo como un mendigo.

Un día el campesino se encontró con el rey que estaba recorriendo el reino y le explicó al rey su situación. El rey lo escuchó, luego le dio dos grandes bolsas de oro que valían mucho más de lo que él había perdido.

Enfrente de todo el pueblo el rey se inclinó y besó al campesino en ambas mejillas. Al besar el rey al pobre mendigo, dijo: "Diles a todos que donde te escupió el hombre malvado, allí el rey te besó. Ahora he quitado tu vergüenza".

En la cruz, el Rey del universo nos dio mucho más de lo que hemos perdido. Colocó el tesoro de su propio amor en nuestras manos. Cuando Jesús declaró: "consumado es", quitó nuestra vergüenza. Somos hijos del reino, aceptados en el Amado, besados en ambas mejillas por el Rey del universo.

Fueron acabados (tercera parte)

Y me dijo: Hecho está. Yo soy el Alfa y la Omega, el principio y el fin. Apoc. 21:6.

La soledad, el dolor, la injusticia y la muerte son el resultado de vivir en un mundo pecaminoso. Las palabras inmortales de Dios en Apocalipsis 21:6: "Hecho está", nos hablan de un fin eterno para todo lo que ha manchado nuestra felicidad.

Un día la soledad se habrá ido para siempre. Cada uno de nosotros anhela ser amado incondicionalmente, ser aceptado sin importar lo que hayamos hecho en el pasado. Apocalipsis 21:3 nos dice que un día estaremos con Dios. Fuimos creados para él. Él llenará la vacía soledad de nuestras vidas. "He aquí el tabernáculo de Dios con los hombres, y él morará con ellos; y ellos serán su pueblo". Cuando el Señor diga: "Hecho está", la soledad se habrá ido para siempre. Viviremos en una íntima comunión con él a través de la eternidad.

Las palabras finales de Dios también van a desterrar el dolor para siempre. "Ya no habrá... dolor" (vers. 4). En todas las salas destinadas a pacientes de cáncer, los enfermos han visto debilitarse sus cuerpos por múltiples cirugías, quimioterapia y radiación. Han perdido sus cabellos, su peso y sus fuerzas, y algunos aun su deseo de vivir. Dios nos da la habilidad de volver a tener esperanza. Las palabras "Hecho está" son su promesa de que algún día él nos dará cuerpos nuevos que rebosarán con vida, gozo y salud. Él nos llevará a una tierra donde no habrá más enfermedad, ni sufrimiento ni dolor.

Sus palabras "Hecho está", hablan de un Dios que hará "nuevas todas las cosas" (vers. 5). Esta vida está llena de injusticia y desigualdad. Pero un día el Rey de la justicia reinará. Cristo se sentará en su trono celestial. En la eternidad la sociedad celestial será justa. No siempre se encuentra justicia en la tierra, pero se la encontrará en el cielo. No siempre los seres humanos dispensan justicia, pero Dios la dará libremente. Cuando usted haya sido tratado injustamente, mire más allá de su dolor a la nueva sociedad de Dios, cuando él reine en justicia.

El pronunciamiento final de Dios: "Hecho está", declara que la muerte ha terminado para siempre. ¿La muerte le ha arrebatado un ser amado? ¿Su dolor es tan grande que no lo puede soportar con sus propias fuerzas? Un día la muerte será cosa del pasado. El mañana glorioso de Dios pondrá fin a la muerte para siempre. La muerte se acabará, terminará, desaparecerá. A través de las lágrimas que derramamos por la pérdida de un ser querido, nos aferramos a la promesa de Dios. Un día la muerte será desterrada para siempre.

En una nota final triunfante, se decreta el anuncio divino: "¡Hecho está!" La guerra ha terminado. El hambre, el horror y los pesares han acabado. Las enfermedades, los desastres y la muerte han terminado. La pobreza, el dolor y la pestilencia han desaparecido. Las enfermedades, los dolores y el sufrimiento han concluido. Las lágrimas, el terror y los conflictos han terminado. ¡HECHO ESTÁ! La justicia reina para siempre.

Ninguna condenación

Ahora, pues, ninguna condenación hay para los que están en Cristo Jesús, los que no andan conforme a la carne, sino conforme al Espíritu. Rom. 8:1.

Sus restos yacían al lado de un rústico albergue en la playa, cerca de las olas rompientes en medio del Atlántico. Había tratado de sobrevivir solo en una isla desierta llamada Ascensión. Al lado del hombre había un diario que describía uno de los relatos más increíbles en la historia marina.

Por haber cometido un terrible crimen, las autoridades lo habían abandonado en esta inhóspita isla con sólo un barril de agua, un hacha, una caldera, una trampa, y algunos otros artículos. Cuando se vio sin agua. No tuvo más remedio que beber la sangre de las tortugas que mataba, y luego, agua salada, sabiendo que era mortal. Su última entrada en el diario dice: "Me estoy convirtiendo en un esqueleto andante; mis fuerzas han decaído; no puedo seguir escribiendo".

Este hombre soportó grandes sufrimientos físicos durante su dura lucha por sobrevivir. Pero había un dolor mucho más grande que repitió a través de su diario, la culpa que le consumía. Escribió lamentándose: "La noche es un emblema de mis crímenes, y cada límpido día repaso mi castigo". Más tarde escribió en su diario: "Qué dolor sienten los míseros mortales que tercamente caminan por el vertiginoso laberinto de la vida y dejan los hermosos caminos de la justicia".

No hay nada en este mundo que aísle más que la culpa. En años recientes la psicología popular ha tratado de librarnos de este problema. Se nos asegura que no somos peores que los demás. Personas bien intencionadas han tratado de quitar la culpa del mundo. Pero la culpa no se va, no importa cuánto se masajee la psiquis. Una de las razones principales es que estamos tratando los síntomas y no la raíz del problema. Queremos anestesiar esos sentimientos desagradables en lugar de buscar sus causas.

Jesús señaló este problema a Nicodemo: "La luz vino al mundo, y los hombres amaron más las tinieblas que la luz, porque sus obras eran malas. Porque todo aquel que hace lo malo, aborrece la luz y no viene a la luz, para que sus obras no sean reprendidas" (Juan 3:19, 20).

Algunas personas se perderán porque se apartaron de la luz. Tienen miedo de quedar expuestas. La culpa nunca se solucionará hasta que reconozcamos que hemos pecado.

El propósito de la culpa es llevarnos a aquel que quita los pecados del mundo (Juan 1:29), al Salvador, quien nos libera de la condenación. Deje hoy que la culpa en su corazón lo conduzca al Salvador de su alma. No niegue su culpa. Reconózcala y vuélvase a él.

Semejante a él

Amados, ahora somos hijos de Dios, y aún no se ha manifestado lo que hemos de ser; pero sabemos que cuando él se manifieste, seremos semejantes a él, porque le veremos tal como él es. 1 Juan 3:2.

En 1739 la ciudad de Kingswood, Inglaterra, era considerada un páramo religioso. Los clérigos respetables más o menos se habían dado por vencidos. Era un pueblo de mineros, hombres que pasaban las horas del día bajo tierra, endurecidos por la pobreza y la ignorancia. Nunca habían estado dentro de una iglesia y nunca habían escuchado la voz de un predicador.

Pero un día un hombre se paró en el ayuntamiento de Kingswood y comenzó a hablarles a unos 200 de ellos. Su nombre era Juan Wesley. Las puertas de las iglesias populares se le habían cerrado. Solamente podía predicar al aire libre.

Los mineros comenzaron a escuchar. De alguna manera la proclamación del evangelio que hiciera Wesley penetró décadas de privaciones. Las lágrimas comenzaron a rodar por los sucios rostros.

Más y más mineros y sus familias se juntaron. Pronto se apretujaron unas 10.000 personas en el jardín del ayuntamiento, y comenzó una revolución espiritual en Inglaterra.

La revolución espiritual de Juan Wesley fue uno de los acontecimientos más increíbles en la historia de la iglesia cristiana. Pero hay algo que quizá usted no sepa de él. Juan Wesley predicaba con una urgencia feroz porque creía que estaba cerca la venida del Señor. Como fervoroso estudiante de las profecías de Daniel y Apocalipsis, Wesley predicaba un mensaje de arrepentimiento. Llamaba a la gente a la santidad. A la luz de su creencia en la venida de Cristo, apelaba a una consagración total.

El mensaje del pronto retorno de nuestro Señor no sólo es un mensaje de esperanza; es un llamado a la santidad. Es una apelación sincera para que Dios haga una obra profunda en nuestros corazones. El mensaje del segundo advenimiento nos urge a rendirnos por completo a Cristo como Señor. Como un escritor apropiadamente dijo: "Si él no reina como el Señor de todo, no reina como Señor". El Salvador que murió por nosotros anhela ser el Señor en nosotros.

"El ideal del carácter cristiano es la semejanza con Cristo" (*El Deseado de todas las gentes*, p.278).

Las palabras de un viejo himno hablan poderosamente a nuestros corazones en el día de hoy:

"Hoy me llama el mundo en vano, quiero ser cual Cristo;
ya no sirvo a lo mundano, quiero ser cual Cristo;
ser como él de corazón, es mi sola aspiración;
en cualquiera condición, quiero ser cual Cristo" (*Himnario adventista,* N° 402).

Agosto 5

Más que un rehén

Dijeron los apóstoles al Señor: Auméntanos la fe. Luc. 17:5.

Habían soportado años de prisión, aislamiento y aun brutalidad extrema. Pero los rostros que emergieron de "un lugar en el Líbano" no lo demostraban. No parecían quebrantados por su larga odisea como rehenes. Sus amplias sonrisas y su alegría mostraban algo enteramente diferente.

Cuando Terry Anderson, el último rehén norteamericano en el Líbano, fue finalmente liberado en diciembre de 1991, él y sus compañeros al fin pudieron contar su desgarradora historia. Al saber lo que aconteció se hizo difícil entender cómo pudieron sobrevivir con su mente intacta. Ellos relataron de celdas sin aire, sin ventanas, no más grandes que una tumba. De extremos de calor en el día y de frío en la noche; de usar la misma ropa año tras año. Relataron de las vendas sucias que infectaban sus ojos, de las cadenas de acero que se abrían sólo una vez al día para ir por diez minutos al baño, generalmente un hueco en la tierra, o de tener sólo la comida suficiente para mantenerse con vida, comida que tomaban a solas en la oscuridad.

Casi todos los rehenes fueron golpeados, algunos tan severamente que sufrieron daños permanentes. Terry Anderson recuerda haber escuchado a un rehén, que tenía neumonía, morir ahogado en sus propias flemas en la celda próxima a la suya.

¿Qué fue lo que sostuvo a Terry Anderson a lo largo de 2.455 días de cautiverio? Él dice que lo que lo sostuvo fue la Biblia y una foto de su hijita recién nacida, a quien nunca había visto. En el cautiverio redescubrió su fe.

El rehén francés Roger Auque hizo un descubrimiento similar. Luego de su liberación dijo simplemente: "Antes no creía en Dios, ahora sí creo".

El rehén Benjamín Weir miró un día en su celda y vio tres alambres colgando del techo. Por alguna razón esos alambres le recodaron los dedos extendidos de Dios en una de las pinturas de Miguel Ángel en la Capilla Sixtina. Weir recuerda: "Eso fue para mí una representación de la mano sustentadora y poderosa de Dios".

La fe floreció en esas oscuras celdas en el Líbano. Esas personas aisladas encontraron la fuerza para sobrevivir. El secreto detrás de su supervivencia y de su buen espíritu cuando fueron liberados fue lo que los rehenes llamaban su "Iglesia de las Puertas Cerradas". Ellos dirigían servicios cristianos regulares, usando trozos de pan para celebrar la comunión. Mantuvieron su fe viva, y la fe los mantuvo vivos.

Porque "la fe alivia toda carga y todo cansancio" (*Profetas y reyes*, p. 130). "La fe es la mano espiritual que toca el infinito" (*Testimonies*, t. 6, p. 467).

Permita hoy que su fe se eleve a los cielos y llene de energía su alma.

LA PROFECÍA DEL TIEMPO DEL FIN REVELA EL CARÁCTER DE DIOS

He aquí, yo vengo pronto; retén lo que tienes, para que ninguno tome tu corona. Apoc. 3:11.

Los libros de Daniel y Apocalipsis revelan una vista panorámica del futuro. Sus profecías revelan claramente los eventos que muy pronto se desatarán en nuestro mundo. El tema central de estos dos libros del tiempo del fin es el carácter de Dios. Daniel y Apocalipsis nos dan una magnífica ilustración de Dios. Él es el Dios que les da a sus hijos "conocimiento e inteligencia en todas las letras y las ciencias" (Dan. 1:17). Él libera a su pueblo de las manos de reyes encolerizados y de hornos calientes, y el que poderosamente cierra las bocas de los leones para mantener a sus siervos a salvo. Él es el Dios cuyo dominio es un dominio eterno, cuyo reino es de generación en generación, cuyas promesas siempre se cumplen y cuyos caminos son siempre justos (Dan. 4:34, 37; 7:13, 14).

El Apocalipsis lo muestra como un Dios que se preocupa por Juan, un anciano exiliado en una solitaria isla. Él envía un ángel con un mensaje de ánimo. ¿Cómo es este Dios? Escucha su invitación para venir a estar con él en su trono (Apoc. 3:21). Escucha el amor y la adoración espontáneos que surgen de los labios de los seres que ya han pasado la eternidad con él. "Al que está sentado en el trono, y al Cordero, sea la alabanza, la honra, la gloria y el poder, por los siglos de los siglos".

¿Qué clase de Dios se preocuparía, en medio de la tierra que se sacudía, los relámpagos que iluminaban la escena y el rugir de los truenos, de que una pequeña niña que ha sido resucitada sea llevada a los brazos de su madre? ¿Qué clase de Dios comienza su reino secando las lágrimas de nuestros ojos?

Jesús es el conquistador, pero él nos da la corona. Jesús peleó la batalla por nosotros, pero él coloca el símbolo de la victoria en nuestras manos.

Sobre las cabezas de los victoriosos Jesús coloca la corona de gloria. Para cada uno hay una corona con su propio nombre (Apoc. 2:10), y la inscripción "Santidad a Jehová" (*El conflicto de los siglos*, p. 704).

¿No le emociona el poder servir a un Dios como éste? ¿Espera usted con ansiedad el hermoso día cuando esas manos horadadas por los clavos coloquen una corona sobre su cabeza? Anhelo el día cuando mi Salvador diga: "Venid, benditos de mi Padre, heredad el reino preparado para vosotros desde la fundación del mundo" (Mat. 25:34).

PAZ EN LAS TORMENTAS DE LA VIDA

Y levantándose, reprendió al viento, y dijo al mar: Calla, enmudece. Mar. 4:39.

Exhausto, Jesús se durmió sobre la popa del barco. Pero de pronto el viento comenzó a soplar por el mar de Galilea, golpeando las olas con furia. El cielo se oscureció, iluminado por los relámpagos y el rugir de los truenos. El barco se bamboleaba como un corcho sobre las olas. Los discípulos de Jesús, hombres fuertes de Galilea, hombres de mar acostumbrados a pilotear sus barcos a través de las tormentas, nunca habían enfrentado una tormenta como ésta.

Aunque eran veteranos del mar, los discípulos se sintieron como niños pequeños. Pensaron: "No hay forma de salir de esto, ni de dar la vuelta". Temblando de frío, con sus músculos tensos tratando de remar en contra de la tormenta, veían que cada vez eran llevados más y más mar adentro. Los discípulos estaban seguros de que iban a morir.

Entonces reenfocaron su atención. Dejaron de mirar la tormenta y lo vieron a él, porque no había nadie en su barco que les pudiera ayudar. ¿No le importaba a Jesús su situación? Sus almas clamaron: "Maestro, ¿no tienes cuidado de que perecemos, de que no hay nada seguro a nuestro alrededor, que no hay nadie en que podamos tener confianza? Cuando toda nuestra inteligencia humana y toda nuestra fuerza humana nos han fallado, ¿no tienes cuidado?"

Marcos 4:39 dice: "Y levantándose, reprendió al viento, y dijo al mar: Calla, enmudece. Y cesó el viento, y se hizo grande bonanza. Y les dijo: ¿Por qué estáis así amedrentados?"

La única razón para tener miedo en una tormenta es si está usted conduciendo su propio barco, enfocado en la tormenta. Cuanto más mire a las olas y las nubes negras, y escuche los truenos, y vea los relámpagos, más temor tendrá su corazón. Elena de White escribió: "La fe viva en el Redentor serenará el mar de la vida y de la manera que él reconoce como la mejor nos librará del peligro" (*El Deseado de todas las gentes*, p.303).

Si hay un tiempo en el cual debemos reajustar nuestras prioridades, es ahora. Si hay un momento en el cual debiéramos reenfocar nuestra visión, para saber que nuestros corazones son uno con Dios, y saber que Jesús está a bordo de nuestra embarcación, es ahora.

UNA VIDA EDIFICADA SOBRE LA PALABRA

Cualquiera, pues, que me oye estas palabras, y las hace, le compararé a un hombre prudente, que edificó su casa sobre la roca. Mat. 7:24.

Satanás ha especialmente reservado las mayores tentaciones para la generación que ha de vivir en el tiempo del fin. Esto no debe preocuparnos, porque también se derramará el mayor poder de los cielos para sostener a su pueblo en el tiempo del fin.

Mat. 7:24-27 describe a dos grupos de personas. Un grupo pasa exitosamente por el tiempo de prueba. El otro grupo se desintegra. "Cualquiera, pues, que me oye estas palabras, y las hace, le compararé a un hombre prudente, que edificó su casa sobre la roca. Descendió lluvia, y vinieron ríos, y soplaron vientos, y golpearon contra aquella casa; y no cayó, porque estaba fundada sobre la roca. Pero cualquiera que me oye estas palabras y no las hace, le compararé a un hombre insensato, que edificó su casa sobre la arena; y descendió lluvia, y vinieron ríos, y soplaron vientos, y dieron con ímpetu contra aquella casa; y cayó, y fue grande su ruina" (Mat. 7:24-26).

Dos casas, una construida sobre la arena, la otra sobre la roca. Dos casas que enfrentan la misma tormenta; sin embargo, una sobrevive mientras que la otra cae. Elena de White escribió: "El yo no es sino una arena movediza. Si edificáis sobre teorías e inventos humanos, vuestra casa caerá. Quedará arrasada por los vientos de la tentación y las tempestades de la prueba. Pero estos principios que os he dado permanecerán. Recibidme; edificad sobre mis palabras" (*El Deseado de todas las gentes*, p. 281).

En los últimos días Satanás desatará los fieros vientos de la tentación. Cualquier intento de construir la espiritualidad sobre el formalismo o los rituales religiosos terminará en desastre. Una vida espiritual centrada en los esfuerzos humanos para vencer la tentación caerá como una casa construida sobre la arena.

La casa espiritual que sobrevivirá es la que está construida sobre la roca sólida, Jesucristo. En nuestro pasaje bíblico para el día de hoy, Jesús dice: "Cualquiera, pues, que me oye estas palabras, y las hace, le compararé a un hombre prudente, que edificó su casa sobre la roca" (vers. 24). Construir la vida espiritual en Cristo es construir una vida de confianza en su Palabra. Una vida que se edifica sobre la Palabra de Dios sobrevirá los vientos de la tentación. Al abrir la Palabra de Dios, el mismo Espíritu Santo que inspiró la Palabra aplicará sus principios en nuestro corazón.

Encontrar tiempo para la Palabra de Dios es uno de los grandes desafíos de nuestra sociedad que vive a pasos agitados. Una vida que no esté construida sobre la Palabra será arrastrada cuando vengan las tormentas de la tentación. La Palabra solidifica nuestra fe. La Palabra es nuestra roca, nuestro fundamento, el ancla de nuestra fe. Determine hoy pasar tiempo con Dios a través de su Palabra y construya sobre la roca sólida.

Por toda palabra

Desechando toda inmundicia y abundancia de malicia, recibid con mansedumbre la palabra implantada, la cual puede salvar vuestras almas. Sant. 1:21.

Cuando Bobby tenía cinco años, su madre comenzó a notar algo extraño. Estaba perdiendo peso. Tenía poco apetito y parecía que consistentemente tenía una leve temperatura. Luego de una serie de exámenes médicos, los resultados indicaron el mayor temor de una madre, cáncer. Inmediatamente, Bobby comenzó una serie de tratamientos. La quimioterapia lo dejó débil y enfermo.

Tras doce meses de tratamiento parecía que el cáncer de Bobby estaba en remisión. En una de las consultas médicas que tuvo Bobby, su médico, el Dr. Brown, necesitaba realizar un examen muy doloroso. Debía insertar una aguja en la base del cerebro de Bobby para sacar líquido raquídeo. El líquido luego sería enviado al laboratorio para su análisis.

El Dr. Brown miró al pequeño Bobby y le dijo: "Bobby, sé que esto va a ser doloroso". Bobby respondió: "Está bien, Dr. Brown. Me está creciendo un poco de pelo. ¿Me va a afeitar toda la cabeza?"

—No, solamente un poco en la parte de atrás. Bobby, ¿necesitas que mi enfermera sostenga tu mano mientras yo inserto la aguja en la parte de atrás de tu cuello? Va a doler.

—Doctor, si yo puedo repetir el Salmo 23 voy a estar bien. ¿Está bien, doctor, que yo recite el Salmo 23?

—Bobby —le dijo el Dr. Brown—, si tú quieres repetir el Salmo 23 mientras pongo la aguja en la parte de atrás de tu cuello, está bien.

Mientras el doctor hacía su tarea, Bobby recitó: "Jehová es mi pastor; nada me faltará... Junto a aguas de reposo me pastoreará. Confortará mi alma..."

Bobby levantó la vista y sonrió. "Dr. Brown, no me dolió mucho —y añadió—: Dr. Brown, ¿alguna vez memorizó usted el Salmo 23?"

—Bueno, sí, Bobby —dijo el Dr. Brown—, lo hice cuando era niño.

—Dr. Brown —dijo Bobby—. Yo lo repetí para usted, ¿podría usted repetirlo para mí?

Más tarde el Dr. Brown escribió: "Comencé a notar que todos mis colegas desaparecían. ¡Tenían miedo de ser los siguientes! Comencé a repetirlo, tratando de recordar, pero salió deshilachado y chapucero. Luego Bobby dijo: "Sería bueno que todos ustedes aprendiesen el Salmo 23, porque cuando memorizan la Biblia, Jesús les dice en el corazón que él es fuerte cuando ustedes no pueden ser fuertes por sí mismos".

¡Dios lo hace fuerte cuando usted no puede ser fuerte por sí mismo! La Palabra de Dios fortalece. La Palabra de Dios le da poder a su vida.

¡Cuando Dios dice Sí!

[Yo] no ceso de dar gracias por vosotros, haciendo memoria de vosotros en mis oraciones. Efe. 1:16.

Los eventos dramáticos que se estaban desarrollando captaron la atención del mundo. Millones de personas permanecieron pegadas a las pantallas de sus televisores, viendo en vivo la cobertura de CNN de lo que estaba ocurriendo.

Los comunistas de línea dura habían colocado a Mikhail Gorbachev bajo arresto domiciliario en Crimea. Boris Yeltsin estaba encerrado en la Casa Blanca rusa. Los líderes del golpe de Estado se reunieron en el Kremlin para aplastar la resistencia. Parecía que estaba por retornar el comunismo.

Un grupo de consagrados cristianos adventistas desafió el toque de queda. Dejando sus apartamentos, rápidamente se encaminaron a un local alquilado para orar. Los "intercesores" oraron durante toda la noche. Siguieron las instrucciones de Pablo: "Exhorto ante todo, a que se hagan rogativas, oraciones, peticiones y acciones de gracias, por todos los hombres; por los reyes y por todos los que están en eminencia" (1 Tim. 2: 1, 2).

La fecha: 21 de agosto de 1991. Una muchedumbre estimada en 15.000 a 20.000 personas colmó las calles alrededor de la Casa Blanca rusa en apoyo a la democracia.

Los líderes militares rehusaron obedecer a sus comandantes. Los oficiales de la KGB, con sus tropas de combate Alfa, rehusaron avanzar. Durante catorce largas horas los líderes del golpe parecían estar paralizados. Este lapso vital permitió que miles de opositores en Moscú cobraran más ánimo. Desafiando el toque de queda, inundaron las calles. Cuando un grupo de oficiales disidentes del ejército, militares de la KGB y de la policía finalmente avanzaron a las 2 de la mañana, la resistencia del pueblo era tan fuerte que el ataque fracasó totalmente. Los líderes del golpe de estado, conscientes de su derrota, trataron de escapar del país lo más rápidamente posible.

La oración intercesora es poderosa. Cambia los destinos de las naciones. Altera el curso de la historia. Radicalmente transforma la forma en que suceden las cosas.

La promesa de Dios se cumple todavía: "Si se humillare mi pueblo... y oraren, y buscaren mi rostro, y se convirtieren de sus malos caminos; entonces yo oiré desde los cielos... y sanaré su tierra" (2 Crón. 7:14).

La oración abre el camino para que Dios obre grandes milagros. La oración nos une con el todopoderoso Creador del universo. La oración abre los recursos del cielo. La enfermedad no puede contenerla. La adversidad no puede encadenarla. La pobreza no puede impedirla.

No necesita tener un título universitario para orar. No necesita saber leer para orar. Todo lo que tiene que hacer para orar es orar.

¿Aceptará usted la invitación de Dios de convertirse en un poderoso guerrero de la oración?

SALVADOS PARA SERVIR

En su amor y en su clemencia los redimió, y los trajo, y los levantó todos los días de la antigüedad. Isa. 63:9.

Como orador y director del ministerio televisivo internacional *It is Written* (*Escrito Está*), viajo 200 días al año. Predicaciones, reuniones de evangelismo y grabaciones para la televisión me mantienen alejado de mi hogar durante mucho tiempo. Mi esposa y yo pasamos mucho tiempo en cuartos de hoteles. Les cuento un secreto familiar. Soy notoriamente conocido por perder la llave de mi cuarto de hotel. Parece que tengo dificultad en guardar esas llaves hechas de tarjetas de plástico increíblemente delgadas. No sé cómo las pierdo, pero sé que paso mucho tiempo buscándolas, y algunas veces me doy por vencido.

Hay una cosa cierta: los seres humanos son mucho más valiosos que alguna llave de cuarto de hotel, y Jesús nunca se da por vencido. Puedo reemplazar mi llave del hotel, pero Jesús nunca nos puede reemplazar.

La esencia del cristianismo se puede resumir en estas palabras: "Porque el Hijo del Hombre vino a buscar y a salvar lo que se había perdido" (Luc. 19:10).

¡La pasión de Jesús era salvar a otros! El corazón del verdadero cristianismo es un ministerio amante hacia los demás. La esencia de la fe cristiana es participar en la misión de Cristo de salvar a los perdidos. Seguir a Jesús significa seguirlo a él en una misión redentora para alcanzar a las personas con su amor.

Algunas personas tienen una extraña idea sobre el cristianismo. Creen que el cristianismo es dejar las cosas malas para poder ser salvos. Ellos no fuman ni toman, no usan ésto o aquello, y piensan que ahí está la esencia de la religión. No me malinterprete. Jesús nos invita a rendirnos por completo, pero ¿había algo malo en el cielo? ¿Cuánto mal había en el cielo que Jesús tuvo que dejar? ¿Qué dejó Jesús? Él dejó algunas cosas muy buenas: la compañía del Padre, la adoración de los ángeles, la alabanza de los querubines y serafines.

El cristianismo no es dejar las cosas malas para que *yo* pueda ser salvo. Es dejar las cosas buenas para que *otros* puedan ser salvos. El cristianismo no se centra en que yo intente salvarme a mí mismo. Se centra en dar mi vida para salvar a otros, participar en la misión de Jesús.

Jesús se centró en las demás personas. La esencia del cristianismo es un corazón lleno del amor de Cristo, deseoso de servir a otros. Representamos mejor a Cristo a través de un ministerio amante y compasivo. Cuando estamos llenos de su amor deseamos compartirlo con otros. Los hombres y las mujeres nacen para el reino de Dios, encadenados por su amor. De cierto éste es el gozo más grande de la vida. Somos salvos para servir, salvos para bendecir, salvos para satisfacer las necesidades de los demás en el nombre de Jesús.

Placer duradero

Me mostrarás la senda de la vida; en tu presencia hay plenitud de gozo; delicias a tu diestra para siempre. Sal. 6:11.

Los investigadores de una prestigiosa universidad del este de Estados Unidos estudiaron los factores que motivaban a los monos. Elegían a un mono macho para el experimento, lo colocaban en una jaula y comenzaban el cuidadoso proceso de registrar sus observaciones. Ellos observaban las costumbres de los monos al comer, dormir y reproducirse. Y observaban cómo este mono cuidaba de su progenie.

Luego le instalaron un electrodo en el cerebro, el cual cuando era estimulado le daba al mono una sensación de placer. El investigador le enseñó al mono a apretar el botón del placer. Ahora el mono tenía la llave de la felicidad, un botón del placer.

El mono muy pronto se obsesionó con el placer, ignorando a su pequeño, su comida y aun a su compañera. El blanco más importante para el mono era obtener placer, estimular sus centros nerviosos, hacer lo que a él lo hacía sentirse bien. Finalmente se enfermó de tanta diversión. La estimulación excesiva mató al mono.

El pecado es bastante parecido al botón del placer del mono. Produce una ilusión de placer. Si no fuera así, nadie pecaría. El problema es que el placer tiene corta vida; es destructivo.

Moisés prefirió escoger "ser maltratado con el pueblo de Dios, que gozar de los deleites temporales del pecado" (Heb. 11:25). Los placeres del pecado pasan rápidamente, y nos dejan vacíos. Cuando la burbuja se desintegra, el alma se llena de desilusión. Afortunadamente, el gozo de Jesús es eterno. El gozo profundo e interno de Dios es el que dura. El salmista dijo que Dios era su "alegría" (Sal. 43:4). Isaías testifica que Dios nos dará "óleo de gozo en lugar de luto" (Isa. 61:3). Jeremías llamó a la Palabra de Dios "gozo y alegría de mi corazón" (Jer. 15:16). Jesús dice que su gozo permanece en nosotros (Juan 15:11). Pablo ora para que sus lectores estén llenos de "todo gozo y paz en el creer" (Rom. 15:13). Santiago dice que podemos "tener sumo gozo" aun en medio de las pruebas (Sant. 1:2).

Cuando nuestro Señor retorne dirá a su fiel mayordomo: "Bien, buen siervo y fiel; sobre poco has sido fiel, sobre mucho te pondré; entra en el gozo de tu señor" (Mat. 25:21).

Nuestro Señor nos ofrece mucho más que un placer temporal, de corta duración, ilusorio. Él nos ofrece el gozo profundo y duradero de su presencia ahora y por la eternidad. Una cosa es cierta, no hay otro gozo como este gozo en ninguna parte.

Salvo en el hogar

Estando persuadido de esto, que el que comenzó en vosotros la buena obra, la perfeccionará hasta el día de Jesucristo. Fil. 1:6.

Me crié en la costa del estrecho de Long Island en Connecticut. Recuerdo aquellos largos, calurosos y húmedos días del verano, especialmente los domingos. Los domingos Papá nos llevaba en barco desde Spicers Marina, en Groton, Connecticut, a lo largo de la costa de Nueva Inglaterra.

Mamá, Papá, mis hermanas y yo nos apretujábamos en nuestro barco de unos cinco metros de largo. Papá cumplía fielmente con la regla de no formar olas muy grandes, y guiaba nuestra pequeña embarcación por entre los cruceros, yates y barcos pesqueros de Nueva Inglaterra.

Una vez que llegábamos a mar abierto, Papá aceleraba el motor. Allí él era el maestro del mar, y dejaba atrás el estrés de su taller de máquinas.

Con el cabello flotando al viento, la brisa salada golpeando nuestros rostros y gritando cada vez que golpeábamos las olas, escuchábamos que Papá decía: "Ah, ¡ésto es vida! ¿No es ésto increíble, muchachos?"

Un día Papá y yo pescábamos a lo largo de la costa de Nueva Inglaterra. Comenzó a formarse niebla. El viento aumentó y las nubes de tormenta se cernían amenazadoras en el horizonte. Durante casi una hora luchamos contra los elementos. Las olas nos empujaban contra las rocas. Todavía puedo ver a Papá, la lluvia golpeando su rostro curtido. Papá conocía bien el mar, yo no tenía miedo. Tenía completa confianza de que Papá nos traería de vuelta al hogar sanos y salvos. Mis ojos no estaban en la tormenta, estaban puestos en Papá.

En las tormentas de su vida, reenfoque su visión. El libro de Hebreos nos dice que debemos poner "los ojos en Jesús, el autor y consumador de la fe" (Heb. 12:2).

Dios nos dice en Isaías: "Mirad a mí, y sed salvos, todos los términos de la tierra, porque yo soy Dios, y no hay más" (Isa. 45:22). Alguien dijo una vez: "Cuando miramos a nuestro alrededor nuestras penas crecen; cuando miramos a Dios ellas desaparecen". Elena de White escribió: " 'Mirando a Jesús' debiera siempre ser nuestro lema" (*Testimonies*, t. 7, p. 94).

La vida está llena de problemas y desafíos. El mirar a Jesús convierte nuestros problemas en oportunidades para que él obre. Colocamos nuestra confianza no en nuestra habilidad sino en la suya. Cuando una tormenta en el estrecho de Long Island casi hundió la pequeña embarcación de mi familia, yo sabía que no podía llevarla a salvo de vuelta a mi casa, pero estaba seguro que Papá sí podía.

En el día de hoy coloque su confianza en el amante Padre celestial. Cualesquiera sean sus circunstancias, él lo va a llevar al hogar.

Recibiendo al dar

Más bienaventurado es dar que recibir. Hech. 20:35.

Cuando era niño algunas veces jugábamos a un muy sencillo juego de pelota. Una persona quedaba a un lado de la casa, y otra persona al otro lado. La primera persona intentaba tirar la pelota por encima de la casa. ¡La otra persona tenía que agarrarla! Al comienzo mi brazo era demasiado débil como para tirar la pelota lo suficientemente alto. La pelota iba hasta la parte alta del techo y luego rodaba abajo. La lanzaba y volvía, la lanzaba y volvía, la lanzaba y volvía.

La experiencia cristiana de algunas personas es así, arriba y abajo, arriba y abajo. Esas personas intentan orar, estudian la Biblia regularmente, pero parece que no hay vida en su experiencia cristiana.

¿Es posible asistir regularmente a la iglesia, participar de un banquete espiritual cada semana, y aun morirse de un ataque espiritual del corazón? Nuestras arterias espirituales se congestionan si no hay un enfoque claro en el servicio. Por esta razón, Jesús dijo: "Más bienaventurado es dar que recibir" (Hech. 20:35).

Al dar somos bendecidos. Al compartir con otros lo que Jesús ha hecho por nosotros, nuestra propia experiencia espiritual queda fortalecida. Cuánto más damos de nuestra fe, más esa fe crece. Crece cuando la compartimos.

Elena de White escribió: "Si trabajáis como Cristo quiere que sus discípulos trabajen y ganen almas para él, sentiréis la necesidad de una experiencia más profunda y de un conocimiento más amplio de las cosas divinas, y tendréis hambre y sed de justicia. Intercederéis con Dios y vuestra fe se robustecerá; vuestra alma beberá en abundancia de la fuente de salvación" (*El camino a Cristo*, p. 80).

"Los que han de ser vencedores deben olvidarse de sí mismos; y la única cosa que logrará esta gran obra es interesarse sinceramente en la salvación de los demás" (*Fundamentos de la educación cristiana*, p. 207).

Si usted desea tener una creciente experiencia cristiana, comparta su fe. Haga una lista de oración. Comience a orar por los miembros de su familia, sus vecinos o sus colegas del trabajo que no conocen a Cristo. Comparta literatura llena de la verdad con las personas que Dios pone en su camino. El Señor puede guiarlo a abrir su hogar para tener un pequeño grupo de estudio de la Biblia. Puede ser que le abra el camino para que usted le dé estudios bíblicos a un amigo íntimo. El Señor puede aun guiarlo a dirigir su propia serie de reuniones de evangelismo.

Por dondequiera Dios le guíe, responda a su dirección. Usted se sorprenderá completamente al ver como crece espiritualmente al compartir su fe. Cuando testificamos ante otros, el alma que salvamos podría muy bien ser la nuestra, porque siempre "más bienaventurado es dar que recibir".

Haciendo desaparecer nuestros temores

En el amor no hay temor, sino que el perfecto amor echa fuera el temor; porque el temor lleva en sí castigo. De donde el que teme, no ha sido perfeccionado en el amor. 1 Juan 4:18.

Quiero contarle sobre un hombre que descubrió que el amor de Dios hace desaparecer nuestros peores temores.

Al Kasha le dijo a sus amigos que tenía que estar solo para poder ser creativo. Lo que ellos no sabían era que él tenía que estar solo para poder sobrevivir. Las muchedumbres lo aterrorizaban. Si estaba en un restaurante o en un supermercado comenzaba a hiperventilar, su corazón latía fuertemente y sus manos comenzaban a transpirar. Los ataques de pánico le hacían volverse rápidamente a su casa.

Al se había tornado en un agorafóbico, temeroso de salir, un prisionero de su propia casa.

Todo comenzó cuando empezó a tener éxito como escritor de canciones, con 13 álbumes de oro y dos trofeos de la Academia. Al escribió: "Había creado una vida basada en hacer, tener y alcanzar a tal punto que tuve un agotamiento nervioso".

Al comenzó a restringir su vida en forma sistemática. Una mañana cuando estaba en un momento particularmente bajo, se puso a mirar la televisión. Un pastor citaba el versículo de la Biblia que dice: "El perfecto amor echa fuera el temor" (1 Juan 4:18). Esas palabras tocaron directamente su corazón. Escuchó con mucha atención mientras el pastor hablaba de la aceptación de Dios.

Al Kasha comenzó a llorar y clamar al Señor. Al orar escuchó una voz que le decía: "Te amo, tú eres mi hijo".

Fortalecido por el amor de Dios, finalmente pudo responder positivamente a sus temores avasallantes. La vida comprimida de Al se expandió amparado por la seguridad de la presencia de Dios.

El temor a menudo causa la sensación de estar sin control. Tenemos miedo de lo desconocido, de lo que nos puede pasar. Pero cuando le abrimos nuestro corazón al amor de Dios, él gradualmente disuelve nuestros temores.

Hay seguridad en el amor de Dios. Nosotros no estamos en control, pero él sí lo está. Sentimos que él nos ama y desea tan sólo lo mejor para nosotros. Elena de White escribió: "Su amor supera todo otro amor, como el cielo excede en altura a la tierra. Vela por sus hijos con un amor inconmensurable y eterno" (*El ministerio de curación*, p. 382). Su amor "inconmensurable y eterno" nos da la confianza completa de que nuestras vidas están en sus manos.

Confíe hoy en su amor. Descanse ahora en su amor. Tenga la seguridad de que su amor ciertamente quitará todo temor.

El Dios de lo inesperado

Para los hombres esto es imposible; mas para Dios todo es posible. Mat. 19:26.

La historia de la resurrección es la historia del Dios de lo inesperado. La tumba vacía nos habla de un Dios de bendiciones inesperadas. Él es el Dios de las posibles imposibilidades, o para decirlo de otra manera, Dios hace posible lo imposible.

Imagínese esta escena: Cuando está amaneciendo en Jerusalén, y el sol pinta del horizonte de un rojo encarnado, las dos Marías rápidamente se apresuran a ir al lugar donde Jesús fuera enterrado para realizar una tarea muy común. No es la esperanza lo que lleva a las mujeres a través de las silenciosas calles empedradas ese domingo de mañana. Es el deber. La pura devoción. Van a la tumba a dar, sin esperar nada en retorno. La última vez que vieron el cuerpo de Jesús, estaba quebrantado, lastimado, golpeado y ensangrentado. No tenía pulso ni latido. Su cuerpo sin vida estaba frío e inerte. Las dos Marías simplemente estaban haciendo una tarea que se necesitaba hacer sin pensar en recibir nada en recompensa. A nosotros, también, se nos llama a dar, sin esperar agradecimiento. Somos amables de por sí. Servimos de por sí. Hay veces en que hacemos una tarea simplemente porque necesita ser hecha. Cuando lo hacemos, Dios lo nota. Él conoce nuestra consagración. Él ve nuestro servicio fiel.

Al acercarse las dos Marías a la tumba, Dios estaba por hacer algo increíble. Él es el Dios de las sorpresas inesperadas. La piedra había sido removida. La tumba estaba vacía. Cristo había resucitado. Mientras cumplían su deber, ellas fueron las primeras en ver la tumba vacía. Fueron las primeras en ver el milagro de la resurrección. Fueron las primeras en ser testigos del Cristo resucitado.

Cuando cumplimos con nuestro deber, Dios nos sorprende. Cuando desinteresadamente hacemos lo que necesita ser hecho, porque así debe ser, Dios nos sorprende. Él mueve las piedras que hay en nuestro camino. Él abre las puertas de la oportunidad. Él obra milagros inesperados. La mayor parte de los milagros ocurre cuando menos los esperamos. Le ocurre a las personas de corazón honesto y de fe, que se consagran para seguir al Cristo vivo sin importar el costo. Cuando ellos hacen esto, el Dios de lo inesperado obra milagrosamente para mover las piedras. Busque hoy en su vida las bendiciones inesperadas de Dios.

QUE TU VOLUNTAD SEA HECHA

Padre mío... no sea como yo quiero, sino como tú. Mat. 26:39.

Hay una verdad vital que hace que soportemos todo lo que tememos: Dios es nuestro amante Padre celestial. Esto puede ser difícil de entender para aquellos cuyos padres terrenales han sido duros, abusivos o no existieron en sus vidas. Pero si se comprende esto correctamente, constituye el centro de las Escrituras.

La mano de un padre amante nunca le causará a sus hijos un dolor innecesario o una lágrima innecesaria. Los problemas nos rodean y las angustias nos desgarran, pero el amor del Padre es constante.

Jesús aceptó la constancia del amor del Padre en su noche de prueba más dura. En medio del dolor del Getsemaní, él clamó: "Hágase tu voluntad" (Mat. 26:42). Jesús aceptó que su Padre siempre planeó lo mejor. El podía dejar de lado sus planes y aceptar los de su Padre, porque confiaba en el amor divino. Esto no significa que todo el dolor, el sufrimiento y la enfermedad de la vida sean buenos. Esto significa que "Dios siempre es bueno".

La vida puede no ser justa, pero Dios siempre lo es. Cuando, al igual que Jesús, no comprendemos, podemos confiar. A través de todo, podemos decir: "Sea hecha tu voluntad". Cómo lo decimos es lo que hace la diferencia. Hay cuatro maneras de decirlo.

En primer lugar, puedo decirlo en sumisión sin esperanza, estando tan sobrecogido que pareciera inútil luchar. Por ejemplo, en medio de una enfermedad mortal puedo decir "Sea hecha tu voluntad", y decirlo resignadamente y sin esperanza.

En segundo lugar, puedo decirlo como quien ha sido obligado a rendirse. Las presiones de la vida se han tornado en algo muy grande. Este es el grito de alguien que está derrotado porque el enemigo es demasiado poderoso, como un general derrotado que dice: "Aquí está mi espada; hágase tu voluntad".

En tercer lugar, puedo decirlo sintiéndome completamente frustrado, como alguien que ve que sus sueños se han roto y quebrantado. Las palabras pueden ser de rabia, de amargo rencor.

O lo podemos decir con la confianza de una completa entrega. Así es cómo Jesús lo dijo. Él le estaba hablando a alguien que era su Padre, alguien que sostenía su mano, alguien que lo circundaba con sus brazos eternos. Él se estaba sometiendo a un amor que no lo dejaría. Estaba absolutamente resignado a la voluntad del Padre porque a la larga sabía que era lo mejor para él.

Nosotros también podemos someternos a ese mismo amor hoy. No abandonó a Jesús, y tampoco nos abandonará a nosotros. Podemos decir: "Sea hecha tu voluntad", porque sabemos que su voluntad es siempre lo mejor.

La profundidad del amor de Dios

Amad a Jehová, todos vosotros sus santos. Sal. 31:23.

En uno de los pasajes más profundos del Nuevo Testamento, Pablo declara: "Al que no conoció pecado, [Dios] por nosotros lo hizo [a Cristo] pecado, para que nosotros fuésemos hechos justicia de Dios en él" (2 Cor. 5:21).

Dios hizo a Cristo pecado por nosotros. ¿Pecó Jesús alguna vez? ¿Concibió Jesús alguna vez un pensamiento malo o cometió un acto pecaminoso? ¡Por cierto que no!

Pero el que no conoció pecado se hizo pecado. ¿Qué significa esto? Significa que Jesús fue acusado y condenado por pecados que nosotros cometimos. ¿Cómo es esto posible? Solamente por amor.

No necesitamos una definición teológica de la cruz sino comprender su significado práctico. Nuestra gran necesidad es experimentar su poder transformador. Comprender lo que Jesús realmente sufrió nos ayudar a entender su mensaje más profundo. Como Pablo dijo: "Cristo nos redimió de la maldición de la ley, hecho por nosotros maldición (porque está escrito: Maldito todo el que es colgado de un madero)" (Gál. 3:13).

Cristo nos redimió de la maldición de la ley. ¿Cuál es la maldición de la ley? La muerte. ¿Es la primera o la segunda muerte? La primera muerte es la muerte que todos los seres humanos enfrentan como resultado del pecado corporativo de la humanidad. Cuando Adán y Eva pecaron, este mundo se precipitó a la muerte y se separó de Dios, la fuente de la vida.

Si la muerte de Cristo en la cruz fue sólo por causa de nuestra muerte física, no tenemos salvación. El pecado también necesita la segunda muerte, que es la separación para siempre de la presencia de Dios.

Por nosotros, Jesús estuvo dispuesto a quedar separado de la presencia de Dios. Por nosotros, él estuvo dispuesto a soportar toda la terrible culpa y condenación del pecado (Heb. 2:9). "El Salvador no podía ver a través de los portales de la tumba... Temía que el pecado fuese tan ofensivo para Dios que su separación resultase eterna" (*El Deseado de todas las gentes*, p.701). Es este amor increíble el que quebranta nuestros corazones, cambia nuestras vidas. Pensar que Jesús se hubiera sentido solo en el cielo sin nosotros es algo que nos sobrecoge. Pensar que él se arriesgaría a perderse antes que estar sin nosotros en el cielo es el mayor de los asombros de todo el universo. No hay nada como esto en ninguna otra religión del mundo excepto en el cristianismo. Ninguna otra religión tiene un Dios desinteresado y amante que da su propia vida para redimir a su pueblo.

Todo lo que podemos hacer es cantar con los ángeles: "El Cordero que fue inmolado es digno" (Apoc. 5:12). Todo lo que podemos hacer es postrarnos a sus pies y adorarlo.

Agosto 19

GOZO EN LA MAÑANA

Por la noche durará el lloro, y a la mañana vendrá la alegría. Sal. 30:5.

Era un viernes, un viernes oscuro, muy oscuro. Lo clavaron en la cruz el viernes y pusieron una corona de espinas sobre su cabeza, el viernes. Horadaron su costado con una lanza, el viernes. Judas lo traicionó. Pedro lo negó. Los discípulos lo abandonaron. Los judíos lo rechazaron y los romanos lo crucificaron.

El sol ocultó su rostro. La tierra se removió y los cielos rugieron. Era un viernes, un viernes oscuro, muy oscuro.

Todos tenemos nuestros viernes oscuros, días en los cuales parece que nada sale bien. Pero para Jesús y para nosotros, la mañana de la resurrección estaba por venir. Más allá del rechazo, de la traición y de la desesperación, la mañana de la resurrección estaba por venir. Más allá de la agonía, de la sangre y de las lágrimas, estaba por despertar un nuevo y glorioso amanecer.

El sol salió en la mañana de la resurrección. Los pájaros cantaron, mientras el Padre decía: "Hijo, tu Padre te llama".

Legiones de soldados romanos no pudieron contenerlo ahora. Ante el fulgor de los ángeles del cielo cayeron como hombres muertos. La piedra que sellaba la entrada rodó como un guijarro y el Hijo de Dios rompió las amarras de la tumba. Las cadenas de la muerte no pudieron contenerlo.

Hay esperanza en la desesperación. Hay gozo en la mañana. Aunque hay viernes oscuros, muy oscuros, la resurrección nos señala un día nuevo y glorioso. Nuestro Señor nos dice: "He aquí que yo hago cosa nueva" (Isa. 43:19).

Cualesquiera sean las experiencias por las que usted esté pasando ahora mismo, hay esperanza. El Cristo resucitado quiere hacer "cosa nueva" en su vida. Puede ser que esté atravesando por algo doloroso. Puede que esté experimentando un pesar muy profundo. Puede que esté enfrentando el diagnóstico de un tumor maligno. Puede que esté teniendo dificultades financieras o maritales. Puede que sus cargas sean tan pesadas que no las puede sobrellevar. Puede ser que esté a punto de darse por vencido. El Cristo resucitado sabe de esto. Él comprende. Él está vivo y desde el santuario celestial le envía hoy un mensaje de ánimo.

Cristo habla con sus palabras más tiernas: "Yo te entiendo. Yo te fortalezco. Ten ánimo. Viene un día mejor".

"Por la noche durará el lloro, y a la mañana vendrá la alegría" (Sal. 30:5).

El retorno de Jesús

Viéndolo ellos, fue alzado, y le recibió una nube que le ocultó de sus ojos. Hech. 1:9.

Un ser humano se tira de una montaña y se viene abajo. El Hijo de Dios salta de una montaña y se eleva. El Creador no está atado a las leyes de su creación. Él va de vuelta a su hogar. Pronto está fuera de la tierra y cerca del cielo. A medida que asciende, le salen al encuentro decenas de miles de ángeles. La Biblia registra el himno que el coro celestial cantó cuando saludaron a su Señor que retornaba. David ilustra la escena en el Salmo 24.

Los ángeles se dividen en dos grupos. Uno grupo canta la melodía, haciendo una pregunta, y el otro grupo canta una respuesta armoniosa. Las voces combinadas de los incontables ángeles resuenan a través de todo el universo. "Alzad, oh puertas, vuestras cabezas, y alzaos vosotras, puertas eternas, y entrará el Rey de gloria" (vers. 7).

Escucha a un grupo de ángeles preguntando en su canción: "¿Quién es este Rey de gloria?" Y otro grupo le responde: "Jehová el fuerte y valiente, Jehová el poderoso en batalla" (vers. 8). Ellos no preguntan: "¿Quién es este Rey de gloria?" porque no sepan quién es. Ellos quieren cantar alabanzas a su nombre. El canto gozoso suena y resuena a través del cielo.

Las puertas del cielo están abiertas. Rodeados por el arrobador canto de decenas de miles de ángeles que le adoran, Jesucristo entra en el esplendor glorioso del cielo. Su Padre está delante de él con los brazos extendidos. En ese magnífico momento el Padre y el Hijo se reúnen. Al acercarse uno al otro, en el éxtasis de la eternidad, un silencio sobrecoge el cielo. Los serafines y los querubines guardan silencio.

Los ángeles se preparan para elevar sus voces nuevamente en un exquisito canto de alabanza. Pero Jesús extiende su mano y los detiene, aguarda en silencio por un momento ante su Padre.

Jesús se para y levanta sus manos horadadas por los clavos y dice: "Padre, quiero que aquellos que me has dado estén conmigo donde yo esté. No puedo aceptar tu tierno abrazo o la adoración de los ángeles hasta que sepa que por causa de la cruz del Calvario, que por mi sacrificio, mis seguidores en la tierra estarán conmigo algún día". El Padre le contesta: 'Hijo, el sacrificio ha sido aceptado' " (*El Deseado de todas las gentes*, pp. 772-775).

Los ángeles cantan de nuevo: "El Cordero que fue inmolado es digno" (Apoc. 5:12). Si Jesús no aceptó el abrazo de su Padre hasta que supo que yo estaría allí, si él me ama tanto, ¡entonces quiero estar allí! No quiero perderme la gloriosa reunión que Jesús está anhelando.

¿Es éste el deseo consumidor de su corazón también?

¿CUÁNTO VALEMOS?

Porque a mis ojos fuiste de gran estima, fuiste honorable, y yo te amé. Isa. 43:4.

Jesús revela cuánto valora Dios al ser humano en la historia del buen pastor. Una vez que comprendemos cómo Dios valora al ser humano, se quiebra la ilusión de la baja estima propia como un globo en el puesto del tiro al blanco en una feria.

"Entonces él les refirió esta parábola, diciendo: '¿Qué hombre de vosotros, teniendo cien ovejas, si pierde una de ellas, no deja las noventa y nueve en el desierto, y va tras la que se perdió, hasta encontrarla? Y cuando la encuentra, la pone sobre sus hombros gozoso; y al llegar a casa, reúne a sus amigos y vecinos, diciéndoles: Gozaos conmigo, porque he encontrado la oveja que se había perdido'" (Luc. 15:3-6).

Los pastores del Medio Oriente cuidan en extremo a sus ovejas. Están dispuestos a dejar la comodidad y la conveniencia del hogar para atravesar las arenas del desierto y apresurarse por barrancas estrechas y rocosas, con sus pies llagados, las rodillas lastimadas y las manos ensangrentadas para poder encontrar la oveja perdida. Escalan rocas, se deslizan por precipicios profundos y atraviesan espinos y zarzas con una sola idea en su mente, encontrar a la oveja que se ha perdido.

George Adam Smith nos da la siguiente ilustración del pastor del Medio Oriente:

"Al verlo en algún elevado páramo donde aúllan las hienas, desvelado, mirando a lo lejos, golpeado por los elementos, apoyado sobre su cayado, cuidando de sus ovejas esparcidas, cada una de ellas en su corazón, podemos entender por qué el pastor de Judea tenía un lugar de importancia en la historia de su pueblo" (William Barclay, *Luke*, p. 207).

Esta parábola nos indica tres cosas acerca de Jesús. En primer lugar, el pastor se preocupa por cada oveja en particular. En segundo lugar, se preocupa cuando falta una oveja. Y finalmente, está dispuesto a cualquier sacrificio personal con tal de rescatar a su oveja.

¡Qué ilustración de Dios! No es de extrañar que Dios se revele a sí mismo como un pastor del Medio Oriente. Al mirar Dios a la raza humana, él no ve a las masas de seres humanos que se despedazan unos a otros por un trozo de espacio donde vivir. Él ve individuos, cada uno de ellos precioso a su vista. Somos algo más que piel que cubre los huesos, somos la creación especial de Dios.

El profeta Isaías nos anima con estas palabras de Dios: "Yo Jehová, Dios tuyo, el Santo de Israel, soy tu Salvador... Porque a mis ojos fuiste de gran estima, fuiste honorable, y yo te amé" (Isa. 43: 3, 4).

¡De gran estima, honorables y amados! Así piensa Dios de nosotros. Así es como Dios nos describe. Le importamos. Él cuida de nosotros. *Esto* es algo por lo cual podemos regocijarnos en este día.

Eres valioso

El cual me amó y se entregó a sí mismo por mí. Gál. 2:20.

Imagínese a Jesús en este momento en su mente, con sus brazos extendidos. Imagínese los clavos crueles, herrumbrados y afilados que horadaron su delicada piel. Imagínese los nervios y tendones estirados fuertemente sobre la cruz. Imagínese el dolor insoportable que recorre sus brazos y la parte de atrás de sus piernas mientras lo suspenden entre el cielo y la tierra. Imagínese la corona de espinas que clavaron sobre su cabeza y la sangre espesa que mana de su frente y corre por su barba. Mire esos ojos que revelan su agonía. Escuche su lamento de dolor. Escuche sus declaraciones de angustia. Sienta el dolor que recorre todo su cuerpo.

Sin embargo, este sufrimiento físico, doloroso como lo fue, constituye una fracción de su sufrimiento real. La culpa del mundo, que él lleva, lo separa de su Padre amante. Se lo juzga como un pecador abandonado, condenado y acusado. En la cruz, él está solo. Siente que su alma se está desgarrando. Separado de su Padre, yace en agonía. ¿Por qué sufre así?

Jesús experimenta el dolor que sentirán los pecadores al final del tiempo cuando estén totalmente separados de Dios. Él siente lo que sería estar perdido. En esas agonizantes horas en la cruz, él concentra en sí mismo toda la vergüenza y toda la degradación del pecado.

En este instante oscuro Jesús no se ve a sí mismo atravesando los portales de la tumba. Él ve solamente la oscuridad de la tumba y el horror de la muerte. Pero está dispuesto a pasar todo esto por ti y por mí. El Calvario nos dice a gritos: "Tú eres valioso. Tú eres mío por creación. Te he creado. Te he diseñado. Tú eres mío por redención. Tú eres más que piel que cubre los huesos".

El Calvario revela la inmensidad del amor de Dios. Me gusta la forma en que lo dice el poeta:

"¡Almas de los hombres! ¿por qué se esparcen
como una manada de ovejas asustadas?
Corazones insensatos, ¿por qué se alejan
de un amor tan verdadero y profundo?
¿Hubo alguna vez un pastor tan tierno y suave,
o casi tan dulce, como el Salvador que quiere que
vengamos y nos reunamos a sus pies?...
Porque el amor de Dios es más ancho
que la medida de la mente del hombre.
Y el corazón del eterno
es maravillosamente tierno".
Frederick William Taber, 1862

Su cálido y amante corazón quebranta mi frío corazón de piedra, y me arrodillo delante de él en alabanza.

ÉL CONOCE MI NOMBRE

El cuenta el número de las estrellas; a todas ellas llama por sus nombres. Sal. 147:4.

Si Dios conoce el nombre de cada una de los miles de millones de estrellas, él ciertamente no se ha olvidado del nuestro. ¿Alguna vez se ha sentido solo? ¿Alguna vez ha sentido que no hay nadie en el mundo que comprenda lo que está pasando en ese momento?

Agar era una sierva en la casa de Abrahán. Dios le había prometido a Abrahán una numerosa descendencia, pero su esposa Sara era estéril y entrada en años. Sara decidió que ella le ayudaría a Dios a salir de este aprieto, de manera que le ofreció a su esposo que tomara a Agar, y la muchacha quedó embarazada.

Pero la esposa estéril se fue tornando más y más celosa de su sierva que estaba embarazada. Finalmente, Sara la maltrató tanto que Agar no tuvo más remedio que huir.

Agar se encontró en el desierto entre Cades y Bered. Estaba totalmente sola y no tenía a dónde ir, y estaba encinta. En ese desierto arenoso ella no era nadie. Era una sierva sin tener a quien servir, una futura madre sin familia, una egipcia en el indómito Canaán.

Finalmente, el agotamiento fue más fuerte que el deseo de proseguir. Agar se detuvo a descansar junto a un manantial. En ese momento de total desesperación y aislamiento, alguien la llamó por nombre: "Agar, sierva de Sara".

¿Quién la conocía en ese yermo? ¿A quién le importaba? A un ángel del Señor. Él le preguntó a dónde iba. Ella contestó: "Huyo...".

Entonces Dios, a través de su ángel, le dio a Agar la misma clase de promesa que le había dado a su amo. Le dijo: "Multiplicaré tanto tu descendencia, que no podrá ser contada a causa de la multitud". Su bebé sería un niño, a quien le pondría por nombre Ismael, que significaba "Dios oye".

Así fue como Agar encontró las fuerzas para sobrevivir. Volvió con Abrahán y Sara, tuvo su hijo, y se convirtió en la madre de las naciones árabes. Ahora bien, Agar sabía que Dios no estaba simplemente arriba en las estrellas por encima de Abrahán; ella sabía que él estuvo en el desierto con ella a su lado. Y ella ahora lo llamó "El Dios que ve". Ella sabía que él se le había acercado y la había llamado por su nombre.

Esto es lo que hace del Dios de la Biblia alguien tan especial, especialmente para los que sufren de soledad. Él nos llama por nombre. Él no manda cartas generadas por la computadora. Él no grita desde la cima de las montañas. Él nos llama por nombre, aun en el desierto de la soledad.

Dios conoce nuestro nombre. Él comprende todo acerca de nosotros. Y estas son noticias asombrosamente buenas. El que mejor nos conoce es el que más nos ama.

¿Cuán a menudo he de perdonar?

Señor, ¿cuántas veces perdonaré a mi hermano que peque contra mí? ¿Hasta siete? Mat. 8:21.

Creo que estaremos endeudados con Pedro por la eternidad. Pedro habla por todos nosotros. Hay algo en su condición humana que realmente me gusta. Me puedo identificar con su experiencia. Usted probablemente lo puede hacer también. Pedro no es un santo separado de todo, que está sentado en un monasterio orando todo el día. En el fragor de la vida, él dice lo que siente. Con franqueza deja saber su posición. A veces es impulsivo y franco. Pero siempre es honesto.

Un día Pedro vino a Jesús y le hizo una pregunta importante. "Señor —le dijo— ¿cuántas veces perdonaré a mi hermano que peque contra mí?" Antes de esperar que Jesús respondiese, Pedro prosiguió, y contestó su propia pregunta: "¿Hasta siete?" (Mat. 18:21). Para Pedro, el número siete era una cifra extravagante. Pensó que Jesús lo felicitaría por su disposición a perdonar.

Los rabinos tenían un dicho: "Si una persona peca contra ti una vez, perdónala. Si peca contra ti dos veces, perdónala. Si peca contra ti tres veces, perdónala. Si peca contra ti cuatro veces, hazle pagar por su pecado". Ellos pensaban que tres veces era suficiente perdón. Después de eso, se agotaba la misericordia. La justicia demandaba retribución.

Hanna, un rabino del primer siglo, escribió: "Aquel que perdona a su prójimo no lo debe hacer más allá de la tercera vez". La ley rabínica requería la justicia luego de la tercera ofensa.

Pedro pensó que perdonar a un hombre siete veces era semejante a la perfección divina. Él tomó el concepto de perdón más allá de la limitación de los fariseos. Siete es más que el doble del número de veces que los rabinos estaban dispuestos a perdonar. Siete es el número perfecto.

Imagínese la sorpresa de Pedro cuando Jesús dijo: "No te digo hasta siete, sino aun hasta setenta veces siete" (vers. 22). ¿Cómo podía alguien perdonar a otro que le había hecho un mal hasta 490 veces? Nuestro amante Padre celestial lo hizo. Él trató misericordiosamente a los judíos durante siglos, extendiéndoles su misericordia vez tras vez. Él les envió profeta tras profeta, mensajero tras mensajero. Luego envió a su propio Hijo, y ellos lo crucificaron. Pacientemente, les ofreció el perdón y, sin embargo, Israel se rebeló continuamente.

Jesús quería que Pedro comprendiera esta verdad vital, y él espera que nosotros la entendamos también: el perdón no se mide por el número de veces que alguien te ofende. El perdón está enraizado en la misma naturaleza de Dios. Es una actitud de misericordia. No guarda rencor. No alberga resentimiento. Se perdona porque el perdón es la acción correcta. Es hacer lo que Dios hace.

¿Hay alguien que le ha hecho un mal, y lo ha lastimado muy profundamente? En el nombre de Jesús haga lo que es digno de un cristiano. Perdónelo hoy.

El rostro golpeado

Entonces le escupieron en el rostro, y le dieron de puñetazos, y otros le abofeteaban. Mat. 26:67.

Pareciera incomprensible que los impíos seres humanos trataran al Hijo de Dios con tal falta de respeto. Piense en ello: escupieron el rostro del Hijo de Dios, el que es adorado por decenas y decenas de miles de ángeles, golpearon el rostro de aquel que existió con el Padre desde la eternidad y se unió con él al colocar los mundos en el espacio.

La Biblia dice: "Le escupieron en el rostro, y le dieron puñetazos, y otros le abofeteaban" (Mat. 26:67).

¿Quién es éste a quien golpean? ¿Quién es éste que sufre de tal manera? ¿Quién es éste que soporta tanta agonía? ¿Quién es éste con los ojos amoratados y el rostro ensangrentado? Es Jesús, el divino Hijo de Dios. Míseros seres humanos, creados por el Dios vivo, se acercaron al Creador y le golpearon en el rostro. Maldiciendo y jurando, se burlaron de él.

En cierto sentido yo estuve allí, y también usted. Toda la humanidad estuvo allí esa noche en las sombras del patio de Anás y en el tribunal de Pilato. Nosotros le abofeteamos el rostro, porque cada vez que nos apartamos del bien y cada vez que cometemos un acto de crueldad herimos su corazón.

Cuando sé lo que es correcto y por voluntad propia me aparto de él, eso le causa dolor. Cuando sé lo que es correcto y soy deshonesto, cuando sé lo que es correcto y miento deliberadamente, cuando sé lo que es correcto y pierdo el control y me enojo, cuando sé lo que es correcto y los pensamientos de lujuria dominan mi mente, yo también me rebelo contra él. Le ocasiono dolor. El que me ama tanto, el que ha padecido el sufrimiento de la cruz para que yo no tuviera que sufrir por la eternidad, aún sufre cuando me rebelo contra él.

Así es que en las sombras vengo ante esa cruz y digo: "Oh, Señor, dejo aquí mis armas de guerra. Rindo todo lo que tengo y todo lo que soy a ti. Quiero traer gozo a tu corazón hoy. Aquí, al pie de la cruz, me entrego a ti".

Un corazón endurecido que se quebranta

El centurión, y los que estaban con él... temieron en gran manera, y dijeron: Verdaderamente éste era Hijo de Dios. Mat. 27:54.

Era una época violenta, en una tierra violenta, entre gente violenta, y él era un hombre violento. El centurión romano era un guerrero de corazón frío, endurecido, áspero; un soldado que siempre estaba en guardia a la espera de una emboscada inesperada. Era ciertamente un personaje muy poco prometedor para el reino de Dios. Como supervisor de las ejecuciones, su corazón se había endurecido.

El viernes de mañana recibió la orden de llevar a cabo la ejecución. Su primer pensamiento: *Empecemos con este asunto, ¡y terminémoslo!*

"¡Retírense, ustedes, las mujeres que están llorando! —les gritó—. ¡Usted ahí! ¡Apártese!"

Las Escrituras dicen que era un centurión, el comandante de 100 soldados. Él se sorprendió de que Jesús no ofreciese resistencia. El sufrimiento de Cristo sólo revelaba su gloria real.

El centurión era un endurecido militar. Estaba acostumbrado a ganar. Hay un poco del centurión en todos nosotros. Hay veces en que luchamos para proteger nuestros pequeños reinos. Las opiniones conflictivas se tornan en campos de batalla. Pero había algo diferente en Jesús.

Algo acerca de Jesús atraía su atención. La mirada de Jesús, llena de dolor, cedió el lugar a una serena confianza. Cada vez que él movía su cabeza sobre la tosca cruz, la barra de madera empujaba las espinas más profundamente en su cabeza, pero no profería ninguna queja. Los clavos le producían heridas cada vez más grandes y profundas en sus manos y pies, pero ninguna maldición fluyó de sus labios.

El centurión escuchó al Salvador orar: "Padre, perdónalos" (Luc. 23:34). Al contemplar el drama que se desarrollaba ante él, sintió que algo en su interior le instaba a acercarse a este Hombre.

El centurión quizá recordó la corte de Pilato donde se realizó el juicio. Jesús fue poderoso en su debilidad. Su cruz fue su trono. Su corona de espinas fue la diadema de gloria.

Ahí, al pie de la cruz, el centurión exclamó: "Verdaderamente éste era Hijo de Dios".

Aun el centurión fue transformado por el poder de Dios. Jesús tomó a ese oficial romano, cruel, endurecido, insensible, y lo transformó en otro hombre.

Un hombre *endurecido* se transformó en un hombre *convertido.* Un hombre *duro de corazón* se transformó en un hombre tierno y sensitivo.

Jesús aún está en el negocio de transformar corazones endurecidos. Su amor aún conquista nuestro orgullo. ¿Por qué no permite usted que él lo transforme hoy?

La venta final de Satanás

¡Hombre de poca fe! ¿Por qué dudaste? Mat. 14:31.

Me gustaría invitarlos a asistir a un remate imaginario conmigo. He aquí la escena. Satanás ha anunciado a sus ángeles que se jubilará. Para obtener el dinero suficiente para su jubilación. Él decide rematar las fórmulas de varias conductas pecaminosas.

El remate procede durante toda la mañana y hasta la tarde. Satanás grita: "Tengo la fórmula para mentir. ¿Cuánto dan por ella? Aquí está la fórmula especial para la deshonestidad. ¿Cuánto me dan? ¿Castillos, palacios, estancias? Cuando venzamos y reinemos sobre el mundo, ¿qué me darán por la fórmula de la avaricia y el orgullo? ¿Cuánto? ¿Cuál es su oferta?"

Cada fórmula se guarda en un jarrón de oro rodeado por una neblina vaporosa. Muy pronto todos los jarrones se han vendido... excepto uno. Los ángeles malos gritan: "¡Debes vender ese también! Daremos nuestros palacios más ricos por ese jarrón."

—No —replica Satanás—. Esta fórmula es la que uso para los cristianos profesos. No falla. Cuando están bajo este hechizo, no tienen defensa contra el pecado.

—Por lo menos, dinos lo que es—, persisten los ángeles malos.

—Es la duda —responde Satanás—. Esta fórmula engaña a los cristianos para que duden del amor de Dios. Es mi arma más poderosa. Nunca venderé esta fórmula, porque si puedo conseguir que los cristianos vivan en un mundo de incertidumbre y de duda, eso los puede llevar a cometer cualquier otro pecado. Cuando no tienen seguridad, son vulnerables.

Satanás repetidamente usó esta fórmula con Jesús en el desierto. Él siempre comenzaba sus desafíos a Jesús diciendo: "Si eres Hijo de Dios..."

"¿Es cierto —le decía—, que tú eres el Hijo de Dios? Mírate, Jesús. Estás pálido, cansado, hambriento. Tu cuerpo macilento y tus ropas raídas e inmundas te condenan. Tú ciertamente no puedes ser el Hijo de Dios".

La duda fue la estrategia de Satanás entonces, y es la estrategia de Satanás ahora. "Satanás está pronto para quitarnos la bendita seguridad que Dios nos da. Desea privar al alma de toda vislumbre de esperanza y de todo rayo de luz; pero no debemos permitírselo" (*El camino a Cristo*, p. 53).

Diariamente llene su vida con pensamientos acerca del amor de Dios. Piense: *Dios me ama, y yo soy su hijo. Él no quiere que yo me pierda. Él nunca me abandonará. Dios me habla directamente a mí cuando dice en Jeremías 31:3: "Con amor eterno te he amado". Y voy a dar mi vida por ello.*

Agosto 28

Más de Jesús

Y alzando ellos los ojos, a nadie vieron sino a Jesús solo. Mat. 17:8.

Eliza Hewitt sabía lo que era experimentar una tragedia. Su carrera como maestra de escuela pública terminó cuando un alumno descontrolado la golpeó con una pesada pizarra. Eliza sufrió una severa lesión en su espina dorsal y nunca más pudo volver a enseñar.

Mientras se recuperaba de su lesión, Eliza repasó las promesas de Dios que se cumplieron en Jesucristo. Ella se sorprendió de cuán acertadamente señalaron las profecías del Antiguo Testamento al Mesías. En su aflicción descubrió una nueva relación con Jesús. Sobrecogida de emoción, ella escribió este conocido himno:

"Más de Jesús deseo saber,
Mas de su gracia conocer,
Mas de su salvación gozar,
Mas de su dulce amor gustar.
Más quiero amarle, más quiero honrarle, más..." (*Himnario adventista*, Nº 406).

No importa lo que sepamos de Jesús, siempre hay más para saber. Cualquiera que sea la experiencia que tengamos con Jesús, siempre hay más para experimentar. El apóstol Pablo regularmente usa la expresión, "mucho más". El parece estar maravillado cuando dice: "Pues mucho más, estando ya justificados en su sangre, por él seremos salvos de la ira" (Rom. 5:9). Y continúa diciendo: "Mucho más, estando reconciliados, seremos salvos por su vida" (Rom. 5:10).

En el versículo 15 él exclama: "Abundaron mucho más para los muchos la gracia y el don de Dios". Pablo usa la expresión "mucho más" por lo menos diez veces en sus escritos. Para él hay mucho más gracia, mucho más perdón, mucho más justicia, mucho más de Jesús.

El amor de Jesús es infinito. "Las inescrutables riquezas de Cristo" hablan de ello (Efe. 3:8). "La perla de gran precio" habla de ello (Mat. 13:46). "Un tesoro escondido en un campo" habla de ello (vers. 44). Estas declaraciones nos invitan a buscar en su Palabra, a descubrir eso que es "mucho más" que él aún tiene para ofrecernos. Sus gemas no yacen sobre la superficie. "Un abismo llama a otro" (Sal. 42:7).

Dios nos está llamando a cada uno de nosotros para tener una relación con Jesús que vaya más profundo que la superficie. Los abismos de Dios nos están llamando a "mucho más" de su gracia de lo que podemos imaginar.

Agosto 29

Mucho más gracia

Pero él da mayor gracia. Sant. 4:6.

Nuestra seguridad en Cristo no está basada en nuestra actuación o conducta. No obtenemos seguridad al hacer cosas buenas. Si basamos nuestra seguridad en nuestras obras, constantemente estaremos pensando si realmente hemos hecho lo suficiente. Nuestra seguridad proviene de lo que Cristo ha hecho por nosotros, la vida que él vivió; la muerte que él murió.

Y una vez que aceptamos nuestra seguridad en Cristo, él mismo nos ayuda a crecer en él también. Al rendirle nuestra voluntad, él comienza en nosotros la obra de desarrollar un carácter semejante a Cristo, ¡y lo que él comienza, el mismo lo termina! Él es "el autor y consumador de la fe" (Heb. 12:2).

Supongamos que yo estoy en el primer año de la escuela. Cada alumno en la escuela tiene diferentes habilidades para el aprendizaje y para resolver problemas, pero si fielmente hacemos las lecciones que la maestra nos asigna con el tiempo nos graduaremos. Asimismo, si yo fielmente acepto las lecciones que mi Padre celestial me asigna, creceré en conocimiento y en carácter. Él se encargará de que yo "me gradúe".

Un veterano pastor una vez dijo algo muy apropiado: "Eres 'una vez salvo, siempre salvo' si permaneces salvo".

Mi hijo es tanto mi hijo cuando comete errores como cuando no los comete. Por supuesto, él puede elegir separarse de la familia. Él tiene el derecho de cambiar su nombre. Él es libre de decidir irse del hogar en cualquier momento. Pero siempre seguirá siendo mi hijo. Él tiene la seguridad de que yo no lo voy a echar de la casa porque esté enojado por su fracaso.

Dios no echa a los cristianos cuando ellos fallan. Cuando fallamos, Dios nos lleva a un arrepentimiento más profundo. Pero el fracaso no hace que Dios nos ame menos. El fracaso no nos descalifica para la gracia de Dios, ¡es nuestro mismo fracaso el que nos *califica* para su gracia!

La gracia de Dios se *reserva* para los fracasos, para los pecadores, para aquellos de nosotros que somos débiles.

"Si en nuestra ignorancia damos pasos equivocados, el Salvador no nos abandona... Puede Satanás presentarse a ti, insinuándote despiadadamente: 'Tu caso es desesperado. No tienes redención'. Hay sin embargo esperanza en Cristo para ti... Cuando el pecado lucha por dominar en el corazón, cuando la culpa oprime el alma y carga la conciencia, cuando la incredulidad anubla el espíritu, acordaos de que la gracia de Cristo basta para vencer al pecado y desvanecer las tinieblas" (*El ministerio de curación*, pp. 192, 193).

Su gracia es mayor que nuestro pecado. En él siempre hay mucho más gracia que la que alguna vez hemos de necesitar. El suministro del cielo nunca se agota.

Mucho más amor

El amor nunca deja de ser. 1 Cor. 13:8.

En 1985 mi esposa y yo, junto con nuestros tres hijos, Debbie, Rebecca, y Mark hijo, nos mudamos de Chicago, Illinois, a St. Albans, Inglaterra. Allí yo trabajé como secretario ministerial para la División Transeuropea de la Iglesia Adventista del Séptimo Día.

Cuando nos mudamos a Inglaterra, mi esposa y yo nos dimos cuenta de que era difícil manejar del "lado izquierdo" de la carretera. Y las primeras veces que salimos a dar unas vueltas las maniobras de los ingleses casi nos hacían morir del susto.

Un día, sintiéndose con valor, mi esposa manejó sola hasta Watford, una pequeña ciudad no lejos de nuestra casa. Era justo antes de la Navidad y las calles estaban atestadas de compradores. Nuestro hijo, Mark, que tenía siete años en ese momento, se perdió. Mi esposa se llenó de pánico. Durante 15 minutos buscó y llamó con desesperación. Rápidamente ella organizó a grupos de transeúntes para efectuar una búsqueda.

¿Quién estaba colocando más esfuerzo en la búsqueda, mi esposa o mi hijo? ¿Se puso ella despreocupadamente a decir: "Mira, hijo, tú sacaste tu mano de la mía. Tú te fuiste de mi lado. Tú estás perdido y espero que sepas regresar. Si lo haces, bien, y si no lo haces, ese es tu problema"? ¡De ninguna manera! Ninguna otra cosa tenía importancia salvo encontrar a nuestro hijo.

Estoy convencido de que Dios quiere encontrarnos más de lo que nosotros queremos encontrarlo a él.

Romanos 8:30 gozosamente proclama las buenas nuevas: "Y a los que predestinó, a éstos también llamó" (Rom. 8:30). No solamente ha prediseñado Dios un plan para salvarlo a usted, sino que él activamente lo llama para que acepte ese plan. Dios es el buen samaritano que nos busca y nos encuentra lastimados y sangrientos en el camino de la vida. Él nos arrulla en sus brazos, susurra en nuestros oídos palabras de ánimo, y a un costo infinito para él, nos lleva a la posada de la seguridad (véase Luc. 10).

Sí, nuestro Dios es un Dios que busca. En Cristo, él ha tomado la iniciativa.

Hay una sola cosa que nuestro maravilloso Señor no tiene a menos que se lo demos, nuestro amor. Él desea nuestro afecto. Él lo está buscando a usted hoy. Él anhela para usted mucho más de lo que usted posiblemente sepa. Hubo una gozosa reunión ese día en las calles de Watford, Inglaterra, cuando finalmente mi esposa encontró a nuestro hijo, y habrá una reunión gozosa un día cuando caigamos en los brazos del que nos ha estado buscando por tanto tiempo.

Mucha más verdad

Escudo y adarga es su verdad. Sal. 91:4.

Los líderes de sectas tienden a distorsionar la verdad. Su interpretación de la verdad se convierte en la norma para sus seguidores.

David Koresh fabricó sus propias reglas. Declaraba que al igual que el rey David, el tenía el derecho de tomar a las esposas de sus seguidores. Las personas aceptaron las creencias de este extraño hombre como si fuera la verdad.

Jim Jones fabricó sus propias reglas. Declaraba que el suicidio en masa era la forma de prepararse para el Apocalipsis. Los seguidores de Jones bebieron refrescos envenenados y se convirtieron en víctimas de la falta de ley.

Los miembros de la secta Heaven's Gate (El Portal del Cielo) también se tornaron víctimas de manera similar. Ellos aceptaron las enseñanzas de su líder, de que serían rescatados por un cometa, como si fuera la verdad absoluta, y terminaron quitándose sus propias vidas.

Todas las sectas están basadas en la sabiduría humana, no en la verdad de Dios. El principio del anticristo exalta el razonamiento humano por encima de la revelación divina. Satanás obra para tergiversar la verdad, pero Dios obra para hacerla clara. Satanás trabaja para confundir a la gente, pero Dios trabaja para instruirla. Satanás se deleita en la oscuridad, pero Dios se deleita en la luz.

"Mas la senda de los justos es como la luz de la aurora, que va en aumento hasta que el día es perfecto" (Prov. 4:18). Cuánto más caminamos con Jesús, más clara se torna su verdad. Su palabra es "lámpara a mis pies... y lumbrera a mi camino" (Sal. 119:105).

El Espíritu Santo ansía revelar la luz y la verdad de Dios a nuestro corazón. Su luz hace desaparecer la oscuridad. Su verdad termina con el error. Su verdad es el antídoto para el engaño.

Elena de White escribió: "Sólo los que hayan fortalecido su espíritu con las verdades de la Biblia podrán resistir en el último gran conflicto" (*El conflicto de los siglos*, p. 651).

Las sectas al estilo de David Koresh, Jim Jones, o Puerta del cielo no se han terminado. Se levantarán más líderes y grupos como éstos. Las buenas nuevas es que la verdad de Dios es más fuerte que el error. Al llenar diariamente nuestras mentes con su Palabras, tenemos un poderoso escudo contra los dardos de fuego del engaño que lanza el diablo. La verdad es el muro de defensa de Dios que nos protege contra el enemigo. Las suaves piedras de la verdad de Dios matan a los Goliats del error. Llene su mente con la verdad y vea cómo caen los gigantes.

Mucho más glorioso

*En la hermosura de la gloria de tu magnificencia, y en tus hechos maravillosos meditaré.
Del poder de tus hechos estupendos hablarán los hombres,
y yo publicaré tu grandeza.* Sal. 145:5, 6.

Se cuenta la historia de Marco Polo, el explorador italiano que volvió de China a su hogar luego de pasar más de 20 años en el Oriente. Sus amigos, al escuchar sus asombrosos relatos, pensaban que se había vuelto loco.

Contaba haber viajado a una ciudad llena de oro y plata. Decía haber visto piedras negras que ardían (no habían escuchado del carbón). Contaba que había visto telas que no ardían cuando se las tiraba a las llamas (no habían escuchado del asbesto). Marco Polo les hablaba de inmensas serpientes, de diez pasos de largo, con mandíbulas tan inmensas que podían tragar a un hombre (no habían visto un cocodrilo). Contaba de nueces del tamaño de la cabeza de un hombre (nunca habían visto un coco).

La mayor parte de sus coterráneos se reían de tales historias. Años más tarde, mientras Marco Polo yacía en su lecho de muerte, un hombre devoto que lo acompañaba lo instó a retractarse de todos esos relatos que había contado. Marco se negó. "Cada pequeño detalle es la verdad —declaró—, y no he dicho ni la mitad".

Los escritores bíblicos podían decir lo mismo acerca de Jesús: no se ha dicho ni la mitad.

Él es el Alfa y el Omega, el principio y el fin. Él es el camino, la verdad y la vida. Él es el buen pastor, el león de la tribu de Judá, y el Cordero inmolado. Él es la roca de los siglos, la estrella de la mañana, la perla de gran precio, y la rosa de Sarón. Él es el pan de vida, el agua viva, y el sol de justicia.

Jesús da vista a los ojos ciegos, abre los oídos sordos, y sana los miembros inertes. El hace que el mudo cante y que el cojo camine. Él cambia vidas, y ha resucitado de entre los muertos. Él ascendió al cielo y va a retornar.

Toda la Biblia testifica de este glorioso Cristo (Juan 5:39). No importa cuánto se diga de él, siempre hay mucho más que podría decirse. Un millón de biografías no contarían una fracción de su historia. La sinfonía más magnífica no podría ni empezar a contar de su gloria. Los mejores músicos no podrían describir su magnificencia. El artista más talentoso no podría pintar su esplendor.

Durante toda la eternidad aprenderemos más de su gloriosa majestad. Porque no se ha dicho ni la mitad. Las buenas nuevas son que ahora mismo podemos seguir bebiendo de la fuente del cielo y seguir aprendiendo a conocerle más y más, mucho más.

Septiembre 2

Mucho más esperanza

Pero si esperamos lo que no vemos, con paciencia lo aguardamos. Rom. 8:25.

Fue uno de los más increíbles comunicadores del mundo. Versado en catorce idiomas, compartió su fe con turcos, hindúes, armenios y sirios. Testificó delante de jueces, emperadores, reyes, reinas, y presidentes norteamericanos.

José Wolff, originario de Bavaria, viajó a Londres, donde estudió la Biblia en detalle con varios amigos evangélicos. Se convenció de que la bendita esperanza del retorno de Cristo era la solución final de los problemas de la humanidad. Se convirtió en el primer gran heraldo de la segunda venida de Jesús en los tiempos modernos. Wolff, junto con otros predicadores del segundo advenimiento, produjo un increíble despertar espiritual en una cantidad significativa de personas.

José Wolff realmente creía que el retorno de nuestro Señor estaba cerca. La esperanza adventista cambió su vida. No predicó meramente por predicar, o enseñar, o hablar acerca de ello, sino que lo creía en lo profundo de su ser. Esta gran esperanza lo llevó a cruzar continentes en sus esfuerzos misioneros. Lo llevó a ir más allá de la religión fría y tradicional de sus días.

Él encontró algo mucho mejor, un genuino poder espiritual en la esperanza del retorno de nuestro Señor. Esta esperanza lo llevó a arrepentirse y a lamentar cualquier cosa que pudiera impedirle prepararse para encontrarse con su Señor. Se dedicó a estudiar más profundamente la Biblia y a orar temiendo no entender las verdades de Dios de los últimos días.

José Wolff viajó más extensamente que ningún otro europeo de sus días. Conversó con beduinos cerca de El Cairo; proclamó el Evangelio a los turcos en Alejandría; testificó a los jeques árabes luego de ser capturado por bandidos; y estudió las Escrituras con rabinos judíos en el Medio Oriente.

Fue vendido una vez como esclavo, y fue condenado tres veces a morir. Fue un devoto erudito que pudo penetrar al Islam con el Evangelio. Hablaba fluidamente el hebreo y proclamó a los judíos el mensaje del Mesías que estaba por venir.

¿Está la bendita esperanza impactando su vida? ¿Vive usted en forma diferente por causa de su creencia en la segunda venida de Jesús? Si usted supiera que Jesús vendría mañana, ¿haría algo en forma diferente?

A través de los corredores del tiempo nos habla el testimonio de una vida. Apasiónese por la venida del Señor. Deje que la esperanza y el gozo de su pronto retorno llene su corazón. El Rey está a las puertas.

La salud no es asunto de elección

Os ruego... que presentéis vuestros cuerpos en sacrificio vivo, santo, agradable a Dios, que es vuestro culto racional. Rom. 12:1.

En su libro *Proof Positive* (Prueba rotunda), el Dr. Neil Nedley cuenta una historia fascinante de cómo combatir la enfermedad y alcanzar la salud óptima. El Dr. Nedley estaba un día haciéndole un examen de resistencia a un paciente que él sospechaba que tenía una enfermedad de las coronarias. Haroldo, el paciente, lo miró y le dijo: "Doctor, realmente no importa cómo salga hoy en los exámenes. Cada uno de nosotros tiene una fecha para morir; ese tiempo es fijo y no hay nada que podamos hacer".

Haroldo creía que Dios determina si vivimos o morimos. Cuando Dios llama su nombre, ahí se terminó. No hay nada que usted pueda hacer. La idea de Haroldo no es tan extraña. Muchas personas creen que la salud es asunto de suerte. Es como echar los dados.

Hay una abundancia de evidencia científica que comprueba que esta teoría es totalmente falsa. No toma en cuenta la forma en que nuestro estilo de vida personal afecta la salud. Las investigaciones demuestran claramente la relación entre los hábitos de vida defectuosos y un aumento de las enfermedades.

Estoy convencido de que Dios quiere que mejoremos nuestra salud y que el diablo quiere destruirla. El apóstol Juan reveló el deseo de Dios para nosotros de esta manera: "Amado, yo deseo que tú seas prosperado en todas las cosas, y que tengas salud así como prospera tu alma" (3 Juan 2). Elena de White escribió: "Debiera preservarse la salud tan sagradamente como el carácter" (*Conducción del niño*, p. 321).

Jesús es el restaurador. Sus milagros del Nuevo Testamento claramente revelan su anhelo de que tengamos buena salud. Satanás es engañoso y destructor. Planea cuidadosamente la destrucción de nuestra salud. El maligno engaña a las personas para que maltraten sus cuerpos y piensen que eso no hace mucha diferencia en su vida espiritual. Ellos aceptan el placer temporal de algunas indulgencias físicas, drogas, alcohol, tabaco, comidas malsanas o inmoralidad sexual, y en el proceso destruyen sus cuerpos y sus almas. La relación entre la mente y el cuerpo es tan íntima que cualquier hábito físico que afecta el cuerpo también afecta la mente.

Dios desea que estemos sanos, pero no simplemente porque quiere que vivamos vidas más completas, más largas, más abundantes, libres de enfermedades. Él ciertamente desea ésto, pero la salud no es un fin en sí mismo. La salud no es una super meta que debemos alcanzar para poder decir que estamos sanos. Una de las razones de poder tener un cuerpo saludable es tener una mente clara para poder conocer mejor a Dios, para que nuestras mentes puedan comprender su voluntad y escuchar su voz. Otra razón es para que podamos servir más efectivamente. Dios anhela que vivamos vidas saludables y productivas, al conocerle y al ministrar con gozo a otros. Nuestra salud es una prioridad para Dios, y él desea que sea una prioridad para nosotros también.

Una conciencia que apremia

Y acercándose Elías a todo el pueblo, dijo: ¿Hasta cuándo claudicaréis vosotros entre dos pensamientos? Si Jehová es Dios, seguidle. 1 Rey. 18:21.

El Dr. Stanley Milgram realizó experimentos para descubrir hasta dónde puede llegar una persona al infligir dolor a otro individuo.

Los experimentos fueron realizados hace algunos años en la Universidad de Yale. Los anuncios pedían 500 voluntarios de sexo masculino, quienes fueron organizados por pares.

A cada par de hombres se le dijo que estaban participando en un estudio sobre los efectos del castigo en el aprendizaje. Uno iba a actuar como el profesor y el otro como el alumno. Los participantes tuvieron la oportunidad de echar suertes para determinar el papel que iban a jugar.

La elección al azar tenía una trampa. Ciertas personas que ya sabían del experimento jugarían el papel de alumnos. El profesor y el alumno estaban en cuartos separados, pero el profesor podía observar que el alumno estaba conectado con algo que parecía ser un electrodo. Al profesor se le instruyó para que administrase un *shock* eléctrico al alumno cada vez que éste cometía un error y a aumentar el voltaje con cada nueva equivocación.

En realidad, el actor no recibía ningún shock, pero pretendía tener un dolor cada vez mayor como parte del experimento. Cuando el voltaje se elevaba a 75 voltios, él actuaba como que estaba levemente lastimado. A los 120 voltios comenzaba a quejarse, y a los 150 voltios demandaba que el experimento terminase. Si el "profesor" continuaba administrando *shocks*, a los 285 voltios el actor emitía gritos de agonía.

Muchos "profesores" comenzaban a protestar cuando se daban cuenta de que estaban lastimando a otra persona. Pero se les ordenaba continuar. Y muchos continuaban dando los *shocks* hasta los niveles más altos.

Usted podrá pensar que nadie que esté bien de la cabeza podría ni siquiera administrar el primer *shock,* pero casi dos tercios de los participantes estaban dispuestos a hacerlo. Muchos llegaron hasta los 450 voltios, sin importarles cuánto clamaban las víctimas.

Al preguntárseles más tarde por qué habían continuado con los *shocks,* la contestación casi fue la misma: porque se les había ordenado. Muchos creían que lo que estaban haciendo era equivocado, pero no tenían el valor de negarse.

El seguir órdenes puede ser peligroso si no son las órdenes de Dios. Escuchar la voz de otro puede ser peligroso si no es la voz de Dios. Cuando rendimos nuestra convicción de lo que es correcto a otra persona estamos en peligro de perder nuestra propia alma.

Desenmascarando al engañador

Cuando habla mentira, de suyo habla; porque es mentiroso, y padre de mentira. Juan 8:44.

En la década de 1820, el Estado hindú de Kolhapur fue aterrorizado por una viciosa banda de ladrones. El rajá, que era el gobernante de Kolhapur, no podía detenerlos. Esta era una época de poderosos maharajaes quienes se vestían con sedas exquisitas y se rodeaban de oro y gemas. El rajá tenía muchos recursos a su disposición, así que aumentó el tamaño de su ejército personal. Seleccionó cuidadosamente a los guardias que lo rodearían a él y a sus objetos valiosos. Pero la banda de ladrones seguía robando sus tesoros y saqueando por todos lados.

La palabra del rajá era ley en la tierra, y algunas veces él gritaba lleno de rabia. "¡Debemos detener a estos diablos! Quiero que apresen a su líder, que lo maten, y que lo hagan ahora!" Pero nunca nadie apresó al famoso villano. La banda continuó robando y matando durante el resto de la vida del rajá. Y eso era porque el rajá de Kolhapur estaba jugando dos papeles opuestos. Durante el día él era el soberano protector, que representaba la ley y el orden. Por la noche, él era el líder de esta banda de ladrones sanguinarios. Saqueaba a su propio reino y se enriquecía a sí mismo.

Qué descripción apropiada para el padre de toda mentira. Satanás es un engañador. Miles de años atrás, en las cortes del cielo, él habló en tonos amables y tiernos, y engañó a los ángeles. Disfrazó su verdadero propósito, ocultando su egoísmo al pretender hacer el bien. Satanás usó la misma estrategia con Eva en el Edén. Una vez más escondió su verdadero propósito. Él ha usado las mismas tácticas generación tras generación, enmascarando el mal como si fuera el bien.

La verdad es como una lámpara que pone al descubierto sus malignas intenciones. David oró: "Tu misericordia y tu verdad me guarden siempre" (Sal. 40:11). El Espíritu Santo se llama "el Espíritu de verdad" (Juan 16:13). Cuando estudiamos la Palabra de Dios con un corazón sincero, el Espíritu Santo impresiona sus verdades en nuestras mentes.

La única forma en que podemos librarnos de los engaños mortales de Satanás es sensible a la dirección del Espíritu. Dios nos invita a someter nuestras mentes a su Palabra y nuestros corazones a su voluntad, y a rendirnos a la dirección del Espíritu Santo. Entonces, y sólo entonces, estaremos seguros.

Septiembre 6

La estrategia final de Satanás

¡Varón de Dios, hay muerte en esa olla! Y no lo pudieron comer. 2 Rey. 4:40.

El sol otoñal de las primeras horas de la mañana bañaba con sus tenues rayos al Lago Michigan, dibujando hermosamente la silueta de la ciudad que aún dormía, Chicago. El resplandor de esa suave luz del amanecer emitía un aura de paz. Nadie sospechaba que muy pronto un terrible drama real se desarrollaría aquí que consternaría a toda una nación.

Mary Kellerman, de doce años, se despertó inusualmente temprano, quejándose de dolor de garganta y resfrío. Sus padres le dieron una dosis de calmante extra fuerte y la animaron a que descansara. A las 7 de la mañana encontraron a Mary muerta en el piso del baño.

Antes de que terminara la semana, siete residentes de Chicago habían muerto luego de consumir calmante de marca Tylenol. Más tarde murieron otros.

Nadie había sospechado que la medicina no era segura. Nadie había soñado que alguna persona, en algún lugar, de alguna manera había tomado algunas cápsulas y las había rociado con cianuro, un veneno tan poderoso que puede matar en pocos minutos.

Esta tragedia del Tylenol nos hizo pensar en cuán vulnerables somos realmente. Nadie quería que un loco los engañase. Nos dimos cuenta como nunca antes que algunos engaños son terriblemente fatales. Pero, ¿cómo podíamos haber sabido ésto? ¿Cómo podíamos haber estado seguros?

Las compañías farmacéuticas inmediatamente enviaron al mercado frascos totalmente sellados y desesperadamente trataron de calmar a los consumidores.

Con las fuerzas malignas llegando a su clímax en los últimos días de la historia del mundo, ¿hay alguna manera de sellar nuestras vidas? ¿Dónde podemos encontrar protección hoy?

Un paso significativo es comprender la naturaleza del veneno, la naturaleza de la amenaza. Durante siglos un engaño mundial ha seducido a millones. Un ángel caído ha adulterado la verdad con la mentira venenosa de que la obediencia no es necesaria ni importante. El asunto es la autoridad de Dios. El motivo real de Satanás se encuentra en la expresión "Yo exaltaré mi trono".

Un trono implica dominio. Indica autoridad real. Lucifer quería usurpar la autoridad que pertenece solamente a Dios. Por eso promovió el descontento entre los ángeles. La sumisión a Dios le disgusta. Es por eso que ha envenenado con la rebelión a nuestro mundo de hoy. La única solución consiste en someterse completamente a la autoridad de Dios, en rendir la mente a su voluntad, en permitirle a Jesucristo reinar en el corazón. Los caminos de Dios son, sin duda, los mejores.

Cánticos nacidos de la experiencia (primera parte)

Jehová es mi fortaleza y mi cántico, y ha sido mi salvación. Este es mi Dios y lo alabaré. Éxo. 15:2.

Parecía que estaban destinados a ser destruidos. La derrota parecía inevitable. Las montañas se erguían inmensas a ambos lados. El mar Rojo estaba delante de ellos. El ejército egipcio seguía a los israelitas desde muy cerca. Los israelitas que huían estaban casi seguros de que éste era el fin de sus vidas.

Imagínese la sorpresa cuando el mar Rojo se abrió delante de ellos. Trate de captar su asombro cuando luego de pasar por el pasaje arenoso, las murallas de agua caen sobre sus enemigos, matándolos instantáneamente. A salvo en la otra orilla, Moisés y todos los hijos de Israel entonan un eufórico cántico de liberación.

Es un cántico de esa experiencia única de Israel. Habla de la derrota de Egipto. "Cantaré yo a Jehová, porque se ha magnificado grandemente... Jehová es mi fortaleza y mi cántico... Jehová es varón de guerra... Echó en el mar los carros de Faraón y su ejército" (Ex. 15: 1-4). Los israelitas reconocieron la grandeza de Dios. Experimentaron su poder en forma personal; fueron testigos de un milagro.

Ante los problemas de la vida, Dios es un poderoso libertador. En las cosas imposibles de la vida, Dios es nuestro triunfante conquistador. Cuando hay imposibles, Dios abre el camino. Cuando hay desafíos en la vida, Dios tiene una solución. En la noche oscura de la vida, la luz de Dios aún brilla. Él aún abre "el Mar Rojo" de nuestras vidas también. Él aún nos da un canto para cantar. Probablemente no fue siempre fácil para Fanny Crosby creer que Dios aún guía cada aspecto de nuestra existencia. Cuando tenía seis años perdió la vista, en gran parte por un error médico.

Aunque ciega, Dios le dio una nueva visión. Él colocó un canto en su corazón, y no sólo un canto, sino más de 8.000 cantos. Fanny Crosby, la autora ciega de muchos himnos, vio mucho más de lo que las personas a su alrededor veían. En los ojos de su mente vio la increíble misericordia de Dios, su perdón, su cuidado, su poder y su amor. Ella una vez escribió: "Siempre he creído que el buen Señor, en su infinita misericordia, por este medio [mi ceguera] me ha consagrado a la tarea que aún puedo realizar".

Sus himnos han bendecido a generaciones de cristianos. Un himno que resume la filosofía de la Srta. Crosby es "All the Way My Saviour Leads Me" (Paso a paso Dios me guía). El himno finaliza gloriosamente con las palabras: "Si algo sucediere, Cristo lo sabrá muy bien".

Junto con Fanny Crosby y los antiguos israelitas usted y yo podemos cantar: "Paso a paso Dios me guía".

Septiembre 8

CÁNTICOS NACIDOS DE LA EXPERIENCIA (SEGUNDA PARTE)

Desde el siglo y hasta el siglo, tú eres Dios. Sal. 90:2.

Inglaterra enfrentaba una crisis. Corría el año 1714. La reina Ana yacía en su lecho de muerte. Ella no tenía un heredero inmediato para sucederle en el trono. La nación estaba al pie de un conflicto político.

El famoso autor de himnos, Isaac Watts, se preguntaba qué acontecería en el futuro. La familia real anterior había puesto a su padre en prisión por su ideología.

Watts se volvió a los Salmos para obtener consuelo. El Salmo 90 era uno de sus favoritos. De todos los Salmos éste exalta la eternidad de Dios, mientras que también considera la fragilidad humana. El salmista canta: "Señor, tú nos has sido refugio de generación en generación. Antes que naciesen los montes y formases la tierra y el mundo, desde el siglo y hasta el siglo, tú eres Dios" (Sal. 90: 1, 2),

Dios es eterno. Dios es omnisapiente y todopoderoso. Él está por encima del tiempo porque es el autor del tiempo. Él está fuera de la historia porque es el árbitro final de la historia del universo. Aunque Dios permite que los gobernantes de la tierra tomen decisiones, él es el que moldea el destino de las naciones. Él es el que tiene el control final. Salomón hace eco de este pensamiento a través de las siguientes palabras: "Como los repartimientos de las aguas, así está el corazón del rey en la mano de Jehová; a todo lo que quiere lo inclina" (Prov. 21:1). El profeta Daniel agrega: "El Altísimo gobierna el reino de los hombres, y... a quien él quiere lo da" (Dan. 4:17).

Cuando los acontecimientos parezcan que están fuera de control, Dios aún está en control. Cuando las circunstancias inciertas pesen sobre nuestro corazón, Dios dice: "No se turbe vuestro corazón" (Juan 14:1). Él aún está en control. Isaac Watts captó este pensamiento adecuadamente en su amado himno: "Eterno Dios, mi Creador" Muchos cristianos creen que de todos los más de 600 himnos que escribió Isaac Watts, éste es el más sublime.

"Eterno Dios, mi Creador, mi amparo en aflicción,
tú has sido mi Consolador en toda ocasión.
Mis años a tu vista son cual brisas del ayer;
cual hierba es mi condición, que cae al atardecer".

Aquí hay una verdad eterna con la cual podemos contar, algo cierto, algo estable. Dios es nuestro refugio, nuestro hogar eterno. En él nuestra defensa está segura. Podemos tener la absoluta confianza de que Dios controla y dirige los acontecimientos; podemos dormir bien y dejar que él cuide del mundo.

CÁNTICOS NACIDOS DE LA EXPERIENCIA (TERCERA PARTE)

Porque él es como fuego purificador. Mal. 3:2.

En los días de Isaac Watts la iglesia de Inglaterra padecía de un frío formalismo. Estaba de moda concurrir a la iglesia. Los servicios dominicales estaban a menudo colmados. Pero el cristianismo formal preocupaba grandemente a Isaac Watts. El estado letárgico del cristianismo lo atormentaba. Él sabía que había una sola manera en que los complacientes cristianos podían ser sacudidos de su estupor espiritual. Necesitaban experimentar el fuego del Espíritu.

Mojando su pluma en la tinta de la urgencia, escribió:

"Desciende, Espíritu de amor, paloma celestial./Promesa fiel del Salvador, de gracia manantial./Aviva nuestra escasa fe, concédenos salud;/benigno, guía nuestro pie por sendas de virtud".

A veces se omite la cuarta estrofa de este poderoso cántico:

"A nuestro Padre celestial;/al Hijo, autor del bien,/y al Santo Espíritu eternal,/sea la gloria. Amén" (*Himnario adventista*, Nº 194).

¿Ha sentido alguna vez que su amor por Cristo se ha enfriado? Sólo el fuego del Espíritu puede reencender la llama. Juan el Bautista apeló a los religiosos formales de sus días a venir a Jesús, quien "os bautizará en Espíritu Santo y fuego" (Mat. 3:11). ¿Cuál es el bautismo de fuego? En la Biblia, el fuego simboliza la presencia de Dios. Moisés en el desierto, vio una zarza que ardía y no se consumía. El fuego simbolizaba la presencia de Dios. La gloria entre los querubines en el santuario simbolizaba la cercanía de Dios. El pilar de fuego que guió a Israel durante la noche y el fuego que cayó del cielo y prendió el altar que Elías erigió, representaban la presencia de Dios. Las lenguas de fuego que cayeron sobre los discípulos en el Pentecostés nuevamente representaban la presencia de Dios. El bautismo de fuego representa la inmersión en la presencia purificadora y viva de Dios.

¿Está usted pidiendo en oración el fuego purificador de Dios? Ruego que la oración de Isaac Watts, "Aviva nuestra escasa fe", sea la nuestra en el día de hoy.

Septiembre 10

Cánticos nacidos de la experiencia: Tal como soy (cuarta parte)

Si alguno tiene sed, venga a mí y beba. Juan 7:37.

El himno "Tal como soy" es probablemente el canto de apelación más conocido en Norteamérica hoy día. Se lo canta al finalizar decenas de miles de sermones evangelísticos.

George Beverly Shea lo popularizó al cantar estas palabras conocidas: "Tal como soy de pecador, sin otra fianza que tu amor, a tu llamado vengo a ti, Cordero de Dios, heme aquí" (*Himnario adventista*, Nº 262), para concluir los llamados del evangelista de Billy Graham.

La mayoría de los cristianos no están familiarizados con el compositor del himno y su historia. Es inspiradora.

Charlotte Elliott era una joven de talentos inusuales, una destacada retratista y escritora de ensayos humorísticos. Parecía que todo le iba bien. Después de cumplir los 30 años, sufrió una enfermedad debilitante que la dejó enferma y deprimida. Un predicador muy consagrado llamado Caesar Malan la visitó. El pastor Malan le preguntó a Charlotte si ella estaba en paz con Dios. La pregunta la inquietó. Se molestó y no quiso discutir más el asunto.

Al pensar en su falta de cortesía y respeto por este hombre de Dios, Charlotte sintió un poco de dolor. A los pocos días ella se le acercó para disculparse. El pastor simplemente la miró a los ojos y le dijo: "Ven así como estás". Charlotte rindió su vida a Cristo inmediatamente. Abrió su corazón a su aceptación amorosa.

Catorce años más tarde ella recordó las palabras que le hablara el que la llevó a Cristo y compuso el himno "Tal como soy", que ha llevado a millones de personas a Cristo.

No hay ninguna otra manera de venir a Jesús sino "tal como soy". No hay ningún otro lugar para comenzar que donde estamos. Y no hay mejor tiempo que ahora.

Elena de White lo expresa adecuadamente: "El Señor Jesús se complace en que vayamos a él como somos: pecaminosos, sin fuerza, necesitados. Podemos ir con nuestra debilidad, insensatez y maldad, y caer arrepentidos a sus pies. Es su gloria estrecharnos en los brazos de su amor, vendar nuestras heridas y limpiarnos de toda impureza" (*El camino a Cristo*, p.52). "Tal como soy, con mi maldad,/ miseria, pena y ceguedad,/ pues hay remedio pleno en ti,/ Cordero de Dios, heme aquí".

Quizá usted nunca ha venido antes a Jesús. Hoy es el día que puede hacerlo. O si ya se ha acercado antes a El, ¿por qué no vuelve otra vez de rodillas a su presencia?

CÁNTICOS NACIDOS DE LA EXPERIENCIA: SE TÚ MI VISIÓN (QUINTA PARTE)

Yo soy de mi amado, y conmigo tiene su contentamiento. Cant. 7:10.

El Cantar de los Cantares de Salomón es un canto de amor inspirado. Habla de la consagración del amor. El amor no es una emoción sentimental basada en la atracción física. No es un sentimiento superficial centrado en lo externo. El amor es una consagración duradera basada en el carácter del otro. El amor es una atracción divina entre dos individuos.

El amor se apasiona por el ser amado. El amor nunca puede ser casual, complaciente o pasivo. El amor siempre es activo, siempre agresivo, siempre persistente.

El amante en el Cantar de los Cantares de Salomón canta: "Hallé luego al que ama mi alma; lo así, y no lo dejé" (Cant. 3:4). "Mi amado es mío, y yo suya" (Cant. 2:16). El amor genuino y auténtico se consagra apasionadamente al ser amado. Esta pasión, esta entrega, esta dedicación caracteriza el cristianismo genuino. El cristianismo genuino no es algo artificial. Es una experiencia real con Jesús. Es posible tener una "formalidad externa sin pasión interna". Hoy Dios nos llama a tener una experiencia con él en lo profundo del corazón.

Entre el 500 d.C. y 700 d.C. la iglesia irlandesa era sinónimo de fervor espiritual. Los primeros cristianos celtas enfatizaban la presencia de Dios en sus vidas. Sus himnos, poemas y oraciones reflejan su profunda santidad y sus encuentros personales con Dios. Las oraciones de estos primeros cristianos celtas revelan la posibilidad de una relación de amor, una amistad real con Dios.

"Estoy arrodillado/a los ojos del Padre que me creó,/a los ojos del Hijo que me compró,/a los ojos del Espíritu que me limpió,/en amistad y amor".

Unido en amor hacia nosotros, Dios anhela nuestro afecto. Él anhela nuestra amistad, nos llama a tener un cristianismo auténtico. En las palabras del viejo himno celta: "Sé tú mi visión, oh, Señor de mi corazón; nada deseo para mí excepto que tú seas mi mejor pensamiento, de día o de noche, al despertar o al dormir, tu presencia es mi luz".

Salomón tenía razón. El amor no nos deja otro camino que apasionarnos por el que amamos. Lo deseamos a él y él nos desea a nosotros. Estamos contentos con él y él está contento con nosotros. Somos sus amigos para siempre hoy y a través de la eternidad.

Septiembre 12

Cánticos nacidos de la experiencia: "Oh, cuán dulce es fiar en Cristo" (sexta parte)

Cercano está Jehová a los quebrantados de corazón. Sal. 34:18.

La vida de Luisa cambió en un instante. En un momento estaba gozando del tibio calor del sol, escuchando el romper de las olas en una playa de Long Beach, y al momento siguiente quedó horrorizada. Ella y su esposo, junto con su hija de cuatro años, se sorprendieron al escuchar los gritos desesperados de un niño que se ahogaba. El esposo de Luisa trató de salvarlo, pero el niño lo sumergió bajo el agua. Ambos se ahogaron delante de Luisa y su niña de cuatro años que observaban en estado de *shock*.

Luisa Stead era una inmigrante en Norteamérica. Ella y su esposo habían llegado recientemente a Nueva York con su hija, en busca una vida mejor. Ahora se sentía como una mujer extraña en una tierra extraña, sin familia, amigos ni sostén. No tenía de quien depender excepto el Señor. Ella y su hija vivían en abyecta pobreza. Hubo veces en que tenían muy poco para comer. Una mañana ella llegó al final de sus recursos, sin dinero o comida. Luego de buscar sinceramente a Dios, Luisa abrió la puerta del frente. Para su sorpresa, descubrió que alguien había dejado comida y dinero en su puerta. Con profunda gratitud ella escribió este himno:

"¡Oh, cuán dulce es fiar en Cristo/y entregarle todo a él,/esperar en sus promesas,/y en sus sendas serle fiel!/¡Cristo! ¡Cristo!, ¡cuánto te amo!/Tu poder probaste en mí./¡Cristo! ¡Cristo!, puro y santo,/siempre quiero fiar en ti" (*Himnario adventista*, Nº 254).

Una vida llena de confianza es dulce. Nos hace descansar de toda ansiedad absorbente. Nos libra de la preocupación paralizante. Provee un escape de las tinieblas depresivas que quitan la luz de nuestros ojos y el gozo de nuestras almas. "Cuando por fe nos asimos de su fuerza, el cambiará, cambiará en forma maravillosa el porvenir sin esperanza y descorazonador. El hará esto para la gloria de su nombre" (*Testimonies*, t. 8, p. 12).

Al igual que Stead, nosotros también podemos vivir la dulce vida de confianza. En la adversidad también podemos cantar "Es muy dulce fiar en Cristo, y cumplir su voluntad, no dudando su palabra, siempre andando en la verdad. Siempre quiero fiar en Cristo, mi precioso Salvador, que en la vida y en la muerte me sostiene con su amor".

Cualesquiera sean las circunstancias de tu vida hoy, Dios ve. Dios conoce. Dios entiende. Dios te está sosteniendo.

"¡Oh, cuán dulce es fiar en Cristo!"

Cánticos nacidos de la experiencia: ¡De pie, de pie, cristianos! (séptima parte)

Velad, estad firmes en la fe; portaos varonilmente, y esforzaos. 1 Cor. 16:13.

El apóstol Pablo sabía lo que significaba estar firme en la fe. Fue perseguido, golpeado, encarcelado y apedreado. Padeció naufragio. Experimentó una dolencia física a la que llamó "la espina en la carne". Entre todas estas pruebas el apóstol escribió: "Respecto a lo cual tres veces he rogado al Señor, que lo quite de mí. Y me ha dicho: 'Bástate mi gracia'" (2 Cor. 12: 8, 9).

Pablo enfrentó la oposición con la gracia de Dios. Experimentó pruebas a través de la gracia de Dios. Aceptó las debilidades físicas con la gracia de Dios. El valiente apóstol estuvo "firme" por la gracia de Dios.

Pablo apeló a los cristianos del Nuevo Testamento a estar firmes. Era uno de sus temas favoritos. Escribió a la iglesia de Corinto: "Por la fe estáis firmes" (2 Cor. 1:24). Exhortó a los efesios: "Estad, pues, firmes" (Efe. 6:14). Apeló a la iglesia de Filipos: "Así que, hermanos míos amados y deseados, gozo y corona mía, estad así firmes en el Señor, amados" (Fil. 4:1).

En 1858 un reavivamiento ocurrió en Filadelfia. Cada mañana y cada tarde se realizaban servicios en las iglesias. El Espíritu de Dios se movió con gran poder. Un evangelista de 29 años, Dudly Tyng, estaba al centro de este reavivamiento. Predicó a más de 8.000 personas. Mil personas respondieron a su llamado de consagrarse a Jesús.

Cuatro días luego del sermón más poderoso de su vida, sufrió un accidente. Estando por morir, algunos de sus compañeros pastores se reunieron a su alrededor. El pastor Tyng estaba todavía pensando en aquellos que hicieron su decisión por Cristo cuando pronunció sus últimas palabras: "Dígales que estén firmes en Jesús".

Al domingo siguiente uno de esos ministros, George Duffield, predicó sobre Efesios 6:10-14: "Por lo demás, hermanos míos, fortaleceos en el Señor, y en el poder de su fuerza... Estad, pues, firmes, ceñidos vuestros lomos con la verdad..." Al concluir su sermón el pastor Duffield hizo una apelación emotiva basada en una poesía que había escrito titulada "¡De pie, de pie, cristianos!", el himno 379 del *Himnario adventista:*

"¡De pie, de pie, cristianos!/Soldados de la cruz./Seguid el estandarte/de vuestro Rey, Jesús,/pues victoriosamente/sus huestes mandará,/y al fiero enemigo/pujante vencerá".

¡Tenga ánimo! ¡Permanezca firme! ¡No se descorazone! Este es el momento de estar de pie por Jesús.

Cuando todo está en su contra (primera parte)

Mirad las aves del cielo, que no siembran, ni siegan, ni recogen en graneros; y vuestro Padre celestial las alimenta. ¿No valéis vosotros mucho más que ellas? Mat. 6:26.

Al crecer en un barrio marginal, la joven Ethel no parecía tener mucha oportunidad de encontrar una representación adecuada de Dios, en ningún lugar. Así es como Ethel describe sus años tempranos: "Yo nunca fui una niña. Nunca fui arrullada, amada o comprendida por mi familia. Nunca sentí que pertenecía. Yo fui hija ilegítima. Nadie me crió". Ethel corría salvajemente por las calles cuando era niña. Se convirtió en líder de una pandilla y comenzó a frecuentar los clubes nocturnos.

Ethel también se sintió atraída a un lugar sagrado: una iglesia local donde la congregación cantaba y el predicador predicaba con gran poder y elocuencia. Ella anhelaba más que nada estar cerca de Dios y sentir su presencia.

Así fue que Ethel comenzó a asistir a las reuniones de reavivamiento. Comenzó a orar noche tras noche luego de las reuniones. Ella oraba con sinceridad: "Señor, ¿qué estoy buscando aquí? ¿Qué quiero de ti? ¡Ayúdame! Si nada pasa, no puedo seguir viniendo aquí".

Esa noche, esta joven que se sentía vacía comenzó a sentir una paz que no había imaginado que existiera. Se dio cuenta de que eso era lo que había estado buscando toda su vida. Ethel recuerda esta experiencia y la describe así: "El amor llenó mi corazón, y supe que había encontrado a Dios, y que ahora y para siempre tendría un aliado, un amigo cerca de mí que me fortalecería y me animaría".

Ethel Waters se convirtió en una de las cantantes de himnos evangélicos más amada de Norteamérica. Durante muchos años compartió su fe en las cruzadas de Billy Graham. Siempre sintió que Dios estaba muy cerca, cuidándola. Esa realidad la expresó en su himno favorito: "Cómo podré estar triste".

Este canto expresa el cuidado de Dios en la siguiente estrofa: "Si él cuida de las aves, cuidará también de mí". Cuando todo esté en su contra, Dios aún cuida de usted. El profeta Zacarías usa una de las frases más dulces de la Biblia cuando dice: "El que os toca, toca a la niña de su ojo" (Zac. 2:8). Dios no permitirá que nada toque su vida que tarde o temprano no sea para bien y para gloria suya.

Si Dios puede tomar la familia extremadamente disfuncional de José y sacar algo bueno de allí, lo puede hacer por usted. Si alguien tuvo todo en su contra desde la niñez, fue José. Sus propios hermanos lo vendieron como esclavo. Fue echado en un pozo, luego acusado falsamente y enviado a prisión, pero terminó en un palacio como primer ministro de Egipto. Al final de su vida él pudo decir: "Vosotros pensasteis mal contra mí, mas Dios lo encaminó a bien" (Gén. 50:20).

Usted y yo, y José y Ethel Waters, tenemos algo en común. Cuando las cosas están en nuestra contra, Dios irrumpe con un milagro de su gracia.

Cuando todo está en su contra (segunda parte)

Como el padre se compadece de los hijos, se compadece Jehová de los que le temen. Sal. 103:13.

Una dama musulmana, miembro de la nobleza, llevó cierta vez a su nieto a un hospital cristiano en Rawalpindi, Pakistán, para un examen de oídos. Su nombre era Bilquis Sheikh. Su esposo la había abandonado algunos años atrás. Bilquis era muy respetada en su comunidad. Sin embargo, no dejaba de sentir el peso de la soledad.

Su médico era la Dra. Pía Santiago, una mujer de una entusiasta fe cristiana. La Dra. Santiago notó que Bilquis tenía en sus manos una Biblia. Curiosa, le preguntó: "Sra. Sheikh, ¿qué está haciendo con ese libro?"

Esta noble dama había estado estudiando la Biblia y el Corán por algún tiempo, buscando con sinceridad a Dios. Ciertamente parecía una búsqueda difícil. La Dra. Santiago compartió lo que el amor de Dios significaba para ella.

La doctora se le acercó, tomó la mano de Bilquis, y suavemente le dijo: "Hable con él como si fuera su Padre". Estas palabras impactaron a la dama musulmana como una corriente eléctrica. ¿Podía ser que Dios fuera realmente como un padre? *No puede ser cierto* —pensó—. *Dios, ¿un Padre amante?*

Pero, ¿y qué si Dios realmente fuera como un Padre amante? De regreso a su casa, Bilquis no podía quitar ese pensamiento de su mente. La mantuvo despierta horas después que se acostara. Comenzó a recordar con cariño cómo su propio padre dejaba todo a un lado para escuchar a su amada hija. Supongamos, sólo supongamos, que Dios fuese así.

Finalmente, pasada la medianoche, Bilquis se levantó y se arrodilló sobre la alfombra al lado de su cama, temblando con emoción e inseguridad. Mirando al cielo, ella dijo en voz alta: "Oh, Padre, mi Padrc, Padre Dios".

Bilquis no estaba preparada para la confianza con que se vio llena. De pronto no se sintió más sola. Dios estaba presente. Así es cómo ella describió la experiencia: "Él estaba tan cerca que me encontré apoyando mi cabeza sobre sus rodillas como una niñita que está sentada a los pies de su padre. Durante largo tiempo permanecí arrodillada allí, sollozando suavemente, flotando en su amor. Me di cuenta de que le estaba hablando..."

Nada en el pasado de esta dama la había preparado para un encuentro tal con el Padre celestial. Basada en lo que su propia cultura religiosa le había enseñado sobre Dios, ella no se podía imaginar que él satisfaciera las necesidades de una mujer abandonada. Pero eso es exactamente lo que Dios hizo. Él se convirtió en su padre, esposo y hermano.

Cuando todo está en su contra, Dios está allí como un Padre amante. Él está allí para hablar palabras de ánimo. Él está allí para henchir su espíritu de esperanza, para llenar ese vacío doloroso de la soledad. Él está allí para fortalecerle a fin de enfrentar el camino que tendrá que recorrer mañana. Él está allí para darle todo el amor que su corazón necesita.

Septiembre 16

Cuando todo está en su contra (tercera parte)

Con Cristo estoy juntamente crucificado, y ya no vivo yo, mas vive Cristo en mí. Gál. 2:20.

Dudley tenía demasiadas cosas en su contra. Su padre abandonó a su familia cuando él tenía seis años y su madre tuvo que conseguir trabajo en una fábrica de materiales para uso militar. Al poco tiempo ella se casó con un hombre que tenía arranques de ira. Dudley nunca olvidará las fuertes discusiones que escuchó una noche, el sonido de un golpe y los sollozos de su madre.

Finalmente Dudley se fue a vivir con su abuela. Pero ella no podía con él tampoco. En desesperación, lo matriculó en una academia militar. Antes del año ya lo habían expulsado.

Un fin de semana Dudley se fue a dar vueltas por la base aérea New Castle y pudo ver por vez primera y de cerca a un avión, un avión de combate Mustang. Dudley quedó hipnotizado. Un ex piloto de combate le brindó su amistad. El capitán James Shotwell parecía sentir cuán perdido y confundido estaba el muchacho.

Tuvieron largas charlas al lado del ala de un Mustang. Una vez, cuando el muchacho quería dejar la escuela, el capitán le dijo: "Dud, tú me haces recordar a un gorrión ciego. Sabe cómo volar, pero no puede, porque no puede ver... Tú tienes las herramientas adecuadas, Dud. ¡Úsalas! No importa lo que hagas en esta vida, necesitas desarrollar una cosa, ¡un sentido de dirección!"

Un día Dudley recibió una noticia terrible. James Shotwell había muerto. Había perdido uno de los motores mientras retornaba a la base aérea luego de un vuelo de práctica. Shotwell pudo haber salido del avión para salvarse personalmente, pero el avión estaba cayendo sobre un área muy poblada. Shotwell permaneció en el avión, y lo desvió lejos de las casas, hasta que fue demasiado tarde para que él se salvara.

Por primera vez Dudley se dio cuenta de lo que el capitán Shotwell significaba para él. Las palabras de Shotwell sobre el gorrión ciego le venían a la mente vez tras vez.

La actitud negativa de Dudley dio paso a una profunda fe en Dios. Su vida entera dio un giro porque alguien a quien él amaba había hecho el supremo sacrificio. Ese único acto de valor pareció cubrir el pasado disfuncional de Dudley. Le dio un nuevo punto de partida.

El sacrificio y la muerte de Cristo nos dan un nuevo punto de partida. En la cruz podemos comenzar de nuevo. Somos bendecidos "con toda bendición espiritual en los lugares celestiales en Cristo" (Efe. 1:3). Nosotros que estábamos "muertos en... [nuestros] delitos y pecados" ahora tenemos vida (Efe. 2:1).

Nuestra identidad está fundida en Cristo. Cuando él fue clavado en la cruz todo nuestro pasado disfuncional quedó allí clavado también. Pablo triunfalmente declara: "Con Cristo estoy juntamente crucificado" (Gál. 2:20).

Todas sus cicatrices, todos sus errores, toda la culpa, todo el fracaso, desaparecen en Cristo. Cuando todo esté en nuestra contra, podemos comenzar de nuevo al pie de la cruz.

Cuando todo está en su contra (cuarta parte)

Aquella luz verdadera, que alumbra a todo hombre, venía a este mundo. Juan 1:9.

Lizzie comenzó su vida más abajo de lo que uno pudiera imaginarse. Golpeada por el abuso y la negligencia que sufrió en su niñez, por fin se escapó para vivir en la calle.

En su niñez, casi cada tarde, cuando su padre venía del trabajo, forzaba a Lizzie a extender sus brazos. Luego le pegaba con su cinturón hasta que ella lloraba. Él simplemente suponía que ella había hecho algo malo durante el día.

A medida que Lizzie crecía aumentaba el abuso. Su caso era el clásico caso de una persona que no tiene posibilidades en la vida, y ninguna posibilidad de tener una vida emocionalmente saludable, porque había sufrido el abuso desde una edad temprana.

Sin embargo esta pequeña niña superó ese trance. Rápidamente nos adelantamos unos años, y encontramos a Lizzie transformada en Ángel Wallenda, actuando ante inmensas muchedumbres con su esposo Steven, como trapecista.

Steve Wallenda era miembro de la familia más famosa de trapecistas circenses. Cuando conoció a Lizzie quedó inmediatamente cautivado por su personalidad cálida y amistosa. Ella había pasado por tantas adversidades y sin embargo parecía tan optimista. Steven consideró que ella era un regalo que Dios le había dado.

La pequeña niña, que había sufrido el abuso de un padre cruel, ahora podía mantener su cabeza en alto y moverse en forma firme y equilibrada en el trapecio. Y podía hacer más.

Ángel también demostró extraordinaria estabilidad emocional. Cuando el cáncer amenazó su vida y su carrera, no se abatió. Luchó contra la enfermedad y fue una fuente de fortaleza para su esposo. Cuando le tuvieron que amputar parte de su pierna, no se entregó. Luchó por hacer lo imposible. ¡Ángel se convirtió en la única persona en la historia que trabaja como trapecista con un miembro artificial!

Steve Wallenda describió a Ángel de esta manera: "Ella da y da. Esa es su naturaleza. Es su belleza. Ella me hace recordar el pasaje de la Biblia, ella realmente tiene "la paz de Dios que sobrepasa todo entendimiento".

Cualquiera sea su pasado, cuando todo esté en su contra, acuda a Cristo quien es la luz verdadera que brilla sobre toda persona. La luz del amor de Cristo puede iluminar su vida hoy. La luz de la gracia de Cristo puede brillar en su rostro a pesar de las circunstancias por las cuales atraviesa. La luz de Cristo brilla más intensamente cuánto más densa es la oscuridad.

Cuando todo esté en su contra, permita que la luz de Cristo brille a través de usted.

Septiembre 18

Cuando todo está en su contra (quinta parte)

Y ellos le han vencido por medio de la sangre del Cordero y de la palabra del testimonio de ellos. Apoc. 12:11.

Dos hombres se confrontaron en una prisión rumana. Uno era un joven teniente de nombre Grecu, seguro de sí mismo, inteligente y fuerte. El otro era un pastor cristiano, consagrado, de nombre Ricardo Wurmbrand.

Ricardo era débil y pálido. Su rostro denotaba las marcas de un hombre que había soportado tortura y privación.

Grecu estaba sentado frente a un escritorio y tenía un garrote de goma en su mano, listo para interrogar a Wurmbrand una vez más. En esa mañana en particular le gritó: "Su historia es una mentira". Wurmbrand rehusaba darle los nombres de sus asociados y sus conexiones con el mundo occidental y ésto llenaba de furia a Grecu.

Grecu empujó su silla y gritó: "¡Es suficiente! Aquí hay papel. Sabemos que se ha estado comunicando en código con otros prisioneros. Ahora debemos saber exactamente lo que cada uno de ellos ha dicho". El teniente golpeó el escritorio con el garrote. "Usted tiene media hora". Y salió bruscamente del cuarto.

Ricardo Wurmbrand se enfrentó a un terrible dilema frente a ese papel en blanco. Tenía que escribir una confesión, y sin embargo, no quería revelar nada que pudiera amenazar a sus compañeros de prisión. Cualquier cosa que él dijera sería tergiversada y tomada como evidencia de que era un espía.

Finalmente este pastor decidió hacer una confesión de su fe en Jesucristo.

Escribió estas palabras: "Soy discípulo de Cristo quien nos ha dado amor por nuestros enemigos. Yo nunca he hablado en contra de los comunistas. Los comprendo y oro por su conversión para que puedan llegar a ser mis hermanos en la fe".

El testimonio de Ricardo Wurmbrand tuvo un efecto poderoso en Grecu, el ateo. El corazón de Grecu fue tocado. La confesión de Ricardo Wurmbrand acerca de su fe fue el inicio de una serie de discusiones sobre el cristianismo y el verdadero significado de la vida. Eventualmente, Grecu se rindió al llamado de Cristo.

Nuestro testimonio de la fidelidad de Cristo nos convierte en poderosos testigos: "Y ellos le han vencido por medio de la sangre del Cordero y de la palabra del testimonio de ellos" (Apoc. 12:11).

En toda situación Dios ha colocado un testimonio positivo en nuestras vidas para bendecir a otros. Cualesquiera sean sus circunstancias hoy, deje que el amor de Cristo hable a través de usted. Deje que su testimonio toque a otros. Cuando todo esté en su contra, permita que Cristo le dé un testimonio.

CUANDO TODO ESTÁ EN SU CONTRA (SEXTA PARTE)

Yo soy el camino, y la verdad, y la vida. Juan 14:6.

Lin Yutang era chino, cristiano de tercera generación. Su padre había sido pastor presbiteriano en un pequeño pueblo. Después que Lin terminó la universidad y comenzó a enseñar en Peking, empezó a absorber las ideas humanistas a su alrededor.

Lin llegó a ser un erudito y un autor famoso. Un día su esposa cristiana lo invitó a ir a la iglesia con ella. Estaban en ese momento en Nueva York. Lin no estaba muy interesado, pero su creencia de que las personas podían ayudarse por sí solas había comenzado a erosionarse. Se le había hecho claro a Lin que, a pesar del progreso tecnológico, los hombres y mujeres aún podían actuar como salvajes en el siglo XX.

Lin, sin mucho ánimo, acompañó a su esposa a la iglesia de la avenida Madison. El predicador fue bastante elocuente en su sermón sobre la vida eterna, pero el tema no le interesaba mucho a Lin.

Sin embargo algo que escuchó quedó en su mente: *¿Es posible que haya algo más en la vida que esta rutina secular?* La pregunta le dio vueltas y vueltas y finalmente se decidió a mirar la Biblia un poco más de cerca. Se dijo a sí mismo que estaba simplemente leyendo otra vez los evangelios, pero muy pronto se encontró cara a cara con Dios en la persona de Cristo. Como dijo más tarde, él descubrió "la simplicidad y belleza increíbles de las enseñanzas de Jesús. Nunca nadie habló como Jesús".

La idea que Lin tenía de Dios comenzó a cambiar. Se sorprendió de ver que Dios, tal cual lo reveló Jesús, era tan diferente de lo que las personas pensaban.

El Evangelio tenía sentido para Lin. Ahora era el materialismo lo que no se ajustaba a la realidad. No podía creer que el mundo, según dijo, fuera "un remolino de átomos ciegos que obedecen leyes mecánicas ciegas". No, los seres humanos tienen que tomar decisiones morales. Los seres humanos, frágiles y complacientes tienen que aceptar o rechazar el Evangelio.

Lin Yutang encontró que Cristo y su Evangelio eran completamente suficientes. Lo dijo en forma simple: "Al repasar mi vida pasada, sé que por 30 años viví en este mundo como un huérfano. Ya no soy más un huérfano".

Hay veces en que la duda asedia la mente de los cristianos sinceros, pero Jesús provee seguridad en nuestros tiempos de duda. Él nos recuerda: "Yo soy el camino, y la verdad, y la vida" (Juan 14:6). Jesús aclara nuestras dudas. Él no contesta necesariamente todas nuestras preguntas, pero se entrega a sí mismo. El cristianismo no es un argumento, es Jesús. Cuando las dudas amenacen con sobreponerse a su fe, abra los evangelios. Vuelva a conocer a Jesús. Enamórese de él otra vez.

Cuando todo esté en su contra, Jesús todavía está de su parte y eso es suficiente.

Septiembre 20

CUANDO TODO ESTÁ EN SU CONTRA (SÉPTIMA PARTE)

Mayor es el que está en vosotros, que el que está en el mundo. 1 Juan 4:4.

Lou tenía bastante éxito en su firma de inversiones. Luego de que su padre falleciera él se puso a trabajar desde muy joven y se abrió paso en el mundo. Lou era adicto al éxito. Le daba mucha satisfacción escoger las compañías adecuadas, saber cuáles acciones estaban desvalorizadas, y cuáles mercados podrían expandirse. Lou se obsesionó con el éxito. Nunca parecía tener suficiente de ello.

Lou comenzó a arriesgar mucho y a perder algunos fondos de las compañías. Estaba determinado a vivir lujosamente y nada se iba a interponer en su camino.

Finalmente, en el camino de Lou aparecieron grandes obstáculos. Comenzó a retirar dinero de los fondos de inversión de algunas compañías, algunos miles por aquí y otros miles por allá. Disfrazó esas transacciones para que no pudieran sospechar de él.

Pero Lou seguía perdiendo dinero. Un día alguien en la compañía descubrió sus transacciones. El jefe tuvo que confrontarlo. Lou debía pagar los varios miles de dólares o enfrentar un juicio.

En ese momento, Lou estaba consultando a un médico a causa de ciertos problemas físicos. El médico era un cristiano que creía que detrás de las quejas físicas de su paciente había un problema espiritual. Hablaron un poco. Y Lou decidió confesarle todo a este doctor.

El doctor cristiano le contó a Lou de otra fuerza en el mundo, la fuerza del amor de Dios. Le habló de un Dios que se dio a sí mismo en la cruz. Lou decidió reconstruir su vida con un nuevo fundamento. No quería simplemente reaccionar. Quería invertir en la gracia de Dios.

Le confesó a su jefe todo lo que había hecho. Más aun, le confesó todo a Dios. Como no podía devolver el dinero, lo arrestaron y llevaron a juicio. Lou le confesó todo al juez. Finalmente le suspendieron la sentencia por haber sido este su primer delito.

En los años siguientes Lou enfrentó tiempos difíciles, separado de su familia, y sin encontrar quien lo contratara. Su éxito se había esfumado, pero él había encontrado algo más que le hacía mucho más feliz.

Podemos encontrarnos en situaciones extremadamente vergonzosas. La vida puede derrumbarse a nuestro alrededor, pero Dios nos puede sacar de las circunstancias difíciles. Cuando todo esté en su contra, recuerde que el Dios que reconstruyó la vida de Lou puede hacer lo mismo con la suya también. Es aún cierto que "mayor es el que está en vosotros, que el que está en el mundo".

UN MONUMENTO RECORDATIVO EN EL TIEMPO

Vi volar por en medio del cielo a otro ángel, que tenía el evangelio eterno para predicarlo a los moradores de la tierra, a toda nación, tribu, lengua y pueblo, diciendo a gran voz: Temed a Dios y dadle gloria, porque la hora de su juicio ha llegado; y adorad a aquel que hizo el cielo y la tierra, el mar y las fuentes de las aguas. Apoc. 14:6, 7.

A mediados del siglo XIX, cuando la teoría de la evolución se reafirmaba en los círculos intelectuales e iba perforando la teología de su tiempo, nuestro Señor envió un mensaje de precisión histórica: "Adorad a aquel que hizo el cielo y la tierra, el mar y las fuentes de las aguas". Nuestro mundo necesita desesperadamente el mensaje reafirmador de la creación.

La base de toda adoración es el hecho de que Dios nos creó. Juan lo declara en estas palabras: "Señor, digno eres de recibir la gloria y la honra y el poder; porque tú creaste todas las cosas, y por tu voluntad existen y fueron creadas" (Apoc. 4:11). Él es digno precisamente porque nos ha creado.

La observancia del sábado como día de reposo está en el núcleo mismo del llamamiento divino. El sábado fue dado al hombre como recordatorio en el tiempo de que Dios es el creador del universo. Es un sello de su poder creador, que lo hace digno de recibir adoración y alabanza, un símbolo de su autoridad. Es un recordativo semanal de que no somos nuestros, de que le pertenecemos tanto por creación como por redención. Él nos creó. La vida no puede existir aparte de él. "Porque en él vivimos, y nos movemos, y somos" (Hech. 17:28). Y también nos hizo suyos por la sangre de Jesús. "En amor, habiéndonos predestinados para ser adoptados hijos suyos por medio de Jesucristo" (Efe. 1: 5). Todo esto recordamos cada sábado cuando lo adoramos.

Hace unos meses mencionamos a Joy, la niña de 4 años que quería preguntarle algo a su hermanito recién nacido. Joy comenzó a pedirle a sus padres que la dejaran estar un tiempo a solas con el nuevo bebé. Sus padres pensaron que al igual que otros niños de 4 años, ella, celosa, podría sacudir o golpear al bebé, así que le negaron el pedido.

Con el tiempo, como Joy no se mostraba celosa, decidieron dejar que tuviera su conferencia privada con el bebé. Joy fue al cuarto del bebé. Por la puerta algo entreabierta, los padres observaban y escuchaban. Joy caminó en silencio hacia su hermanito, puso su rostro cerca del rostro del bebé, y dijo: "Bebé, dime cómo es Dios. Me estoy olvidando".

El olvido es una constante en el ser humano. Olvidamos por debilidad de la memoria, pero también por ingratitud. El Señor nos ha llamado a recordar que él es nuestro creador, y a anunciar a todos que la hora de su juicio ha llegado.

Un visitante celestial

No temas; yo soy el primero, y el último. Apoc. 1:17.

En mayo de 2001, nuestro equipo de producción del programa *It is Written* (*Escrito Está*) visitó la isla de Patmos, para grabar una nueva serie de programas, "Cartas desde una isla solitaria".

Llegamos un viernes por la tarde. Al bajar el sol, y pintarse el horizonte de un intenso carmesí, como por el pincel de un artista maestro, me senté a la orilla del mar Egeo y leí el libro de Apocalipsis. Pensé en varios siglos atrás.

Hacia finales del primer siglo, los oficiales romanos habían desterrado al apóstol Juan a esta isla desierta, de aproximadamente 16 kilómetros de largo. Juan era un anciano que sin duda no constituía una amenaza para la estabilidad de Roma. Pero los oficiales romanos temían lo que Juan había visto y oído. Sus ojos todavía brillaban con una visión del personaje más revolucionario de la historia. Él se había enamorado de Jesús.

Juan había sido uno de los discípulos más allegados a Jesús, y no podía cesar de hablar de él. No podía dejar de hablar del amor y la gracia de Cristo, aun cuando eso significara estar en contra del culto de adoración al emperador. Juan se convirtió en una amenaza para el imperio romano, no por los ejércitos que comandara, sino por el Cristo a quien proclamara.

Así fue que en su vejez Juan fue arrestado y enviado a esta isla rocosa. Aislado y solo, quedó separado de sus compañeros en la fe.

Esa noche, mientras yo miraba el mar y meditaba en las Escrituras, Jesús estuvo muy cerca de mí. Sentí su presencia tal cómo Juan debió haberse sentido cuando, exiliado en esta misma isla, recibió a un Visitante.

No era alguien que sus guardias romanos le permitieran ver, era el mismo Jesucristo. Todos los ejércitos romanos del mundo no lo podían impedir. Fue una visión del Cristo glorificado. El rostro de Cristo brillaba como el sol.

Cristo está más cerca de sus hijos en los momentos de mayor soledad. Las palabras de Jesús a Juan: "Yo soy el primero y el último" (Apoc. 1:7) resuenan a través de los siglos. Él es el Cristo eterno. Él es el presente eterno. Él está siempre con nosotros. Juan no vio a Jesús por encima de su pueblo sufriente, mirando su dolor desde su trono. Juan vio a "uno semejante al Hijo del Hombre", "en medio de los siete candeleros" (Apoc.1:13). Los candeleros son la iglesia de Cristo, su pueblo (Apoc. 1:20). Dondequiera esté su pueblo, está él.

Puede ser que hoy usted se sienta aislado al igual que Juan en Patmos, pero Jesucristo está con usted tan ciertamente como lo estuvo con Juan. Pídale al Espíritu que abra sus ojos de fe para que pueda verlo hoy caminar en su vida.

RECETAS DEL MÉDICO DIVINO

Escribe las cosas que has visto, y las que son, y las que han de ser después de éstas. Apoc. 1:19.

Cuando Jesús visitó a Juan en la isla de Patmos, le mostró cosas maravillosas que el apóstol registraría en el libro de Apocalipsis. El Salvador eligió revelar sus verdades urgentes para el tiempo del fin a un apóstol anciano y desterrado. Dios irrumpió con un poderoso mensaje de verdad en uno de los momentos más difíciles por los que pasó Juan. A pesar de lo difícil que es entenderlo, las dádivas más grandes de Dios a menudo vienen durante nuestras pruebas más duras. El nuestro es el Dios de las sorpresas. En nuestro dolor a menudo nos sorprende el gozo de su presencia.

Jesús le dio a Juan mensajes especiales para que los transmitiera a las iglesias que Juan tanto amaba, y que, sin embargo, no podía visitar en forma personal.

Las siete iglesias de Asia Menor eran congregaciones que enfrentaban una variedad de desafíos. Algunas eran sanas y crecían. Otras estaban en crisis. Algunas estaban casi muertas.

Cada carta es como una receta escrita por el gran Médico. Jesús dice: "He aquí una solución divina para tu problema espiritual". No hay problema que no tenga un remedio de Dios. Cada mensaje de Jesús termina con la expresión: "Al que venciere". En otras palabras, no importa cuáles sean sus problemas, usted puede ser vencedor. ¡Qué palabras de ánimo! ¡Qué esperanza! Cualesquiera sean los problemas que enfrentamos, nuestro Señor tiene un remedio divino.

El remedio del más grande Sanador de la historia fue de gran valor para las siete antiguas iglesias de Asia Menor, y es valioso para nosotros. Estos mensajes son especialmente significativos porque nosotros enfrentamos muchos de los problemas que enfrentaban estas iglesias. Son los desafíos básicos del ser humano. Jesús se enfrenta a cada uno con sugerencias prácticas y poderosas que transforman la vida.

Estos mensajes llegan al corazón. Se centran en lo que es esencial. Ellos nos señalan lo que es de utilidad. Jesús está más interesado en resolver nuestros problemas que en condenarnos por ellos. Aunque los mensajes a las siete iglesias muestran honestamente las debilidades de ciertas iglesias, se enfocan en las soluciones de Dios.

¿Hay alguna falta espiritual en su vida? ¿Siente usted que tiene una deficiencia de carácter? Dios tiene la solución. Usted también puede ser vencedor. Aférrese a las promesas de Dios. Acepte su Palabra y siga adelante.

Septiembre 24

Cuando se enfría el primer amor

Pero tengo contra ti que has dejado tu primer amor. Apoc. 2:4.

Aún hoy día Éfeso nos maravilla. Sus bien preservadas ruinas revelan la gloria de una civilización pasada. Éfeso fue una vez una de las ciudades de mayor orgullo del imperio romano. Tenía orgullo de su gran biblioteca y de su teatro, y del famoso templo de Artemisa (o Diana), una de las siete maravillas del mundo antiguo. Éfeso fue la capital del Asia Menor y un vital centro de intercambio.

El gran teatro de Éfeso podía alojar a 25.000 personas, que a menudo se congregaban para ver representadas las obras de los escritores clásicos griegos y romanos. A pesar del deterioro por el tiempo transcurrido el teatro de Éfeso es uno de los más preservados del mundo.

Éfeso tiene una fascinante historia para compartir con nosotros. El apóstol Pablo predicó exitosamente en Éfeso, y llevó a muchos de sus ciudadanos a aceptar a Cristo. De hecho, la predicación de Pablo fue allí tan poderosa que amenazó la venta de las imágenes de Diana, una diosa local de Éfeso. Una turba enfurecida arrastró a dos de los compatriotas de Pablo al teatro diciendo: "¡Grande es Diana de los efesios!" Los efesios se llenaron de pánico cuando Pablo exaltó a Jesucristo por encima de Diana, más conocida como Artemisa.

La iglesia cristiana en Éfeso permaneció firme en la fe. Esos primeros cristianos eran puros doctrinalmente. La palabra Éfeso significa "deseable". Éfeso, la primera de las siete iglesias, simboliza la iglesia del primer siglo, y estaba caracterizada por su celo y pureza doctrinal. Llenos del Espíritu Santo, los creyentes testificaban de Cristo por doquier. Las fuerzas del infierno se sacudieron cuando miles aceptaron a Cristo. Al referirse al rápido crecimiento del cristianismo, un escritor romano dijo: "Ustedes están por todos lados. Ustedes están en nuestro ejército. Ustedes están en nuestra armada. Ustedes están en nuestras tiendas y escuelas. Ustedes están en nuestras casas y prisiones. Ustedes están aun en nuestro senado".

Llena del amor de Cristo y armada con su Palabra, la iglesia proclamó el amor del Salvador. Pero gradualmente vino un cambio. Jesús dijo: "Pero tengo contra ti, que has dejado tu primer amor" (Apoc. 2:4).

Luego de un cierto tiempo el primer amor se había enfriado. Los primeros cristianos todavía estaban firmes en la verdad de Dios. Se habían tornado muy aptos en exponer al que se desviaba de la doctrina correcta, pero ya no actuaban por amor. Gritaban a voz en cuello proclamando su lealtad, pero era algo externo, por dentro estaban fríos y vacíos.

Dios nos advierte ante el riesgo de caer en lo mismo. Cuando el corazón se enfría y se ha perdido el primer amor, he aquí la solución de Jesús: "Recuerda, por tanto, de dónde has caído" (vers. 5).

FIEL HASTA LA MUERTE

Sé fiel hasta la muerte, y yo te daré la corona de la vida. Apoc. 2:10.

Exiliado en la isla de Patmos, en el mar Egeo, Juan fue separado de los creyentes que lo consideraban su padre espiritual. Lo que quizá más le dolió era estar separado de los creyentes en tiempos difíciles, especialmente para los cristianos de una ciudad llamada Esmirna.

La palabra Esmirna significa "sabor de dulce olor". Satanás atacó viciosamente a la iglesia durante el segundo y el tercer siglo. Los cristianos murieron en la hoguera. Se los arrojó a los leones y fueron al martirio en el Coliseo de Roma. Sin embargo, los esfuerzos de Satanás no detuvieron el crecimiento del cristianismo. Por el contrario, la iglesia floreció. El número de creyentes creció. Uno de los primeros padres de la iglesia, Justino Mártir, triunfalmente declaró: "La sangre de los mártires es la semilla de la iglesia". Cuánto más las fuerzas malignas perseguían a la iglesia, tanto más ésta crecía. Cristo estableció su iglesia y todos los poderes del infierno no pudieron prevalecer contra ella.

Domiciano, uno de los emperadores más crueles de Roma, gobernó del 81 al 96 d.C. se lo muestra en los relieves de piedra como una figura colosal, que inspiraba espanto.

En un sentido muy real, él una vez espantó a los ciudadanos de Esmirna. Domiciano trató de aterrorizar a los creyentes para que se sometieran. Los seguidores de Cristo no participaban de los ritos del culto al emperador que se demandaba de los buenos ciudadanos de ese tiempo. Los romanos los acusaban de ser desleales y de querer debilitar la ley y el orden de Roma.

Jesús tuvo un mensaje especial para los cristianos de Esmirna. Les dijo: "No temas en nada lo que vas a padecer" (Apoc. 2:10). Yo sé que están pasando por tiempos difíciles, les dijo. Yo sé que están enfrentando tribulaciones. Yo sé que están padeciendo persecución, pero yo estoy con ustedes. "Sé fiel hasta la muerte, y yo te daré la corona de la vida" (Apoc. 2:10).

Esta no es solamente una grandiosa promesa sino un consejo práctico para vivir una vida llena de gozo hoy. ¿Qué es lo que hace tan dura la perspectiva de los tiempos difíciles? Nuestra imaginación. Pensamos en todas las cosas terribles que podrían pasar. Pensar en "y qué si..." nos lleva a la ansiedad y a imaginar las peores situaciones posibles.

Jesús les dice a los cristianos en Esmirna y a nosotros, que aun cuando nos suceda lo peor, aun si morimos, él recompensará nuestra fidelidad con la vida eterna en la segunda venida. Jesús dice: "El que venciere, no sufrirá daño de la segunda muerte" (vers. 11). No experimentará la segunda muerte, separado para siempre de Dios. Con Cristo estamos salvos y seguros. A través de Cristo triunfaremos aun en la peor de las circunstancias. Aun cuando tengamos que entregar nuestra vida terrenal no nos tocará la muerte segunda. Tendremos una corona de vida, vida eterna con Dios en el cielo. Esto es algo por lo cual debemos alabarle hoy.

LA MUERTE SEGUNDA NO PODRÁ TOCARNOS

El que venciere no sufrirá daño de la segunda muerte. Apoc. 2:11.

Los guardias romanos vigilaban el mercado de Esmirna. Poseidón, Artemisa y Demetrio tenían un rol importante en la vida de la mayoría de los ciudadanos romanos. Roma demandaba fidelidad única al emperador, y como gesto de fidelidad, cada ciudadano estaba obligado a quemar incienso ante los dioses de Roma.

Los cristianos rehusaron hacerlo. Ellos creían que era idolatría adorar en los templos de los dioses romanos. Muchos pagaron con sus vidas por creer así.

Policarpo era un discípulo del apóstol Juan y anciano de la iglesia de Esmirna. Una noche los oficiales romanos lo arrestaron en una granja fuera de la ciudad. En esa localidad se torturaba a los cristianos hasta la muerte y se desmembraban sus cuerpos cuando rehusaban adorar al emperador.

Pero Policarpo recibió a estos oficiales con una sorprendente alegría. Aun los invitó a sentarse y comer. Luego les pidió una hora para orar sin ser interrumpido. Hecho esto, Policarpo se fue con los soldados al estadio de la ciudad. La inmensa muchedumbre rugió cuando Policarpo entró.

Ante una gran pila de leña, se le dio a Policarpo una última oportunidad para renunciar a Cristo. "Jura fidelidad suprema al emperador —declaró el cónsul— y te dejaremos libre. Rechaza a Cristo".

Policarpo se dirigió al cónsul y replicó sereno: "Por ochenta y seis años lo he servido, y él nunca me hizo nada malo, ¿cómo puedo blasfemar en contra del Rey que me ha salvado?"

A través de su prueba, los testigos se sorprendieron por la mirada llena de confianza, y aun de gozo, que había en el rostro de este líder cristiano. Decían que estaba "iluminado por la gracia".

Policarpo no miraba solamente a los paganos ávidos de sangre en el estadio, o a la leña que sería prendida, él miraba más allá, al horizonte. Cuando se anunció oficialmente que Policarpo se había confesado cristiano, la muchedumbre gritó en coro: "Que sea quemado vivo".

Los soldados ataron las manos de Policarpo a sus espaldas, mientras él elevaba una oración. Policarpo agradeció a su Señor por el honor de testificar de su fe de esta manera.

Finalizada la oración de Policarpo, el ejecutor prendió el fuego. Las llamas rápidamente lo envolvieron.

Policarpo había hablado con confianza hasta el mismo fin. Habló de la resurrección. Habló de la vida eterna. El horror de su juicio no lo pudo aniquilar. Él miraba más allá de ello. Miraba al lejano horizonte.

Dios nos puede dar esa clase de confianza, esa clase de seguridad. Él nos puede ayudar a mirar más allá de las llamas, más allá de los gritos de una muchedumbre furiosa. Él nos puede mantener firmes hasta el mismo fin.

La luz de la verdad aún brilla

Así alumbre vuestra luz delante de los hombres, para que vean vuestras buenas obras, y glorifiquen a vuestro Padre que está en los cielos. Mat. 5:16.

Tradicionalmente, Turquía ha sido parte del mundo musulmán, pero su gobierno es bastante secular. Durante algún tiempo ha habido tolerancia religiosa en Turquía. Las iglesias cristianas operan con el permiso del gobierno y la luz de Jesús aún brilla.

Izmir es la tercera ciudad más grande de Turquía; sólo Estambul y Ankara son más grandes. Izmir está ubicada en el lugar de la Esmirna bíblica.

Un viernes de tarde yo estaba comiendo en nuestro hotel en Izmir, preparándome para tener un sábado tranquilo. Fue allí que nuestra guía, Melek Jones, una adventista turca, me presentó a un hombre a quien nunca había visto antes. Un turco robusto y alegre me saludó con un cálido abrazo. Evidentemente él me conocía, aunque yo lo conocía a él.

Erkin fue criado como musulmán, así como su esposa. Se conocieron como estudiantes de la Universidad de Estambul. Luego de la graduación decidieron mejorar sus posibilidades y emigraron a los Estados Unidos. Al vivir en Norteamérica, notaron la gran cantidad de iglesias cristianas. Regularmente se conectaban con programas cristianos de radio y televisión.

En ese entonces conocían muy poco del cristianismo. La Biblia era un libro extraño. Jesús era un desconocido maestro judío. Y por curiosidad comenzaron a leer la Biblia. Algo dentro de ellos los llevó a considerar las enseñanzas de Jesús.

Erkin animó a su esposa a preguntar dónde podía aprender más de las verdades bíblicas que estaban descubriendo. Ella le pidió a una de sus colegas profesionales, que era cristiana, que le diera más información. Esta colega era adventista del séptimo día. La Iglesia Adventista de Vienna, Virginia, patrocinaba entonces una serie de reuniones de evangelismo por satélite conocidas como RED '95 y "justamente" yo era el orador.

La esposa de Erkin asistió fielmente a toda la serie. Ella compartió su nueva fe con su esposo, y juntos estudiaron las Escrituras con el pastor de la Iglesia de Vienna durante un año. Sintieron el llamado de Cristo y ambos fueron bautizados.

Un nuevo gozo inundó sus vidas. Ahora deseaban compartir su fe con sus amigos musulmanes. A través de una serie de providencias milagrosas, Dios los llevó de vuelta a Turquía, a Izmir, la antigua Esmirna, el lugar de origen de la esposa de Erkin. Hoy día ellos son poderosos testimonios para Dios. Fueron guiados en un ciclo de salvación.

La luz de la verdad aún brilla en Esmirna. Dios aún tiene allí sus testigos. Cuando visité la pequeña iglesia en la casa de Erkin ese sábado de mañana, me impactó la dedicación de estos cristianos de Esmirna. Su lema es el mismo hoy que hace 2.000 años: "Sé fiel hasta la muerte, y yo te daré la corona de la vida" (Apoc. 2:10).

Septiembre 28

Cuando el compromiso penetra sigilosamente

Por tanto, arrepiéntete; pues si no, vendré a ti pronto, y pelearé contra ellos con la espada de mi boca. Apoc. 2:16.

Era un día seco y caluroso cuando el equipo de producción del programa *It is Written* (*Escrito Está*) iba acarreando sus aparatos por el camino rocoso y ascendente que lleva hasta Pérgamo. La ubicación de la ciudad es un símbolo apropiado para su condición espiritual. Pérgamo, al igual que muchas ciudades de la antigüedad, estaba construida en lo alto de una llanura. Aun los ejércitos más grandes hubieran tenido dificultad en atacarla. La palabra Pérgamo significa "exaltada".

Cuando Satanás no pudo destruir a la iglesia por medio de la persecución, cambió sus métodos. La iglesia creció en favor con el Estado romano. Eventualmente, pasados algunos siglos, miles de paganos se convirtieron en cristianos. Constantino, el pagano emperador romano, aceptó el cristianismo. En esta nueva posición "exaltada", comenzaron a ocurrir cambios en la iglesia. Al profesar el cristianismo, los paganos introdujeron sus prácticas.Se introdujo en la iglesia la adoración de imágenes o ídolos. Constantino tenía preferencia personal por el dios Sol. *La historia de la iglesia cristiana* observa lo siguiente: "Las monedas de Constantino tienen por un lado las letras del nombre de Cristo y por el otro lado la figura de Apolo, el dios Sol, como que él no quisiera abandonar la tutela de la luminaria".

Lenta y gradualmente, el dogma humano sustituyó a la verdad de Dios. El simple principio de la salvación por fe en Jesucristo fue reemplazado por un complicado sistema de salvación a través de decretos de la iglesia.

El llamado de Dios a su pueblo en Pérgamo es para ser fiel a su Palabra frente a la tentación de transigir con el error. El compromiso con el error ocurre cuando nos persuadimos a nosotros mismos de que las verdades de Dios no son realmente tan importantes. Sucede cuando anteponemos nuestro razonamiento humano a la revelación divina de Dios. Cuando sabemos que algo es contrario a la voluntad de Dios, pero lo toleramos de todas maneras, eso es comprometernos con el pecado. Esto es fatal. Que el Señor nos ilumine siempre a comprometernos con su voluntad.

Una espada aguda de dos filos

Y escribe al ángel de la iglesia en Pérgamo:
El que tiene la espada aguda de dos filos dice esto. Apoc. 2:12.

Jesús se identifica a sí mismo ante los creyentes de Pérgamo como aquel que tiene la aguda espada de dos filos. Un instrumento quirúrgico bastante imponente para este Doctor del alma. Pero, ¿qué es lo que realmente simboliza? La Biblia lo aclara. Miremos lo que el apóstol Pablo les dice a los creyentes.

En Efesios él habla de la armadura espiritual de los cristianos. Él dice: "Y tomad el yelmo de la salvación, y la espada del Espíritu, que es la palabra de Dios" (Efe. 6:17). La espada del Espíritu es la Palabra de Dios. El Espíritu penetra en nosotros por medio de las palabras que Dios pronuncia e inspira.

El libro de Hebreos nos da una ilustración aun más penetrante. Nos dice: "Porque la palabra de Dios es viva y eficaz, y más cortante que toda espada de dos filos; y penetra hasta partir el alma y el espíritu, las coyunturas y los tuétanos, y discierne los pensamientos y las intenciones del corazón" (Heb. 4:12). La Palabra de Dios penetra hasta lo profundo de nuestro ser, descubre nuestros pensamientos secretos, y deja al descubierto nuestros motivos más escondidos.

Este es el instrumento que Cristo trae ante el pueblo de Pérgamo. La medicina que él ofrece a la iglesia de Pérgamo que busca transigir con el pecado, y a su pueblo que hace lo mismo hoy es la Palabra de Dios. Cristo esgrime su Palabra en la batalla en contra de aquellos que debilitan la fe por medio del engaño. Su Palabra es el remedio para el engaño.

Necesitamos tomar de esa Palabra. Necesitamos dejar que la Palabra de Dios penetre profundamente en nuestros corazones. Necesitamos construir nuestra fe en sus claras declaraciones. La Palabra nos mostrará cuál es la verdad de Dios y cuál no es. La Palabra nos mostrará los pasos que llevan a una relación sana con Dios y los que nos alejan de él.

Nuestros sentimientos no siempre son una guía confiable. Otras personas no siempre nos guiarán confiablemente. Pero la Palabra de Dios nos mantendrá en la dirección correcta.

La piedrecita blanca

Y le daré una piedrecita blanca, y en la piedrecita escrito un nombre nuevo, el cual ninguno conoce sino aquel que lo recibe. Apoc. 2:17.

Eusebio, un historiador de la iglesia primitiva, nos cuenta la historia de cómo el apóstol Juan rescató a un creyente que se había apartado. El joven había sido un cristiano brillante y sincero cuando Juan lo vio por primera vez cerca de Éfeso. El apóstol lo recomendó para un cargo de liderazgo, y el joven recibió entrenamiento pastoral.

Pero entonces se enredó con un grupo de revoltosos. Uno a uno comprometió sus principios, y cayó en una vida de crimen como el cabecilla de una pandilla de ladrones.

Cuando Juan escuchó de este joven, pidió un caballo y un guía. Muy pronto fue apresado por estos ladrones. Juan pidió que lo llevaran donde se hallaba su capitán. Cuando el joven reconoció al apóstol, trató de huir, avergonzado. Pero, olvidándose de su edad, Juan lo persiguió y le gritó: "No temas. Voy a interceder por ti ante Cristo. Daré mi vida por la tuya. Ven, Cristo me ha enviado".

Finalmente, el joven se detuvo. Sintiéndose miserable, lentamente se dirigió al apóstol. Luego arrojó su espada y cayó en los brazos de Juan, sollozando amargamente. El apóstol le aseguró a su joven amigo que todavía era posible tener perdón. Este capitán de ladrones cayó sobre sus rodillas.

Juan pasó algún tiempo con él, enseñándole de la Palabra de Dios, edificando su fe. Finalmente, fue restaurado a la iglesia y vivió una ejemplar vida cristiana.

Esta historia puede que sea sólo una leyenda, pero ilustra el sentido de la gracia de Dios que tenía la iglesia primitiva, aun para los creyentes que habían transigido con el mal. Ilustra el poder de Dios para cortar las cuerdas del compromiso y restaurarnos a una fe vibrante.

Hay una promesa maravillosa en el mensaje de la iglesia a Pérgamo. Es una promesa para el que venciere, para el que le da la espalda al engaño. Jesús dice en Apocalipsis 2:17: "Le daré una piedrecita blanca, y en la piedrecita escrito un nombre nuevo".

En los tiempos antiguos, los jurados usaban piedras blancas y negras para significar la inocencia o la culpabilidad. Una piedra blanca significaba la inocencia. El hecho de que Jesús nos dé una piedra blanca expresa que todo nuestro pasado, no importa cuán oscuro y doloroso haya sido está borrado. Somos perdonados.

También a veces se daba una piedra blanca a los invitados cuando se retiraban de la casa de un amigo. El anfitrión rompía una piedra, guardaba una de las mitades y le daba la otra al invitado. "Si alguno de sus seres queridos alguna vez pasa por aquí —decía el anfitrión— que traiga esta piedra. Yo traeré la mía, juntaremos las dos mitades, y serán bienvenidos con alegría en mi hogar".

La piedra blanca es la forma en que Dios nos dice que no sólo se nos declara inocentes, sino que se nos da la bienvenida a su hogar.

Cuando la corrupción influye en la iglesia

Pero lo que tenéis, retenedlo hasta que yo venga. Apoc. 2:25.

Hemos estado buscando los siete destinatarios de una antigua carta alrededor de la costa occidental de Turquía. Era una carta que envió el gran Médico, Jesucristo, a través del apóstol Juan, a las siete iglesias que estaban en diferentes estados de salud espiritual.

Estamos interesados en estas siete iglesias por dos razones específicas. En primer lugar, Dios ha elegido a estas iglesias en particular para representar a la iglesia cristiana en sus diferentes fases espirituales a través de la historia. En segundo lugar, la receta divina que nuestro Señor le dio a estas iglesias se aplica a nuestra condición espiritual también, porque nosotros enfrentamos hoy desafíos espirituales semejantes.

Hoy consideraremos brevemente a la iglesia de Tiatira. Todo lo que queda de este antiguo centro de comercio es un conjunto de piedras en medio de la moderna ciudad de Akhisar en Turquía. En los días de Juan ,Tiatira era una pujante comunidad y un importante centro de comercio e industria. La ciudad había alcanzado un cierto grado de notoriedad por sus poderosos gremios de tejedores y teñidores de lana.

Jesús comienza su mensaje a Tiatira con palabras de ánimo. "Yo conozco tus obras y amor, y fe, y servicio, y tu paciencia, y que tus obras postreras son más que las primeras" (Apoc. 2:19).

Cristo aprecia la fe y el amor de estos creyentes. Pero los creyentes en Tiatira se enfrentan a decisiones muy duras. Para mantenerse en crecimiento tienen que estar firmes ante lo que es correcto. "Pero —continúa Jesús— tengo unas pocas cosas contra ti, que toleras que esa mujer Jezabel, que se dice profetisa, enseñe y seduzca a mis siervos a fornicar" (vers. 20).

El problema de Tiatira es el problema del adulterio espiritual. El adulterio es una unión ilícita, emocional o física, con una persona que no es el cónyuge verdadero. El adulterio es infidelidad, es romper los votos sagrados de una consagración. Este mensaje es para la iglesia antigua de Tiatira, pero también se aplica a todo el período de la historia de la iglesia que se conoce como el Medioevo. La iglesia cristiana simbolizada por Tiatira fue infiel a su verdadero amor, Jesucristo. Ella rompió su voto de lealtad con el Señor.

El mensaje a la iglesia de Tiatira es un abrupto llamado para que despertemos, una apelación urgente para ser fiel. Es un llamado a la consagración. ¿Cómo se sobrevive cuando el medio ambiente espiritual alrededor de uno se torna destructivo?

La contestación consiste en decidir por la gracia de Dios ser fiel a Cristo a toda costa. Usted debe tomar cualquier decisión que sea necesaria para preservar su experiencia espiritual. Si pierde su salud espiritual, ¿qué es lo que realmente le queda?

Mortal y fatal

He aquí, yo la arrojo en cama, y en gran tribulación a los que con ella adulteran. Apoc. 2:22.

Este era el peligro del que Jesús advirtió a los creyentes en Tiatira. Los acorralados creyentes se habían preparado para enfrentar la amenaza externa del Imperio Romano, pero la amenaza más grande vino de adentro. Los creyentes estaban en las murallas con sus armas prontas para enfrentar la amenaza del exterior, pero Jesús les dijo que mirasen internamente. La iglesia está enferma, les dijo, y no va a mejorar.

Jesús usó la figura de Jezabel, la reina corrupta que llevó al antiguo Israel a la idolatría, como símbolo de la corrupción interna y el compromiso que aquejaba a Tiatira. "He aquí, yo la arrojo en cama —dijo Jesús— y en gran tribulación a los que con ella adulteran, si no se arrepienten de las obras de ella. Y a sus hijos heriré de muerte, y todas las iglesias sabrán que yo soy el que escudriña la mente y el corazón" (Apoc. 2:22, 23).

Esto puede parecer como un juicio despiadado, pero recordemos que Jezabel es una figura simbólica. El gran Médico procura que la gente de Tiatira se dé cuenta del mal que existe. El problema no es un resfrío, ni una gripe que se irá en unos cuantos días.

Él dice: "¡Miren! Esta es una enfermedad maligna. No puede coexistir con ustedes. No pueden vivir con ella. Deben quitar este mal".

Jesús continúa diciendo: "Pero lo que tenéis, retenedlo hasta que yo venga. Al que venciere y guardare mis obras hasta el fin, yo le daré autoridad sobre las naciones" (vers. 25, 26).

El desafío es retener lo que se tiene, la fe que se posee. ¿Cómo se logra ésto en un ambiente enfermo?

El mismo comienzo de la carta de Tiatira describe a Cristo: "El que tiene ojos como llama de fuego, y pies semejante al bronce bruñido" (vers. 18). "Ojos como llama de fuego" da la idea de alguien cuya mirada es penetrante. Sugiere una mirada que va más allá de lo superficial, que horada el corazón.

Yo creo que el gran Médico nos está diciendo que abramos los ojos. Miren lo que está sucediendo a nuestro alrededor, dentro de la iglesia. No sean ciegos simplemente porque ya es algo común. No sean ciegos porque sólo miran cuánto mal hay afuera.

Vemos algo más en la descripción de Jesús. Sus pies son como el bronce bruñido. Esto me sugiere que Jesús es capaz de tomar pasos firmes y decisivos. Donde él pisa, la tierra tiembla.

Algunas veces necesitamos tomar pasos decisivos. Algunas veces es tiempo de salir, de separarnos de una situación espiritualmente destructiva. No necesitamos continuar atados a lo familiar hasta que la enfermedad alrededor nuestro resulte en la muerte. No queremos encerrarnos en la caja de la costumbre. No sacrifiquemos nuestras vidas espirituales.

El Dios de los nuevos comienzos

Sé vigilante, y afirma las otras cosas que están para morir. Apoc. 3:2.

Pocas ciudades podían rivalizar con Sardis en riqueza. Los arqueólogos han desenterrado un mercado inmenso, lo cual sugiere que Sardis, la capital de Lidia, era una comunidad pujante. Las primeras monedas en la historia se usaron en Sardis en el 640 a.C., pero los cristianos del primer siglo parecían no tener los medios para sostenerse. Había muy poco con qué nutrirse espiritualmente, así que su vida espiritual se secó.

¿Qué receta trae el gran Médico a Sardis? Es bastante sencilla, a simple vista.

Jesús le dijo a Sardis: "Sé vigilante, y afirma las otras cosas que están por morir" (Apoc. 3:2). Afirmen lo que les queda.

Los cristianos en Sardis tuvieron oposición por todos lados. ¿Alguna vez ha estado usted en una situación parecida? ¿Ha llegado alguna vez a un punto en su vida cuando todas sus esperanzas y sueños murieron? Quizá se está sintiendo así en este momento. Muchas cosas malas nos suceden: divorcios, la muerte de un ser querido, la pérdida de un trabajo. Las tragedias golpean y nos sentimos como muertos. Nuestra vida espiritual se desvanece. Estamos listos para darnos por vencidos.

Pero el gran Médico tiene un mensaje para nosotros. Él dice: "Sé vigilante". Mira bien. "Afirma las otras cosas".

Quizá usted sólo pueda ver los pedazos quebrantados de su vida. Pero Jesús dice: "Yo puedo hacer algo con estos fragmentos. Quiero que trabajes conmigo. Quiero que derives fuerzas de todo esto. Tráeme los pedazos de tu vida".

El gran Médico es el Dios de una nueva creación. Él no sólo sana, sino que vuelve a crear. Él crea algo de la nada.

Una vez Jesús visitó a un paciente muy enfermo en el pueblo de Capernaún. Era una niña de doce años, hija del principal de la sinagoga. Jesús llegó a su casa en medio de los fuertes lamentos de los asistentes. La niña había fallecido.

Jesús les pidió a las personas que salieran de ese lugar. Luego tomó a la niña de la mano y dijo: "Talita, cumi", que significa "Niña, a ti te digo, levántate". Inmediatamente la niña se levantó y caminó.

El paciente puede estar muerto, pero el gran Médico aún puede ayudar. Él fue el Creador. Él fue el Dios de un nuevo comienzo.

Él es el Dios de un nuevo comienzo. Ese fue su mensaje a Sardis 2.000 años atrás, y es su mensaje para usted hoy. Él le dice: "Confía en mí. Entrégame tu vida. Tráeme lo que queda, y yo haré algo maravilloso con ello".

Octubre 4

De muerte a vida

Acuérdate, pues, de lo que has recibido y oído; y guárdalo, y arrepiéntete. Apoc. 3:3.

El diagnóstico de nuestro Señor para la iglesia en Sardis es: "Tú tienes un nombre y piensas que estás viva, pero estás muerta". Este es un diagnóstico bastante deprimente. Se supone que estás viva. Tienes el nombre de cristiana, pero estás espiritualmente muerta.

Cuando un paciente muere los médicos cesan su tarea. Detienen la medicación y desconectan las máquinas que prolongan la vida. Es el momento de llamar a la funeraria.

Pero Jesucristo no es un médico común. Con Jesús hay esperanza aun cuando el paciente parece estar más allá de toda posibilidad de recuperación. Él puede obrar aun cuando la situación parezca desesperada. Él es la vida. Él es el autor y originador de la vida. ¡Qué ánimo da ésto! Él puede dar vida a los que hoy están espiritualmente muertos. El aliento de su Espíritu aún inspira la vida.

Una asombrosa parábola en Ezequiel ilustra el poder de Dios para dar vida. El profeta Ezequiel ve un valle lleno de huesos de seres humanos muertos. Dios le hace una pregunta al parecer ridícula: "¿Vivirán estos huesos?" (Eze. 37:3). El profeta responde: "Señor Jehová, tú lo sabes". En otras palabras: "¿Por qué me preguntas a mí, Señor? Yo no tengo la menor idea".

Pero Dios le ordena al profeta que predique a los huesos. El Señor promete: "Así ha dicho Jehová el Señor: He aquí yo abro vuestros sepulcros, pueblo mío, y os haré subir de vuestras sepulturas... Y pondré mi Espíritu en vosotros, y viviréis" (Eze. 37:12, 14).

Milagro de milagros, Dios trae vida a los muertos. Dios le da este mismo mensaje a la iglesia muerta de Sardis: "Yo puedo hacer que vivas nuevamente. Deja que sople mi Espíritu en ti, y tú vivirás".

Quizá usted sienta que ha llegado al final del camino hoy. Quizá se encuentre en un desierto. Le animo a aceptar este mensaje del gran Médico. Es un mensaje para nosotros cuando ya no tenemos esperanza.

El Creador dice: "Dame tu vida quebrantada. Yo puedo crear algo hermoso con ella. Yo haré todas las cosas nuevas. Recuerda lo que has recibido. He hecho tanto por ti en el pasado, y no he terminado contigo. Dame la oportunidad de hacer algo especial por ti hoy".

Entréguele hoy a Dios lo poco que le queda. Hágalo ahora mismo, y él creará algo glorioso con ello. Permita que él transforme su vida en algo muy valioso.

Jesús ve lo bueno

Pero tienes unas pocas personas en Sardis que no han manchado sus vestiduras; y andarán conmigo en vestiduras blancas, porque son dignas. Apoc. 3:4.

Miremos un mensaje más que el gran Médico le da al pueblo de Sardis, el lugar de los muertos. Lo encontramos en Apocalipsis 3:4, 5: "Pero tienes unas pocas personas en Sardis que no han manchado sus vestiduras; y andarán conmigo en vestiduras blancas, porque son dignas. El que venciere será vestido de vestiduras blancas... y confesaré su nombre delante de mi Padre, y delante de sus ángeles".

Aquí hay una nota de ánimo. Aun en un grupo que parecía muerto, Jesús señala que hay personas que se han mantenido firmes. "Que no han manchado sus vestiduras" significa que no han comprometido o renegado de su fe.

Jesús centró su atención en esas buenas personas. Y luego prometió grandes cosas a todo aquel que se les uniera. Jesús quería confesar sus nombres, decir buenas cosas de ellos, ante su Padre celestial. Él quería un gran grupo de vencedores. Más tarde, en el libro de Apocalipsis vemos visiones de esa gran multitud vestida de blanco.

Este es el plan del gran Médico, quien nos pide que le demos los pedazos rotos de nuestra vida. Este gran Médico promete crear una hermosa comunidad con unos pocos que están firmes. Él es el Dios de los nuevos comienzos.

Dios creó un nuevo comienzo en un punto crucial de la historia. La iglesia de Sardis también representa la iglesia durante el tiempo de la Reforma.

A medida que pasaban los siglos y se reprimía la verdad de Dios, los hombres y mujeres fieles a Dios estuvieron dispuestos a adelantar su causa. Dios levantó a los reformadores. Los valdenses copiaron las Escrituras a mano. Desde sus escondites en las montañas en el norte de Italia y el sur de Francia, ellos enviaron a jóvenes y señoritas por toda Europa para compartir la Palabra de Dios. En Bohemia, Juan Huss, junto con su amigo Jerónimo, tuvieron como lema la obediencia. El reformador alemán Martín Lutero volvió a entender la verdad de "la salvación sólo por gracia". Juan y Carlos Wesley iniciaron un poderoso reavivamiento en Inglaterra, enfatizando la santidad y el crecimiento en la gracia.

El período de "Sardis" durante la Reforma, en los siglos XVI y XVII sacó a la luz muchas verdades bíblicas. Los principios bíblicos tales como el bautismo por inmersión, la segunda venida de Cristo y la obediencia a la ley de Dios, fueron aceptados por los cristianos en todas partes.

Dios instiló nueva vida en su iglesia, y la iglesia vivió. Él puede hacer lo mismo por usted. ¿Ha decaído su vida espiritual? ¿Ha caído en la conformidad? ¿La fe ha dejado su lugar ante la duda? ¿Se ha enfriado su experiencia íntima con Dios?

Permita hoy que Dios haga su poderosa obra en usted. Él traerá nueva pujanza a su experiencia cristiana. Lo hizo por un grupo de fieles en Sardis, y lo hará por usted también.

Octubre 6

Jesús aún abre puertas (primera parte)

He aquí, he puesto delante de ti una puerta abierta, la cual nadie puede cerrar. Apoc. 3:8.

La antigua Filadelfia estaba ubicada al pie del monte Tmolus, a 40 kilómetros al sureste de Sardis, en camino a Colosas. La ciudad fue fundada por Atalo II Filadelfo de Pérgamo. La llamó "Filadelfia", "amor fraternal", como indicación de lealtad a su hermano mayor. En el año 17 d.C. un terremoto destruyó a Filadelfia. El emperador Tiberio la reconstruyó. Su belleza inspiró a los escritores antiguos quienes se referían a ella como la pequeña Atenas.

Miremos en Apocalipsis 3 el mensaje que Dios reveló en Patmos para los creyentes en Filadelfia. De las cartas a las siete iglesias esta es la que infunde más ánimo. Veamos el diagnóstico. Jesús nos da una idea de lo que estaba aquejando a los creyentes en Filadelfia. Él dice: "Aunque tienes poca fuerza, has guardado mi palabra, y no has negado mi nombre" (Apoc. 3:8).

"Tienes poca fuerza". Los cristianos en Filadelfia se habían debilitado, pero no estaban en peligro de muerte inminente. Estas personas querían servir a Dios. Habían guardado la palabra de Cristo; no lo habían negado. Pero el gran Médico vio que tenían poca fuerza. Estaban sufriendo de un problema de confianza. Se sentían intimidados. Lo vemos con más claridad en el siguiente versículo. Jesús dijo: "He aquí, yo entrego de la sinagoga de Satanás a los que se dicen ser judíos, y no lo son, sino que mienten; he aquí, yo haré que vengan y se postren a tus pies, y reconozcan que yo te he amado" (vers. 9).

¡Qué promesa! "Los que te amenazan se postrarán ante ti. Los que te intimidan reconocerán mi poder, y tus perseguidores mi grandeza". ¡Qué Dios el nuestro!

Miremos nuevamente la carta para la iglesia en Filadelfia. Jesús prosigue: "Escribe al ángel de la iglesia en Filadelfia: Esto dice el Santo, el Verdadero, el que tiene la llave de David, el que abre y ninguno cierra, y cierra y ninguno abre. Yo conozco tus obras; he aquí, he puesto delante de ti una puerta abierta, la cual nadie puede cerrar... aunque tienes poca fuera" (vers. 7, 8).

He puesto delante de ti una puerta abierta. Esta es la verdad que Dios quiere que su pueblo comprenda. Él lo repite. Lo enfatiza. Busquemos la puerta abierta.

Si se siente intimidado, busque una puerta abierta.

Si se siente aislado, busque una puerta abierta.

Si se siente débil y desanimado, busque una puerta abierta.

No solamente vea el problema. No sólo vea al enemigo. Dios le está abriendo una salida. Este es el mensaje que Dios les da a las personas que tienen poca fuerza espiritual. Es un mensaje de ánimo de parte del gran Médico. En toda situación, no importa cuán oscura o desesperada sea, él va a abrirnos una puerta. Él encontrará una solución.

Jesús aún abre puertas (segunda parte)

He aquí, yo vengo pronto. Apoc. 3:11.

La iglesia en Filadelfia en realidad representa un período en particular en la historia de la iglesia, un período de despertar espiritual en los siglos XVIII y XIX. Las imprentas producían Biblias por millares, las sociedades misioneras enviaban obreros a todo el mundo. Se había reavivado el interés por los libros de Daniel y el Apocalipsis, y por la profecía. El Espíritu movía los corazones de las personas. Había una gran expectativa de que la segunda venida de Jesús estaba cerca. Todo esto abrió las puertas para la proclamación del Evangelio en todo el mundo.

En 1844, un grupo grande de creyentes llegó a la conclusión de que Jesucristo volvería el 22 de octubre de ese año. Muchos habían regalado todas sus posesiones. Estaban listos para que el reino de Cristo interrumpiera el curso de la historia humana.

Ellos esperaron durante todo el día. Oraron hasta entrada la noche. Cuando llegó el 23 de octubre, cayeron en la desilusión. ¿Había sido todo una terrible equivocación? Muchos sintieron que Dios los había chasqueado. Después de todo, ellos habían estudiado las profecías cuidadosamente y con oración. ¡Habían sido tan sinceros!

Pero los cielos nada mostraban. Cristo no había aparecido. Ellos se habían convertido en el centro de las burlas. Su confianza se había quebrantado.

Unos pocos comenzaron a estudiar las profecías y las promesas de la Biblia desde una perspectiva diferente. Trataron de comprender el panorama total. Y la promesa en Apocalipsis de una "puerta abierta" llamó su atención (Apoc. 3:8).

Este grupo, llamado más tarde "adventista," descubrió las maravillosas verdades del ministerio de Cristo en el santuario celestial. Ellos comprendieron más claramente su obra como nuestro Mediador, nuestro Sumo Sacerdote ante el Padre, y cómo las profecías lo señalaban.

Fue así que pudieron transformar su amargo chasco en una brillante esperanza, un aprecio más profundo por la obra salvífica de Jesucristo. Esa fue su puerta abierta.

La iglesia de Filadelfia es la iglesia de la puerta abierta. Las Escrituras dicen que en tiempos especiales en la historia de la iglesia Dios abre puertas especiales. Dios abrió una puerta delante de la iglesia en Filadelfia, una puerta que ninguno pudo cerrar.

Hoy Cristo está abriendo puertas en todo el mundo para llevar el mensaje adventista, las buenas nuevas de que él es Señor de todo y que pronto volverá.

Ha sido mi privilegio ver a miles y miles responder a este mensaje en las ciudades más importantes de cada continente. La respuesta al llamado del Espíritu es impresionante. Él ha creado un *momentum* espiritual que nada puede detener.

Octubre 8

Jesús aún abre puertas (tercera parte)

Por cuanto has guardado la palabra de mi paciencia, yo también te guardaré de la hora de la prueba que ha de venir sobre el mundo entero. Apoc. 3:10, 11.

Cuando las pruebas dominan nuestras vidas el Señor nos invita a seguir buscando una puerta abierta. Es importante perseverar. Cristo es más fuerte que ningún otro poder que puede erguirse en contra nuestra. Nada puede cerrar una puerta que él abre.

Un mendigo se lamentaba al costado del camino, era ciego desde el día de su nacimiento, pero Jesús se detuvo y tocó sus ojos. Jesús abrió la puerta, y un mundo totalmente nuevo se abrió para este hombre. Era una puerta que ningún otro podría haber abierto.

Once discípulos se encerraron en el aposento alto, lamentando la pérdida de su Maestro, temiendo por sus vidas, con su confianza quebrantada. Pero se les apareció el Cristo resucitado.

Esos hombres salieron con valor para testificar de lo que habían visto y oído y trastornaron al mundo. Pasaron por una puerta que ningún otro pudo abrir, y ningún otro pudo cerrar.

Esto es lo que hace el gran Médico. Él le envía un mensaje cuando usted no tiene fuerzas, cuando no tiene confianza. Él le promete una puerta abierta, no importa cuáles sean las circunstancias. Y ¡mire las puertas que él ha abierto! ¡Mire las vidas que él ha transformado! Mire las oportunidades que él le da. Mire las posibilidades delante de usted.

El salmista canta: "Los que miraron a él fueron alumbrados, y sus rostros no fueron avergonzados" (Sal. 34:5). Cuando nos enfocamos en nuestros problemas, se hacen más grandes de lo que realmente son. Cuando nos enfocamos en Jesús, él se convierte en lo más grande de nuestra vida.

No permita que los problemas lo agobien. No deje que los obstáculos dominen su visión. Tome la determinación de encontrar la puerta abierta de Dios. Tome la determinación de seguir buscando, de seguir perseverando hasta que vea la luz que entra por la puerta que sólo Cristo puede abrir.

Conquistando la complacencia

Pero por cuanto eres tibio, y no frío ni caliente, te vomitaré de mi boca. Apoc. 3:16.

No queda hoy mucho en pie, pero Laodicea debió haber sido una gran ciudad. Está fuera de los caminos conocidos y pocos turistas la visitan. Se han hecho muy pocas excavaciones. En sus mejores tiempos, Laodicea era una ciudad de unos 150.000 habitantes. Era un importante centro comercial en Asia Menor, una ciudad imperial famosa por la brillante lana negra que allí se fabricaba.

Laodicea era un centro bancario extremadamente rico. Cuando fue destruida por un terremoto en el año 60 d.C., sus ciudadanos rehusaron recibir ayuda financiera de Roma para reconstruir la ciudad. Los orgullosos laodicenses la levantaron con sus propios recursos. La ciudad también tenía muchos adelantos en medicina. Sus boticarios desarrollaron un ungüento muy famoso para los ojos.

El mensaje de Apocalipsis para Laodicea le llegó a este próspero lugar hacia el final del primer siglo. La carta se refiere a un problema espiritual que nos aflige a casi la mayoría de nosotros en algún momento.

La carta comienza con el diagnóstico que Cristo hace del problema. Él dice: "Yo conozco tus obras, que ni eres frío ni caliente. ¡Ojalá fueses frío o caliente! Pero por cuanto eres tibio, y no frío ni caliente, te vomitaré de mi boca" (Apoc. 3:15, 16).

Jesús usa una metáfora para describir un problema espiritual. El agua tibia no es ni caliente ni fría. No es suficientemente caliente para proveer un buen baño. No es suficientemente fría como para ser buena para beber. Es algo que instintivamente vomitamos de nuestra boca.

¿De qué está hablando el Doctor? ¿De la complacencia, de la indiferencia? Los laodicenses no eran calientes. No tenían el fuego espiritual en sus entrañas; no tenían pasión por conocer a Dios.

Pero tampoco eran fríos. No habían rechazado a Dios. No estaban buscando esa alternativa. Eran tibios. Tenían suficiente vida espiritual para sentirse cómodos, pero no era suficiente como para movilizarlos. No podían sentirse inspirados como los santos. No podían convertirse como los pecadores.

¿Cuál es la respuesta real para la complacencia espiritual? ¿Cómo se sale del letargo espiritual? Comenzamos dando un paso por fe.

Extiéndase más allá del límite de su comodidad. Fije un tiempo específico cada día para la oración. Elija un libro de la Biblia y léalo hasta que lo termine. Memorice pasajes de la Biblia. Acepte un desafío misionero en el nombre de Jesús. Usted puede salir de su complacencia espiritual al tomar alguna acción definida que le haga ir más allá de lo acostumbrado. ¿Cuál desafío espiritual aceptará hoy?

El peligro de la autosuficiencia

Porque tú dices: Yo soy rico, y me he enriquecido, y de ninguna cosa tengo necesidad; y no sabes que tú eres un desventurado, miserable, pobre, ciego y desnudo. Por tanto, yo te aconsejo que de mí compres... Apoc. 3: 17, 18.

La autosuficiencia espiritual es extremadamente peligrosa. Las personas que son autosuficientes piensan que tienen que tener todo bajo control. No están conscientes de ningún problema. Piensan que todo está bien cuando no lo está. Este era el problema de Laodicea.

En Apocalipsis 3 podemos ver que Jesús fue un poco más profundo con su diagnóstico. Él dijo: "Porque tú dices: Yo soy rico, y me he enriquecido, y de ninguna cosa tengo necesidad; y no sabes que eres un desventurado, miserable, pobre, ciego y desnudo" (Apoc. 3:17).

"Yo soy rico... y de ninguna cosa tengo necesidad". Así se sentían los laodicenses. Evidentemente los cristianos en la ciudad participaban de una prosperidad general. No sentían discriminación. No sufrían persecución.

Esas eran noticias buenas. Pero los laodicenses no estaban enamorados del Evangelio. Éste no los inspiraba. Las buenas nuevas de Jesucristo se habían tornado en noticia vieja. El materialismo había adormecido sus sentidos espirituales. El trajín de su vida diaria neutralizaba sus valores espirituales.

A primera vista, el estar cómodo no parece que sea algo tan malo, y ciertamente, no es algo peligroso. ¿Qué tiene de malo no necesitar nada? ¿Qué tiene de malo estar seguro financieramente? ¿Qué tiene de malo estar contento con lo que se tiene?

La respuesta es que no tiene nada de malo, excepto cuando se es pobre, ciego o desnudo, ¡y la persona no se da cuenta de ello! El problema se presenta cuando usted está muriéndose de hambre internamente, pero piensa que está lleno. El problema aflora cuando usted está ciego internamente, pero piensa que ve.

Cristo invita: "Unge tus ojos con colirio, para que veas" (vers. 18). En el Nuevo Testamento es el Espíritu Santo el que abre nuestros ojos e ilumina nuestras mentes. Es el Espíritu Santo el que nos ayuda a entender y nos convence de la verdad.

Es fácil no ver los defectos en nuestro carácter. El Espíritu Santo es el que nos puede ayudar a ver lo que hay realmente en lo profundo de nuestro corazón.

¿Por qué no pedirle al Espíritu que nos guíe "a toda la verdad" (Juan 16:13)? La verdad acerca de su actitud, la verdad sobre los pecados escondidos en su propio corazón, la verdad sobre sus hábitos adictivos, ¿por qué no pedirle al Espíritu Santo que le revele estas cosas y que lo libere en el día de hoy?

A las puertas

He aquí, yo estoy a la puerta y llamo; si alguno oye mi voz y abre la puerta, entraré a él, y cenaré con él; y él conmigo. Apoc. 3:20.

Esta carta es particularmente importante porque Laodicea representa a la iglesia de nuestros días. Ella completa la descripción que Dios hace de su pueblo a través de la historia. La palabra "Laodicea" significa "un pueblo juzgado". Esta es la iglesia anterior a la segunda venida. Es la iglesia de la hora del juicio. Lamentablemente, los laodicenses son tibios y complacientes. A pesar de que viven en el tiempo más emocionante de la historia del mundo, ellos no captan la urgencia del momento. Fracasan al no entender el significado de su tiempo.

Laodicea, la última iglesia de Cristo, se balancea sobre el filo de la eternidad. Y sin embargo, ella duerme confortablemente en una tibia complacencia. Ella vive en las horas finales de la tierra pero no reconoce el significado del tiempo en que vive.

Cristo está a la puerta y llama al corazón de Laodicea. Él la insta a que se despierte, a que aproveche la oportunidad del momento y proclame su Palabra.

¿Cuál es el remedio para el letargo espiritual? El gran Médico recomienda que los laodicenses salgan y compren tres artículos.

En primer lugar, deben comprar oro (Apoc. 3:18). ¿Qué significa ésto? Encontramos una frase similar en los escritos de Pedro: "Vuestra fe, mucho más preciosa que el oro" (1 Ped. 1:7). Pedro relaciona la prueba de la fe con el oro que es probado con fuego. La fe es ese elemento sin precio en el cual vale la pena invertir. La esencia de toda espiritualidad genuina es desarrollar una relación de confianza con Dios. Es la moneda de oro del cristianismo. Jesús está diciendo: "Levántate, eres terriblemente pobre sin la fe".

A continuación el gran Maestro receta "vestiduras blancas" (Apoc. 3:18). En el Nuevo Testamento las vestiduras blancas son símbolos de justificación o de estar bien con Dios. Los seres humanos pecaminosos son justificados a través de las vestiduras sin mancha de la justicia de Cristo. Su justicia transforma nuestro carácter.

Por último, el gran Médico nos anima a comprar colirio para que podamos ver nuestra necesidad. El colirio del Espíritu Santo nos ayuda a vernos tal cual somos, y a ver a Jesús tal cual es.

El remedio de Cristo es poderoso. Él nos insta a desarrollar una fe genuina, una experiencia personal con él y la posibilidad de ver a través de los ojos del Espíritu. Todos somos espiritualmente pobres, ciegos y desnudos, pero él anhela enriquecernos, vestirnos y darnos vista. Todo lo que necesitamos lo encontramos en Jesús.

Octubre 12

LA AMISTAD CON CRISTO

Al que venciere, le daré que se siente conmigo en mi trono, así como yo he vencido, y me he sentado con mi Padre en su trono. Apoc. 3:21.

El remedio de Cristo es más poderoso que nuestra complacencia, más potente que nuestra autosuficiencia. El remedio de Cristo penetra en lo más profundo de nuestras almas. Una relación viva con él por medio de la fe es como el tesoro dorado de nuestra experiencia cristiana. Su justicia es suficiente para cubrir nuestros pecados más oscuros y para hacer desaparecer nuestras transgresiones más viles.

El colirio de su Espíritu cura nuestra ceguera espiritual de manera que podemos ver a Jesús en toda su hermosura. Y hay un hecho más que debemos saber sobre el remedio de Cristo. Él dice: "He aquí, yo estoy a la puerta y llamo; si alguno oye mi voz y abre la puerta, entraré a él, y cenaré con él, y él conmigo" (Apoc. 3:20).

Estas son ciertamente buenas noticias. ¡Este Médico atiende a domicilio! No sólo provee la receta sino que la trae hasta donde estamos. Él está a nuestra puerta, esperando entrar.

Es como si el Sanador trajera un sanatorio entero a nuestra puerta. Él trae los remedios que nos pueden curar. Él trae el oro, la vestidura blanca y el colirio hasta la puerta de nuestra casa. Anhela entrar en nuestras vidas y estar con nosotros. Nuestro Señor anhela tener una relación cercana e íntima con nosotros, como dos amigos que se sientan a cenar y comparten sus íntimos pensamientos.

¿No es hora ya de que le abra la puerta? ¿No es hora ya de que se siente y converse con Jesús? ¿No es hora ya de cenar con él? Usted ha invertido su vida en tantas cosas. ¿Qué tal si invierte en la relación que cuenta más que ninguna otra, la relación que puede energizar su alma adormecida?

Cristo está esperando. Cristo está llamando. Cristo está apelando.

Depende de usted que él sea invitado. ¿Le han hablado a su corazón los mensajes a las siete iglesias? ¿Por qué no ora la siguiente plegaria conmigo?

"Querido Padre, venimos a ti porque nos ha sobrevenido un sueño espiritual, porque hemos perdido el fuego en nuestras vidas. Y ahora queremos dar el primer paso de fe. Necesitamos de tu oro para nuestra pobreza. Necesitamos de tu vestidura blanca para cubrir nuestra desnudez. Necesitamos de tu colirio para nuestra ceguera. Y así abrimos totalmente las puertas de nuestros corazones ahora mismo. Por favor, entra. Por favor, siéntete como en casa. Por favor, sé tú nuestro Salvador. Amén".

Descubriendo nuestras raíces

Porque tú creaste todas las cosas, y por tu voluntad existen y fueron creadas. Apoc. 4:11.

Alex Halley dedicó más de una década a buscar sus raíces en tres continentes. Juntó aquí y allá trozos de información de la historia de su familia transmitidos a lo largo de siglos por tradición oral, registros de censos y testamentos familiares.

Con el tiempo descubrió que en el año 1767, un antepasado suyo que había sido secuestrado en el río Gambia en África, fue transportado en un barco británico dedicado al comercio de esclavos, hasta Annapolis, Maryland, y en 1768 fue vendido a John Waller de Richmond, Virginia.

La historia de la búsqueda de las raíces familiares de Alex Halley animó a millones de otras personas a buscar su propia identidad. Los estudios genealógicos se han tornado en algo muy popular.

¿Cuáles son mis raíces? ¿Cuáles son las suyas? Aun las raíces de Halley van más profundo de lo que reveló su investigación. Por medio de Jesús, el ya fallecido Sr. Halley no descendió solamente de un esclavo, él fue un hijo de Dios.

Nuestra identidad tiene sus raíces en el origen de la vida. El Apocalipsis revela una escena celestial gloriosa. Los seres celestiales están adorando a Dios en el salón del trono del universo. Su canto de alabanza resuena a través de los cielos. "Señor, digno eres de recibir la gloria, y la honra y el poder; porque tú creaste todas las cosas, y por tu voluntad existen y fueron creadas" (Apoc. 4:11).

No somos un accidente genético. No somos un accidente de la naturaleza. Somos hijos de Dios, formados por un amante Creador. "Porque en él vivimos, y nos movemos, y somos" (Hech. 17:28).

La vida es un don de Dios. Cada vez que respiramos, cada vez que late el corazón, cada segundo de vida fluye del corazón de un Padre misericordioso. No nos creamos a nosotros mismos. No existimos por nuestra voluntad. Existimos por la voluntad de Dios, quien tiene un plan para nuestras vidas.

Hoy podemos alabarle por el don de la vida. Podemos alabarle por ser nuestro amante Creador y nuestro cariñoso Padre. No somos huérfanos sin hogar o esclavos encadenados. Somos hijos de Dios y nadie en este mundo nos puede quitar esto.

Octubre 14

Un momento predicho divinamente

Los que guardan los mandamientos de Dios y tienen el testimonio de Jesucristo. Apoc. 12:17.

En los desiertos de Bechuanalandia, Sudáfrica, vivía un hombre llamado Sukuba. Una noche de invierno se metió en su refugio para descansar. De pronto la noche se tornó más luminosa que el día. Se le apareció un ser de luz que le dijo que buscara "al pueblo del Libro". Debía encontrar un pueblo que adorara a Dios. ¿Qué significaba ésto? ¿Cómo podía él leer un libro?

El idioma de Sukuba contenía sonidos guturales diferentes del lenguaje de muchas otras tribus africanas. No tenía escritura. "El que brilla", como Sukuba llamaba al ángel que se le apareció, le había dicho: "El Libro habla. Tú podrás leerlo".

Sukuba salió con su familia y viajó a pie por muchos días. Una noche el que brilla se le apareció nuevamente y le dijo a Sukuba que debía encontrar "a la iglesia que guarda el sábado y al pastor Moye". El pastor Moye tendría el Libro y también "cuatro libros marrones que son en realidad nueve".

Al día siguiente Sukuba oró para que Dios le diera una señal que lo guiara. Una nube apareció en el cielo. Durante siete días Sukuba la siguió. Desapareció sobre una aldea. Allí Sukuba encontró al pastor Moye.

Luego que Sukuba le contó su historia en su dialecto local, el pastor Moye sacó su muy gastada Biblia. "¡Es ésa!", exclamó Sukuba. "¡Es ésa! ¿Pero dónde están los otros cuatro libros que en realidad son nueve?"

Años atrás, Elena G. de White había escrito nueve tomos llamados *Testimonios para la iglesia,* que después fueron combinados en cuatro. Sukuba había encontrado al pueblo del Libro, un pueblo que guardaba el sábado, un pueblo bendecido con el don profético.

El Apocalipsis identifica al pueblo remanente como un pueblo que guarda los mandamientos de Dios y tiene el don de profecía. El diablo odia a la iglesia de Dios. En este pasaje Juan identifica al pueblo de Dios de los últimos días como aquellos que "guardan los mandamientos de Dios y tienen el testimonio de Jesucristo".

Testimonio implica testificar. La iglesia de Dios ha de ser "un testigo de Jesús". Esto es precisamente lo que es un profeta. Juan fue un testigo de Jesús. Es por esto que el ángel declaró: "El testimonio de Jesús es el espíritu de la profecía" (Apoc. 19:10). Basado en Apocalipsis 12:17, al final del tiempo Dios levantaría un movimiento centrado en Cristo, que guardaría los mandamientos y sería guiado por el Espíritu de Profecía. Como adventistas del séptimo día, humildemente creemos que somos el cumplimiento divino de la profecía de Apocalipsis.

El don profético de Dios

De tal manera que nada os falta en ningún don, esperando la manifestación de nuestro Señor Jesucristo. 1 Cor. 1:7.

En los primeros días del movimiento adventista un popular predicador protestante desafió a Jaime White con una pregunta. "¿No creen los adventistas en la Biblia y la Biblia solamente? Y si es así, ¿por qué tienen una así llamada profetisa en su iglesia?"

Jaime White le respondió: "Nosotros los adventistas aceptamos toda la Biblia, aun aquellas partes que hablan del don de profecía. Rechazar el don de profecía es negar esos pasajes bíblicos que prometen que Dios levantaría el don en nuestros días". El apóstol Pablo hubiera estado de acuerdo. "No apaguéis al Espíritu. No menospreciéis las profecías" (1 Tes. 5:19, 20). En Efesios 4:8 Pablo añade que cuando el Salvador subió a lo alto, "dio dones a los hombres". El apóstol señala que uno de esos dones es el don de profecía.

En diciembre de 1844, Elena Harmon, de 17 años de edad, recibió su primera visión. Ella vio al pueblo adventista viajando por un camino ascendente hasta el cielo, y que una luz brillante iluminaba el sendero.

Qué animador fue este mensaje para el pequeño y diseminado grupo de creyentes, quienes más tarde serían conocidos como adventistas del séptimo día.

Desde 1844 hasta su muerte en 1915, Elena G. de White recibió más de 2.000 visiones y sueños proféticos, escribió más de 25 libros, y habló ante decenas de miles de personas en tres continentes. Con increíble exactitud y discernimiento ella escribió sobre temas tales como educación, nutrición, la vida de Cristo, la santidad práctica, la condición del mundo, la salud general, la práctica médica, la crisis mundial venidera, y muchos otros más.

En su libro *California, Romantic and Beautiful* (California, la romántica y hermosa), George Wharton James escribió de Elena G. de White, quien vivió sus últimos años en California. James dijo:

"También esta destacada dama, aunque prácticamente se había educado a sí misma, escribió y publicó un mayor número de libros, en mayor cantidad de idiomas, con una circulación más extensa que los escritos de ninguna otra mujer en la historia" (p. 320).

¿Atesora usted el don profético de Dios? ¿Lo acepta usted como el don de un amante Señor que quiere que usted esté más cerca de él diariamente? Al aceptar hoy el don especial de Dios a su iglesia recibirá la verdadera prosperidad del cielo.

Octubre 16

ÉL NUNCA PASA A NUESTRO LADO SIN DETENERSE

Pero un samaritano, que iba de camino, vino cerca de él, y viéndole, fue movido a misericordia. Luc. 10:33.

La columnista Ana Landers contó una interesante historia en una de sus columnas. Un hombre que estaba en las afueras de una ciudad del Oeste esperó 11 horas después que su auto se descompuso hasta que alguien se detuvo.

El hombre estaba a unos pocos kilómetros del pueblo cuando se detuvo el motor de su vehículo. Salió del auto y trató de detener a los que pasaban. Los autos seguían su camino, viajando a 80 ó 100 km por hora en la autopista. Ni una persona se detuvo. Era una noche terriblemente fría. Por fin, el cansado viajero se dio por vencido. La nota de suicidio que dejó en el parabrisas de su auto decía: "He estado esperando por 11 largas horas para que alguien se detuviera. No puedo soportar más el frío. Nadie se detuvo". Y así puso fin a todo.

Hay veces en nuestras vidas cuando parece que todos nos pasan por un lado sin detenerse. Parece que a nadie le importamos. Jesús contó una historia para animarnos cuando nos sintamos desesperadamente solos.

Un comerciante golpeado, lastimado y maltratado yacía ensangrentado en el camino a Jericó. Un sacerdote, que retornaba de sus deberes del templo en Jerusalén hasta su hogar en Jericó, meramente observó al hombre que se quejaba y siguió de largo. Era demasiado santo para poder ayudarle. Un levita, también un hombre religioso, se acercó. El levita miró al hombre sufriente y evaluó el riesgo que involucraba. Los ladrones que habían robado al hombre moribundo también podrían asaltarlo a él. Su vida podría estar en peligro. Él también pasó junto al hombre sufriente y siguió de largo.

Finalmente un samaritano, hombre de otra raza, se acercó. Las Escrituras dicen, que "vino cerca de él" (Luc. 10:33).

Jesús siempre viene donde estamos. Él se compenetra de nuestro sufrimiento. Él comprende nuestras necesidades. El samaritano fue movido a compasión por el hombre, vendó sus heridas y lo condujo a un lugar seguro.

Jesús se acerca a nosotros en tiempos de dolor, nos mece en sus brazos y venda nuestras heridas. Él ministra nuestras necesidades y sana nuestras dolencias. Él hace toda provisión necesaria para que sanemos. Otros pueden seguir de largo, pero él nunca lo hará. Él nos escucha cuando pedimos ayuda. Él ve nuestro dolor, conoce nuestro sufrimiento. Y lo que es mejor de todo, nunca nos deja solos. Cuando más lo necesitamos, él está allí.

Sanando las heridas

Mas yo haré venir sanidad para ti, y sanaré tus heridas. Jer. 30:17.

Haroldo Hughes nunca había dedicado mucho tiempo a sus dos hijas. Él tenía las razones usuales. Su negocio de camiones le ocupaba la mayor parte del tiempo. Cuando no estaba ausente tenía que atender a menudo a sus socios en el negocio.

Pero un problema en particular mantenía a Haroldo física y emocionalmente ausente de su familia. Era alcohólico. Cuando su esposa Eva trataba de hablarle de ello, él reaccionaba violentamente. Algunas veces sus niñas se escondían en el ropero cuando él volvía a la casa. Finalmente, Eva y las niñas se fueron del hogar. Esto lo impulsó a hacer una promesa solemne. Juró ante el juez que no tocaría alcohol por un año. Su familia volvió.

Unas semanas más tarde Haroldo viajó a una convención de camioneros en Iowa. Una mañana se despertó en un hotel de Des Moines y notó que había vómito en el baño. No recordaba haber bebido la noche anterior, pero una promesa más quedó sin cumplirse.

Las cosas fueron de mal en peor. Estando en el baño una noche, Haroldo tomó una escopeta calibre 12 y decidió terminar de una vez. Antes de apretar el gatillo, sin embargo, pensó que mejor sería explicarle a Dios por qué estaba por hacer eso.

Esa oración cambió su vida. Haroldo confesó que era un fracaso, un alcohólico irremediable y pidió perdón. Esa noche Cristo vino a su vida. Dios el Padre estaba presente, quitando el vacío y el odio que sentía por sí mismo, y llenándolo de gozo. Haroldo se sometió a la disciplina y al discipulado de Cristo.

Diariamente buscó a Dios en oración y estudió su Palabra. Dios cumplió su promesa: "Mas yo haré venir sanidad para ti, y sanaré tus heridas" (Jer. 30:17).

Dios restauró la salud física, mental, emocional y espiritual de Haroldo. Las cosas comenzaron a cambiar gradualmente en su vida. No todos los cambios ocurrieron de golpe, pero Haroldo iba en la dirección correcta. Su matrimonio mejoró. Su relación con sus hijas mejoró. Y también mejoró su autoestima.

Haroldo Hughes se convirtió en senador de los Estados Unidos y en gobernador de Iowa. Recibió muchos honores públicos, pero el momento más importante de su vida fue la noche en que se entregó por completo a Jesús.

Jesús nos invita a venir a él con todos los desafíos de la vida. Él es totalmente capaz de manejarlos. ¿Por qué no le traemos a él el desafío más grande que estamos enfrentando y dejamos que él lo maneje?

ALLÍ ESTABA UN CORDERO

El Cordero que fue inmolado desde el principio del mundo. Apoc. 13:8.

Una historia del primitivo asentamiento de Jamestown nos da una hermosa ilustración de la gracia. Es la historia de Pocahontas y Juan Smith, la historia real.

Las tensiones entre los colonizadores y los indios que ocupaban las tierras continuaban aumentando. Juan Smith, el valeroso líder de los colonizadores, trató de negociar la paz con el jefe indio Powhatan.

Pero un día, durante una ceremonia de los indios, varios guerreros tomaron a Smith y lo forzaron a que colocara su cabeza sobre unas rocas. Levantaron sus lanzas como para matarlo.

De pronto la hija favorita del jefe, una joven llamada Pocahontas, se apartó de la muchedumbre y se colocó sobre el cautivo. Ella ofreció su vida a cambio de la de Smith. La ejecución se detuvo.

Dos días más tarde, Smith se sorprendió de saber que el jefe indio lo había adoptado como su honorable hijo.

Pocahontas más tarde se enamoró y se casó con un granjero inglés de nombre Juan Rolfe. Él era un cristiano bondadoso e íntegro. Pocahontas pronto adoptó la fe cristiana, y creyó en el Cordero de Dios que quita el pecado del mundo.

Pocahontas comprendió lo que era el sacrificio, lo que significa dar la vida.

La esencia del cristianismo es dar de sí. El tema central del cielo es el sacrificio. Cuando el exiliado apóstol Juan miró al cielo en visión profética, vio "un Cordero como inmolado" (Apoc. 5:6).

Se menciona al Cordero casi 30 veces en el libro de Apocalipsis. Desde su origen hasta su gloriosa conclusión, la historia de amor de un Cordero inmolado es la historia central. Jesús es "el Cordero que fue inmolado desde el principio del mundo" (Apoc. 13:8). Un día nos regocijaremos en la cena de bodas del Cordero (Apoc. 19:7).

Su sacrificio, su muerte y su amor conquistan nuestros corazones. Su sacrificio fue supremo, y todo lo que podemos hacer es postrarnos a sus pies y darle nuestro corazón. Sin el sacrificio de Jesús estamos condenados a la muerte eterna; con él se nos asegura la vida eterna.

¡QUÉ RESUENE LA LIBERTAD!

Me ha enviado... a publicar libertad a los cautivos. Isa. 61:1.

En una fría mañana de invierno en febrero de 1832 un joven estudiante de teología descansaba en su habitación en el Seminario Andover, en Andover, Massachusetts. Samuel Francis Smith estaba hojeando unos cánticos de niños de Alemania, que su amigo, el famoso escritor de himnos y compositor, Lowell Mason, le había dado. El sol declinaba sobre el poniente, tiñendo el horizonte con paletadas de intenso carmesí.

Smith yacía sobre su cama. Luego de un atareado día de estudio estaba exhausto. ¡Qué grato descanso era el pasar algunos momentos tranquilos mirando esa música.

Al ir entonando una melodía tras otra, una de ellas captó su atención. La tarareó vez tras vez. Miró las palabras al final de la página. Su conocimiento del alemán le bastó para saber que las palabras eran patrióticas, pero no le apelaron. Les faltaba la calidad inspiracional que tiene toda música duradera. Samuel decidió escribir sus propias palabras. Encontró un trozo de papel y comenzó a escribir. En ese trozo de papel, en el simple cuarto de un estudiante universitario, nació un canto que inspiraría a millones de personas. Las palabras fluyeron libremente. La pluma de Samuel tenía que seguirle el paso a su mente. Era como si una mano divina la estuviera guiando mientras escribía:

"Mi país, es de ti
dulce tierra de libertad,
de lo que canto.
¡Tierra donde murieron mis padres!
¡Tierra del orgullo de los peregrinos!
¡Desde la cima de todo monte
que resuene la libertad!"

Hay un anhelo muy profundo de libertad en el corazón de las personas. Los que sufren el yugo del totalitarismo anhelan cantar: "Dulce tierra de libertad". Los que son prisioneros por causa de sus creencias claman: "¡Que resuene la libertad!"

Hay otra clase de tiranía. Es el espíritu maligno que toma control de los que ceden a sus tentaciones. El apóstol Pablo declara: "¿No sabéis que si os sometéis a alguien como esclavos para obedecerle, sois esclavos de aquel a quien obedecéis?" (Rom. 6:16).

Satanás nos mantiene en la esclavitud. Cuando cedemos al pecado, éste nos controla. Nos domina. Nos encadena. Aprisiona nuestras almas.

Solamente Jesús puede liberarnos. Cuando él declaró: "Consumado es" en el Calvario, declaró la victoria sobre las cadenas del pecado. Desde la montaña del Calvario, Jesús proclama: "¡Que resuene la libertad!"

VIENDO A TRAVÉS DE LOS OJOS DE DIOS

Bienaventurados vuestros ojos, porque ven; y vuestros oídos, porque oyen. Mat. 13:16.

El Nuevo Testamento nos urge vez tras vez a mirar a las personas a través de los ojos de Dios. Se nos invita a ver a las personas de una manera nueva.

El apóstol Pablo lo afirma en 2 Corintios 5. Él escribe acerca de Jesús que ha muerto por todo el mundo, por todo ser humano (vers. 14, 15). Habla sobre la diferencia que hace este sacrificio, de cómo debemos mirar a las personas a través del amor de Cristo. "De manera que nosotros de aquí en adelante a nadie conocemos según la carne... Si alguno está en Cristo, nueva criatura es; las cosas viejas pasaron; he aquí todas son hechas nuevas" (vers. 16, 17).

Cristo nos da una perspectiva totalmente nueva de las personas. No consideramos a nuestro vecino según la carne, de acuerdo con lo exterior. No nos enfocamos en las imperfecciones, la fragilidad, las cosas que nos pueden molestar. Ahora miramos a esta persona como alguien por quien Cristo murió. ¿Sabe usted lo que eso significa? Significa que esa persona tiene un valor infinito.

Mirar a las personas a través de los ojos de la gracia. Esto es lo importante. Es lo que hace la diferencia en el mundo. No solamente no nos detenemos en la apariencia sino que miramos lo que hay adentro.

Nos concentramos en lo que las personas pueden llegar a ser, no por su rostro, ni por el color de sus ojos, sino por el corazón recto que Dios pone dentro de nosotros.

¡Qué diferencia haría esto hoy!

Marcaría una diferencia en el lugar de trabajo. Hay personas en su lugar de trabajo que tienen tanto para dar, pero que se las mantiene aisladas, simplemente por su apariencia.

Haría una diferencia en su matrimonio. Necesitamos que los que están cerca de nosotros nos valoren, y necesitamos que se nos valore por lo que somos en nuestro interior.

Y logaría una enorme diferencia con nuestros hijos. Ellos tienen que crecer sabiendo que se los valora por lo que llevan dentro, por su potencial, por su carácter. En el mundo de los adolescentes se les dice lo opuesto. Se los valora por su apariencia y su conducta. Ellos desesperadamente quieren ser aceptados, ser populares, pero a menudo la popularidad se determina por cosas superficiales y externas.

Lo que cuenta ante Dios es el carácter. Dios mira la pureza de nuestros motivos. Él mira la sinceridad de nuestro corazón. Él mira la honestidad de propósito de nuestras vidas. Cuando veamos a través de los ojos de Dios miraremos más allá de la superficie. Veremos no solamente lo que la gente hace sino la pureza de sus propósitos. Veremos que hay algo de valor en toda persona. Apreciaremos a los que están cerca. Después de todo, ellos fueron creados a la imagen de Dios y redimidos por su sangre.

Ojos llenos de gracia

Alumbrando los ojos de vuestro entendimiento, para que sepáis cuál es la esperanza a que él os ha llamado, y cuáles las riquezas de la gloria de su herencia en los santos. Efe. 1:18.

Un remate vía Internet, realizado en el otoño de 1999, captó la atención de los medios de comunicación. El *Times* de Los Ángeles publicó un reportaje al respecto. No era un remate de joyas clásicas, autos deportivos o música de años anteriores. Se remataban los óvulos de ocho de las modelos más hermosas del mundo, óvulos que cuando fueran fertilizados podrían convertirse en hermosos bebés.

He aquí la historia. Un fotógrafo de modelos de California había comprado los derechos de los óvulos de las modelos. Las parejas interesadas podrían ver a las modelos en la página electrónica del fotógrafo. Él sabía que podía rematar esos óvulos a precios bastante elevados. Las ofertas comenzaron en 15.000 dólares y se esperaba que llegaran tan alto como 150.000 dólares.

Nuestra sociedad mira lo externo. Valora las apariencias hermosas. Un remate como éste valora a los seres humanos basados en su belleza externa. Implica que los que no son tan hermosos no son valiosos. Es lo opuesto de lo que enseña el Nuevo Testamento.

Quizá usted no se haya percatado, pero su Padre celestial le adjudica a usted un enorme valor. Pero él no lo valora basado en su apariencia, su cuenta bancaria o su cargo.

Dios mira su corazón. Él miró su corazón cuando dio a su único Hijo, y estuvo dispuesto a pagar un precio infinito por usted.

Pedro escribió: "Sabiendo que fuistes rescatados... no con cosas corruptibles, como oro o plata, sino con la sangre preciosa de Cristo, como de un cordero sin mancha y sin contaminación" (1 Ped. 1:18, 19).

Dios le otorgó un precio infinito cuando Jesús puso su vida por usted. Él lo hizo porque miró en su interior. El vio algo digno de redención. Vio a alguien que podría convertirse en un hijo de Dios. Él vio a alguien que podría convertirse en una nueva creación.

Sólo recuerde esto. Recuérdelo cuando reaccione en contra de otras personas. Recuerde que Dios lo ha tasado a un precio infinito. Mire a los demás de la forma en que Dios ha elegido mirarlo a usted. Vea su potencial. Vea lo que realmente importa. Dios ha colocado un valor incalculable en usted. Lo valora a usted más de lo que posiblemente se puede imaginar, y lo valora por quien usted es, no por su apariencia. Esto debiera llenar nuestros corazones de ánimo.

Octubre 22

CONSIDERANDO LA MUERTE

Y cuando esto corruptible se haya vestido de incorrupción, y esto mortal se haya vestido de inmortalidad, entonces se cumplirá la palabra que está escrita: Sorbida es la muerte en victoria. 1 Cor. 15:54.

La actriz Kari Coleman pretendió ser una médium psíquica al aparecer en un programa de variedades. Ella estudió ciertas técnicas y practicó la manera de dar los mensajes. Luego de su actuación, Kari dijo: "No puedo creer cuán vulnerables se tornan las personas. Es preocupante".

Kari se sintió especialmente culpable por engañar a un hombre cuya madre había fallecido. Ella se le acercó luego del programa y le confesó, en medio de lágrimas, que todo había sido un engaño. Realmente su madre no le había enviado mensajes. Para sorpresa de Kari, el hombre no se mostró enojado o molesto. Estaba feliz de haber vivido esa experiencia, aun cuando fuera una ilusión.

Kari llegó a la conclusión de que la obsesión de la gente con los médiums no es saludable. "Hasta que se capte la idea de que la muerte es algo definitivo —dice ella— no se puede salir de eso. El que cree que hay un ser humano que puede comunicarlo con su hijo muerto, no podrá superar jamás su luto. Hay que cerrar ese evento".

La Biblia presenta una idea de la muerte que mezcla el fin de esta vida con una esperanza gloriosa. En las Escrituras hasta cierto punto hay un cierre. La muerte es un sueño (Juan 11:11-14). Los muertos no se pueden comunicar con los vivos (Job 7:9, 10). Entre los muertos y los vivos hay "una gran sima" (Luc. 16:26).

Pero la muerte no es el fin del camino. La tumba no es una noche negra sin un mañana. Los cristianos nunca se dan el adiós por última vez, porque habrá una gloriosa reunión en la mañana de la resurrección. "Porque el Señor mismo con voz de mando, con voz de arcángel, y con trompeta de Dios, descenderá del cielo; y los muertos en Cristo resucitarán primero. Luego nosotros los que vivimos, los que hayamos quedado, seremos arrebatados juntamente con ellos en las nubes para recibir al Señor en el aire" (1 Tes. 4:16, 17).

La esperanza cristiana se cifra en el retorno de nuestro Señor. La enfermedad y el sufrimiento no tendrán la última palabra, Jesús la tendrá. El desastre y la muerte no triunfarán; Jesús triunfará.

En las catacumbas que hay debajo de Roma, los cristianos del segundo siglo escribieron sobre las tumbas de sus seres amados: "Adiós, mi amor, hasta la mañana".

Una brillante mañana vendrá cuando todos los hijos de Dios serán arrebatados para reunirse con él en el cielo. En ese día habrá un cierre final cuando "sorbida es la muerte en victoria" (1 Cor. 15:54).

La magia versus la Palabra

Porque tu dicho me ha vivificado. Sal. 119:50.

Karen Winterburn supuso algo falso, que todo lo sobrenatural debe ser bueno. De adolescente había estudiado la Biblia intensamente. Más tarde, Karen comenzó a jugar con lo oculto. Las personas a su alrededor le decían constantemente que era parte de su búsqueda espiritual. Estaba explorando todo un mundo nuevo.

Karen se convirtió en una astróloga profesional. Aconsejaba a las personas y daba conferencias. Practicaba la adivinación, usando la numerología, el I Ching y las cartas del Tarot. Y se hizo especialista como "médium que entraba en trance".

Los parasicólogos realizaron experimentos con Karen mientras estaba en trance. Bajo hipnosis, ella podía discutir de física subatómica y problemas biológicos en detalle, temas de los cuales sabía muy poco. Parecía que Karen había alcanzado un estado de conciencia superior. Se había sumergido profundamente en el mundo de la magia.

Sin embargo Karen se sentía vacía. Se suponía que todo esto la tendría que elevar más cerca de un estado de conciencia divina, o por lo menos a ser consciente del dios que había en su interior. Pero se sintió muy apartada de una relación significativa con Dios. De hecho, Karen se sintió apartada de toda vida espiritual genuina.

Estaba tratando de llenar un vacío en lo profundo de su ser, pero se encontró que simplemente se postraba ante una sucesión de dioses que se le aparecían, dioses hindúes, dioses griegos, dioses egipcios, dioses caldeos. Ella siempre decía: "¿Eres tú el verdadero?" Y todos le contestaban: "Sí". Pero cada uno de ellos la dejaba espiritualmente vacía.

Luego de pasar años así, Karen finalmente confrontó una dura realidad. Escribió: "Se hizo cada vez más claro que yo no estaba aumentando mi crecimiento espiritual, sino deteniéndolo. Durante tres meses me obligué a enfrentar este asunto. A través de los años tuve muchas experiencias espirituales interesantes, pero no crecí espiritualmente. Me di cuenta de que había estado andando en círculos y que no estaba más cerca de la verdad ahora que cuando comencé a buscarla".

Hay una fuente de crecimiento espiritual sólido. Presenta sustancia y no misterio. Puede no ser espectacular, pero es mucho más permanente. No es tan sensacional, pero es más desafiante. Hay profundidad en la experiencia espiritual al estudiar la Palabra de Dios. El mismo Espíritu Santo que inspiró la Biblia nos ilumina al estudiarla. El Cristo que habló antes habla también ahora. El Sermón del Monte, el relato de sus parábolas y sus milagros, resuenan a través de los siglos, tocan nuestros corazones, transforman nuestras vidas, y nos cambian radicalmente.

El apóstol Santiago declara apropiadamente: "Recibid con mansedumbre la palabra implantada, la cual puede salvar vuestras almas" (Sant. 1:21).

El sábado y la autoestima

Santificad mis días de reposo, y sean por señal entre mí y vosotros, para que sepáis que yo soy Jehová vuestro Dios. Eze. 20:20.

Se cuenta una historia de esos terribles días cuando innumerables personas fueron enviadas a los campos de concentración de los nazis. En la terminal del tren en uno de esos campos de muerte, los oficiales de la SS comenzaron a separar de las mujeres y los niños a los hombres aptos para el trabajo.

Había allí un padre que era miembro de una familia real. De pronto se dio cuenta que quizá no vería más a su hijo. Así que se arrodilló al lado del muchacho, lo tomó de los hombros y le dijo: "Miguel no importa lo que pase, quiero que siempre recuerdes una cosa. Tú eres especial, eres el hijo de un rey".

Muy pronto, los soldados separaron al padre y a su hijo. Los llevaron a diferentes sectores del campamento. Nunca más volvieron a verse.

Con el tiempo Miguel supo que su padre había perecido en una cámara de gas. Tuvo que salir solo y abrirse paso en el mundo. Pero las últimas palabras de su padre siempre permanecerían con él. "Tú eres el hijo de un rey". Miguel se propuso, que no importa lo que pasara, él actuaría como el hijo de un rey.

La doctrina del sábado es un mensaje importante de nuestro Padre celestial, una señal que declara: "Tú eres hijo del Rey del universo. Te reclamo como mío".

El sábado nos habla del Dios que nos creó. Nos lleva de vuelta a nuestros orígenes. Cada sábado se nos recuerda que no somos huérfanos cósmicos. No somos niños abandonados en la calle. Somos hijos del Creador.

Desde que él nos creó, nos ha valorado. Desde que él nos formó, se ha interesado en nosotros. Todo lo que nos concierne, le concierne a él. Las cosas que nos preocupan, le preocupan a él. Cuando alguien nos lastima, él se siente lastimado. Isaías lo presenta así: "En toda angustia de ellos, él fue angustiado" (Isaías 63:9).

¿Por qué? Simplemente porque él nos creó. Él es un Padre amante que se preocupa por sus hijos. Si Dios me valora, ¿no debería yo valorarme a mí mismo? Si Dios me ama más de lo que yo puedo imaginarme, ¿no debería mi corazón estar lleno de ánimo hoy?

Yo soy suyo y él es mío y con eso tengo contentamiento. Mi corazón rebosa de gozo en el conocimiento certero de que yo soy hijo del rey del universo.

Los corazones abiertos son los que sanan

Nuestra boca se ha abierto a vosotros, oh corintios; nuestro corazón se ha ensanchado. 2 Cor. 6:11.

Un día, Federico II, rey de Prusia, inspeccionó una cárcel en Berlín. Uno tras otro, los prisioneros declaraban enfáticamente su inocencia. Cada uno declaró que había sido acusado por equivocación. Sólo un prisionero permanecía en silencio. Así que Federico le preguntó: "¡Oye, tú! ¿Por qué estás aquí?"

"Por asalto a mano armada, su majestad".

"¿Eres culpable?"

"Sí, lo soy. Merezco mi castigo".

El rey hizo llamar al guardia. "Guardia —le ordenó— libere ahora mismo a este mísero culpable. No quiero tenerlo aquí en la prisión corrompiendo a toda esta gente perfecta e inocente".

Cuando con honestidad reconocemos nuestras faltas, la gracia de Dios nos puede sanar.

El sabio declara: "El que encubre sus pecados no prosperará" (Prov. 28:13). Es inútil tratar de ocultar nuestros pecados de Dios, porque "todas las cosas están desnudas y abiertas a los ojos de aquel a quien tenemos que dar cuenta" (Heb. 4:13).

Los corazones abiertos son los que sanan. La confesión es terapéutica. Cuando lamentamos sinceramente nuestros pecados y honestamente se los confesamos a Dios, él obra un milagro de gracia en nuestros corazones. Él perdona nuestros pecados y comienza dentro de nosotros un proceso de sanidad. Los resultados del pecado —la culpa, la condenación, el temor, el enojo, el resentimiento, y una multitud de otras emociones negativas— destruyen la hermosa persona que somos en la realidad.

Cuando nos abrimos ante Dios, y le damos permiso de hacer su maravilloso trabajo en nuestro interior, él abre la pústula de la amargura y drena el pus del resentimiento. Él quita el veneno. Él desarraiga las emociones negativas de manera que podamos ser las personas que debemos ser.

¿Vendrá usted ante él hoy con un corazón honesto y una confesión abierta? ¿Será usted transparente ante Dios? ¿Estará feliz de haberlo hecho?, porque los corazones que se abren son los que sanan.

Su amor absorbe nuestro dolor

En esto hemos conocido el amor, en que él puso su vida por nosotros. 1 Juan 3:16.

Un joven llamado Don pasaba la gran vida. Por lo menos eso es lo que parecía desde afuera. Había tenido una serie de novias atractivas. Otros hombres le tenían envidia. Pero por dentro, Don se sentía miserable. Estaba destrozado interiormente. Sus noviazgos se habían tornado obsesivos. Se dio cuenta de que utilizaba a una mujer tras otra sólo para salir de su propia depresión. Cuando se sentía deprimido, tenía que tener la seguridad de una mujer.

Don sabía que no estaba obrando correctamente con sus compañeras. Él había sido criado en un hogar muy estricto. A menudo se arrepentía y le prometía a Dios que iba a cambiar sus caminos, pero el patrón de conducta continuaba. Finalmente, Don visitó a un consejero cristiano que utilizaba los principios espirituales y bíblicos en su trabajo. Don sólo quería cambiar el círculo vicioso de su conducta. Quería una fórmula que cambiara sus hábitos destructivos, pero lentamente se dio cuenta de que había una razón por la cual entraba en esas serias depresiones.

Detrás de la depresión de Don había un vacío, una incapacidad para absorber el amor de manera saludable. Y así se sentía arrastrado, vez tras vez, a obtener el amor de manera enfermiza. Don no podía cortar con su conducta destructiva hasta que enfrentara su quebrantamiento interior, hasta que comenzara a sentir lo que significa el amor incondicional de Dios.

El apóstol Juan comprendió ese amor. Con su pluma entintada en el amor de Dios escribió: "Mirad cual amor nos ha dado el Padre, para que seamos llamados hijos de Dios" (1 Juan 3:1). Nuestros corazones hambrientos de amor encuentran el amor en él. Nuestra necesidad de amor se satisface en él.

Algunos de nosotros hemos sido afortunados al venir de familias donde se expresaba libremente el amor. Otros de nosotros venimos de situaciones carentes de amor o de hogares disfuncionales, hogares donde el amor no se expresaba demasiado, o se lo expresaba de manera inapropiada. Cualquiera sea su situación, Dios llena el déficit de amor. Que los siguientes pasajes animadores de 1 Juan penetren en su corazón: "En esto se mostró el amor de Dios para con nosotros, en que Dios envió a su Hijo unigénito al mundo, para que vivamos por él" (1 Juan 4:9). "Y nosotros hemos conocido y creído el amor que Dios tiene para con nosotros" (vers.16).

Viva hoy en el amor de Dios. Conscientemente diga: "Dios me ama, y su amor llena mi corazón. En él soy completo". Permita que su amor lo llene en el día de hoy.

DÍGASE A SÍ MISMO LA VERDAD

Bendito sea el Dios y Padre de nuestro Señor Jesucristo, que nos bendijo con toda bendición espiritual en los lugares celestiales en Cristo. Efe. 1:3.

Al realizar una serie de reuniones de evangelismo para el programa *It is Written* (Está escrito), en San Pablo, Brasil, conocí a una mujer de nombre Ana, quien creía que su vida no tenía valor. Era atractiva, inteligente y extrovertida, pero extremadamente depresiva.

Cuando cumplió veintitrés años decidió quitarse la vida. Antes de terminar con todo, les escribió cartas a su familia y sus amigos más íntimos, y aun le escribió una carta a Dios.

Milagrosamente, en el momento en que estaba escribiendo estas cartas, sonó el teléfono. La persona que llamaba había marcado el número incorrecto, pero él inmediatamente se dio cuenta de la desesperación de Ana. Comenzó a animarla delicadamente y a darle esperanza. Luego la invitó a una serie de reuniones de evangelismo que yo estaba dirigiendo. Ana asistió con el deseo de iniciar una nueva vida y de sanar de su quebrantamiento. Vino con el anhelo de librarse de su dolor y de su pena interior.

Ana escuchaba absorta mientras yo hablaba de cómo en Cristo somos valiosos; en Cristo somos amados, en Cristo somos aceptados; en Cristo somos renovados por entero. Ana confrontó lo que había en su mente. Confrontó las mentiras que rondaban en su cabeza. Aceptó la verdad de que a los ojos de Cristo ella tenía valor. La mentira que la había aprisionado se disolvió.

La verdad, por supuesto, era suficientemente obvia. Pero tenía que penetrar. El Espíritu Santo la impresionó con la realidad. Dios hizo esa impresión real en su mente y su luz brilló en el corazón de Ana. Este fue el comienzo de su sanamiento.

He aquí el pensamiento que cambió su manera de pensar: "[Cristo] nos hizo aceptos en el Amado" (Efe. 1:6). Si nos acepta, significa que no nos rechaza. Si el Padre me acepta a través de Jesús, entonces yo me puedo aceptar a mí mismo. Cuando aceptamos a Jesús por fe moramos en su justicia. El Padre nos acepta como lo hace con su propio Hijo. Todas las buenas obras y la vida justa de Cristo se acreditan en nuestra cuenta. "Ahora, pues, ninguna condenación hay para los que están en Cristo Jesús" (Rom. 8:1).

El Padre no condenará a su propio Hijo. A través de Cristo, el Padre nos acepta como si fuéremos su propio Hijo. Nos da la bienvenida. Nos abraza. Nos afirma. Nos acepta. Nos ama. ¡La vida eterna es nuestra! El cielo es nuestro hogar.

A través de Cristo nuestro futuro es brillante. Él nos acepta, de manera que nos podamos aceptar a nosotros mismos ahora y por la eternidad. Si él nos valora tanto, nosotros también podemos valorarnos. Cuando los pensamientos negativos inunden su mente, piense en la verdad. ¡Dios lo acepta y lo valora! Al final, esto es lo que realmente importa.

Conociendo a Dios (primera parte)

Y esta es la vida eterna: que te conozcan a ti, el único Dios verdadero. Juan 17:3.

La esencia de la vida eterna es conocer a Dios. El verdadero gozo de la eternidad no es construir mansiones sino construir relaciones. La intimidad con Dios es la relación más profunda y satisfactoria de todas.

Dios anhela tener una íntima relación con nosotros. Nuestra amistad eterna con Dios será una extensión de la relación que hemos comenzado aquí. A través de la eternidad descubriremos más de la belleza de su carácter, del encanto inigualable de su amor y de la inmensa reserva de su gracia.

Esta relación con Dios energiza toda nuestra experiencia cristiana y nos prepara para la eternidad. Elena de White escribió: "Andad siempre en la luz de Dios. Meditad día y noche en su carácter. Entonces veréis su belleza y os alegraréis en su bondad. Vuestro corazón brillará con un destello de su amor. Seréis levantados como si os llevaran brazos eternos. Con el poder y la luz que Dios os comunica, podéis comprender, abarcar y realizar más de lo que jamás os pareció posible" *(El ministerio de curación*, p. 412).

Al conocer a Dios, al meditar en su carácter, al reposar en su amor, nos transformamos en todo aquello para lo cual Dios nos creó. Al tener una relación íntima con Dios llegamos a nuestro completo potencial. Al estar cerca del Creador recibimos su poder. En nuestra relación con Jesús, su gracia reina en nuestros corazones y rebosa en nuestras vidas.

El cristianismo no es meramente una serie de reglas, sino una relación radical. A través de la eternidad buscaremos conocer más al Señor. Cuanto más lo conozcamos tanto más lo admiraremos. Gozosamente exclamaremos con la mujer sulamita: "Yo soy de mi amado, y conmigo tiene su contentamiento" (Cant. 7:10).

No hay una amistad más dulce que conocer a Jesús. No hay una mayor satisfacción que la amistad con nuestro Señor. No hay un mayor amor que el que une nuestros corazones con el suyo.

Dios nos ha dado una pequeña dosis de su amor aquí como una muestra, para estimular nuestro deseo de la eternidad. Cuánto más lo conocemos, tanto más deseamos conocerlo mejor. Al conocerlo, el reino del cielo ya vive en nuestros corazones.

Conociendo a Dios (segunda parte)

Dulce será mi meditación en él; yo me regocijaré en Jehová. Sal. 104:34.

Se cuenta la historia de un anciano europeo que visitó Norteamérica por primera vez a fines del siglo XIX. Cuando volvió a su casa luego de una larga estadía, sus amigos le preguntaron qué era lo que más le había impresionado. Su contestación los sorprendió: "Los norteamericanos se mueven, y se mueven y se mueven. Siempre están en movimiento. Aun cuando están sentados, tienen una silla que los mueve para atrás y para adelante". Por supuesto, se refería a la mecedora.

En nuestro complejo mundo de calendarios apretados, de fechas límites, de cuotas de producción y de ventas, y de los medios masivos de comunicación, la vida misma parece un remolino. Nosotros también vivimos en una sociedad que se mueve, y se mueve y se mueve.

Quizá sea tiempo de hacer una pausa, de respirar profundamente y de evaluar nuestras prioridades, y elegir lo que más importa. Quizá sea tiempo de dejar de correr para poder escuchar la voz de Dios.

A. W. Tozer oró: "Señor, enséñame a escuchar. La época es ruidosa, y mis oídos están cansados de mil sonidos ásperos que continuamente los asaltan. Dame el espíritu del pequeño Samuel cuando te dijo: 'Habla, Jehová, porque tu siervo oye' (1 Sam. 3:9).

"Déjame que te escuche hablar a mi corazón. Déjame acostumbrarme al sonido de tu voz, que sus tonos me sean familiares cuando los sonidos de la tierra se disipen, y que el único sonido sea tu voz".

Esta oración puede tornarse en una realidad en nuestras vidas. ¿Por qué no hacerla una realidad en su vida hoy?

Salga a caminar solo. Desarrolle el hábito de orar mientras camina, para luego permanecer en silencio mientras escucha la voz de Dios. Mire las estrellas. Siéntese al lado del mar. Camine por el bosque. Pasee por un parque. Busque la voz de Dios.

O levántese un poco más temprano y medite en los salmos y escuche a Dios hablarle. Quizá usted sea una persona "nocturna" que se energiza por las tardes. Si es así, busque un lugar apacible en la casa después que todos se hayan retirado a descansar, y lentamente lea las Escrituras y deje que Dios le hable.

Es en estos momentos de reflexión cuando Dios parece estar más cerca y nuestras almas más conectadas con él. ¿Por qué no deja que su alma se conecte hoy con Dios? Busque ese lugar en el corazón de Dios donde su alma pueda encontrar su hogar.

Octubre 30

El hombre de las respuestas

Y si alguno de vosotros tiene falta de sabiduría, pídala a Dios, el cual da a todos abundantemente y sin reproche, y le será dada. Sant. 1:5.

Cecil Adams es un "hombre de respuestas". Él contesta las preguntas que le hacen sus lectores en una columna sindicada del diario llamada "El tonto honesto". Cecil se las arregla para ir hasta el fondo de una gama increíble de misterios.

Por ejemplo, alguien quería saber: "¿Con qué consigo mejor rendimiento de la gasolina, con el aire acondicionado o con las ventanillas abiertas?" Así que Adams hizo algunas pruebas. Hacía un calor terrible. Apagó el aire acondicionado y abrió las ventanillas, pero no ahorró gasolina porque aumentó la resistencia al aire.

Otro lector preguntó: "Si un bebé nace en la Luna y vive allí durante 20 años, ¿podría vivir con la gravedad de la tierra si se lo trajera aquí?" Respuesta: El sistema muscular de la persona lunar probablemente sería muy débil para poder enfrentar la gravedad de la tierra.

Otra persona preguntó: "¿Cuánto tiempo puede vivir un hombre sólo con pan? Respuesta: "De tres a seis meses. Si también tuviera agua".

Se proclama a Adams como el ser humano más inteligente del mundo. Su publicidad dice: "Se explican todos los misterios más grandes del cosmos en forma breve".

¡Una explicación de todos los misterios! La idea apela, ¿no es cierto? Cecil Adams puede ponerse en contacto con biólogos, químicos y físicos para responder a muchas de las pequeñas curiosidades de la vida.

Pero, ¿y qué de los misterios reales de la vida? ¿Cómo puedo encontrar la paz mental? ¿Cómo puedo ser la persona que realmente quiero ser? ¿Cómo puedo estar libre de la culpa? ¿Cómo puede mi matrimonio alcanzar su completo potencial? ¿Dónde encontramos una guía cuando tenemos que tomar decisiones? ¿Cómo podemos saber cuál trabajo o carrera seguir? ¿Cómo podemos decidir si debemos mudarnos o quedarnos?

Hay Uno que provee respuestas sólidas a nuestras perplejidades. Él anhela guiarnos para que tomemos las mejores decisiones. Podemos hacer nuestra la oración de David: "Oh, Jehová, oye mi oración, escucha mis ruegos; respóndeme por tu verdad, por tu justicia" (Sal. 143:1).

Dios es fiel. Él nunca nos chasquea. Ansía darnos una guía. Él es el verdadero "hombre de las respuestas".

La sabiduría de Dios es infinita, y él anhela compartir su sabiduría con nosotros. No hay cosa que él desee más que el privilegio de guiar nuestras vidas. Él nunca va a manipularnos u obligarnos a que aceptemos su sabiduría, pero espera pacientemente para contestar las preguntas más profundas de nuestro corazón.

El día que termine la guerra

Pelearán contra el Cordero, y el Cordero los vencerá, porque él es Señor de señores y Rey de reyes; y los que están con él son llamados y elegidos y fieles. Apoc. 17:14.

Hans, un soldado raso alemán estacionado en el frente occidental durante la Segunda Guerra Mundial siempre recordará el día en que terminó la guerra para él. Fue el 6 de junio de 1944. Hans había estado luchando por años como parte del ejército aparentemente invencible de Hitler. Pero ahora Hans se sentía como un hombre entrado en años.

Hans y sus compañeros habían estado esperando una invasión por semanas. Estaban pertrechados en la larga línea de defensa alemana, a lo largo de la costa de Normandía.

Los informes comenzaron a venir por el telégrafo. Los paracaidistas habían desembarcado. Los lanchones de desembarque se acercaban.

En medio de este alboroto, Hans recibió órdenes de tomar parte en una patrulla de reconocimiento cerca de la costa. Reunió a varios soldados y se preparó para salir.

Justo en ese momento un tanque inglés se acercó y abrió fuego. Todos se desparramaron. Hans se escondió en unos arbustos y luego trató de volver a las líneas alemanas, pero unos paracaidistas ingleses lo capturaron y lo llevaron a la playa.

Cuando el sol salió a la mañana siguiente, Hans vio algo que rápidamente cambió su perspectiva como prisionero de guerra. Esparcida por todo el océano había una flota invasora que llegaba hasta el horizonte, un barco al lado de otro sin una brecha. Y en las playas Hans vio tropas, armamento, tanques, municiones y vehículos que desembarcaban sin cesar. ¡Parecían no tener fin!

¿Quién podía resistir esa ofensiva? Hans respiró con alivio y se dijo a sí mismo que era un hombre afortunado. Ciertamente, en el día D, el 6 de junio de 1944, había sólo un bando al cual unirse, del lado del ejército aliado que desembarcaba en Europa.

¿Alguna vez usted ha sentido en su vida personal que es parte de una guerra, de algún conflicto prolongado? ¿Alguna vez se ha cansado del sufrimiento que parece interminable en este mundo?

El libro de Apocalipsis describe el día glorioso cuando los ejércitos victoriosos de Dios descenderán del cielo y la guerra terminará.

Apocalipsis 17:14 describe las fuerzas del infierno que hacen la guerra al Cordero, y declara: "El Cordero los vencerá". Apocalipsis 19 agrega: "Entonces vi el cielo abierto; y he aquí un caballo blanco, y el que lo montaba se llamaba Fiel y Verdadero, y con justicia juzga y pelea" (vers. 11).

Ningún poder en la tierra o en el infierno puede estar firme ante los ejércitos de Dios. Ninguna fuerza maligna tiene poder ante su presencia. Un día, muy pronto, terminará la gran guerra. Nuestro Señor reinará para siempre como Rey de reyes y Señor de señores. Su justicia, su plan y su verdad vencerán.

¿ESCUCHA USTED VOCES?

Todo aquel que es de la verdad, oye mi voz. Juan 18:37.

El pastor Bob Oltoff es un consejero que vive en Thousand Oaks, California. Bob cuenta una fascinante historia sobre una mujer que tenía profundas cicatrices de su pasado.

"Un día vino a mi oficina una mujer que estaba sufriendo de depresión —cuenta Bob—. Cuánto más conversaba con ella, más me daba cuenta de que estaba atrapada por su pasado. Luego de conversar un poco sobre su pasado, coloqué tres sillas, una para que ella la usara cuando hablara de sus sentimientos, otra para que la usara al pensar en lo que ella se decía a sí misma, y la tercera para que la usara mientras examinábamos lo que la Palabra de Dios dice al respecto. Después de compartir sus sentimientos, ella se sentó en la silla que utilizaría para sus pensamientos negativos.

"Cuando hablamos de las cosas negativas que surgieron, le pregunté: '¿De dónde vienen estos recuerdos?' Ella nombró varias personas diferentes, sus padres, profesores y amigos del pasado que eran la fuente de esas ideas negativas. Luego se colocó en la última silla, y miramos lo que la Palabra de Dios dice sobre estas cosas. '¿Es ésto lo que Dios le está diciendo?', le pregunté con respecto a sus pensamientos negativos. Vi que sus ojos brillaron y dijo: '¡No! Esto no es lo que Dios dice. Dios me diría: Yo te amo' ".

¿Qué clase de voces escucha usted? ¿Son voces negativas del pasado, voces llenas de culpa y condenación, miedo y duda? Puede estar seguro de que cualquier voz que le perjudica sin darle esperanza es la voz del maligno.

Satanás nos deja rotos y lastimados, con todas las puertas cerradas, pero Jesús nos sana y anima. Cuando Jesús nos habla, aun cuando nos disciplina, siempre deja una puerta abierta de esperanza. Él dice: "Yo sanaré su rebelión, los amaré de pura gracia" (Ose. 14:4). El amor de Jesús fluye de su corazón para sanar nuestras dolencias. Él es el único que "sana a los quebrantados y venda sus heridas" (Sal. 147:3).

Escuche la voz de Dios. Es la voz de la esperanza, del ánimo y la alegría, la voz que nos levanta. Es la voz de un amante Salvador que nos cuida. Si usted abre su corazón escuchará hoy sus palabras de ánimo. Si usted realmente quiere escuchar, oirá sus palabras de esperanza.

Confiando en Dios y no en una tarjeta de crédito

Honra a Jehová con tus bienes, y con las primicias de todos tus frutos. Prov. 3:9.

Scott y Kathy Nelson una vez libraron una batalla contra una deuda muy grande. Al igual que muchas familias, las deudas fueron aumentando imperceptiblemente. Pero a diferencia de muchas parejas, los Nelson encontraron una forma de eliminar todas sus deudas no relacionadas con la hipoteca de la casa, y lo hicieron muy rápidamente.

Aunque Scott tenía un buen sueldo, cuánto más aumentaba su ingreso, tanto más aumentaba la deuda de la familia. Los Nelson pensaban que estaban elevando su calidad de vida, pero en realidad estaban metiéndose más y más profundamente en las cifras en rojo. En cierto momento tenían 60.000 dólares en deudas no relacionadas con la hipoteca de la casa. Se estaban ahogando. Entre los préstamos de estudiantes, un auto nuevo, las tarjetas de crédito, y los gastos semanales de la casa, sus deudas cada vez eran más grandes.

Cuando finalmente se dieron cuenta de lo que les estaba sucediendo, Kathy le pidió a Dios que los ayudara a salir de ese abismo. Comenzó a leer el libro de Proverbios, un libro que dice mucho sobre los principios financieros. Leyó un capítulo cada día del mes. Ella y Scott comenzaron a aplicar los principios financieros del cielo en sus vidas. Pusieron a Dios en primer lugar. Se aseguraron de diezmar honestamente. Su deuda comenzó a declinar. Dios los impresionó a vivir sujetos a un presupuesto, no de acuerdo con sus caprichos.

Scott y Kathy obtuvieron de la Internet un presupuesto básico. Un buen consejero cristiano les ayudó a descubrir los principios financieros y comenzaron a reducir los gastos. Pagaron primero sus tarjetas de crédito para eliminar los intereses excesivos.

A los dos años estaban libres de deudas. Kathy habla sobre su experiencia: "La bendición más grande que hemos encontrado en estar libres de deudas es que nos da la libertad de ser generosos. Siento mucha satisfacción en ello. Los que ayudan a otros se ayudan a sí mismos".

Seguir los principios financieros de Dios es el camino a una libertad financiera duradera. Él promete atender nuestras necesidades. Nuestro Señor declara: "Mas buscad primeramente el reino de Dios y su justicia, y todas estas cosas os serán añadidas" (Mat. 6:33). La clave de la seguridad financiera es colocar a Dios en primer lugar, y no nuestros propios deseos.

Antes de realizar cualquier compra de envergadura, pregúntese honestamente: "Señor, ¿es ésto lo que tú deseas que yo haga?" ¿Cómo puede usted saber la respuesta? Si es un artículo no esencial que lo va a llevar a endeudarse más, ciertamente no es lo que Dios desea. Si usted está metido profundamente en deudas y puede vivir sin ese artículo, ciertamente no es lo que Dios desea. Sea honesto. Escuche la voz de Dios. Presente el asunto ante él, luego tome una decisión basada en la mayor información posible.

Noviembre 3

DIOS AÚN OBRA MILAGROS (PRIMERA PARTE)

Tarde y mañana y a mediodía oraré y clamaré, y él oirá mi voz. Sal. 55:17.

En enero de 1999 nuestros equipos de evangelismo y de producción del programa *It is Written* (Está Escrito) volaron a las Filipinas para realizar una serie de evangelismo. Nuestras reuniones se realizarían en el Centro Internacional de Convenciones de las Filipinas y serían transmitidas vía satélite a todas las naciones del Pacífico.

Nos preocupaba que el equipo de transmisión por satélite no llegara a tiempo. Alabamos a Dios cuando supimos que el equipo había llegado el martes anterior al comienzo de las reuniones. Entonces surgió un serio problema.

Todo nuestro equipo quedó detenido en la aduana sujeto a una fianza de 355.000 dólares. Los oficiales de la aduana no querían dar el brazo a torcer. A menos que pagáramos los 355.000 dólares, no podríamos sacar de allí nuestro equipo.

Fracasaron todos los esfuerzos que realizamos para negociar la obtención del equipo. Se nos estaba agotando el tiempo. Nuestro coordinador de producción habló con varios oficiales de la aduana. La historia siempre era la misma. Sin el pago, no habría equipo.

Nosotros no teníamos ese dinero. Mientras tanto, miles de iglesias, con decenas de miles de personas, estaban ansiosamente anticipando escuchar la Palabra de Dios el viernes por la tarde. ¿Qué opciones teníamos? Nuestro personal oró sinceramente. Nos reunimos en pequeños grupos de oración, reclamando las promesas de Dios de encontrar una salida cuando no hay más caminos.

Providencialmente descubrimos que el embajador filipino ante Nueva Guinea era adventista del séptimo día. Si él estuviese en el país, posiblemente nos podría ayudar.

Según la voluntad de Dios, el embajador Ben Tiejano estaba en Manila y se dispuso a ayudarnos. Él apeló directamente ante el presidente de Filipinas en funciones, José Estrada. El presidente Estrada firmó una orden ejecutiva que decía: "De inmediato se deben entregar todos los materiales y el equipo de transmisión de la Iglesia Adventista del Séptimo Día sin costo".

A las pocas horas tuvimos el equipo. Nuestras reuniones de evangelismo comenzaron a tiempo. Decenas de miles de personas escucharon el mensaje del amor y la verdad de Dios para el tiempo del fin.

Dios todavía obra milagros. Él todavía contesta las oraciones.

Cuando estamos al final de nuestras posibilidades, él no lo está. Cuando las soluciones humanas a nuestros problemas se han agotado, las soluciones divinas aún no lo han hecho. Cuando no sabemos qué más hacer, él sabe lo que se necesita. Sin duda, todavía podemos depender de él.

DIOS AÚN OBRA MILAGROS (SEGUNDA PARTE)

¿Hay para Dios alguna cosa difícil? Gén. 18:14.

El 17 de enero de 1999, en el transcurso de Hechos 2000, la serie de reuniones de evangelismo por satélite del programa *It is Written* (Está escrito), me invitaron a oficiar en un bautismo especial en la prisión nacional de Filipinas. Una pareja de adventistas laicos dedicaron sus vidas a estudiar la Biblia con los reclusos. Han estado dedicados al ministerio de las prisiones por un cuarto de siglo. Hay una iglesia adventista dentro de los muros de la prisión con más de 400 miembros. La gracia de Dios alcanza lugares sorprendentes. El amor de Dios penetra en los corazones más endurecidos. La luz de Dios aun penetra en la oscuridad.

No hay nada demasiado difícil para Dios. En la prisión nacional de Filipinas conocí a los más temibles criminales totalmente transformados por la gracia de Dios. Sus vidas eran diferentes. Tenían más libertad en la prisión que en las calles. No eran ya prisioneros de las drogas, el alcohol, el sexo ilícito y el tabaco. No eran ya más esclavos de sus deseos. No eran ya más víctimas de sus pasiones incontrolables. En Cristo eran verdaderamente libres.

Al abrirse las puertas de la prisión, un grupo de reclusos adventistas del séptimo día me rodeó para protegerme. Nos abrazamos como hermanos. Ellos son tan justos a la vista de Dios por causa de Jesucristo como lo soy yo. Yo no soy más salvo de lo que son ellos.

Mientras me llevaban al modesto santuario, me cautivó el cuarteto de la prisión que estaba cantando:

"Entonemos un canto feliz,
cantemos de Jesús.
Con una sonrisa en tu rostro
puedes cambiar a la raza humana.
Entonemos un canto feliz.
Cantemos de Jesús".

El cuarteto estaba compuesto por asesinos sentenciados a muerte. Sin embargo, ellos irradiaban el increíble amor de Cristo. La gracia de Dios los ha perdonado y transformado.

Tuve el gozo de bautizar a cuarenta y seis de esos reclusos en ese día. Veintidós de los candidatos estaban sentenciados a muerte.

Dios aún revela su poder. Dios aún manifiesta su mano. Dios aún obra milagros en los corazones humanos que maravillan a los ángeles.

Cualesquiera sean los desafíos que usted enfrente hoy, el poder de Dios está a su disposición.

Noviembre 5

Viviendo la vida

No nos cansemos, pues, de hacer bien; porque a su tiempo segaremos, si no desmayamos. Gál. 6:9.

Muy tarde una noche, un padre recibió la llamada telefónica que los padres más temen, por la que siempre oramos que nunca llegue.

Era la patrulla de caminos. Un vehículo que llevaba cuatro adolescentes había perdido el control a alta velocidad y se había impactado contra una barrera. Todos los pasajeros habían fallecido. El oficial en el teléfono dijo: "Creemos que su hija está entre las víctimas".

Con el rostro angustiado, el padre se dirigió al hospital para identificar el cuerpo de su hermosa hija, cuya vida fue cortada en la mejor época de su vida. Al estar sentado en la sala de emergencia con la cabeza entre sus manos, angustiado y en estado de *shock*, escuchó a un policía decir que probablemente el alcohol fue la causa del accidente. Se habían encontrado varias botellas de whisky entre los restos, al lado de los cuerpos destrozados.

Ahora el padre tenía en qué enfocar su angustia. Se levantó con furia y amenazó con matar a quienquiera hubiera provisto de alcohol a los cuatro jóvenes. Él encontraría al culpable, ¡costara lo que costara!

Al volver a su casa, embargado por el dolor y la furia, fue a la cocina y abrió el armario donde guardaba su propia reserva de bebidas alcohólicas. Allí encontró una nota escrita por su hija. Su corazón se detuvo. La nota decía: "Papá, nos estamos llevando algunas de tus botellas. Sé que no te vas a molestar".

Las personas a nuestro alrededor aprenden más de nuestro estilo de vida que de lo que decimos. Nuestro estilo de vida influye más que nuestras palabras. Lo que hacemos impacta más que lo que decimos. Cuando nuestra vida es consistente con nuestras palabras, cambia la vida de los demás.

Las palabras de Jesús tuvieron un impacto tan grande porque sus enseñanzas eran consistentes con la forma en que vivía. Su vida era similar a sus palabras. La muchedumbre podía decir: "¡Jamás hombre alguno ha hablado como este hombre!" (Juan 7:46) porque nunca hubo un hombre que viviera como él. No había diferencia entre lo que Jesús decía y cómo él vivía.

Los escépticos pueden debatir una idea, pero no pueden negar el poder de Dios en el maravilloso testimonio de una vida transformada. Cuando los que están más cerca de nosotros vean el amor de Cristo que se revela en todas nuestras acciones, ellos también se maravillarán de su grandeza.

La conversión produce cambios

Y revestido del nuevo, el cual conforme a la imagen del que lo creó se va renovando hasta el conocimiento pleno. Col. 3:10.

Chuck, un joven alto y musculoso se presentó un día en la casa de Pat, compañero de una pandilla llamada los Rubes. Pat estaba solo, y Chuck rápidamente le preguntó: "¿Estás listo?"

—¿Listo para qué?

—Para robar la panadería en la calle Cuarta y la Elm—respondió Chuck con una sonrisa.

Hacía varias semanas que los dos habían planeado el robo, tan pronto como Pat mejorara de su pierna lastimada. Había recibido un disparo mientras robaba una casa. Lentamente Pat comenzó a explicar: "Chuck, hace unos días me ocurrió algo".

—¿Qué pasó?

—Fui salvo.

—¿Salvo de qué?

—Acepté a Cristo como mi Salvador —Pat contó rápidamente su historia sobre la iglesia, un llamado desde el altar, su confesión, el perdón que recibió y la nueva paz como hijo de Dios.

Chuck miró por un instante fuera de la ventana, y luego se dirigió a su compañero. "Está bien, así que ahora eres salvo. ¡Gran cosa! Vamos, vayamos a asaltar la panadería".

"Así que ahora eres salvo. ¡Gran cosa!" La respuesta de Chuck es la misma de muchas personas. ¿Qué diferencia logra la conversión? La conversión, ¡gran cosa!

Decir que uno ha nacido de nuevo tiene que ver muy poco con una genuina conversión. Una entrega genuina a Cristo lleva a un cristianismo auténtico que resulta en un cambio radical. Los hábitos antiguos cambian. Las actitudes antiguas se transforman. Los patrones de pensamiento antiguos se renuevan.

Por fe aceptamos que el viejo hombre fue clavado en la cruz junto con Cristo. El viejo hombre ha muerto. Por fe creemos que cuando Cristo resucitó nosotros también nacimos con él. Ahora vivimos vidas nuevas por el poder del Cristo que resucitó. "Mas ahora que habéis sido libertados del pecado y hechos siervos de Dios, tenéis por vuestro fruto la santificación, y como fin, la vida eterna" (Rom. 6:22).

La conversión genuina produce cambios. Si no hay diferencia, no hay conversión. Si no hay diferencia, podemos decir que hemos nacido de nuevo, pero simplemente nos estamos engañando a nosotros mismos. Cristo ofrece mucho más que la modificación superficial de nuestros viejos hábitos y costumbres. Él nos ofrece una completa transformación. Y se la ofrece a usted ahora mismo.

Noviembre 7

DIOS EN LAS CLOACAS

Por tanto, no desmayamos; antes aunque este nuestro hombre exterior se va desgastando, el interior no obstante se renueva de día en día. 2 Cor. 4:16.

Quisiera contarle de un amigo, Milton Schustek, quien fue pastor en Checoslovaquia durante los años de la dominación y opresión religiosa soviética. Cuando los comunistas se apoderaron de su país, Schustek quiso estar libre para ministrar a su congregación de guardadores del sábado en Praga. Pero los comunistas tenían otras ideas. Ellos tenían la intención de mandar a todos los pastores a los campos de trabajos forzados.

Milton sabía que lo querían enviar tan lejos de su congregación como fuera posible, a las minas de carbón en el norte. Pero él pensó en una manera de seguir con su trabajo pastoral en la ciudad. Había un trabajo que nadie quería, limpiar las cloacas. Nadie quería descender por esas estrechas e inmundas alcantarillas, cientos de metros por debajo de las calles de la ciudad.

Milton decidió ir a ver a los oficiales comunistas y pedir ese trabajo. Pero primero se arrodilló y oró: "Jesús, quisiera adorarte cada sábado. Ayúdame a guardar tu ley y serte fiel".

Milton fue a ver al oficial local. Le dijo: "Entiendo que ustedes quieren enviarme a las minas a trabajar. Déjenme decirles algo. Mi abuelo trabajó en las minas y mi padre trabajó en las minas, y yo estoy dispuesto a trabajar en cualquier mina a donde ustedes me envíen. Pero tengo una sugerencia. Ustedes necesitan que alguien haga el peor trabajo que tienen. Yo lo sé. Es descender a las cloacas, y estoy dispuesto a hacerlo. ¿Por qué no me asignan para limpiar las alcantarillas de Praga? Estaré feliz de hacerlo". El oficial comunista estuvo de acuerdo en darle ese trabajo.

Nunca olvidaré la mirada de Milton cuando me contó esta historia. Admitió que era un trabajo muy pesado, oscuro y solitario. "Pero valió la pena cada día —dijo—, porque podía adorar a Dios con mi congregación cada sábado".

Dios tiene sus fieles en todas las épocas. Son como luces que brillan en un lugar oscuro.

Milton Schustek estuvo dispuesto a servir a Dios a toda costa. Dios lo cuidó, y va a cuidar de usted también. Dios obra milagros en aquellos que confían en él. Cuando por fe nos asimos de su fortaleza, las puertas milagrosas se abren. Él las abrió para Milton Schustek, y las abrirá para usted también.

Nunca veremos a Dios obrar milagros en nuestras vidas si transigimos descuidadamente. El transigir niega a Dios el privilegio de obrar un milagro para liberarnos de nuestro dilema. Permanezca firme, no se desanime, y vea cómo Dios abre las puertas.

Soñaremos en nuestros días

Y después de esto derramaré mi Espíritu sobre toda carne, y profetizarán vuestros hijos y vuestras hijas. Joel 2:28.

Recientemente un equipo de cuatro adventistas atravesó los senderos de la selva y los ríos crecidos en el centro de las Filipinas. Entraron en un área completamente aislada, inaccesible para los vehículos motorizados. Los habitantes eran animistas que adoraban objetos de la naturaleza.

Luego de atravesar la jungla durante ocho horas, llegaron a una aldea. Lo que encontraron allí los maravilló. Encontraron un edificio que había sido edificado para adorar a Dios. Un habitante de la aldea había soñado con un hombre vestido de lino blanco y zapatos brillantes que le dijo: "Construye una casa grande para Dios y adóralo". El hombre en el sueño también le dijo que vendrían algunas personas a enseñarle la "verdad de la Biblia". Otra persona de la aldea soñó que un hombre le dijo que los visitantes que vendrían eran buenas personas.

Los cuatro adventistas comenzaron a enseñar de Jesucristo y su Evangelio. Las personas de la aldea aceptaron el mensaje con entusiasmo. Muy pronto 24 creyentes bautizados llenaron "la casa grande para Dios". En lo profundo de la selva en la isla de Mindoro, la tribu Olangan había sido intocable. Pero hoy están aceptando el Evangelio.

Dios preparó el camino. Los visitantes angelicales descendieron del salón del trono del universo a las densas selvas de las Filipinas. El Espíritu abrió los corazones endurecidos.

El escepticismo no da lugar a los milagros. El cínico rechaza lo divino. Pero rechazar los milagros porque no son científicos es rechazar la autenticidad de las Escrituras.

Considere el uso que Dios hace de las visiones y los sueños. Dios les habló a los profetas del Antiguo Testamento en forma regular a través de sueños. José y Daniel, Isaías y Jeremías, Jacob y Ezequiel, recibieron mensajes especiales de Dios por medio de sueños. Todo el libro de Apocalipsis es el resultado de una visión dada por Dios.

Una vez más en nuestra generación podemos esperar que Dios revele su voluntad por medio de visiones y sueños. Así como dirigió al apóstol Pedro mediante un sueño para ir ante Cornelio, él dirigirá hoy a los de corazón sincero a su verdad mediante sueños. Por supuesto, los sueños no sustituyen la verdad de la Biblia. Cualquier supuesto mensaje de Dios que contradiga las Escrituras es totalmente falso. Pero Dios a veces usa los sueños. Él tiene maneras extrañas de terminar su obra, y esas maneras nos pueden sorprender. Él hará cualquier cosa por alcanzar a sus hijos perdidos.

Noviembre 9

Cánticos en la noche

Y ninguno dice: ¿Dónde está Dios mi Hacedor, que da cánticos en la noche? Job 35:10.

Su nombre era Juliek. El autor Elie Wiesel, ganador del premio Nobel de la Paz, lo conoció en camino a un campo de concentración nazi. Junto con otros cientos de judíos fueron forzados a permanecer durante tres días en unas barracas en el pueblo de Gleiwitz. Apiñados en un cuarto, muchos se sofocaron hasta morir. La mera masa de cuerpos humanos simplemente agotó el suministro de aire.

Entre estos cuerpos retorcidos, Elie notó al joven y demacrado Juliek, quien sostenía un violín cerca de su pecho. De alguna manera Juliek consiguió guardar el instrumento, kilómetro tras kilómetro durante tormentas de nieve, en la forzada marcha hacia la muerte en Gleiwitz.

Ahora Juliek luchaba por liberar sus piernas. Apretujado entre los cientos de muertos y moribundos, lentamente colocó el arco sobre las cuerdas, y comenzó a tocar una pieza de un concierto de Beethoven. Se produjo una hermosa melodía, pura y misteriosa, en esa horrible habitación.

En la oscuridad Elie escuchó el sonido del violín. Elie sintió como si el alma de Juliek estuviera en el arco, como si toda su vida flotara en las cuerdas. Elie siempre recordaría el rostro pálido y triste del joven mientras se despedía tierna y suavemente de su audiencia de moribundos.

Esa noche Elie se durmió escuchando el concierto de Beethoven. En la mañana vio a Juliek, su cuerpo doblado, muerto. A su lado yacía su violín, roto y pisoteado.

Pero el canto permaneció. La melodía final de Juliek se elevó sobre los horrores de esa marcha de la muerte. Ni siquiera la crueldad nazi pudo sofocar su suave delicadeza. El canto de Juliek fue el eco de la belleza de otro mundo. Fue un elocuente testimonio: Hay algo más allá de este sufrimiento e inhumanidad.

Hay un canto que se eleva de la tierra al cielo, un canto de un mundo mejor. En medio del sufrimiento, del dolor y la enfermedad, hay un canto. Un canto del hogar, un canto del cielo, un canto de la eternidad. Dios nos da cánticos en la noche, dulces melodías que elevan nuestros corazones de lo que es a lo que será.

Deje hoy que el pensar en el cielo le dé una razón para cantar. Permita que la música de otro mundo, el de Dios, anime su corazón. Deje que la melodía de la eternidad inspire su espíritu. El coro del cielo canta de una tierra donde no habrá más lágrimas, dolor, enfermedad, sufrimiento, guerra o muerte. Únase hoy con todo el cielo y permita que su corazón se regocije.

La respuesta de Dios puede no ser la nuestra

Oh Jehová, oye mi oración, escucha mis ruegos; respóndeme por tu verdad, por tu justicia. Sal. 143:1.

Gary Habermas, coordinador del departamento de filosofía en la Universidad Liberty es un hombre que piensa. También es un hombre que ora. Él mantuvo un registro de sus oraciones durante la década de 1980. Después de ser testigo de una serie increíble de providencias y sanamientos de Dios, tuvo que concluir que la oración personal es eficaz.

Cuando su abuela de 87 años se enfermó gravemente, él oró con mucho fervor junto a su lecho. Para su gran alegría, ella se recuperó.

Más tarde, a Debbie, su esposa desde hacía 23 años, le diagnosticaron cáncer del estómago. Oró nuevamente, con mayor fervor. Cuando Debbie falleció, parecía que la oración de Gary no había sido contestada.

Pero antes de fallecer, Debbie le susurró a su esposo: "Dios me habló tres palabras: Yo te amo".

Debbie había dudado del amor de Dios toda su vida. Pero ahora Gary se dio cuenta de que ella estaba segura del amor de Dios como lo estaba del amor de Gary.

Gary experimentó un dolor intenso y una gratitud profunda. Aprendió algo sobre otra clase de sanidad, la sanidad emocional. Estas son sus palabras: "Yo confío en que Dios contesta sabiamente mis oraciones. Esto no es lo mismo que decir que sé cuál será la respuesta".

Gary Habermas rehusó ser inflexible. No demandó que Dios contestara su oración de una única manera. No se amargó. Como resultado, encontró algo hermoso en el consuelo del amor divino.

La oración es peligrosa cuando la usamos para arrinconar a Dios. Cuando demandamos una contestación precisa, de una forma precisa, en un tiempo preciso, jugamos a ser Dios. El que nos ama más que todos sabe cómo contestar nuestras oraciones de la mejor manera. Toda oración sincera será contestada, pero no quizá de la manera que nosotros estamos buscando. Los cristianos maduros confían que Dios contestará sus oraciones de la manera que su infinita sabiduría vea mejor.

La solución de Dios y la nuestra pueden ser dramáticamente diferentes. "'Porque mis pensamientos no son vuestros pensamientos, ni vuestros caminos mis caminos', dijo Jehová" (Isa. 55.8).

El amor de Dios no tiene límites. Su sabiduría es infinita, su poder sin paralelo. Podemos confiar en su amor ilimitado que moverá su sabiduría infinita para impartir su poder sin paralelo a fin de contestar nuestras oraciones de la manera que él sabe que es la mejor.

Noviembre 11

ALGUIEN DE QUIEN ASIRNOS

Cuando pases por las aguas, yo estaré contigo; y si por los ríos, no te anegarán. Isa. 43:2.

En el verano de 1993, comenzó en las Filipinas el festival anual "Un crucifijo en el río". La gente se congregó en un pequeño pueblo al norte de Manila para pasar nueve días de fiestas. Pero lo que comenzó como un colorido espectáculo religioso terminó en tragedia.

Más de 300 creyentes se apiñaron en las tres barcazas de una capilla que flotaría por el río. La capilla tenía un altar de tres niveles y un crucifijo de madera. Lamentablemente, a medida que la capilla flotaba río abajo las personas trataron de nadar hasta ella y subirse a bordo a pesar de lo repleta de gente que estaba. La policía trataba de tirar a la gente otra vez al agua, pero más y más personas se trepaban, hasta que la capilla repleta comenzó a hundirse. Cundió el pánico entre la gente. La corriente se había tornado más rápida y las barcazas se dieron vuelta. Más de 300 personas se ahogaron.

¡Qué ilustración gráfica de lo que sucede cuando nos aferramos a algo equivocado!

El barco religioso de estas personas se hundió. En tiempos de crisis no pudo sostenerlas. Estaban simplemente aferrándose a algo equivocado en nombre de la religión. Ellos necesitaban algo o alguien a quien aferrarse que no los soltara.

¿Será posible que nosotros también seamos como esas personas? Cuando nos aferramos a nuestras propias opiniones en lugar de la Palabra de Dios, tarde o temprano nos hundiremos en las lodosas aguas de la tentación. Si nos aferramos a la idea de que de alguna manera Dios hará agitar una varita mágica y nos salvará mientras desobedecemos abiertamente, nos chasquearemos al final. Nos engañamos al pensar que no importa cómo tratamos nuestros cuerpos, Dios va a preservar nuestra salud en forma milagrosa. Pensamos que Dios suplirá nuestras necesidades, pero despilfarramos nuestras ganancias aferrándonos a una barca emocional que no nos puede sostener.

Una sola cosa puede sostenernos en el final, una relación con Dios. Una relación personal e íntima con el Creador del universo.

Aquel que caminó sobre el agua y sacó a Pedro de las olas que estaban por tragarlo, nos librará a nosotros cuando las aguas de las tribulaciones parezcan agobiarnos. Estamos seguros en sus manos. Él nunca nos soltará.

EL DIOS DE LO INESPERADO

El viento sopla de donde quiere, y oyes su sonido; mas ni sabes de dónde viene, ni a dónde va; así es todo aquel que es nacido del Espíritu. Juan 3:8.

Carlos, un joven abogado, no esperaba encontrarse con esta Persona cuando comenzó a estudiar la Biblia. Él sólo estaba tratando de conocer más a Jesucristo.

Desde su conversión había dedicado tiempo después del trabajo a orar en su oficina y a leer las Escrituras. Estaba conociendo a Dios personalmente y eso era muy interesante. Nunca se había imaginado que esto fuera posible.

Una tarde sintió que había pasado un tiempo tan maravilloso con la Palabra que parecía que estaba hablando con Cristo cara a cara. Se sintió profundamente conmovido. Y luego sucedió algo. Carlos lo relata en sus propias palabras:

"Sin esperarlo, sin haber tenido un solo pensamiento en mi mente de que había algo para mí, el Espíritu Santo descendió sobre mí de manera que pareció a travesarme, cuerpo y alma… Parecía como el mismo aliento de Dios".

Hay veces cuando el Espíritu nos sorprende. Dios no siempre nos anuncia cuando se va a presentar. A menudo usa una variedad de formas para impresionarnos profundamente. Me he sentido profundamente conmovido mientras cantaba un simple himno. Una oración, la lectura de un párrafo o el sermón de un pastor me han conmovido en ocasiones diferentes.

Pero para mí no hay nada que me conmueva más que el meditar tranquilamente en las Escrituras. Dios a menudo usa su Palabra para hablarle a mi alma. Al leer su Palabra, su voz es clara. Me siento inspirado, animado y elevado. Me convenzo de mi pecado y siento la necesidad de renovar mi consagración a él.

Su Palabra llena de energía a mi alma, anima mi corazón y me da nueva esperanza y gozo.

Hay veces en que leo la Palabra de Dios sin entusiasmo. Parece que nada sucede. Las palabras tienen poco impacto. Pero entonces, invariablemente, algo sucede. Las palabras parecen saltar de la página. Se deleita mi corazón. Se conmueve mi alma. Se impacta mi vida de forma inusual. Dios está hablando. Él tiene el mensaje que yo más necesito para ese preciso momento. Su amor me atrapa, su presencia me rodea, y no quiero que ese momento se termine.

Permita usted que hoy, al pasar tiempo con Dios en su Palabra, él lo sorprenda. Permita que la Palabra sea el canal para las bendiciones infinitas del cielo.

Noviembre 13

EMBARGADO POR EL AMOR DE DIOS

Temible eres, oh Dios, desde tus santuarios; el Dios de Israel, él da fuerza y vigor a su pueblo. Sal. 68:35.

Dwight L. Moody sostenía una hermosa conversación con Dios un día mientras caminaba por las ajetreadas calles de la ciudad de Nueva York. Le había pedido a Dios que lo llenara con su Espíritu Santo.

Fue difícil para Moody encontrar las palabras que describieran lo que sucedió a continuación. Pero él escribió lo siguiente: "Sólo puedo decir que Dios se reveló a sí mismo ante mí, y tuve una experiencia tal de su amor que tuve que pedirle que detuviera su mano".

Moody se sintió embargado al sentir el amor de Dios. Como resultado, encontró un gran poder. Al retornar al trabajo, predicó los mismos sermones que siempre había predicado, y sin embargo, hubo una diferencia. Ahora "se convertían por cientos".

Moody escribió: "No quisiera volver al tiempo previo a esa bendita experiencia ni aunque me dieran todo el mundo".

Dios anhela hacer mucho más por nosotros de lo que posiblemente podemos imaginarnos. A menudo vivimos muy por debajo de nuestros privilegios. Recogemos unas pocas migajas espirituales por aquí y por allá cuando podríamos festejar y saciarnos en el banquete de su amor.

El salmista adecuadamente lo describe: "Abres tu mano, y colmas de bendición a todo ser viviente" (Sal. 145:16). La mano de Dios está abierta. Él ofrece bendiciones espirituales inimaginables. Él anhela que seamos llenos de su amor, del Espíritu Santo, de su poder. Cuando lo buscamos de todo corazón, él derrama la abundancia de su Espíritu.

"Pues si vosotros, siendo malos, sabéis dar buenas dádivas a vuestros hijos, ¿cuánto más vuestro Padre celestial dará el Espíritu Santo a los que se lo pidan?" (Luc. 11:13).

El Espíritu Santo es la presencia personal de Cristo que da energía al alma. El Espíritu Santo es la tercera persona de la Trinidad, quien da poder vivificante a nuestras vidas. Él es el representante personal de nuestro Señor, quien trae vitalidad a nuestra experiencia cristiana. El Espíritu Santo nos convence de pecado, revela la verdad de Dios y nos conduce al servicio.

Busque su presencia hoy, y al igual que Dwight L. Moody, experiméntela en forma total. No quede satisfecho con ninguna otra cosa a no ser el Espíritu Santo que llene su vida. Pídale a Dios que se lo envíe. Abra su corazón para recibirlo, y reclame el don de la fe.

La paz es un don

La paz os dejo, mi paz os doy. Juan 14:27.

Lorenzo Dow pasó por un período de intensa búsqueda personal. Él quería tener una relación con Dios; quería estar lleno del Espíritu. Finalmente, Dios lo inspiró con las palabras: "Cree en la bendición ahora". En otras palabras, "cree que lo has recibido".

Este fue el momento decisivo para Lorenzo. Contó: "Una dulce paz llenó mi alma".

Anteriormente, Lorenzo había oscilado entre el éxtasis y la melancolía. A menudo se desanimaba. Pero ahora Lorenzo comenzó a experimentar lo que él llamó "una simple, dulce paz, que me llenaba día tras día, de manera que la prosperidad o la adversidad no producían las subidas y bajadas de antes; mi alma es como el océano donde siempre hay calma en lo profundo".

Lorenzo Dow estaba lleno del Espíritu. Y estaba lleno de paz. Se convirtió en un poderoso hombre de Dios.

La paz no es un atributo que buscamos. No es un estado mental que logramos por medio de un estado de meditación. La paz es un don que Dios ofrece. La recibimos por fe. Cuando abrimos nuestros corazones al Espíritu, éste nos brinda paz.

Las Escrituras llaman al Espíritu Santo nuestro Consolador. La palabra del Antiguo Testamento es *paracleto.* Significa "uno que está al lado". Él nos sostiene y nos apoya, nos anima, nos afirma y nos da paz.

La paz es un estado de tranquila seguridad. Es el resultado de la confianza, de saber que alguien mucho más grande que nosotros está en control. La paz es lo opuesto a la preocupación.

La preocupación proyecta los peores escenarios posibles en la pantalla de la mente. La paz confía que Dios obrará para el bien en toda situación. El apóstol Pablo declara: "Porque él [Cristo] es nuestra paz" (Efe. 2:14). Jesús es el "Príncipe de paz" (Isa. 9:6). Al recibir a Cristo recibimos la paz. Y cuando tenemos paz con Dios, "no podemos sentirnos miserables" (*Testimonies,* t. 5, p. 488).

El antiguo himno lo expresa apropiadamente: "Paz! Paz! maravillosa paz, que viene del Padre celestial; llena mi espíritu para siempre, te ruego, con un amor sin fin".

En el día de hoy abra su corazón para recibir la Paloma de paz del cielo. Acepte el regalo de paz de Dios. Es suyo con tan solo pedirlo.

Experimente la paz de Dios.

El es la Roca, cuya obra es perfecta. Deut. 32:4.

Se cuenta la historia de un joven que hizo un viaje por la campiña inglesa. Comenzó a ascender por una cuesta y observó el tranquilo panorama que el gran Artista debió haber pintado.

De pronto el viento arreció, las nubes se amontonaron, relampagueó, y el cielo derramó una lluvia muy fuerte. El joven buscó donde refugiarse, pero los pocos árboles que había en esa colina ofrecían muy poca protección. Se estaba mojando hasta los huesos. Los rayos parecían caer muy cerca.

En ese momento divisó unas rocas que sobresalían cerca de la cima de la loma. Corrió hasta allí y vio que había una hendidura en la roca, una fisura. Era lo suficientemente grande como para que se metiera dentro. La roca se elevaba por encima de él, y lo refugiaba de la lluvia.

Mientras se secaba y esperaba que pasase la tormenta, el joven recordó las lecciones que había aprendido de Dios en su niñez, lecciones de cómo el Padre celestial nos oculta en el refugio de sus manos.

Al volver a su hogar, comenzó a escribir algunas melodías. Una de ellas decía: "Roca de la eternidad, fuiste abierta para mí; sé mi escondedero fiel". Así surgió el himno "Roca de la eternidad" (*Himnario adventista*, Nº 236), que se ha convertido en uno de los himnos más queridos de todos los tiempos.

En las tormentas de la vida la paz proviene de la Roca sólida. En él hay verdadero descanso. Una tranquila seguridad inunda nuestras almas. Al estar seguros en él, nuestros corazones acongojados encuentran la paz y cesan nuestros inquietantes desvelos.

A lo largo de las Escrituras, Cristo es la roca sólida en la cual podemos depender. Él es la piedra inamovible con la cual podemos contar, la fortaleza impenetrable que nos protege del enemigo. Él es nuestro firme fundamento en las tormentas de la vida.

Los salmos describen ricamente esta alusión a las rocas. El Salmo 31:3 declara: "Porque tú eres mi roca y mi castillo". El Salmo 94:22 agrega: "Mas Jehová me ha sido por refugio, y mi Dios por roca de mi confianza". En el Salmo 61:2 el salmista clama: "Cuando mi corazón desmayare, llévame a la roca que es más alta que yo".

Él es nuestro refugio. Nuestra protección. Nuestra defensa. Él es nuestra paz.

"Roca de la eternidad, fuiste abierta para mí; sé mi escondedero fiel".

El gozo de Jesús

Estas cosas os he hablado, para que mi gozo esté en vosotros, y vuestro gozo sea cumplido. Juan 15:11.

Jacobo Knapp comenzó a buscar a Dios intensamente. Él había luchado con sentimientos de culpa por algún tiempo. Un día se dio cuenta de que Jesucristo había quitado su carga de pecado. Knapp se levantó de sus rodillas y elevó sus ojos con gratitud.

Y luego sucedió algo. Parecía como si Jesús estuviera descendiendo hacia él con sus brazos abiertos.

Estas son las palabras de Jacobo: "Mi alma saltó dentro de mí, y prorrumpí... en cantos de alabanzas al bendito Salvador. Parecía que las dulces melodías de los pájaros armonizaban con los cánticos. El sol brillaba con una luz que no era propia. Los árboles majestuosos parecían inclinarse en dulce sumisión. Toda la naturaleza sonreía, y todo objeto, animado e inanimado, alababa a Dios con un sonido demasiado elevado y demasiado simple para que no se le pudiera entender (aunque nunca se le había escuchado antes)".

Esta experiencia fue crucial para el ministerio de Jacobo. Fue el momento decisivo de su vida. Descubrió que el cristianismo no es meramente aceptar algo en lo cual creer, sino a Alguien a quien amar. El cristianismo es más que un sistema de doctrinas. Es una experiencia interna con Dios. Esta experiencia con Dios es lo que lo distingue.

Un matrimonio sin amor se torna en esclavitud. Una pareja puede vivir junta pero estar a kilómetros de distancia emocionalmente. Exteriormente aparentan vivir como un matrimonio, y están juntos por causa de los hijos, pero ambos se sienten atrapados.

Nuestra experiencia religiosa puede ser similar. Es posible sentirse atrapado por reglas rígidas. La religión puede degenerar en obligación, lo que se "debió" y se "debe" hacer. El amor todo lo cambia. Una relación con Dios llena nuestros corazones de calidez, amor y alabanza. En Cristo nuestros corazones cantan. A través de él el deber se torna en deleite, el sacrificio se convierte en placer, sus mandamientos se transforman en puertas que se abren a la felicidad.

El ministerio de Jacobo Knapp ganó más de 100.000 personas para Cristo. Quizá usted no haya tenido la conversión dramática que experimentó Jacobo. Tampoco tiene que esperar algo parecido. Pero usted puede tener una íntima relación con Jesús que llene su vida de amor. Lleno de este amor, usted puede salir y cambiar al mundo, tal como lo hizo Jacobo.

Noviembre 17

Pensando en el cielo

Poned la mira en las cosas de arriba, no en las de la tierra. Col. 3:2.

Se cuenta la historia de una familia que vivió en un lugar aislado cerca de la desolada costa de Nueva Inglaterra. Ellos habían construido su hogar con sus propias manos, lo mismo que el mobiliario. Tenían dos hijos grandes. Uno de ellos era un joven doctor que estaba constantemente fuera de la casa, visitando los pequeños pueblos y los asentamientos aislados a lo largo de la costa. La otra era una joven solitaria, de unos 20 años.

Cada tarde ella salía, en medio del silencio de los bosques cercanos, sin que su familia supiera dónde, a buscar un retiro en medio de la naturaleza donde tener sus momentos de devoción. Y siempre cantaba:

"Cuando lentamente caen las horas de la tarde, sobre cimas y montañas, campos y flores, cuán dulce es dejar el mundo lleno de trajines, y elevar al cielo la voz en oración".

Una tarde mientras ella gozaba de su meditación, y justo cuando había completado las primeras dos líneas de su pequeño cántico, un extraño se le apareció por detrás, la golpeó en la cabeza, y huyó. Ella cayó al suelo inconsciente. Notaron la ausencia de la joven al servirse la cena. Su familia y sus amigos la buscaron desesperadamente. La encontraron inconsciente. Así permaneció por varios días. Llamaron al hermano, que era médico, e hicieron planes para operarla a fin de aliviar la presión de su cerebro.

Cuando al fin recuperó la conciencia, sus labios comenzaron a moverse, y ella finalizó el cántico que se había interrumpido tan abruptamente unos días atrás: "Cuán dulce es dejar el mundo lleno de trajines, y elevar al cielo la voz en oración".

Cuando el pueblo de Dios se levante de sus tumbas en el glorioso retorno de Jesús, sus pensamientos continuarán como lo fueron en la tierra. El apóstol Pablo habla de aquellos quienes "piensan en las cosas de la carne" y aquellos quienes "son del Espíritu" (Rom. 8:5). Pablo escribe: "porque el ocuparse de la carne es muerte, pero el ocuparse del Espíritu es vida y paz" (vers. 6).

Si cultivamos pensamientos espirituales aquí, nuestras mentes estarán llenas de pensamientos espirituales a través de la eternidad. El proceso que comenzamos aquí continuará allá. No podemos esperar tener pensamientos espirituales en el cielo si tenemos pensamientos carnales en la tierra. Para el cristiano consagrado, pensar en el cielo comienza ahora mismo.

Un Dios de nuevos comienzos

No os acordéis de las cosas pasadas, ni traigáis a memoria las cosas antiguas. He aquí que yo hago cosa nueva; pronto saldrá a luz. Isa. 43:18, 19.

Frank Deford quedó destrozado con la muerte de su hija, Alejandra. Ella había muerto a los 8 años de fibrosis cística.

Varios meses después del funeral empezaron a pensar en adoptar a otra niña. Su hijo Chris pensaba que la idea era muy buena. Pero Frank dudaba. Era algo bueno proveerle un hogar a algún niño necesitado, pero Frank no podía ni pensar en que un extraño tomase el lugar de Alejandra. Parecía terriblemente injusto. Nadie podría reemplazarla.

Una tarde la esposa de Frank dijo: "Sabes, si quisiéramos tener un bebé, sería muy difícil en los Estados Unidos. Tendría que ser en algún país lejano".

Sí, Frank entendía eso. Luego su esposa le preguntó: "¿Te acuerdas de la oración de Alejandra? ¿Te acuerdas de la parte que ella decía cada noche?" Sí, Frank se acordaba. Su hija siempre había orado: "Y Dios, por favor cuida de nuestro país, y trae algunos pobres a nuestro país".

A Frank se le llenaron los ojos de lágrimas. Ahora entendía. Si adoptaban otra niña, ella nunca reemplazaría a Alejandra, pero su oración sería contestada.

A los pocos meses los Defords trajeron a su hogar a una preciosa niña de las Filipinas. Ahora podían seguir reconstruyendo sus vidas. El idealismo de una niña los había llevado a la acción. Más tarde Frank escribió: "Tendremos que volver a comenzar y seguir adelante. Pero gracias, Alejandra, porque hemos tenido mucho que hacer desde que tú entraste en nuestras vidas".

Podemos quedar aprisionados en el dolor del pasado o seguir adelante hacia un nuevo comienzo. Los nuevos comienzos no ignoran o borran el pasado, pero nos llevan más allá del dolor devastador. Nos sacan de la esclavitud destructiva. El pasado nos enseña, pero no nos domina. Alguien adecuadamente lo expresó: "No se puede correr hacia adelante mirando hacia atrás".

Cada mañana Dios nos invita a tener un nuevo comienzo. "Por la misericordia de Jehová no hemos sido consumidos, porque nunca decayeron sus misericordias. Nuevas son cada mañana; grande es tu fidelidad" (Lam. 3:22, 23).

Frank Deford y su esposa tuvieron un nuevo comienzo. La hija que adoptaron no reemplazó a Alejandra, pero sí les trajo un nuevo gozo. Descubrieron que "nunca decayeron las misericordias" de Dios. Sus misericordias "nuevas son cada mañana". Pudieron exclamar: "Grande es tu fidelidad".

Nosotros también podemos descubrir a este Dios de los nuevos comienzos. Podemos dejar atrás los errores del pasado. Podemos comenzar nuevamente. Permita que hoy sea el día de un nuevo comienzo para usted.

Noviembre 19

Amor ilimitado

El amor nunca deja de ser. 1 Cor. 13:8.

Una vez el editorialista de un diario les pidió a sus lectores que enviaran su carta de amor favorita en ocasión del día de San Valentín. Una mujer de nombre Gloria envió una carta que había recibido de Ralph Illion en 1944, cuando éste era un marinero en una base en el Pacífico. Él escribió:

"Querida Gloria:

"Es tiempo de que me presente. No nos hemos conocido, pero he escuchado mucho acerca de ti. Debo confesarte que me he enamorado. Esta confesión te puede sorprender, ya que no sabes nada de mí excepto lo que otras personas te han dicho. No lo tomes muy en serio. En realidad una vez que me conozcas verás que no soy tan malo. Y mis sentimientos por ti no cambiarán nunca mientras viva.

"Espero que esta carta te cause una buena impresión y que no creas que soy demasiado atrevido. Envíame una foto. Mantén mi amor por ti guardado en tu corazón, para que lo abras solamente cuando yo en persona te lo pida".

Bueno, Ralph volvió del Pacífico y pudo conocer a Gloria cara a cara: una hermosa y saludable bebé, su preciosa hija. Y, sí, se enamoraron uno del otro.

Gloria es una mujer adulta ahora. Pero aún atesora la carta de amor que recibió de su papá cuando tenía tan sólo tres meses. Es el regalo de amor de un padre, un legado duradero, palabras que aún arden en su corazón.

Otro Padre, a quien nunca hemos visto, nos ama con un amor increíble. El profeta Isaías expresa esa seguridad cuando dice: "Tú, oh Jehová, eres nuestro padre; nuestro Redentor perpetuo es tu nombre" (Isa. 63:16).

Su Palabra es una carta de amor. Constantemente nos recuerda de su cuidado. Nos revela el corazón de un Padre de amor.

Así como Ralph Illion anhelaba estar con su hija, el corazón de un Dios infinito anhela estar con nosotros. Él extraña nuestro amor. Nunca estará contento a menos que estemos con él por la eternidad. Hay un lugar en su corazón solamente para nosotros. Diariamente nos recuerda su amor. Un día él confirmará ese cuidado infinito y maravilloso cuando con un abrazo tierno, sonría y diga: "Es hora de ir a casa".

El cociente de bondad

Sed benignos unos con otros. Efe. 4:32.

Cientos de eruditos se habían reunido para honrar al hombre que había ganado el premio Nobel de ciencias. Durante las ceremonias preliminares su esposa había aguardado detrás del escenario, junto con las esposas de los otros hombres que también serían galardonados. La esposa del ganador del premio Nobel no parecía particularmente emocionada. Las otras damas le preguntaron por qué.

"¿Cómo puedo estar feliz con un hombre así?" preguntó ella, y prosiguió describiendo una vida de hogar realmente patética.

Inmediatamente las otras mujeres se le unieron. "Pues, ese es exactamente mi caso". Todas tenían la misma experiencia de negligencia y abuso.

Mientras las cámaras captaban el escenario y los dignatarios daban sus halagadores discursos, detrás del escenario se desarrollaba una historia diferente. Los que estaban más cerca de los ganadores sólo podían describir la miseria que compartían.

Una cosa es estar en lo cierto. Otra cosa es ser agradable. Es posible tener un cociente intelectual alto pero un CB bajo.

CB es el cociente de bondad. Tiene que ver con nuestras relaciones interpersonales. El éxito en la vida no ocurre simplemente por ser inteligentes, sino por la forma en que tratamos a las demás personas. El factor bondad es lo que marca la diferencia.

La bondad es uno de los atributos más atractivos de Dios. Él es "clemente y piadoso, tardo para la ira, y grande en misericordia" (Neh. 9:17).

El salmista declara: "La fidelidad de Jehová es para siempre" (Sal. 117:2).

La bondad se manifiesta en buscar oportunidades para hacer el bien a otros. Su deleite es hacer felices a los demás. La bondad no demanda sino que da. Piense en lo que sería el ambiente de nuestros hogares si todos fuéramos un poco más bondadosos. Piense en lo que sería el lugar de trabajo si todos fuéramos un poco más amables. Piense en lo que nuestras escuelas, nuestras iglesias y nuestras juntas serían si todos fuéramos un poco más bondadosos.

La bondad genera bondad. Las personas a nuestro alrededor a menudo reflejan las actitudes que nosotros proyectamos hacia ellas. Son como espejos que reflejan lo que nosotros somos.

La niñita estaba en lo cierto cuando una noche oró: "Señor, ayuda a todas las personas malas a ser buenas, y ayuda a todas las personas buenas a ser amables".

¿Por qué no piensa usted hoy en alguien con quien pueda compartir un acto de bondad?

AQUEL QUE ADMIRAMOS GRANDEMENTE

Cuando venga en aquel día para ser glorificado en sus santos y ser admirado en todos los que creyeron. 2 Tes. 1:10.

Los psicólogos de la Universidad de Columbia descubrieron algo asombroso en un estudio realizado en 1968. Durante cierto tiempo, el equipo de investigadores dejó en las calles del bajo Manhattan billeteras que tenían una identificación especial. Luego observaron cuántas de las billeteras eran devueltas a sus dueños. Luego de varias semanas de monitoreo, los investigadores descubrieron que alrededor de 45 por ciento de los que encontraban las billeteras las devolvían a los pocos días.

Pero luego sucedió algo inusual. Ninguna de las billeteras que dejaron el 5 de junio fue devuelta. Ese día un joven, Sirhan B. Sirhan, le disparó a Robert F. Kennedy. A las pocas horas toda la nación había escuchado la noticia de su fallecimiento.

Los investigadores se dieron cuenta de que esta trágica noticia había dañado los vínculos sociales que habían inspirado a las personas a retornar esas billeteras. Se descubrió en investigaciones adicionales que escuchar malas noticias en forma consistente disminuye la disposición de las personas a ayudar a otros. También se reveló que las buenas noticias acerca de un ciudadano servicial o un acto heroico en efecto inspiraron a las personas a cooperar más.

Los ideales positivos motivan a las personas a hacer el bien. Los actos heroicos de los demás ayudan a exteriorizar lo mejor que hay dentro de nosotros. Cuando vemos a personas que modelan bondad tenemos más inclinación a ser amables.

Al mirar a Jesús descubrimos todo lo que anhelamos ser. Toda la bondad, compasión y benignidad que anhelamos reside en Cristo. Al marchar con él a través de las calles empedradas de Jerusalén, lo observamos perdonar a una mujer tomada en el acto de adulterio. Escuchamos sus palabras: "Ni yo te condeno, vete y no peques más" (Juan 8:11).

Nos maravillamos cuando él toca los ojos de un ciego y cuando abre los oídos de un sordo. Su sensibilidad hacia los demás nos embarga. Él sienta a los niños en su falda, alimenta a una muchedumbre hambrienta y echa los demonios de un hombre poseído por ellos.

Al ver el mal momento que estaba pasando el anfitrión de una fiesta de bodas en Galilea, él obra un milagro. Consciente de las pequeñas pero importantes cosas de la vida, él le preparó el desayuno a Pedro antes de hablar de temas eternos.

¡Qué modelo, qué héroe, qué ideal! Mirar el ejemplo positivo de Jesús nos cambia, nos transforma y nos renueva; nos asemejamos a Aquél, a quien más admiramos.

Dirigiendo mediante el ejemplo

Hermanos, sed imitadores de mí, y mirad a los que así se conducen según el ejemplo que tenéis en nosotros. Fil. 3:17.

Catherine Marshall recuerda a su padre, el pastor John Wood, como el hombre que la condujo a Cristo. Cuando Catherine era una niña, le parecía que el Padre que gobernaba desde el cielo era un ser temible. Ella había escuchado mucho acerca de entregar su vida a este Dios, pero la idea de pasar todo el tiempo orando, leyendo la Biblia y hablando de Dios no le apelaba.

Pero sí le apelaba su padre terrenal. Ella estaba segura de que él la amaba. Cuando progresó lo suficiente en sus lecciones de piano como para poder tocar los himnos más sencillos, su papá le permitía tocar algunas veces en la iglesia.

Catherine Marshall escribió lo siguiente: "De esta manera, desde niña se me brindó un sentido de autoestima, de reconocimiento de mi individualidad... Esta seguridad es algo que los padres pueden dar a sus hijos sólo mediante sus acciones".

Y fue por sus acciones como el pastor John Wood mostró cuán accesible y misericordioso puede ser el Padre celestial. El pastor a menudo llevaba consigo a Catherine cuando visitaba a sus feligreses. Una de sus historias favoritas es la de cuando su padre fue a visitar a alguien cerca de las vías del tren en Keyser, Virginia Occidental. Él quería hablar con un miembro nuevo de su congregación.

El pastor Wood encontró a este hombre trabajando duramente en las vías del ferrocarril. El pastor extendió su mano para saludarlo, pero el hombre disculpándose dijo: "No puedo saludarlo, pastor, mis manos están muy sucias".

Sin dudar un instante, John Wood se agachó hasta el suelo y frotó sus manos en el hollín del carbón. "¿Qué tal ahora?", sonriendo le extendió una mano en igual condición que la del hombre.

John Wood no sólo le contó a su hija acerca de Dios, sino que se lo mostró. Ella escribió: "Durante todo el tiempo Dios había querido que el amor de mi padre terrenal fuera una figura de mi Padre celestial y que me mostrara cómo conectarme con él".

Jesús vino a la tierra a revelar el amor del Padre. Algunas cosas no se pueden describir, se deben mostrar. El gran testimonio de nuestro amante Padre es el ejemplo de ese amor en la vida diaria de sus seguidores. El ejemplo más poderoso de un cristianismo genuino es la forma en que vivimos.

El padre de Catherine Marshall y otros innumerables padres y madres fueron los que pasaron la llameante antorcha de la verdad a la siguiente generación. A través del ejemplo de sus vidas santas, Dios nos llama a que nosotros hagamos lo mismo hoy.

Noviembre 23

CONTANDO LAS BENDICIONES DE DIOS (PRIMERA PARTE)

La bendición de Jehová es la que enriquece, y no añade tristeza con ella. Prov.10:22.

Los peregrinos celebraron el primer día de Acción de Gracias durante el segundo invierno que pasaron en el Nuevo Mundo. En realidad era un extraño día de Acción de Gracias, porque no había mucho por lo cual estar agradecido. En ese primer invierno terrible había muerto casi la mitad de los miembros de la colonia Plymouth. Prácticamente ninguna familia quedó sin perder a un ser amado.

Pero en el verano de 1621 renació una nueva esperanza. Se regocijaron con una abundante cosecha de maíz. El gobernador, William Bradford, decretó que se apartase un día para celebrar y orar en muestra de gratitud de que aún estaban con vida.

Las mujeres de la colonia pasaron días preparando la fiesta. Se hirvieron, hornearon y asaron los alimentos. Aun los niños estaban ocupados dándole vueltas a los asados que se cocinaban al aire libre. En un momento de tragedia nacional los colonos miraron lo que tenían, no lo que habían perdido. Aunque lloraban la muerte de sus seres queridos, su fe los llevó a regocijarse en la maravillosa bondad de Dios.

El ser agradecidos nos señala las buenas cosas que tenemos. Nos eleva por encima de nuestras pérdidas. Nos habla de un Dios que satisface nuestras necesidades. Nos hace regocijar por las bendiciones que Dios nos ha dado.

El ser agradecidos no ocurre un sólo día, es una actitud mental. No es un evento que ocurre una vez al año; es una actitud diaria.

El mero hecho de practicar el agradecimiento todo el día marca una diferencia. Una actitud agradecida transforma el estrés que destruye la salud en un gozo que da vida.

La autora motivacional Melody Beattie escribe: "La gratitud nos lleva a una vida completa. Torna lo que tenemos en algo suficiente y aun más. Transforma el rechazo en aceptación, el caos en orden, la confusión en claridad. Transforma una comida en una animada fiesta, una casa en un hogar, un extraño en un amigo. La gratitud aclara el pasado, nos trae paz hoy y crea una visión para el mañana".

El corazón agradecido ve la vida a través de nuevos ojos. En lugar de quejarse por lo que le falta, el corazón agradecido celebra lo que tiene.

¿Por qué no hace usted una lista de las bendiciones que Dios le ha dado? Escriba diez cosas por las cuales esté agradecido hoy. Al leer su lista sentirá un mayor agradecimiento que antes.

Contando las bendiciones de Dios (segunda parte)

Lleguemos ante su presencia con alabanza. Sal. 95:2.

Alguna vez se ha preguntado cómo algunas personas poseen una fuerza interior extraordinaria? Tienen una increíble habilidad para enfrentar la adversidad. ¿Dónde encontró Alexander Solzhenitsyn, el poeta ruso ganador del Premio Nobel, la libertad que gozó, aun en las horribles condiciones de una prisión? ¿Cómo hizo Víctor Frankl para sobrevivir tres años en un campo de concentración cuando la expectativa de vida promedio era de 90 días? ¿Cómo pudo Corrie Ten Boom salir incólume del campo de prisioneros de Ravensbruck? La respuesta se encuentra en una sola palabra: "gratitud". Solzhenitsyn, Frankl y Ten Boom desarrollaron un espíritu de agradecimiento por lo que tenían. Agradecieron a Dios por cada respiración, por cada día de vida, por la sonrisa de un recluso, por cada taza de agua, por cada mendrugo de pan. Esta actitud de gratitud los elevó por encima de sus lúgubres circunstancias. La gratitud los elevó a otro nivel.

¿Cómo desarrollamos esta "actitud de agradecimiento"? Una cosa es ver que otros la tienen. Otra cosa es tenerla nosotros.

Retrocedamos 2.000 años a una prisión romana. Allí encontramos a un prisionero llamado Pablo quien no sólo ha sobrevivido en medio de la humedad y la miseria, sino que ha florecido. Descubramos el secreto de cómo enfrentó el enorme estrés de su vida.

Al leer la carta a los filipenses, escrita en un calabozo romano, oscuro y húmedo, nos quedamos inmediatamente maravillados. El apóstol no guarda rencor sino que demuestra gratitud. No se queja sino que se regocija. Ha descubierto el gozo en medio de las pruebas de la vida. Siente agradecimiento en medio de la adversidad.

Pablo escribe: "En esto me gozo, y me gozaré aún" (Fil. 1:18). "Me gozo y regocijo con todos vosotros" (Fil. 2:17). "Regocijaos en el Señor siempre. Otra vez digo: ¡Regocijaos!" (Fil. 4:4). "En gran manera me gocé en el Señor" (vers. 10).

Ciertamente esto no parece provenir de un hombre que está en prisión. Parece provenir de alguien que está gozando de la vida al máximo. No suena como alguien que está separado de su familia y amigos, sino alguien rodeado de amor. No suena como alguien que haya experimentado una de las más grandes tragedias de la vida; suena como un hombre seguro de su triunfo.

El apóstol Pablo sacaba fuerzas de una fuente de poder espiritual más grande que él. Podía regocijarse porque había descubierto la Fuente de todo gozo. Estaba en paz porque había descubierto la Fuente de paz. Estaba agradecido porque encontró al que es la fuente de toda gratitud. En Cristo nosotros podemos sentirnos agradecidos hoy, mañana y siempre.

Los halagos hacen diferencia

Manzana de oro con figuras de plata es la palabra dicha como conviene. Prov. 25:11.

Sandra, una joven esposa, se arrellanó en la oficina de su pastor. Comenzó a contar una larga y dolorosa historia acerca de su esposo. Él la trataba con desprecio, explicó Sandra. Nada de lo que ella hacía lo satisfacía. Cada día ella temía el momento en que él retornaba a casa de su trabajo.

Sandra era una hermosa joven, pero el rechazo la había transformado en una esposa derrotada, tensa y frígida. Y cuánto más ella sentía el desdén de su esposo, menor motivación experimentaba por agradarle. Sandra estaba atrapada en un círculo vicioso. El pastor decidió que sería bueno visitar a José, el esposo de Sandra. Este hombre quedó sorprendido al escuchar que él era la causa de la depresión de su esposa. Al igual que la mayoría de los hombres, José no se daba cuenta de que su esposa captaba muy bien sus actitudes hacia ella.

Al pastor se le ocurrió una sugestión específica: "Seleccione diez cualidades positivas que tenga su esposa —le dijo—, y agradezca a Dios por ellas. Hágalo dos veces al día, por la mañana y cuando vuelva del trabajo a su casa".

José estuvo de acuerdo puesto que no parecía difícil. Comenzó a agradecer a Dios por las cosas que a él le agradaban de Sandra. Y antes de mucho, ella comenzó a cambiar ante los ojos de él. Se tornó más alegre, más positiva, más afectuosa. José continuó agradeciendo por ella, y crecieron la estima propia y la motivación de Sandra.

Luego de un tiempo el pastor le preguntó a José si había memorizado la lista de diez cualidades positivas. El esposo contestó feliz: "No sólo la he memorizado, sino que cada día encuentro en ella nuevas cosas por las cuales agradecer".

Las palabras positivas producen acciones positivas. Las palabras negativas producen acciones negativas. La alabanza extrae lo mejor que hay en nosotros, mientras que la crítica extrae lo peor.

El hombre sabio dijo: "La congoja en el corazón del hombre lo abate; mas la buena palabra lo alegra" (Prov. 12:25). "La blanda respuesta quita la ira" (Prov. 15:1).

Los halagos tienen un gran poder para cambiar el ambiente de la casa, del aula, del lugar de trabajo. Jesús fue un maestro en expresar halagos. Las personas se maravillaban de las "palabras de gracia" que fluían de su boca (Luc. 4:22). A un escriba que cuestionaba, le respondió: "No estás lejos del reino de Dios". También animó a una mujer acusada de adulterio: "¿Donde están los que te acusan?" "Ni yo te condeno, vete y no peques más". Jesús dijo en referencia al centurión: "Ni aun en Israel he hallado tanta fe".

¿Qué es lo que agradece usted en su esposo o esposa? ¿En su hijo o hija? ¿En su hermano o hermana? ¿En sus amigos, sus compañeros de clase o sus colegas en el trabajo? Dígaselo. No tema decirles una palabra amable a los que están a su alrededor y vea qué diferencia hace.

Perdido al nacer

Así que, hermanos, teniendo libertad para entrar en el Lugar Santísimo por la sangre de Jesús. Heb. 10:19.

Corría el año 1979. En un viaje a México, Efrén de Loa, de 13 años, se enfermó. Un hospital local trató sus síntomas, pero su condición no mejoraba. La familia del muchacho, ansiosa, lo trajo a los Estados Unidos. Los médicos en el Hospital de Niños de Oakland diagnosticaron la enfermedad de Efrén como anemia aplástica, una enfermedad rara y posiblemente fatal. La solución más viable era encontrar un donante compatible, preferiblemente un miembro cercano de su familia. Sus padres y siete hermanos y hermanas se sometieron a los exámenes para ver si podían ser donantes adecuados, pero ¡oh sorpresa!, no sólo su sangre no era compatible, ¡los exámenes revelaron que Efrén no era un miembro biológico de esa familia!

Su madre se dio cuenta inmediatamente de lo que había sucedido. El día en que ella trajo a Efrén a la casa desde el hospital en Mexicali, había estado esperando en una fila con el bebé en una cunita cerca de ella, hasta que la dieran de alta. Mientras su atención estaba concentrada en el mostrador, una enfermera apurada colocó un segundo bebé en la cunita.

Cuando la Sra. de Loa se dio vuelta, hubo un momento de confusión. Dos bebés. Ambos varones, nacidos el mismo día. Sin ninguna identificación. Ambos vestidos con la misma ropa del hospital. ¿Cuál de esos bebés era el suyo?

Entonces vino la otra madre. Las dos quedaron en silencio mirando la cuna y pensando. "Creo que este es el mío", concluyó la Sra. de Loa. La otra mujer estuvo de acuerdo, y cada una se fue por su camino, sin volver a verse nunca más. O así lo pensaron. De pronto, ahora, trece años más tarde, se tornaba muy importante encontrar a la otra familia. La vida de Efrén dependía de ello.

El periódico más importante de Mexicali sacó la noticia, con los pocos detalles que la Sra. de Loa podía recordar. Luego de cinco días apareció la familia biológica de Efrén. Las dos madres se abrazaron y cada una reconoció a su verdadero hijo, a quien no había visto en todos esos años. Gracias a la sangre que la familia biológica de Efrén proveyó, él ahora tenía una nueva oportunidad de vivir. Se perdieron al nacer, pero a través de la sangre descubrieron sus verdaderas identidades y conocieron su verdadera familia.

¡Qué parábola de la naturaleza humana! Nosotros también hemos estado perdidos desde el nacimiento. Nuestra verdadera identidad se revela a través de la sangre que Cristo derramó. En las Escrituras, la sangre simboliza la vida (Lev. 17:10-14). A través de la sangre derramada por Cristo, Dios establece un nuevo pacto (Mat. 26:27, 28). No somos extraños ya más, sino adoptados por la familia de Dios (Efe. 2:13). La sangre derramada por Cristo provee la base legal para que podamos ser llamados hijos de Dios (vers. 9).

Valor al pie de la cruz

Cristo nos redimió de la maldición de la ley, hecho por nosotros maldición (porque está escrito: Maldito todo el que es colgado en un madero. Gál. 3:13.

El 21 de mayo de 1946, en Los Álamos, Nuevo México, un arriesgado científico canadiense de nombre Louis Slotin estaba realizando unos delicados experimentos con uranio. Él estaba ayudando a preparar la segunda prueba de la bomba atómica, a realizarse en las aguas del Pacífico Sur. Slotin necesitaba determinar la cantidad exacta de U-235 necesaria para tener una reacción en cadena. Los científicos llamaban a eso la "masa crítica".

Lentamente Slotin trató de juntar los dos hemisferios de uranio. Luego, justo cuando el material alcanzaba el grado crítico, los separó con un destornillador común, deteniendo de inmediato una reacción en cadena. Hizo esto muchas veces.

Pero en este día en particular, justo cuando la masa llegaba al punto crítico, ¡a Slotin se le resbaló el destornillador! Los otros científicos se apartaron horrorizados. Pero en lugar de esconderse y quizá salvarse a sí mismo, Slotin separó los dos hemisferios con sus propias manos. Se interrumpió la reacción en cadena.

Por medio de este acto de valor, instantáneo y desinteresado, Slotin salvó la vida de las otras siete personas que estaban en esa habitación. Se dio cuenta de que él se había expuesto a una dosis letal de radiación, pero consiguió mantenerse tranquilo. Les gritó a sus colegas que se quedaran exactamente donde habían estado en el momento del accidente. Luego en el pizarrón dibujó un diagrama de la posición relativa de cada uno de ellos. Esto les permitiría a los médicos descubrir más tarde el nivel de radiación que cada uno había absorbido.

A los pocos minutos, Slotin estaba a la vera del camino, esperando junto con otro científico al auto que los llevaría a ambos al hospital.

Tranquilamente Slotin le aseguró a su compañero: "Vas a salir bien de ésto, pero yo no tengo ninguna posibilidad". Estaba en lo cierto. Nueve días más tarde Slotin murió en agonía.

Hubo Uno que absorbió la total radiación del poder destructor del pecado por nosotros. Él separó los "hemisferios del pecado" con sus propias manos. Él experimentó la enormidad de la maldición del pecado.

Cuando los cínicos sacerdotes se burlaron: "A otros salvó, a sí mismo no se puede salvar" (Mat. 27:42), ellos hablaban de una verdad eterna. Jesús tomó una decisión consciente de experimentar el terrible dolor y el poder destructivo del pecado para salvarnos. Todo lo que el pecado ocasiona lo experimentó Jesús en la cruz. Todo lo que el pecado es, lo fue para Cristo en la cruz. Todo lo que el pecado significa lo entendió Jesús en la cruz. Él estuvo dispuesto a aceptar todas las consecuencias, todo el castigo, y sus resultados finales.

Nunca lograremos entender en forma completa lo que esto significa, pero podemos apreciar el desinteresado acto de valor de Jesús. Así como Louis Slotin le aseguró a su compañero, Jesús nos asegura: "Vas a salir bien de ésto".

El Dios que se revela a sí mismo

He aquí yo les traeré sanidad y medicina; y los curaré, y les revelaré abundancia de paz y de verdad. Jer. 33:6.

Sundar Singh, un adolescente hindú, siempre había sido una persona sensible e inclinada hacia lo espiritual. Pero cuando su madre murió, se amargó mucho.

Sundar comenzó a dar problemas en la escuela de la misión donde asistía, burlándose y molestando a los que profesaban el cristianismo. Estaba enojado contra la vida, y sin embargo, sentía la necesidad de encontrar a Dios de alguna manera. Una noche su inquietud se tornó en desesperación, y lloró: "Oh, Dios, si es que hay un Dios, revélate a mí antes que yo muera". Sundar tenía planeado suicidarse a menos que recibiese una respuesta.

Este apasionado joven se quedó despierto toda la noche, orando y esperando. En las primeras horas de la mañana, mientras estaba orando por última vez, de pronto una brillante luz llenó la habitación. En medio de ese fulgor estaba el rostro y el cuerpo de Jesús. Sundar no estaba esperando a Jesús —quizá a Krishna, pero no a Jesús.

El joven escuchó que su visitante le preguntaba: "¿Por cuánto tiempo me has de perseguir? He venido para salvarte... Yo soy el Camino".

Sundar cayó a los pies de ese personaje, y la visión se esfumó. Había recibido su respuesta. Ese domingo Sundar se convirtió en un consagrado creyente y más tarde en el evangelista cristiano más importante que hubo en la India. La visión fulgurante le llevó a testificar poderosamente por Cristo.

La experiencia de Sundar es similar a la del apóstol Pablo cuando Jesús lo detuvo repentinamente en camino a Damasco. Dios no siempre se nos revela a sí mismo en forma tan dramática como lo hizo con Pablo o con Sundar Singh. Él raramente se revela a sí mismo de manera espectacular. Pero siempre se revela a nosotros si lo buscamos con corazón sincero.

Dios no está jugando a las escondidas con nosotros. No importa cuánto anhelemos conocerle, mucho mayor es su anhelo por revelarse a sí mismo. Dios habla de diferentes maneras. Él se muestra en los lugares más inesperados.

Sintiéndose aislado y derrotado, Moisés encontró a Dios en la zarza ardiente en el desierto de Madián. Cuando huía para salvar su vida, Elías encontró a Dios en una remota cueva. Los amigos de Daniel, Sadrac, Mesac y Abednego descubrieron a Dios en el quemante infierno de un horno. David vio la obra de Dios en la majestuosidad de los cielos, y la naturaleza le habló a un pastor-rey de un Creador todopoderoso y amante. Mateo conoció a Jesús mientras recolectaba impuestos. Pedro lo conoció mientras remendaba las redes de pescar. Nicodemo lo conoció en la noche, y una mujer samaritana lo conoció al mediodía.

Mantenga sus ojos abiertos. Esté listo para escuchar su voz. Abra su corazón a su amor. Esté preparado. Usted también lo conocerá hoy en lugares inesperados. Él se revelará a sí mismo de maneras inimaginables.

¡Separados nunca más!

Porque son linaje de los benditos de Jehová, y sus descendientes con ellos. Isa. 65:23.

Tina estaba en el hospital a las 3 de la mañana, escuchando la dolorosa respiración de su padre. Este era el hombre que había cambiado sus pañales y le había enseñado a andar en bicicleta. Había sido un estibador la mayor parte de su vida, pero ahora el cáncer lo había reducido a un fragmento de lo que era antes, débil y desorientado.

Papá se estaba muriendo. No podía luchar más.

Tina pensó que podía seguir con su vida normal después del funeral. Pero nada era lo mismo. Estaba obsesionada con el padre que le faltaba. El olor de una colonia para después de afeitarse o una melodía de Sinatra la hacía llorar. Tina dice: "Soy un adulto y se supone que tengo que ser fuerte, pero hay días en que me siento como una niña de cuatro años, y todo lo que quiero es tener a mi papá".

Hay un vacío que nos rodea cuando quedamos separados de nuestros seres queridos. Hay un sentimiento de soledad que ninguno que no sea de nuestro círculo más íntimo puede llenar.

Es devastador que se muera un ser querido muy cercano. Los padres y las madres que han experimentado la muerte trágica de sus hijos anhelan verlos otra vez. Los viudos y las viudas anhelan abrazar a sus cónyuges una vez más. Pregúntele a un adolescente cuyo padre haya muerto de cáncer, o deje que un estudiante universitario le cuente de su mejor amigo que fuera atropellado por un conductor ebrio, y ellos le dirán cuánto anhelan ver al ser amado.

Las Escrituras nos prometen esos felices reencuentros. Nuestro Señor tiene las llaves de la tumba y la muerte (Apoc. 1:18). "He aquí, yo hago nuevas todas las cosas" (Apoc. 21:5). ¡Habrá un día de feliz reencuentro!

Nuestros seres queridos no se han ido para siempre. La tumba no los ha absorbido. No los hemos perdido. Ellos descansan en Jesús, y con él no están perdidos. Esperan la gloriosa resurrección, cuando junto con nosotros nos reuniremos con Jesús en el cielo.

La muerte trae una terrible soledad. Crea un vacío doloroso. La promesa de la resurrección alivia el dolor y nos vuelve a traer la esperanza. Nos señala que algún día no tendremos que separarnos jamás.

Una fortuna eterna

Oh, Dios, tú conoces mi insensatez; y mis pecados no te son ocultos. Sal. 69:5.

Años atrás, en una de las populosas ciudades de la India, un taxi que corría velozmente golpeó a un niño de la calle. El funcionario del gobierno que fuera testigo del accidente llevó rápidamente al niño malherido a un hospital cercano, donde gradualmente se recuperó.

Cada día el funcionario y su esposa visitaron a su joven amigo, y se encariñaron con él. Como no tenía familia, decidieron adoptarlo. Al ser dado de alta del hospital, ellos con gozo lo trajeron a su mansión como uno de su propia familia.

Cada día la madre traía a su hijo al hospital para que le cambiasen las vendas. Una mañana ella estaba muy ocupada y le preguntó al niño si él podía ir solo. "Por supuesto", respondió orgullosamente, "yo conozco esta ciudad". La madre le dio un dólar y cuarto para pagarle al médico, y con una sonrisa y un beso lo despidió.

El muchacho se encaminó al hospital. Luego, justo al doblar la esquina, una tentación cruzó su mente. Se detuvo, abrió su mano, y miró las monedas que brillaban. Nunca antes había tenido tanto dinero. ¿Por qué tenía que dárselo al médico?

Durante unos minutos estuvo pensando. Tomó una decisión. Aferrando sus monedas, el muchacho corrió por la calle, y nunca más se le vio.

El padre que él abandonó tenía una fortuna considerable. Todos sus otros hijos eran graduados de la universidad y tenían altos puestos en el gobierno y en los negocios. El padre tenía planes de darle a este nuevo hijo las mismas ventajas, incluso la herencia de la fortuna familiar. Pero el joven muchacho tiró todo por la borda por un dólar y cuarto.

Hay veces cuando nosotros también tiramos tanto por tan poco. Nos aferramos a las monedas de la desobediencia, y corremos por la calle del placer sensual. Dejamos detrás una fortuna eterna por unas pocas chucherías terrenales. Elegimos lo terrenal por encima de lo celestial, el aquí por el más allá, el presente por la eternidad. Mientras tanto nuestro Padre celestial, con el corazón adolorido, anhela darnos mucho más.

Somos herederos de la fortuna familiar. Nunca nos olvidemos de ello.

Diciembre 1

UN CAMBIO EN EL PENSAMIENTO PRODUCE UN CAMBIO EN LA CONDUCTA

Porque cual es su pensamiento en su corazón, tal es él. Prov. 23:7.

Dos psicólogos completaron un estudio que les llevó 16 años con delincuentes mentalmente enfermos, y los resultados sorprendieron a muchos. Samuel Yochelson quiso saber la diferencia que existía entre los delincuentes mentalmente enfermos y los que no lo eran. Luego de cuatro años tuvo que concluir, con renuencia, que no había diferencia real.

Los que él y sus colegas sí descubrieron era un patrón de pensamiento en común que compartían todos los delincuentes. Blancos y negros, ricos y pobres, con o sin estudios, habitantes de los barrios bajos urbanos o dueños de casa en los suburbios, todos ellos habitualmente pensaban de cierta manera. Exhibían temores intensos, ira dominante, baja autoestima, sed de poder y un incesante hábito de mentir.

Los psicólogos idearon un programa especial para tratar a estas personas. Ignoraron el pasado desafortunado del delincuente y se concentraron en los hábitos destructivos de su presente forma de pensar. A los hombres que participaban del estudio se les señalaron las normas morales, y a través de la repetición y la disciplina se les educó para tener nuevos patrones de pensamiento. Ellos tenían que mantener un registro diario de sus pensamientos y discutir su progreso en sesiones regulares.

Los resultados sorprendieron a los expertos. Los hombres que tenían extensos registros de delincuencia aprendieron a ser honestos y responsables, no por coerciones externas sino porque cambiaron sus pensamientos.

La conversión involucra un campo de pensamiento. Nuestra naturaleza es caída. En lo profundo de nuestro ser somos malos por naturaleza. Nuestros corazones son corruptos. Esto puede parecer una evaluación muy dura de la naturaleza humana, pero es la evaluación bíblica. Jeremías 17:9 afirma esta condición humana con las siguientes palabras: "Engañoso es el corazón más que todas las cosas, y perverso". Pablo agrega: "Todos se desviaron, a una se hicieron inútiles" (Rom. 3:12). Cuando rendimos nuestras vidas a Cristo, él en forma milagrosa nos cambia desde el interior por el poder de su Santo Espíritu. Una de las formas en que Dios hace esto es al cambiar nuestra forma de pensar. Las cosas que antes amábamos ahora las aborrecemos. Las cosas que antes aborrecíamos ahora las amamos.

Dios cambia nuestra forma de pensar por medio de su Palabra.

Al meditar en su Palabra, reemplazamos el mal por el bien. Al reflexionar en las Escrituras cambiamos nuestros pensamientos. Al poner nuestros ojos en Jesús nos transformamos a semejanza de él, a quien tanto admiramos. No cambiamos nuestros pensamientos tratando de quitar los pensamientos malos de nuestra mente. Cambiamos el patrón de nuestros pensamientos al reemplazar el mal con el bien. Llene hoy su mente con pensamientos puros del cielo.

Cuando Dios interviene

Porque tú has sido mi refugio, y torre fuerte delante del enemigo. Sal. 61:3.

Una noche, una periodista de Los Ángeles decidió ir a su casa por un atajo. Comenzó a caminar por un camino empinado y sin luz. Al rato sintió pasos detrás y cada vez más cerca. De pronto un extraño la derribó y comenzó a estrangularla con su propio pañuelo.

En ese momento, a miles de kilómetros de distancia, la madre de esa mujer se despertó de un profundo sueño. Ella sintió un temor intenso de que algo terrible estaba por sucederle a su hija mayor.

La madre inmediatamente se arrodilló ante su cama y comenzó a orar. Con fervor habló con el Señor durante unos quince minutos, buscando la protección para su hija. Con la seguridad de que su oración había sido contestada, volvió a la cama y se durmió otra vez.

En el camino rocoso el asaltante de pronto se detuvo. La mujer lo vio voltear la cabeza por un momento, como si estuviese escuchando algo. Luego huyó cuesta abajo.

Esta mujer y su madre están seguras de que Dios fue su fiel liberador por causa de esa oración.

Es importante darse cuenta de que la fiel madre no estaba orando a un Dios lejano. Ella estaba familiarizada con su voz. Ella lo conocía lo suficiente como para saber que él le había contestado, y lo conocía lo suficiente para confiar en su protección.

Cuando esa buena mujer se arrodilló ante su cama, ese fuerte poder estaba ciertamente muy cercano.

En la batalla entre el bien y el mal, la oración es un arma poderosa en las manos del creyente. A través de la oración son derrotadas las fuerzas del infierno. Elena de White escribe que "forma parte del plan de Dios concedernos, en respuesta a la oración hecha con fe, lo que no nos daría si no se lo pidiésemos así" (*El conflicto de los siglos*, p. 580). Cuando esta madre fiel oró, nuestro Señor comisionó a los poderosos ángeles para detener al asaltante de su hija. La influencia poderosa del Espíritu Santo lo convenció de que debía huir. Pero… ¿cómo explicar la dolorosa realidad de que algunos cristianos enfrentan asaltos, violaciones y asesinatos? ¿Es porque tienen falta de fe? ¿Es que no había nadie orando por ellos?

En este planeta en rebelión cosas malas les suceden a personas buenas. Por razones que no entendemos completamente, Dios usa el dolor, los desastres y el sufrimiento para acercarnos a él, e incluso cambia el mal del cual no es responsable para lograr sus propósitos a largo plazo. Además, Dios respeta la libertad de elección de aquellos que nos dañan, y no siempre interviene. Algunas veces en el gran designio de los acontecimientos, él permite que el mal siga su curso.

¿Es difícil entender esto? ¡Por cierto! Pero podemos confiar en él de todas maneras. Podemos seguir creyendo. Podemos seguir buscándolo. Podemos seguir orando, seguros de que él sí interviene. Él sí libera. Él sí contesta. Él no nos defraudará, y lo que aún no entendemos, él mismo nos lo explicará algún día en la eternidad.

¡Come tus ciruelas pasas, o verás lo que te sucede!

Como el Padre me ha amado, así también yo os he amado. Juan 15:9.

A un niñito de Aberdeen, Escocia, no le gustaban las ciruelas pasas, a pesar de que su madre frecuentemente le decía que eran buenas para él. Una tarde ella sirvió un postre de ciruelas pasas, y el niño se rebeló.

La mamá le rogaba. La mamá lo animaba. Pero el niño permanecía con la boca cerrada y los brazos cruzados firmemente contra su pecho. Finalmente, desesperada, ella le dijo: "Dios se va a enojar si no comes esas ciruelas pasas". El niño siguió rehusando y fue enviado a la cama.

Con el ceño fruncido, la madre lo arropó, y luego bajó por las escaleras. De golpe sobrevino una violenta tormenta eléctrica. Los relámpagos iluminaban las ventanas, los rayos rasgaban el cielo y la lluvia caía a torrentes sobre el techo. La madre subió silenciosamente por las escaleras y miró en el dormitorio de su hijito esperando verlo acostado. Pero el muchacho se había acercado a la ventana. Observando la furiosa tormenta, dijo: "Tanto lío por esas horribles ciruelas pasas".

Podemos sonreír ante el comentario del niño, y burlarnos de su falta de entendimiento de Dios. Sin embargo es probable que estemos luchando con este mismo asunto. Aun los cristianos consagrados pueden aferrarse a la falsa noción de que sus pecados enojan a Dios.

Esta idea acerca de Dios está enraizada en el temor, no en el amor. Cuando nuestra experiencia cristiana está basada en el temor, hay muy poco gozo genuino y poder espiritual dinámico en nuestra vida cristiana.

Hay otra manera de ver la vida cristiana que hace una diferencia. Las Escrituras enseñan que "Dios es amor" (1 Juan 4:8). "Con amor eterno te he amado" (Jer. 31:3). "Toda buena dádiva y todo don perfecto desciende de lo alto" (Sant. 1:17).

Dios es bueno, hace el bien, y sólo desea lo bueno para nosotros. Nuestros pecados no enojan a Dios, lo lastiman profundamente. Él no se enoja contra nosotros cuando pecamos. Su corazón se quebranta porque el pecado es destructivo; nos destruimos a nosotros mismos, y no logramos experimentar "la vida abundante" que él nos ofrece (Juan 10:10).

La mayor motivación de vivir una vida santa es sentir que un Dios de amor que ha dado su vida por nosotros se siente dolorido cuando dejamos ese amor por algún placer barato y pecaminoso. Al igual que un padre amante, Dios siente profundo dolor cuando desobedecemos y nos causamos dolor a nosotros mismos. Su único deseo es que tengamos una felicidad genuina y duradera.

Si su amor no nos puede mantener fieles, nada lo podrá.

Cuando el amor sobreabunda

Amados, si Dios nos ha amado así, debemos también nosotros amarnos unos a otros. 1 Juan 4:11.

Es imposible amar genuinamente a Dios sin amar a las personas que Dios trae a tu vida cada día. Cuando Dios coloca su amor en nuestros corazones, éste fluye hacia las personas que están a nuestro alrededor.

La autora cristiana Corrie Ten Boom describe cómo este amor fluyó de la vida de su propia madre. La Sra. Ten Boom era el tipo de persona que vivía para servir. Sus manos estaban siempre ocupadas tejiendo abrigos para los huérfanos, horneando pan para los desamparados o dando regalos de cumpleaños. Las personas de Haarlem, su pueblo en Holanda, conocían y amaban a esta mujer.

Pero ocurrió que la Sra. Ten Boom quedó parcialmente paralizada por una hemiplejia masiva. Ella sólo podía pronunciar tres palabras: "sí", "no" y "Corrie". Parecía que sus obras de amor habían llegado a su fin.

Esta mujer aparentemente desvalida, sin embargo, encontró una forma de comunicarse. Cada mañana las hijas de la Sra. Ten Boom colocaban a su madre en una silla cómoda en la ventana del frente para que pudiera observar la calle bulliciosa. Y ella comenzó a comunicarse, pues tenían un sistema como de unas 20 preguntas.

Cuando la Sra. Ten Boom veía a alguien especial, ella decía: "¡Corrie!"

"¿Qué sucede, mamá? ¿Estás pensando en alguien?"

La mamá respondía con un entusiasta "sí". Entonces su hija continuaba las preguntas. ¿Era el cumpleaños de alguien? ¿Parecía que esa persona tenía una necesidad especial? ¿Se la veía desanimada? Una vez que Corrie tenía idea de las intenciones de su madre, ella escribía una nota de ánimo y de esperanza a la persona que su madre había señalado. Entonces guiaba los dedos rígidos de su mamá para que firmara su nombre.

Durante los últimos tres años de su vida, esta mujer se sentó frente a la ventana y continuó sirviendo a las personas que estaban fuera. Ni siquiera la parálisis pudo detener su servicio de amor.

Este tipo de servicio de amor puede hacer una diferencia en nuestros vecindarios y comunidades. Hace una diferencia en nuestras iglesias. El amor que se manifiesta en actos compasivos, palabras amables y acciones desinteresadas hace una diferencia.

El amor del cielo fluyó de la vida de Jesús, y él cambió al mundo. Cuando el amor del cielo fluya de nuestras vidas, nosotros también cambiaremos nuestro mundo.

Diciembre 5

El diezmo simboliza una entrega total

Sino acuérdate de Jehová tu Dios, porque él te da el poder para hacer las riquezas... Deut. 8:18.

Una cierta persona en un país extranjero estaba estudiando la Biblia, y sus amigos se alarmaron de su entusiasmo.

Le advirtieron: "¿No sabes que si te involucras con esa iglesia te sacarán el diez por ciento de tus ingresos?"

Parecía algo serio. Pero con acierto él fue directamente al pastor de la iglesia para saber la verdad. Le preguntó en forma directa si la iglesia le exigiría el diez por ciento de su ingreso.

El pastor le dio una respuesta especial, que parecía algo así como una compulsión, que por supuesto Dios nunca usa. Pero creo que usted estará de acuerdo conmigo en que el pastor estuvo acertado. Esto es lo que dijo:

"Sí, es cierto que la iglesia le va a pedir que sea fiel a Dios con su diezmo. Pero eso no es todo. Y también se le va a pedir que dé sus ofrendas además del diezmo. Y eso no es todo. Usted tiene hijos. La iglesia lo animará a ponerlos en una escuela cristiana. Y eso cuesta dinero. Luego la iglesia lo va a animar a enviarlos a una universidad cristiana. Y eso cuesta aun más. Y eso no es todo. El día vendrá cuando la iglesia le va a pedir que envíe a su hijo o hija a África, o a algún otro lado similar. Puede ser que nunca más vea a su hijo o hija. El Señor no le pide solamente el diez por ciento. ¡El Señor le pide todo lo que usted tiene!"

Sí, Dios nos pide todo lo que tenemos. Pero a la luz de lo que él ha hecho por nosotros, a la luz de lo que el Calvario le ha costado, ¿es pedir demasiado? ¿Cómo le podemos ofrecer menos?

Diezmar involucra más que dinero. La fidelidad en el diezmo revela nuestra lealtad a Dios. Una de las razones por las cuales Dios nos confronta con pruebas específicas en nuestra vida cristiana es para que nuestra fe se afiance. Nuestra fe crece cuando se prueba. Cuando no hay prueba, no hay crecimiento.

La fe de Abrahán creció cuando Dios le pidió que diera a su hijo Isaac como ofrenda. La fe de Daniel creció en la sala de banquetes de Nabucodonosor. La fe de José creció en la prisión del faraón. La fe de David creció cuando estaba aislado y solo cuidando de sus ovejas y luchando contra los osos. La fe de Elías creció en el monte Carmelo delante de cuatrocientos cincuenta profetas de Baal.

A través de los siglos los grandes héroes de la fe crecieron en el momento de las pruebas.

Si usted no ha sido un fiel mayordomo de las finanzas que Dios le ha encomendado, ¿por qué no se las entrega a él hoy? Al enfrentar esta prueba financiera su fe crecerá.

Discerniendo las señales

Sabéis distinguir el aspecto del cielo, ¡mas las señales de los tiempos no podéis! Mat. 16:3.

Los libros de historia registran que la Segunda Guerra Mundial comenzó oficialmente el 1° de septiembre de 1939. Los primeros enfrentamientos en realidad ocurrieron seis días después. Hitler había planeado lanzar un ataque contra Polonia el 26 de agosto. La tarde anterior, varias unidades de combate estaban listas para el ataque. Pero los acontecimientos políticos de último minuto forzaron a Hitler a postergar la invasión. Cada una de las unidades de combate fue contactada por radio y enviada de vuelta. Pero hubo una unidad que no se pudo contactar. A las 12:01 de la mañana en el día originalmente señalado, 26 de agosto, una unidad a cargo del teniente Herzner capturó una estación de ferrocarril en la ciudad de Mosty, y tomó prisioneros a unos cuantos judíos polacos. Cuando Herzner mandó su informe por teléfono, le dijeron que se había apresurado. Recibió órdenes de liberar a sus prisioneros y de volver a Alemania.

Este embrollo tendría que haber dejado al descubierto las intenciones de Hitler. Pero por increíble que parezca, el gobierno polaco no leyó las señales. Dejaron pasar el incidente. Y cuando los nazis entraron en el país el 1° de septiembre, los polacos se sorprendieron.

Nosotros no queremos dejar de leer las señales de la invasión final de Dios en la historia humana. No queremos que nos sorprenda la segunda venida de Cristo.

Aunque hay numerosas señales bien claras, Jesús da una en Mateo 24 como su señal final. Él declara: "Y será predicado este evangelio del reino en todo el mundo, para testimonio a todas las naciones; y entonces vendrá el fin" (Mat. 24:14).

Estoy convencido de que Jesús está cumpliendo su promesa. La profecía se está cumpliendo. Los medios masivos de comunicación están haciendo un impacto. Los programas adventistas de radio y televisión enseñan a millones cada semana. El programa *It is Written* (Está escrito) se transmite ahora en nueve idiomas en 130 países del mundo, incluyendo los 200 millones de árabes en doce países del Medio Oriente. En marzo de 1994 la radio adventista mundial (Adventist World Radio) comenzó a transmitir desde dos poderosos transmisores de 250 kilovatios en la república de Eslovaquia y cubre toda África central y del este, India, y el Medio Oriente con las buenas nuevas de Jesucristo.

Otro poderoso transmisor en la isla de Guam envía programas de radio a toda Asia, incluyendo la mayor parte de China. El Centro Adventista de Comunicaciones en Tula, Rusia, produce programas diarios en 16 idiomas diferentes. Estas son algunas de las formas que Dios está usando para terminar su obra. Por cierto, este Evangelio del reino se está predicando a todo el mundo. Una cosa es cierta. Dios está dándole el toque final a las cosas, y no queremos dejar de discernirlo.

Diciembre 7

La casa que Dios construyó

Y sobre esta roca edificaré mi iglesia; y las puertas del Hades no prevalecerán contra ella.
Mat. 16:18.

En 1850 el arquitecto Sir Joseph Paxton presentó su diseño para el edificio que sería la sede de la Gran Exhibición de Londres en 1851. Paxton ideó un edificio de dimensiones gigantescas pero sin nada que se viera pesado o grotesco. Imaginó una estructura que daría un efecto de algo liviano, casi sin peso.

El problema era que en ese tiempo no había forma de construir un edificio tal. Las estructuras grandes requerían paredes masivas que las sostuvieran, y de esta manera no se podía crear el edificio delicado y liviano que Paxton tenía en mente.

Pero él recordó que había una planta con la cual se había familiarizado al trabajar en el jardín, el lirio real acuático. Las hojas flotantes de este lirio miden casi dos metros de diámetro, y son muy delgadas, y a pesar de ello, son bastante estables. Logran esta estabilidad mediante una estructura complicada en la parte inferior. Del centro de la hoja se irradian unas nervaduras que luego se dividen en varias ramas.

El lirio real acuático le dio a Paxton la clave para lograr su sueño. En su diseño usó unas pocas columnas centrales conectadas por muchas pequeñas vigas. El resultado: el Palacio de Cristal, un éxito. Significó un cambio decisivo en la arquitectura. Los atrevidos rascacielos de vidrio y acero que vemos hoy a nuestro alrededor inmitan a ese Palacio de Cristal delicado y etéreo, y del diseño extraordinario del lirio acuático real.

El Señor construyó otro edificio magnífico, su iglesia. "La sabiduría edificó su casa, labró sus siete columnas" (Prov. 9:1). La sabiduría divina construyó la iglesia de Dios con siete enseñanzas básicas. Estas doctrinas bíblicas son las columnas que sostienen la estructura de la verdad. Son verdades divinas, eternas. Aunque hay muchas vigas que conectan a estas columnas principales (las doctrinas), ellas son los "pilares" sustentadores. Están todas centradas en Cristo, y todas las Escrituras giran en torno a ellas.

Estas siete verdades eternas son el fundamento de la revelación de Dios y son las marcas que identifican a la iglesia de Dios de los últimos días.

1. Las Escrituras (Juan 17:17)
2. La salvación (Juan 3:16)
3. La segunda venida (Juan 14:1-3)
4. El sábado (Juan 14:15; Heb. 4:9)
5. El estado inconsciente de los muertos (Ecl. 9:5, 6; 1 Tes. 4:13-17)
6. El santuario (Heb. 8:1, 2)
7. El Espíritu Santo y el espíritu de profecía (Juan 14:15-17; Apoc. 19:10)

Estas son las verdades eternas del cielo, y todos los poderes del infierno no las pueden destruir.

Nuestros chascos no son los de Dios

Y él me dijo: Es necesario que profetices otra vez sobre muchos pueblos, naciones, lenguas y reyes. Apoc. 10:11.

Ha pasado usted alguna vez por una gran desilusión, una derrota personal? Nuestros chascos no son los mismos para Dios. Él puede transformar lo terrible en algo grandioso. Él es el Dios de los nuevos comienzos, el que transforma la tragedia en triunfo.

Los discípulos pasaron por el chasco más grande de sus vidas. ¿No estaría usted destrozado si aquel en quien usted puso su esperanza fuera ejecutado en la cruz?

¿Predijeron las profecías mesiánicas del Antiguo Testamento la muerte de Jesús? ¿Podrían haberlo sabido los discípulos? ¿Podrían haber estado preparados? ¡Por cierto que sí! Ellos no comprendieron las predicciones del Antiguo Testamento. Ellos pensaban que el Mesías inauguraría un reino de gloria. No anticiparon el reino de la gracia.

Del chasco del año 31 d.C., Dios levantó la iglesia cristiana. El derramamiento del Espíritu Santo en Pentecostés le dio poder a la iglesia para llevar el Evangelio al mundo.

Adelantémonos 1.800 años. Un pequeño grupo de creyentes estudió las profecías de Daniel y Apocalipsis.

Al repasar las profecías de Daniel, basadas en la profecía de los 2.300 años de Daniel 8:14, concluyeron que Cristo vendría el 22 de octubre de 1844. Estos primeros adventistas esperaron el retorno de Cristo con gran anticipación. Cuando él no apareció, se sintieron destrozados. Juan describió esta experiencia cuando predijo que se quitaría el librito (Daniel) de la mano del ángel y se lo comería (se lo estudiaría), y que sería dulce en sus bocas pero amargo en sus estómagos (véase Apoc. 10:9-11).

Esas profecías que una vez fueran tan dulces en su experiencia se tornaron terriblemente amargas. Se diluyó la dulzura del descubrimiento. La amargura de la desilusión amenazó apagar su fe.

La hora de su desilusión fue la hora señalada por Dios. Así como sus antepasados del siglo I, estos creyentes no entendieron la naturaleza de la profecía. Jesús apareció a su tiempo en el santuario celestial, en la fase final de su ministerio, para terminar su obra en la tierra. Desde el santuario celestial él una vez más derramó su Espíritu para levantar al movimiento adventista para que se completara la predicación del Evangelio eterno.

Tanto la iglesia del Nuevo Testamento como el movimiento adventista surgieron de una desilusión. ¿Qué sucedió con estas personas que estaban tan amargamente desilusionadas? Crecieron en un poderoso movimiento misionero, que proclama el mensaje final de Dios.

Nuestro Señor se deleita en tornar la tragedia en triunfo. Permita que él transforme hoy sus chascos en algo maravilloso.

Diciembre 9

DOS MIL AÑOS Y AÚN SIGUE LA CUENTA

Porque aún un poquito, y el que ha de venir vendrá, y no tardará. Heb. 10:37.

Las preguntas del joven pastor me sorprendieron, reflejaban duda, y un sentimiento interno de inseguridad. Eran preguntas honestas, no cínicas, pero eran dudas de todos modos. Él me preguntó: "¿Usted aún cree que Jesús viene pronto? ¿No han estado los adventistas predicando la venida de Jesús por más de 150 años? ¿No estará usted de acuerdo conmigo de que su venida puede ocurrir en 500, 750, ó 1.000 años más? ¿Qué diferencia hace?"

Estas preguntas requerían respuestas sensatas. Es cierto que los adventistas del séptimo día han estado anticipando la venida de Jesús por más de 150 años. Es también cierto que no originamos la idea de la segunda venida. No somos la primera generación que anhela el pronto retorno de nuestro Señor.

Cuando Jesús ascendió al cielo, sus propios discípulos anticiparon que él volvería pronto. No se imaginaron que habría una dilación de 2.000 años. Luego de la primera carta del apóstol Pablo a la iglesia de Tesalónica, los cristianos primitivos creyeron que Cristo vendría durante su vida. Estaban entusiasmados por el inminente retorno del Señor. El apóstol escribió la segunda Epístola a los Tesalonicenses para poner en perspectiva la venida de Cristo. Y les advirtió de ciertos hechos que tendrían que acontecer antes de ello.

Las grandes profecías siempre han mostrado los eventos que acontecerían antes de la venida de Jesús. La cuestión central, entonces, tiene que ver con una profecía en el tiempo. ¿Dónde estamos nosotros a la luz de las profecías de Daniel y Apocalipsis?

En Daniel 2 los reinos representados por el oro, la plata, el bronce y el hierro se han olvidado en el polvo de la historia. Babilonia, Medo-Persia, Grecia y Roma ya no existen. El imperio de Roma ha sido dividido. El siguiente acontecimiento es la roca que golpea la imagen. Las cuatro bestias de Daniel 7 que representan estos mismos cuatro poderes dominantes del mundo ya no existen. El león, el oso, el leopardo y el dragón han sido destruidos. Los diez cuernos que representan el reino dividido de Roma han dado lugar al pequeño cuerno, el poder religioso-político del papado. Las 2300 tardes y mañanas, o años, de Daniel han visto su cumplimiento en 1844 y el comienzo de la fase final del ministerio de Jesús en el santuario celestial.

Las siete iglesias de Apocalipsis, que representan siete épocas de la historia de la iglesia, han visto su cumplimiento, culminando con la tibia Laodicea. Los siete sellos han sido abiertos, y las siete trompetas han sonado a través de los siglos.

Todas las grandes épocas proféticas se han cumplido. Nosotros no sabemos cuándo Jesús ha de volver. No podemos determinar cuán cerca es cerca o cuán pronto es pronto, pero con absoluta confianza podemos decir que la profecía que se ha cumplido proclama que su venida está cerca.

ENCONTRANDO CONFRATERNIDAD EN LA FAMILIA ESPIRITUAL DE DIOS

Por esta causa doblo mis rodillas ante el Padre de nuestro Señor Jesucristo, de quien toma nombre toda familia en los cielos y en la tierra. Efe. 3:14, 15.

Siento admiración por la forma en que Dorothy Redford, oriunda de Virginia, creó una celebración familiar de un pasado muy poco prometedor. Al buscar en su genealogía encontró una nota de venta en la corte de un condado que mostraba que su antepasado más antiguo conocido, Elay Littlejohn, junto con ocho hijos habían sido vendidos como esclavos al dueño de la plantación Somerset en Carolina del Norte. Dorothy comenzó a buscar en los documentos de Somerset y descubrió por primera vez la red de nombres que constituían sus parientes. Decidió tener una reunión familiar.

En septiembre de 1986 la plantación Somerset Place, ahora un sitio de interés histórico, fue testigo de una reunión especial en la historia norteamericana. Los descendientes de los esclavos que una vez trabajaron en la plantación del Norte de Carolina se juntaron para compartir sus raíces comunes. Hubo un concierto de música "negro spiritual", una exhibición de danzas africanas y la dramatización de una boda entre esclavos. Pero el clímax de ese evento fue simplemente el deleite del descubrimiento mutuo, de encontrar que ellos venían de un pasado en común.

La reunión de Somerset probó ser un acontecimiento inolvidable. Dorothy Redford se tomó el tiempo de realizarlo. En efecto, ella creó toda una nueva familia.

En cierto sentido nosotros también somos esclavos. El pecado es un amo inflexible. Nos mantiene esclavizados y destruye nuestro potencial. Al ser liberados por Cristo nos unimos a una nueva familia. Venimos de diferentes lugares, pero estamos unidos por un pasado en común y por haber sido liberados para entrar en una nueva comunidad espiritual, la iglesia.

Hay un himno de Bill y Gloria Gaither que describe adecuadamente esta verdad eterna. "Podrás notar que decimos hermano y hermana por aquí, es porque somos una familia, y estas personas son tan queridas. Cuando alguien tiene un dolor todos derramamos una lágrima".

Todos anhelamos estar conectados, tener una familia, un hogar. La iglesia es la familia de Dios. Puede no ser una familia perfecta, pero es la suya. Nos provee cuidado, seguridad y fraternidad en un mundo fragmentado. Nos ofrece el sentido de comunidad que anhelamos. La iglesia es un lugar de mutuo entendimiento, donde soportamos las cargas unos con otros, donde escuchamos del gozo y el dolor, y se satisfacen las necesidades de cada uno.

Así como cada parte del cuerpo es parte del todo, así cada miembro de la iglesia es uno a través de Cristo. En una iglesia Dios ha creado toda una nueva familia. Regocíjese hoy porque usted es miembro de la familia de Dios.

Diciembre 11

Esté listo

Por tanto, también vosotros estad preparados, porque el Hijo del Hombre vendrá a la hora que no pensáis. Mat. 24:44.

Una novela del siglo XVIII nos cuenta de un pequeño pueblo en Gales en el cual durante 500 años la gente se había reunido en la iglesia para orar y cantar en la Nochebuena. Un poco antes de la medianoche ellos prendían velas y lámparas y entonaban cánticos.

Es una escena grandiosa. La iglesia está decorada para la festiva ocasión. Los sonidos de "Noche de paz, noche de amor" y de "Venid, fieles" resuenan en el aire. La procesión sale de la iglesia minutos antes de que el reloj marque las doce. Caminan por un sendero de varios kilómetros hasta una vieja cabaña en el campo.

Allí colocan un pesebre. Con sencilla piedad se arrodillan y oran. Sus himnos entibian el frío aire de diciembre. Todos los habitantes del pueblo que pueden caminar están allí. Los jóvenes y los viejos, los educados y los ignorantes, los ricos y los pobres, todos están allí.

Durante siglos han hecho esto, y ha surgido de ello un fascinante mito: que si todos los ciudadanos del pueblo oran con perfecta fe, ahí mismo en la Nochebuena ocurrirá la segunda venida de Cristo.

En la historia, a uno de los personajes centrales se le pregunta: "¿Crees tú que él vendrá en esta Nochebuena?" "No —contesta, meneando tristemente su cabeza—. No, no lo creo". "¿Entonces por qué vienes cada año?" "Ah —dice sonriendo—, ¿y qué pasaría si yo fuera el único que no estuviese aquí cuando ocurra?"

¡Qué respuesta! Este anciano hablaba palabras de gran sabiduría. En esencia, él está diciendo: "Yo no sé cuando Jesús volverá, pero esto sé, que cuando él venga yo quiero estar listo. No quiero perderme este evento. No quiero estar durmiendo en mi casa a la medianoche, y despertarme cuando él ya haya venido".

Uno de los primeros predicadores adventistas dijo: "La única manera de estar listo cuando Jesús venga es prepararse". Estar listo para la venida de Jesús no es algo que logramos al final de la vida cristiana. Es algo que experimentamos hoy en Cristo.

¿Hay algo en su vida que le está impidiendo estar listo para la venida del Señor? ¿Hay actitudes o hábitos en su vida que se interponen entre usted y él? ¿Ha entregado usted su vida por completo a Cristo? ¿Está usted anticipando su pronto retorno con increíble gozo? ¿Hay algo en su vida que usted necesita arreglar hoy, algo que usted siente que no puede postergar por más tiempo?

Jesús y el anciano galés le dicen: "Esté listo".

Por qué los cultos atraen

Porque se levantarán falsos Cristos, y falsos profetas, y harán grandes señales y prodigios, de tal manera que engañarán, si fuere posible, aun a los escogidos. Mat. 24:24.

En marzo de 1997, 39 miembros de la secta Heaven 's Gate (El Portal del Cielo) filmaron su despedida y luego se quitaron la vida. Ellos creían que detrás del cometa Hale-Bopp venía una nave espacial que los llevaría al "próximo nivel". Se encontró a las víctimas con la cabeza y los hombros cubiertos de telas púrpuras.

Al tratar de identificar los 39 cuerpos, la policía dio a conocer un número telefónico para que los familiares llamasen sin costo. En 24 horas recibieron más de 1.500 llamadas de familiares angustiados que habían perdido contacto con sus seres queridos por meses o aun por años.

Los sectas están por doquier, proclamando que tienen mensajes de Dios, buscando controlar la mente, engañando a los crédulos. Hay sectas basadas en la Biblia, sectas basadas en OVNIS, sectas satánicas, sectas de la Nueva Era y sectas orientales.

¿Por qué florecen las sectas? ¿Cuál es su magnetismo? ¿Qué es lo que atrae a las personas a esas ideas a menudo extrañas? La respuesta es compleja, pero una de las razones es obvia. Las sectas atraen a las personas que buscan seguridad. En un mundo lleno de dudas, las sectas proveen una definición. Dejan poco lugar para la duda. Las cosas son o negras o blancas, correctas o incorrectas. No hay término medio. Los líderes de las sectas pueden estar equivocados, pero tienen seguridad. Puede que enseñen una total falsedad, pero están seguros de lo que enseñan.

La respuesta de Dios al desafío de las sectas es la seguridad de las Escrituras.

Lucas le escribió a Teófilo "para que conozcas bien la verdad de las cosas en las cuales has sido instruido" (Luc. 1:4). Jesús enfáticamente declaró: "Tu palabra es verdad" (Juan 17:17). El apóstol Pablo exclamó: "Toda la Escritura es inspirada por Dios, y útil para enseñar" (2 Tim. 3:16).

La Biblia no está llena de mitos o alegorías. Está llena de autoridad absoluta y divina. La autoridad de las Escrituras es central en la vida de cada creyente. Las Escrituras son la influencia vital de nuestras vidas. Cuando rechazamos la autoridad de las Escrituras, dejamos la puerta abierta al engaño.

La mentalidad incierta y escéptica del siglo XXI es vulnerable ante la seguridad y la certeza que ofrecen las sectas. Dios nos ofrece algo mucho mejor, la verdad absoluta de su Palabra. Negar la verdad de las Escrituras es preparar nuestras mentes para el engaño de las sectas.

La elección es suya

El que quiera, tome del agua de la vida gratuitamente. Apoc. 22:17.

Los líderes de sectas son individuos carismáticos que centran su atención en ellos mismos. Se convierten en una fuente de verdad mayor que la Palabra de Dios, y a los miembros de la secta les es difícil separar lo que los líderes dicen de lo que Dios dice.

El líder de la secta Heaven´s Gate (El Portal del Cielo), Marshall Applewhite, creía que él y su asociado, Bonnie Lu Nettles, provenían de "un nivel de evolución superior a los seres humanos". Applewhite creía que él había sido colocado temporalmente en un cuerpo humano para poder mostrarles a las personas cómo proseguir "al siguiente nivel evolutivo".

Applewhite fue más allá todavía. En septiembre de 1995 lanzó una declaración por vía electrónica titulada "Antes oculto, Jesús aparece antes de partir". Applewhite comenzó a referirse a sí mismo como Jesús. Decía que era mensajero de Dios, como Jesús, al mismo nivel de Jesús.

El líder de la secta Solar Temple (Templo Solar) hizo lo mismo. Luc Joret creía que era una manifestación de Cristo. Él consiguió persuadir a las personas que a través de la muerte podían ir a una nueva vida en la estrella Sirio. Casi 100 miembros de Solar Temple (Templo Solar) cometieron suicidio en los últimos años para poder realizar ese así llamado viaje.

Jim Jones y David Koresh tenían atributos casi mesiánicos para sus seguidores. Las sectas florecen cuando las personas entregan su individualidad y su derecho de tomar decisiones morales. La esencia del cristianismo es la habilidad para elegir. Algunas veces tomamos buenas decisiones. Otras veces tomamos decisiones pobres, pero a través de todas ellas crecemos. Cuando le entregamos nuestro proceso de toma de decisiones a otra persona, fracasamos en nuestro crecimiento espiritual.

El crecimiento espiritual requiere el hacer elecciones. Una parte significativa de ser imagen de Dios es que somos responsables individualmente ante él. El relato bíblico comienza con la decisión de Dios de darles a nuestros primeros padres el poder de elección respecto al árbol del bien y del mal en el jardín del Edén. Finaliza cuando Dios le da a toda la humanidad el derecho a elegir con las siguientes palabras: "Y el Espíritu y la Esposa dicen: Ven. Y el que oye, diga: Ven. Y el que tiene sed, venga; y el que quiera, tome del agua de la vida gratuitamente" (Apoc. 22:17). *El que quiera* se traduce también "el que elija". El libro de Apocalipsis concluye con la apelación de Dios para que lo elijamos a él. Somos responsables por nuestras decisiones.

Entregamos a otro nuestra habilidad de elegir a riesgo de una pérdida eterna. Hoy Dios nos llama a colocar nuestra voluntad del lado correcto.

Una promesa de protección

Con sus plumas te cubrirá, y debajo de sus alas estarás seguro. Sal. 91:4.

Mayerly Sánchez dirige el Movimiento de los Niños por la Paz, en Colombia. Ella creció en una comunidad infestada de crímenes y violencia cerca de Bogotá. Mayerly es una fuerza positiva en pro de la paz en un área desgarrada por el conflicto. Ella sabe que trabajar en pro de la paz puede causarle la muerte a manos de los narcotraficantes o de pandillas de conocidos criminales en su comunidad. Pero ella continúa sus esfuerzos en favor de la paz sin temor.

Recientemente ella dijo: "Dios es el que cuida de nosotros. Trabajar y hablar en favor de la paz aquí no es seguro, pero él está siempre con nosotros... Nos refugiamos en él".

El temor paraliza. Nos inmoviliza. Dios nos invita a dejar nuestros temores y ver sus poderosas promesas. Él es nuestra seguridad, nuestro refugio.

En el idioma más hermoso y significativo de las Escrituras, Dios describe lo que él anhela hacer por cada uno de sus hijos en la tierra cuando caigan las plagas. "Con sus plumas te cubrirá, y debajo de sus alas estarás seguro" (Sal. 91:4).

Sólo en la eternidad comprenderemos realmente el poder protector de Dios. Estoy convencido de que mi vida podría haberse apagado hace tiempo si no fuera por la protección de Dios. No sabremos de cuántas maneras Dios nos protege hasta el día en que le veamos cara a cara.

Elena de White escribió: "El poder omnipotente del Espíritu Santo es la defensa de toda alma contrita. Cristo no permitirá que pase bajo el dominio del enemigo quien haya pedido su protección con fe y arrepentimiento" (*El Deseado de todas las gentes,* p. 455).

La promesa es para nosotros. En Cristo estamos seguros. En Cristo estamos a salvo. En Cristo desaparecen todos los temores. "El Salvador está junto a los suyos que son tentados y probados. Con él no puede haber fracaso, pérdida, imposibilidad o derrota; podemos hacer todas las cosas mediante Aquel que nos fortalece" (*Ibíd.).*

Cuando usted sienta el asalto del enemigo, ponga su mente en el poderoso Libertador. Él nunca le ha fallado a un alma dependiente y confiada, y ciertamente no le ha de fallar a usted. Él es nuestro refugio, nuestra serenidad, nuestro divino protector. En él estamos seguros hoy, mañana y por siempre.

Nos veremos en el cielo

Pero si esperamos lo que no vemos, con paciencia lo aguardamos. Rom. 8:25.

Charlotte Collyer se aferraba a una esperanza, aun cuando lloraba la pérdida de su esposo a bordo del *Titanic.*

Le escribió a su suegra lo siguiente: "Algunas veces siento que vivimos demasiado el uno para el otro, y que por eso lo he perdido. Pero, mamá, nos veremos en el cielo. Cuando esa orquesta tocó "Cerca, más cerca de ti", yo sé que él pensó en usted y en mí, porque ambas amamos ese himno".

Charlotte rememoraba a los valientes miembros de la orquesta del *Titanic* que siguieron tocando ese himno, aun cuando la enorme nave se ladeaba y comenzaba a hundirse en el Atlántico. En medio de todo ese pánico, de la confusión y los gritos de angustia, sus instrumentos pusieron una nota de esperanza en la cubierta, la gran esperanza de encontrarse con Dios. Y eso era lo que sostenía a Charlotte en su hora más triste. Pensar en encontrarse con su amado en el cielo, de verlo cara a cara, ése era su consuelo.

Melody Homer se aferra a esa misma esperanza también. Su esposo, Leroy, falleció en el terrible accidente del vuelo número 93 de la compañía United, cerca de Shanksville, Pensilvania, el 11 de septiembre de 2001. En lugar de albergar amargura contra los asesinos de su esposo, Melody se aferra a la esperanza de la segunda venida. Cuando la entrevisté en su hogar en Nueva Jersey, ella dijo con tranquila confianza: "Sé que no es la última vez que veré a Leroy. Un día iremos juntos a encontrarnos con Jesús en el cielo".

La fe de Melody tocó mi corazón durante esa entrevista. Su valor me animó. Ella se daba cuenta del dolor que la muerte súbita de su esposo le había ocasionado. También era realista acerca de la esperanza que late en su corazón sobre la venida de Jesús.

La muerte no es el adiós final. Es sólo una breve pausa. Es el preludio de Dios de la eternidad. Sin la esperanza de la resurrección, la muerte sería un fin trágico. Con esa esperanza esperamos un nuevo comienzo.

La esperanza que arde en nuestros corazones es la gloriosa esperanza de reunirnos con nuestros seres queridos cuando Jesús vuelva. Esta esperanza nos da el ánimo para enfrentar el día de hoy y mil días de mañana. Seca nuestras lágrimas y nos señala otro tiempo y lugar, donde nuestra ansiosa expectativa dará lugar a una gloriosa realidad.

Un extraordinario despertar

En cuanto a mí, veré tu rostro en justicia; estaré satisfecho cuando despierte a tu semejanza. Sal. 17:15.

Magda tuvo una niñez feliz a principios del siglo XX. Le iba bien en la escuela secundaria, y recibía honores como estudiante y como atleta. Pero en 1918, mientras trabajaba como secretaria, contrajo la enfermedad del sueño. Magda se recuperó después de un mes, pero más tarde, en 1923, comenzó a mostrar síntomas del mal de Parkinson y cayó en un estado de letargo que duró 45 años. Esta mujer pasó sus días en instituciones de salud, sentada en una silla de ruedas, sin moverse, sin ninguna expresión, aparentemente al margen de lo que pasaba a su alrededor. Los que la atendían la consideraban un caso irremediable.

En junio de 1969, el Dr. Oliver Sacks comenzó a administrar una nueva medicación llamada L-DOPA a algunas personas que habían sobrevivido a la enfermedad del sueño. Magda gradualmente comenzó a despertar. Al principio recuperó la voz, luego comenzó a escribir frases. Muy pronto pudo alimentarse por sí sola y caminar un poco. Floreció una persona completa donde antes había habido sólo una cáscara. El Dr. Sacks escribió que Magda "demostraba inteligencia, encanto y humor, que habían sido casi totalmente borrados por su enfermedad".

Magda recordaba su feliz niñez en Viena y hablaba con nostalgia de las excursiones de la escuela y las vacaciones familiares. Pero no permaneció atrapada en el pasado. De alguna forma esta valiente dama encontró las fuerzas para enfrentar ese vacío de 45 años que había en su vida. Renovó los lazos emocionales con sus hijas y yernos. Descubrió a sus nietos y gozó de las visitas de muchos otros familiares que venían a ver el milagro de Magda, quien fuera restaurada a la realidad.

¡Qué increíble despertar! Esta es la esperanza que Dios nos ofrece a cada uno de nosotros ahora, no importa cuán largo o profundo haya sido el sueño del pecado.

Habrá otro despertar cuando el reino de Dios ilumine este planeta. Miraremos con gozo hacia el cielo y ascenderemos con Cristo. No necesitamos permanecer atrapados en las tragedias de una vida en un mundo pecaminoso, incapaces de sortear ese vacío inimaginable entre la vida como la conocemos y la vida que Dios nos quiere dar hoy. Job lo expresó de esta manera: "Así el hombre yace y no vuelve a levantarse; hasta que no haya cielo, no despertarán ni se levantarán de su sueño" (Job 14:12).

No nos despertaremos y de pronto nos veremos llenos de años, como sucede con los que despiertan de la enfermedad del sueño. Nos despertaremos y nos veremos jóvenes otra vez, con cuerpos nuevos recreados a semejanza del cuerpo resucitado de Cristo. "El cuerpo de la humillación nuestra [será] semejante al cuerpo de la gloria suya" (Fil. 3:21).

Coloque su vida en sus manos con la firme seguridad de que si usted muere antes de su retorno, despertará para ver el esplendor de su venida.

Cuando el gozo sea completo

En tu presencia hay plenitud de gozo. Sal. 16:11.

Cuando el gran escritor ruso Máximo Gorki visitó los Estados Unidos, alguien lo llevó a visitar Coney Island un fin de semana. Sus anfitriones lo llevaron a experimentar todo tipo de juegos. Mientras caminaba por entre las entusiastas muchedumbres, le mostraron los museos de gente rara, los palacios de los malabaristas y los teatros de las bailarinas. Pensaron que le estaban proporcionando al distinguido autor una gran diversión.

Al final de lo que parecía ser un día perfecto, le preguntaron a Gorki si le había gustado.

El escritor permaneció en silencio por un momento. Luego dijo: "¡Qué personas tristes deben ser ustedes!"

Gorki tenía razón. Cualquier sociedad que basa su misma existencia en las "diversiones baratas" del momento debe ser indudablemente una sociedad triste.

Jesús nos ofrece algo mucho mejor. Él declaró: "Yo he venido para que tengan vida, y para que la tengan en abundancia" (Juan 10:10). La palabra original del Nuevo Testamento para "abundancia" es la palabra "superabundancia". Jesús ofrece una vida de superabundancia.

El salmista agrega: "No quitará el bien a los que andan en integridad" (Sal. 84:11). Los placeres terminan muy pronto. La abundancia de Dios nunca se acaba. "Vosotros estáis completos en él" (Col. 2:10). Él nos ofrece "plenitud de gozo" (Sal. 16:11). Él "colma de bendición a todo ser viviente" (Sal. 145:16). La felicidad viene de conocer y hacer la voluntad de Dios (véase Juan 13:17).

No hay gozo mayor que saber que estamos en el centro de la voluntad de Dios. No hay felicidad más grande que saber que estamos agradando a Dios. No hay mayor satisfacción que la satisfacción genuina que proviene de compartir su amor con otro ser humano.

La felicidad que Jesús nos da es duradera. No es como las pompas de jabón que revientan en la brisa. El gozo que Jesús nos da es genuino. No es una imitación barata que se vende a un alto precio.

Haga de Jesús el centro de su gozo hoy. Él le hará sentir que está completo interiormente, y eso continuará hasta el día en que él venga a llevarlo de vuelta al hogar.

Escuchando su voz

Mis ovejas oyen mi voz, y yo las conozco, y me siguen. Juan 10:27.

Tomás Alva Edison había completado su último invento, el fonógrafo, y un famoso reportero, Henry Stanley, había visitado su laboratorio para ver la demostración. Stanley quedó maravillado al escuchar la voz de un hombre que salía de alguna manera de la pequeña caja. Quedó sorprendido por las posibilidades de ese fonógrafo, y preguntó: "Sr. Edison, si usted pudiera escuchar la voz de cualquier persona famosa a través de la historia de este mundo, ¿cuál voz preferiría escuchar?"

"La de Napoleón", contestó Edison rápidamente.

Pero Stanley tenía otra preferencia. Él le respondió: "¡A mí me gustaría escuchar la voz de nuestro Salvador!"

Obviamente, nuestro Señor no nos habla a través del fonógrafo de Tomás Alva Edison. ¿Cómo nos habla Jesús? Hay cuatro formas principales en las que él nos comunica su voluntad.

En primer lugar, Jesús nos habla a través de la Palabra. Al abrir las páginas de las Escrituras nuestro Señor nos habla. Él nos impresiona a través de las enseñanzas de la Biblia, revela su voluntad por medio de las Escrituras. Si no leemos su Palabra o si la leemos ocasionalmente nos perdemos maravillosas oportunidades de escuchar su voz. El mismo Dios que inspiró la Biblia aún inspira a los que leen sus páginas. El mismo Dios que les habló *a* los profetas aún habla *a través* de los profetas.

En segundo lugar, Jesús nos habla a través del Espíritu Santo, quien convence nuestros corazones de pecado. Eleva nuestros espíritus con algún pensamiento animador. Él impresiona nuestras mentes con ideas creativas. Al estar en tranquila meditación, lo oímos hablar a través del Espíritu. Cuando dejamos de reflexionar, perdemos la oportunidad de escuchar su voz.

En tercer lugar, Jesús nos habla por medio de las providencias de la vida. Si somos observadores, notaremos que hay veces cuando Dios abre y cierra puertas. Habrá veces cuando Dios nos impresionará por medio de un acontecimiento o de la respuesta a una oración. Si tenemos oídos para oír, lo escucharemos hablándonos en forma personal a través de las experiencias de nuestra vida.

En cuarto lugar, Jesús nos habla por medio de otras personas. A menudo en la vida Dios impresiona a nuestra familia y a nuestros amigos para que nos compartan su sabiduría cuando no la tenemos. Si somos sensibles a su voz, le oiremos hablar a través del consejo de amigos fieles.

En el día de hoy escuche su voz en su Palabra. Escúchelo hablarle a su corazón a través de su Espíritu. Abra sus oídos para discernir el significado de su providencia. Y escuche el sabio consejo de las personas consagradas.

Diciembre 19

AFUERA EN EL FRÍO

Esto os servirá de señal: Hallaréis al niño envuelto en pañales, acostado en un pesebre. Luc. 2:12.

Hacía frío, calaba hasta los huesos. El viento aullaba, y la nieve caía copiosamente. Era Nochebuena de 1952 en una remota villa en Corea. Sólo unas pocas personas estaban en las calles completando las tareas de último momento antes de la Navidad. Una solitaria mujer, de unos 20 años, caminaba pesadamente por la calle. Le era difícil avanzar en contra del fuerte viento. Estaba embarazada de nueve meses, y el bebé debía nacer. La joven había quedado embarazada de un soldado norteamericano. No tenía familia. Ahora estaba sola, completamente sola, sin ningún lugar donde dar a luz al bebé. Se acordó de un amable misionero que vivía del otro lado del pueblo. De pronto pensó: *Si tan sólo pudiera llegar a la casa del misionero a tiempo, podría tener mi bebé allí.*

Al cruzar el puente para ir al otro lado del pueblo, se dio cuenta de que el bebé ya estaba por nacer. A tropezones bajó hasta el río y encontró refugio debajo del puente. Allí, en el frío congelante, esta joven coreana dio a luz un hermoso varoncito, y lo envolvió en sus propias ropas para mantenerlo caliente.

Temprano en la mañana de Navidad mientras el misionero cruzaba por el puente, escuchó el llanto de un recién nacido. Corrió para ofrecer su ayuda. Para su sorpresa, encontró que la madre había muerto de frío, pero que el bebé, envuelto en la ropa de ella, estaba bien.

El misionero reportó lo sucedido a las autoridades. Como el bebé no tenía padre, el pastor finalmente lo adoptó. Al pasar los años, el padre y el hijo se hicieron amigos inseparables. Diez años más tarde, en la Nochebuena de 1962, el padre le contó a su hijo adoptivo sobre el sublime sacrificio de su amante madre. El niño quedó profundamente conmovido.

En la mañana de Navidad, mientras el padre entraba silenciosamente en el cuarto del niño para despertarlo, encontró la cama vacía. Buscó por toda la casa pero no lo pudo hallar. Al mirar por la ventana vio que había pisadas en la nieve. Rápidamente las siguió hasta el puente donde el niño había nacido diez años antes. Allí, para su absoluta sorpresa, el padre vio que el niño estaba parado debajo del puente, sin zapatos, desnudo de la cintura para arriba, temblando en la nieve y llorando. El padre corrió al lado del hijo y lo rodeó con sus brazos. El niño lo miró a través de sus ojos llenos de lágrimas y dijo: "Papá, yo quería saber lo que mamá sintió en el frío esa noche hace tantos años cuando murió por mí".

Jesús quería saber lo que era estar solo, cansado, rechazado, triste, dolorido y lastimado, y por eso entró en este mundo frío y cruel. Él recibió el ataque frontal de la maldad de Satanás. Jesús experimentó un nivel de dolor físico, de trauma emocional, de angustia psicológica y de agonía espiritual que no podemos imaginar. El profeta Isaías dice: "Un niño nos es nacido". Todo lo que Jesús experimentó fue por nosotros. Él entiende. Él se preocupa. Él tiembla en el mundo frío con nosotros.

Familiares renegados

Y dará a luz un hijo, y llamarás su nombre Jesús, porque él salvará a su pueblo de sus pecados. Mat. 1:21.

Al mirar su árbol genealógico, ¿hay algunos familiares que le avergüenzan un poco? ¿Tiene usted algunos familiares especiales que le dan a su familia un mal nombre? Jesús los tenía. Cuando usted traza el linaje de Jesús a través de José registrado en Mateo 1, descubre algunas cosas asombrosas. Allí se nombra a Jacob el engañador. Se incluye a Tamar, la nuera de Judá. Ella pretendió ser una ramera, engañó a su suegro y tuvo mellizos de él. David, el asesino y adúltero, es parte de la genealogía de Jesús, como lo es Rahab, la ramera. ¡Qué lista! ¡Qué árbol genealógico! ¿Por qué piensa usted que el Evangelio de Mateo los nombra? ¿Las genealogías simplemente están en la Biblia para ocupar espacio?

Yo creo que hay una buena razón. Jesús es el Salvador de todas las personas. Su gracia alcanza a todos. Su misericordia es para todos. Su salvación no conoce límites. Su poder no conoce barreras.

La genealogía de Jesús habla elocuentemente de un Cristo que es poderoso para salvar. Hay esperanza para cada uno de nosotros cuando consideramos la genealogía inusual de Jesús. "Cada hijo e hija de Adán puede comprender que nuestro creador es el amigo de los pecadores. Porque en toda doctrina de gracia, toda promesa de gozo, todo acto de amor, toda atracción divina presentada en la vida del Salvador en la tierra, vemos a Dios con nosotros" (*El Deseado de todas las gentes,* p. 15).

¿Tiene usted algunos familiares que no conocen a Jesús? ¿Está usted llorando por algún hijo o hija que ha renegado de la fe de su niñez? ¡Anímese! Que su corazón se renueve de esperanza. Nuestro Señor promete: "Y volverán de la tierra del enemigo. Esperanza hay también para tu porvenir, dice Jehová, y los hijos volverán a su propia tierra" (Jer. 31:16, 17). Los que nosotros pensamos que son los que tienen menos esperanza, a ésos el Señor puede alcanzar. Aun los corazones más endurecidos no están más allá de su alcance. Si usted duda, vuelva a leer la genealogía de Cristo. Si él pudo alcanzar a algunos de esos sinvergüenzas, puede alcanzar a sus familiares renegados también.

Diciembre 21

Firmes en las convicciones

Por lo demás, hermanos míos, fortaleceos en el Señor, y en el poder de su fuerza. Efe. 6:10.

Martín Lutero creció en un mundo religioso que estaba básicamente aterrorizado de Dios. Los cristianos temían especialmente al purgatorio, donde se pensaba que las almas pasaban años limpiándose de todo pecado antes de entrar al cielo.

A Lutero se le enseñó que se podían comprar indulgencias que garantizaban un tiempo más corto en el purgatorio. Se había generado un negocio con la compra y venta de indulgencias.

Pero Martín Lutero comenzó a estudiar la Biblia por sí mismo. La Epístola a los Romanos le impresionó grandemente. Aprendió de la gracia gratuita de Dios, que justifica a los pecadores. Y Lutero concluyó que la misericordia de Dios no podía venderse ni comprarse. Se regocijó de que aunque "todos pecaron, y están destituidos de la gloria de Dios", somos "justificados gratuitamente por su gracia, mediante la redención que es en Cristo Jesús" (Rom. 3:23, 24).

Lutero podría haber seguido la corriente y vivido una vida tranquila como monje. Pero su conciencia no le dejaba ver que la gracia de Dios fuera distorsionada. Tenía que tomar una posición.

Y lo hizo. Estuvo solo ante Carlos V, el emperador, ante príncipes, señores y poderosos oficiales de la iglesia en la Dieta de Worms. Estos hombres demandaron que él públicamente renegase de sus enseñanzas.

Pero Lutero valientemente replicó: "A menos de que sea convencido por las Escrituras y la razón pura... no acepto la autoridad de papas y concilios... Mi conciencia es cautiva de la Palabra de Dios. No puedo ni debo renegar de nada, porque ir en contra de mi conciencia no es ni correcto ni seguro. Aquí estoy. No puedo hacer otra cosa. Dios me ayude. Amén".

Estas palabras aseguraron el éxito de la Reforma. Un hombre estuvo dispuesto a testificar en contra de las prácticas religiosas que distorsionaban el Evangelio. Todo el cristianismo parecía aceptar las indulgencias, pero Lutero pudo estar firme, por sí solo, y decir "No". ¿Por qué? Porque su conciencia era cautiva de la Palabra de Dios.

Un hombre que se mantuvo firme en sus convicciones sacudió al mundo. Dios movió a toda una generación mediante su valor. Dios puede cambiar su mundo si usted está dispuesto a estar firme de parte de los principios de Dios. Dios llama a hombres y mujeres de principios y de valores que no se esconden ante la oposición de la mayoría. Los "que cambian al mundo" para Dios saben en lo que creen, están firmes en sus creencias, y las comparten, por causa de su amor por Aquel en quien creyeron.

¡Paz en la tierra! ¡Buena voluntad a todos!

¡Gloria a Dios en las alturas, y en la tierra paz, buena voluntad para con los hombres! Luc. 2:14.

El número de muertos era alto en ambos bandos. La batalla era intensa. El ataque pesado de la artillería había durado todo el día. La tierra se sacudía por el bombardeo incesante de los aviones del Eje. Las fuerzas aliadas habían respondido con su propio ataque. Los ejércitos rivales se enfrentaban en las trincheras.

Joe, un soldado norteamericano de 18 años, se recostó exhausto contra la pared de tierra de su trinchera recién cavada. El sol se estaba poniendo. Había pasado otro día y aún estaba vivo. Era la Nochebuena de 1944. Los pensamientos de su hogar inundaron su mente... Mamá, papá... su hermano Tom... su hermana Alicia... el pastel de manzana recién horneado... las galletitas caseras de pasas de uva... el pavo al horno... los regalos envueltos en coloridos papeles... el árbol de Navidad... las sonrisas... los abrazos... los leños quemándose en el hogar... el chocolate caliente... la paz.

Pero en esta pesadilla llamada guerra, la muerte estaba frente a él. La paz y la buena voluntad eran producto de su imaginación.

El campo de batalla estaba ahora en silencio. El aire era frío y claro. Las estrellas resplandecían en un cielo iluminado por la luz de la luna. ¿Era un canto lo que escuchaba? ¿Estaban sus oídos engañándolos en esa Nochebuena? ¿ Era esto una clase de trampa sutil?

Los cánticos de Navidad llenaron de regocijo la noche. La letra estaba en alemán, pero la melodía era inconfundible. "Noche de paz, noche de amor, todo duerme en derredor. Entre los astros que esparcen su luz, bella anunciando al niño Jesús, brilla la estrella de paz".

A tan sólo unos cientos de metros los soldados alemanes cantaban cánticos navideños a plena vista. Lentamente, con cautela al principio, Joe salió de su trinchera. Se conmovió su corazón. Se emocionó en su interior. De pronto no pudo contenerse más. Espontáneamente comenzó a cantar.

"Noche de paz, noche de amor, todo duerme en derredor". Sus compañeros norteamericanos se le unieron en el canto. Muy pronto las voces que unas horas antes habían gritado las maldiciones de la guerra ahora se elevaban en un coro de alabanza. Los dos bandos opuestos se aproximaron uno al otro. Se estrecharon las manos y se abrazaron. Rieron y cantaron. Por una noche eran hermanos. Compartían algo en común.

Se detuvo la pelea. Cesaron los bombardeos. Los morteros permanecieron en silencio en esa Nochebuena. Durante un breve momento se tornaron amigos. La paz de la Navidad unió, por unos breves momentos, a dos ejércitos enemigos.

Si Dios lo hizo entonces, ¿por qué no lo puede hacer ahora? Si Dios lo hizo allí, también ciertamente lo puede hacer aquí. La Navidad es un tiempo de paz, un tiempo de buena voluntad, un tiempo de unidad. Permita que el Príncipe de Paz llene su corazón en esta Navidad, y que usted se torne en un instrumento de su paz para todos los que lo rodean hoy.

Diciembre 23

ANUNCIADO POR TODO EL CIELO

Pero el ángel les dijo: No temáis; porque he aquí os doy nuevas de gran gozo, que será para todo el pueblo. Luc. 2:10.

Benjamín Franklin tuvo una vez un problema bastante similar al que enfrentan muchos padres hoy día. Estaba tratando de enseñarles a sus vecinos granjeros cómo levantar mejores cosechas, pero ellos no lo escuchaban. Probablemente pensaban que el incurable experimentador estaba loco. Franklin había descubierto que si se sembraba yeso en los campos, las plantas crecerían más. Pero cuando les dijo esto a los granjeros, ellos se burlaron. Así que Benjamín Franklin no mencionó más el asunto.

A la siguiente primavera Franklin plantó una sección de trigo cerca de un camino muy transitado. Primero trazó unas letras en la tierra con su dedo y les puso yeso. Luego plantó semillas sobre todo el terreno. Luego de unas pocas semanas crecieron las primeras plantitas, y los que pasaban comenzaban a ver un patrón más y más definido en el pasto. Finalmente, las plantas más altas y más verdes claramente deletrearon un mensaje en el campo, y los tercos vecinos de Franklin se persuadieron de la utilidad del humilde yeso.

Cuando Dios quería convencer a sus hijos tercos de su extraordinario amor, cubrió el cielo con un mensaje como escrito sobre yeso. Los ángeles visitaron a los humildes pastores de Belén con un mensaje demasiado sencillo como para que no fuera entendido. Ellos cantaron "buenas nuevas" y "gran gozo" para "todos los pueblos". Y hoy también cantamos: "Los heraldos celestiales cantan con sonora voz: ¡Gloria al Rey recién nacido!" A través de los siglos, los portavoces de Dios, los profetas, sufrieron el ridículo, la burla, el maltrato y la persecución. Cuando su pueblo no escuchó a los que les enviaba, Dios hizo algo radical. Envió a su propio Hijo.

Hay algunas cosas que no se pueden explicar, se tienen que demostrar. El amor de Dios es así. No se lo puede explicar, pero se lo puede revelar. El amor de Dios se revela en que Jesús dejó el esplendor magnífico del cielo para venir a nacer en un establo lleno de excremento, entre burros y vacas, en una fría noche de Belén. El amor de Dios se revela en que Jesús dejó la adoración y alabanza de los ángeles para experimentar la ira de Herodes. Se demostró su amor al experimentar el ridículo de los líderes religiosos, la pobreza de los humildes galileos, la condenación como un delincuente común, la falta de comprensión de su propia familia y el rechazo de sus propios discípulos. En la cruz cubierta de sangre, Dios mostró el amor ante un planeta perdido. Reveló hasta dónde podía ir para salvarnos. No hay sacrificio que no hubiere hecho. No hay precio que no hubiere pagado. No hay nada que él no hubiere hecho para redimirnos.

El cielo dio todo lo que pudo. El cielo dio lo mejor de sí. El cielo dio todo lo que tenía. Es por eso que los ángeles cantan: "Gloria a Dios en las alturas", y con ellos cantaremos nosotros a través de la eternidad.

UN REGALO PARA EL DADOR

Y abriendo sus tesoros, le ofrecieron presentes: oro, incienso y mirra. Mat. 2:11.

Cuando Jesús nació, las personas que vivieron en esos días reaccionaron de tres maneras ante su nacimiento. Los escribas y fariseos eran indiferentes. Casi ni se percataron de lo que estaba aconteciendo. Qué tragedia es ser indiferente al Salvador del mundo.

Lamentablemente, hay algunas personas religiosas que son indiferentes a Cristo en esta Navidad. Cristo se pierde entre el bullicio de la estación. Queda cubierto bajo el árbol de Navidad entre los regalos prolijamente envueltos. Queda escondido en el trajín. Queda a un lado en medio de las fiestas en las oficinas, los almuerzos y una multitud de otras reuniones navideñas.

Hubo algunos que se le opusieron entonces, y hay quienes se le oponen ahora. Herodes y los soldados romanos se sintieron amenazados por este Rey recién nacido. Se sintieron amenazados por el desafío potencial de su autoridad. Herodes emitió un decreto en el que ordenaba matar a todo niño hebreo menor de dos años. No quería arriesgar su trono.

Hay personas hoy, en esta estación navideña, que no quieren entregar el trono de su corazón. Batallan, luchan y pelean por mantener el control.

Hubo aun una tercera reacción ante Jesús. Los sabios del oriente le trajeron regalos. Los hombres sabios se postraron a sus pies en adoración. Hoy también hay hombres y mujeres sabios que le adoran.

El Evangelio de Mateo lo describe de esta forma: "Y abriendo sus tesoros, le ofrecieron presentes: oro, incienso y mirra" (Mat. 2:11).

El oro es un regalo para un rey. Representa todas nuestras posesiones materiales. Venimos a Jesús en adoración, sin retener nada. Todo lo que tenemos es un don de Jesús. Durante la Navidad reconocemos: "Señor, todo lo que poseo es tuyo. Tú eres mi Rey de reyes".

El incienso es un regalo para un sacerdote. Los sacerdotes lo usaban en el santuario antiguo. En la Navidad venimos de rodillas ante Jesús, declarando: "Jesús, tú eres mi Sacerdote. Tú intercedes por mí. Tu presentas tu justicia perfecta ante todo el cielo, en lugar de mi total fracaso. Señor, toda mi adoración es para ti".

La mirra es el regalo para alguien que está por morir. Es un ungüento que se usaba en los servicios fúnebres antiguos. En la Navidad le decimos a Jesús: "Tú eres mi Salvador que ha muerto. Tú eres el bebé inocente que nació, y mi Redentor justo quien murió por mí".

En el día de hoy, ¡regocíjese! ¡Es tiempo de celebrar!

Acéptelo como su Salvador. Acérquese a él como su Sacerdote. Reconózcalo como su Rey.

Diciembre 25

UN NACIMIENTO PARA CELEBRAR

¡Salve, muy favorecida! El Señor es contigo; bendita tú entre las mujeres. Luc. 1:28.

No hay un evento más feliz que la vida de una pareja luego del nacimiento de su primer hijo. Mi esposa y yo teníamos 25 años cuando nació nuestra hija Debbie.

Yo estaba tan seguro de que iba a ser una niña que compré un vestido rojo, bonito y bien colorido, realmente bien colorido. ¿Se pueden imaginar a nuestra bebé que tenía la piel sonrosada de los recién nacidos con ese vestido rojo, bien colorido? Alegró a todo el hospital.

Decir que mi esposa y yo estábamos felices con el nacimiento de nuestra primera hija es poco. ¡Decir que estábamos preparados para ese acontecimiento es también decir poco!

Leímos cuanto libro sobre educación de los niños que cayó en nuestras manos. Asistimos juntos a clases de parto natural. Elegimos los colores para el cuarto del recién nacido. Pintamos el cuarto de rosado. Compramos una cuna, ropas de bebé y juguetes. Cuando Debbie nació estábamos listos.

Dios también estaba entusiasmado con el nacimiento de su Hijo. Los coros celestiales anunciaban su arribo. Los pastores y los sabios anunciaron su venida. Las profecías de siglos atrás proclamaron el nacimiento del Mesías.

Isaías, el profeta, predijo que el niño Cristo nacería de una virgen (Isa. 7:14). Jacob dijo que él sería del linaje de Judá (Gén. 49:10). El profeta Miqueas declaró que el Mesías nacería en Belén (Miq. 5:2). El cielo hizo todo lo que estuvo a su alcance para preparar al mundo para el nacimiento del Salvador.

Su nacimiento no fue algo común. Jesús fue concebido en forma sobrenatural por el Espíritu Santo en la matriz de María. No fue un niño común. Jesús fue el divino Hijo de Dios que vino a morar en la carne humana, el Cristo divino-humano.

El ángel le anunció a José la misión de Jesús. "Y dará a luz un hijo, y llamarás su nombre Jesús, porque él salvará a su pueblo de sus pecados" (Mat. 1:21).

El cielo definió claramente su misión: salvar al pueblo de sus pecados.

El bebé que nació en un pesebre de Belén es su Salvador y el mío. La época navideña es ocasión de celebración y regocijo. Es tiempo de alabanza. No se nos abandonó en la profundidad del pecado. En la oscuridad de nuestra rebelión, hay una luz. En la prisión del pecado, hay una esperanza.

Podemos regocijarnos. En el bebé que nació en un pesebre de Belén, Dios nos ha enviado un mensaje innegable de su amor. Llenará su vida con gozo y regocijo en esta época de Navidad.

LA PAZ DE LA NAVIDAD

¡Gloria a Dios en las alturas, y en la tierra paz, buena voluntad para con los hombres! Luc. 2:14.

El senador John McCain pasó cinco años y medio como prisionero de guerra en Hanoi durante la guerra de Vietnam. Junto con muchos otros pilotos soportó un terrible sufrimiento. Pero llegó un día, recuerda McCain con claridad, en que pudieron elevarse por encima del abuso y el aislamiento.

Fue en ocasión de la Nochebuena del año 1971. Unos días antes McCain había tenido una Biblia por unos pocos minutos. Con desesperación copió tantos versículos de la historia de Navidad como pudo hasta que llegó un guardia y le quitó el libro.

En esta noche especial los prisioneros habían decidido tener su propio servicio de Navidad. Comenzaron con el Padrenuestro y luego entonaron cánticos navideños. McCain leyó una porción del Evangelio de Lucas antes de cada himno.

Al principio los hombres estaban nerviosos. Recordaban cómo un año atrás los guardias habían entrado de golpe en el secta que realizaban en secreto y habían golpeado a los tres hombres que estaban dirigiendo las oraciones. Se los arrastró y se los puso en confinamiento solitario. El resto fue encerrado en celdas sumamente pequeñas durante once meses.

Pero aun así los prisioneros querían cantar en esa noche. Y así fue. Al principio cantaban bien suave, casi como un murmullo, mirando con ansiedad las ventanas de barrotes.

A medida que el secta continuaba, los prisioneros se tornaron más osados. Sus voces se elevaron un poco más hasta que llenaron la celda con: "Los heraldos celestiales cantan con sonora voz".

Algunos de los hombres estaban demasiado enfermos para estar de pie, pero los colocaron sobre una plataforma y cubrieron sus cuerpos temblorosos con frazadas. Todos querían unirse en los cantos que ahora los hacían sentirse gozosos y triunfantes.

Cuando llegaron a "Noche de paz", las lágrimas rodaban por sus rostros barbudos. John McCain más tarde escribió: "De pronto estábamos 2.000 años atrás y del otro lado del mundo en una villa llamada Belén. Y ni la guerra, ni la tortura ni la prisión pudieron apagar la esperanza que nació en esa noche silenciosa tanto tiempo atrás.

"Nos olvidamos de nuestras heridas, del hambre, del dolor. Elevamos oraciones de agradecimiento por el Cristo niño, por nuestras familias y hogares. Sentimos una sensación absolutamente exquisita porque nos habían quitado nuestras cargas".

Al abrir nuestros corazones a él, el Cristo niño nos dará su paz también, quitará nuestras cargas. Los problemas de la vida se tornarán insignificantes ante la luz de su amor glorioso. El Cristo que nació en Belén 2.000 años atrás, anhela volver a nacer en nuestros corazones ahora. Así como él transformó una prisión en Vietnam del Norte en un lugar de amor, anhela llenar su hogar con amor en el día de hoy.

Diciembre 27

El poder revolucionario del amor

Y aquel Verbo fue hecho carne, y habitó entre nosotros (y vimos su gloria, gloria como del unigénito del Padre), lleno de gracia y de verdad. Juan 1:14.

En 1798 la Revolución Francesa llegaba a su fin. La guillotina había hecho rodar miles de cabezas. Eran días en los que reinaba el terror. En ese mismo año otro tipo de revolucionario vivía junto al lago Lucerna, en Suiza. Juan E. Pestalozzi, un educador con profundo amor por los niños, tomaba a su cargo a 80 huérfanos de una aldea suiza destruida por tropas francesas. La tarea representaba un desafío. Los niños estaban llenos de piojos y de llagas; desnutridos y enfermos. Algunos eran casi delincuentes, mentirosos y sin afecto. Lo humanamente razonable hubiera sido someter a este grupo tan heterogéneo a una disciplina férrea e inmisericorde. Pero Pestalozzi tenía otra idea. Había descubierto que el principio esencial de la educación es el amor, y procedió a su aplicación. "Estaba convencido —dijo— que mi afecto cambiaría la condición de mis niños tan rápidamente como el sol primaveral despierta a una nueva vida a la tierra que el invierno entumeció. Y no me engañaba: antes de que el sol derritiera la nieve de la mañana, mis niños eran apenas reconocibles".

¿Quiénes fueron los verdaderos revolucionarios de la Francia de fines del siglo XVIII, quienes gritaban "libertad, igualdad y fraternidad" o el apacible maestro de los Alpes que muy silenciosamente infundía "amor" a los pequeños?

Cierto día, cuando Napoleón visitó la Academia Francesa, un científico le preguntó quién creía él que había sido el mayor genio militar del mundo, a lo que el emperador respondió: "Alejandro, César, Carlomagno y yo hemos fundado grandes imperios; pero ¿sobre qué descansan estas grandes creaciones de nuestro genio? ¡Sobre la fuerza! Sólo Jesús estableció un imperio sobre el amor, y ¡hasta hoy millones morirían por él!"

La Navidad habla de un Dios que vino al mundo a realizar la mayor revolución en el corazón del hombre mediante el poder del amor. En estos días de diciembre recordamos que Dios se hizo hombre para darnos una muestra de quién es él en realidad. Dios no nos envió simplemente una carta de amor para decirnos quién era, sino que vino a mostrárnoslo.

Jesús desea revelarse a sí mismo ante el mundo otra vez por medio de nosotros. Anhela volver a vivir en la carne humana, débil y frágil. Quiere demostrarle a un mundo endurecido la gloria de su gracia a través de sus seguidores. Con ellos quiere realizar la verdadera revolución del amor.

En esta Navidad Dios anhela nacer otra vez en su corazón. Anhela amar a través de usted. ¿Le permitirá ser el revolucionario que cambie su vida y lo haga un instrumento útil en sus manos?

El aliento de Dios

¿Cómo, pues, podrá el siervo de mi señor hablar con mi señor? Porque al instante me faltó la fuerza, y no me quedó aliento. Dan. 10:17.

El Dr. Drummond era un médico que tomaba lo que había escuchado de Elena de White con mucho escepticismo. En cierto momento declaró que él podía hipnotizarla y darle una visión. Un día Elena de White fue llevada en visión en presencia de Drummond. El médico se adelantó para comprobar su condición física. Luego de un tiempo palideció. "Ella no está respirando", exclamó. Su examen lo convenció de que las visiones provenían de Dios.

Algunas veces las visiones de Elena de White duraban horas; otras veces, sólo unos minutos. Pero el fenómeno físico que acompañaba a sus visiones daba evidencia de que eran sobrenaturales.

Hay pruebas físicas que acompañan la manifestación de un genuino "don de profecía" que dan evidencia de su autenticidad. Uno de ellos es la "prueba de la respiración". La palabra "inspiración" significa aliento dado por Dios. Como Dios está respirando a través del profeta, comunicando su voluntad, el profeta no tiene respiración humana durante la visión. Daniel describe esta experiencia de la visión con estas palabras: "Me faltó la fuerza, y no me quedó aliento" (Dan. 10:17).

Descubrimos algo significativo en las Escrituras sobre la forma en que Dios se comunica con sus profetas. Él habla directamente, tal como lo hizo con Moisés. Habla mediante visiones y sueños. Solamente de tres maneras. Y los métodos favoritos que usan las artes psíquicas —la astrología, la lectura de las manos, mirar en un cristal, contactar a los supuestos espíritus de los muertos, la brujería— no se encuentran entre ellas. La palabra de Dios es clara: "Cuando haya entre vosotros profeta de Jehová, le apareceré en visión, en sueños hablaré con él" (Núm. 12:6).

Un profeta genuino habla lo que Dios le dice. Sus mensajes son dados por el "aliento de Dios", porque provienen de Dios mismo. El profeta genuino testifica de Jesús y revela lo que Jesús le muestra en visión.

Ignorar los mensajes inspirados que Dios da a través del don de profecía es rechazar el testimonio de Jesús mismo. Podemos alabar a Dios porque él ha pensado tanto en nosotros que ha levantado el don de profecía en su iglesia de los últimos tiempos. Este don de profecía a través de los escritos de Elena de White provee hoy inspiración y guía para nuestras vidas. ¿Por qué no comenzar el año nuevo leyendo unas pocas páginas del libro clásico *El Deseado de todas las gentes* cada día? Usted nunca se arrepentirá.

Diciembre 29

Los frutos del Espíritu

Por sus frutos los conoceréis. Mat. 7:20.

Miremos el impacto mundial que tiene la Iglesia Adventista del Séptimo Día. Consideremos un área solamente, el cuidado de la salud. Como resultado de los mensajes de Dios a través de Elena de White, la iglesia ha establecido más de 500 hospitales, dispensarios y clínicas por todo el mundo. Unos años atrás, un millonario, Charles Kettering, recibió tratamiento en uno de estos hospitales. Quedó tan impresionado con el cuidado que recibió que donó 10 millones de dólares para comenzar un nuevo hospital administrado por los adventistas, cerca de su casa en Ohio.

El mundialmente famoso centro médico de la Universidad de Loma Linda fue establecido como resultado directo de las visiones de Elena de White. Al principio, el Concilio de Educación Médica trató de persuadir al nuevo colegio médico de que no buscase la acreditación. No había personal adecuado disponible. La escuela insistió, sin embargo, y obtuvo la calificación más baja de C. No pasó mucho tiempo, sin embargo, antes de que la escuela recibiese la acreditación completa y que sus graduados fueran aceptados en todos lados con la calificación más alta de A.

En años recientes, el gobierno de los Estados Unidos envió al equipo de cardiología de Loma Linda a varios países en representación de buena voluntad. El centro médico se ha convertido en una de las instituciones más avanzadas para transplantes de corazón en el mundo. Su tratamiento de cáncer con rayos de protón es reconocido mundialmente. El Centro Médico de la Universidad de Loma Linda está a la vanguardia de la investigación médica científica.

La Corporación Disney contactó a los adventistas del séptimo día para establecer el hospital del futuro en su comunidad ultramoderna y de alta tecnología, en Celebration, Florida.

Aunque el enfoque holístico adventista de la salud está basado en la Biblia, Elena de White urgió a los líderes de la iglesia a construir hospitales alrededor del mundo para ministrar al ser entero. Su visión de la salud holística se ha convertido hoy en una norma, pero fue algo nuevo en sus días.

Uno de los frutos de las visiones de Elena de White ha sido el sistema de atención de la salud que mundialmente ministra a cientos de miles. Hay millones de personas cuyas vidas se han salvado y hoy disfrutan de salud por causa de los hospitales adventistas del séptimo día.

Miles de años atrás, Josafat le advirtió a Judá: "Creed a sus profetas, y seréis prosperados" (2 Crón. 20:20). Sus palabras resuenan a través de las edades. Nos hablan a nosotros hoy. Cuando la iglesia escucha la Palabra de Dios a través del don de profecía, ella prospera. Cuando escuchamos la voz de Dios que nos habla por medio del don profético, prosperamos. Y corremos grandes riesgos cuando descuidamos el don de profecía.

Poder para ayudar

Pero si vas así, si lo haces, y te esfuerzas para pelear, Dios te hará caer delante de los enemigos; porque en Dios está el poder, o para ayudar, o para derribar. 2 Crón. 25:8.

Ed era cristiano, pero tenía un grave problema con el cigarrillo. Era adicto; durante 20 años había fumado más de dos cajetillas al día. Un día, Ed me pidió que lo ayudase a dejar de fumar. Pasé tiempo con él, explicándole cómo Jesús obró milagros en todo el Nuevo Testamento. Hablamos de casos de personas que parecían sin esperanza pero que fueron sanadas en forma milagrosa.

Finalmente le pedí a Ed que trajera todos sus cigarrillos y los colocara sobre el piso. Nos arrodillamos juntos, y animé a Ed a ofrecer una simple oración de fe, creyendo que Dios lo liberaría. Su oración, una de las más débiles que he escuchado, más o menos fue así: "Oh, querido Jesús, no puedo dejar de fumar. Tú sabes que yo no puedo dejar de fumar. Soy débil, Señor. El tabaco me tiene atrapado y no puedo dejarlo".

No me pude aguantar. Lo sacudí mientras oraba. Le dije: "¡Deja de orar de esa manera!" Me miró y me dijo: "Pastor, ¿qué dijo usted?" Le contesté: "No ores más. Vas a estar peor luego de orar que antes de orar". Él nunca había escuchado que un predicador le hablase así antes. Le dije: "Mira, tú te estás convenciendo a ti mismo que no puedes dejar de fumar, pero Jesús dice en Mateo 7:7, 8: 'Pedid, y se os dará; buscad, y hallaréis; llamad, y se os abrirá. Porque todo aquel que pide, recibe; y el que busca, halla: y al que llama, se le abrirá' ".

Le dije a Ed: "Arrodíllate y dile a Dios: 'Sé que soy débil, pero tú eres fuerte, Señor. Tú tienes un poder grandioso. Tú tocaste los ojos ciegos y fueron abiertos. Tú tocaste los oídos sordos y fueron destapados. Señor, tu poder es mayor que el tabaco'.

"Ed, tu problema es que piensas que el tabaco es mayor que Jesús, pero tú necesitas decirle a Jesús que crees que su poder es mayor. Por favor ora nuevamente ahora".

Él inclinó su cabeza y oró: "Querido Jesús, soy tan débil, pero tú eres fuerte. Tú eres poderoso. Tú puedes librarme, Señor. Puede que yo sienta la tentación, pero tú eres mayor que la tentación. Puede ser que quiera salir a conseguir tabaco, pero tú eres mayor que eso, Señor. Por favor, líbrame".

¡Por la gracia de Dios Ed fue librado! Y usted también puede ser librado.

¿Hay algún hábito que lo tiene atrapado? ¿Hay algún pecado que lo mantiene prisionero? Acepte las promesas de Dios por fe. Crea que él tiene el poder para librarlo. Ríndale ese pecado específico a Jesús. Clame la victoria sobre ese pecado en Jesús, el nombre todopoderoso, y espere un milagro.

Usted puede renovarse en este nuevo año, porque Dios encontrará una forma de librarlo de sus hábitos esclavizantes.

Regocíjese siempre

Estad siempre gozosos... Dad gracias en todo 1 Tes. 5:16, 18.

Un corazón agradecido produce emociones positivas. Estas emociones positivas producen elementos químicos saludables que dan vida. Aun en la prisión el apóstol Pablo irradió un espíritu agradecido. Él sabía que Dios, quien está siempre en el control de todas las cosas, lo ayudaría a soportar el cautiverio.

He aquí la verdad eterna que el apóstol comparte con nosotros desde la prisión romana: "Todo lo puedo en Cristo que me fortalece" (Fil. 4:13).

Como prisionero en Roma, Pablo había perdido su reputación. Sus enemigos lo habían calumniado. Carecía de libertad. Estaba confinado a una celda romana o colocado bajo arresto domiciliario. Su salud estaba decayendo.

Durante su ministerio fue apedreado, fue golpeado salvajemente, caminó por kilómetros con poco alimento, experimentó un naufragio, soportó una furiosa tormenta durante varios días. A menudo, estuvo cerca de la muerte. Pero en todas las experiencias de su vida, la fe del apóstol permaneció fuerte. Su fe continuó creciendo en los momentos difíciles. El poder grandioso del Dios vivo lo fortaleció.

El poder de Dios es más que suficiente ante todas las tragedias de la vida. He aquí algo por lo cual debemos estar muy agradecidos. Podemos enfrentar cada uno de los asaltos de Satanás, cada uno de sus ataques y cada una de las tentaciones a través del poder del todopoderoso Hijo de Dios que nos fortalece y nos libra.

El apóstol Pablo vivió bajo tres principios fundamentales.

1. Dios está en el control de todas las cosas.
2. Dios me dará las fuerzas para soportar.
3. Dios suplirá todas mis necesidades.

¿Qué es lo que lo angustia hoy? ¿Siente usted la necesidad de afecto y amor? ¿Se siente solo? ¿Tiene problemas financieros? ¿Le falta la salud? ¿Está usted luchando contra una tentación abrumadora? ¿Siente un anhelo profundo de tener un propósito en su vida? ¿Está buscando un sentido y una dirección?

¿Por qué no trae usted hoy todas sus necesidades al Creador del universo? ¿Por qué no reclama su maravillosa promesa: "Mi Dios, pues, suplirá todo lo que os falta" (Fil. 4:19)?

Usted puede regocijarse hoy. Su corazón puede llenarse de agradecimiento. Hay un Dios amante que conoce sus necesidades. Él ha provisto todos los recursos del cielo para suplirlas. Durante este año que ha pasado, ¿cuáles son sus motivos de agradecimiento? ¿Por qué no se propone vivir una vida de agradecimiento durante el año venidero?

ÍNDICE DE REFERENCIAS BÍBLICAS

GUÍA PARA EL AÑO BÍBLICO

ENERO

1. Gén. 1, 2
2. Gén. 3-5
3. Gén. 6-9
4. Gén. 10, 11
5. Gén. 12-15
6. Gén. 16-19
7. Gén. 20-22
8. Gén. 23-26
9. Gén. 27-29
10. Gén. 30-32
11. Gén. 33-36
12. Gén. 37-39
13. Gén. 40-42
14. Gén. 43-46
15. Gén. 47-50
16. Job 1-4
17. Job 5-7
18. Job 8-10
19. Job 11-13
20. Job 14-17
21. Job 18-20
22. Job 21-24
23. Job 25-27
24. Job 28-31
25. Job 32-34
26. Job 35-37
27. Job 38-42
28. Éxo. 1-4
29. Éxo. 5-7
30. Éxo. 8-10
31. Éxo. 11-13

FEBRERO

1. Éxo. 14-17
2. Éxo. 18-20
3. Éxo. 21-24
4. Éxo. 25-27
5. Éxo. 28-31
6. Éxo. 32-34
7. Éxo. 35-37
8. Éxo. 38-40
9. Lev. 1-4
10. Lev. 5-7
11. Lev. 8-10
12. Lev. 11-13
13. Lev. 14-16
14. Lev. 17-19
15. Lev. 20-23
16. Lev. 24-27
17. Núm. 1-3
18. Núm. 4-6
19. Núm. 7-10
20. Núm. 11-14
21. Núm. 15-17
22. Núm. 18-20
23. Núm. 21-24
24. Núm. 25-27
25. Núm. 28-30
26. Núm. 31-33
27. Núm. 34-36
28. Deut. 1-3
29. Deut. 4, 5

MARZO

1. Deut. 6, 7
2. Deut. 8, 9
3. Deut. 10-12
4. Deut. 13-16
5. Deut. 17-19
6. Deut. 20-22

7. Deut. 23-25
8. Deut. 26-28
9. Deut. 29-31
10. Deut. 32-34
11. Jos. 1-3
12. Jos. 4-6
13. Jos. 7-9
14. Jos. 10-12
15. Jos. 13-15
16. Jos. 16-18
17. Jos. 19-21
18. Jos. 22-24
19. Juec. 1-4
20. Juec. 5-8
21. Juec. 9-12
22. Juec. 13-15
23. Juec. 16-18
24. Juec. 19-21
25. Rut 1-4
26. 1 Sam. 1-3
27. 1 Sam. 4-7
28. 1 Sam. 8-10
29. 1 Sam. 11-13
30. 1 Sam. 14-16
31. 1 Sam. 17-20

ABRIL

1. 1 Sam. 21-24
2. 1 Sam. 25-28
3. 1 Sam. 29-31
4. 2 Sam. 1-4
5. 2 Sam. 5-8
6. 2 Sam. 9-12
7. 2 Sam. 13-15
8. 2 Sam. 16-18
9. 2 Sam. 19-21
10. 2 Sam. 22-24
11. Sal. 1-3
12. Sal. 4-6
13. Sal. 7-9
14. Sal. 10-12
15. Sal. 13-15
16. Sal. 16-18
17. Sal. 19-21
18. Sal. 22-24
19. Sal. 25-27
20. Sal. 28-30
21. Sal. 31-33
22. Sal. 34-36
23. Sal. 37-39
24. Sal. 40-42
25. Sal. 43-45
26. Sal. 46-48
27. Sal. 49-51
28. Sal. 52-54
29. Sal. 55-57
30. Sal. 58-60

MAYO

1. Sal. 61-63
2. Sal. 64-66
3. Sal. 67-69
4. Sal. 70-72
5. Sal. 73-75
6. Sal. 76-78
7. Sal. 79-81
8. Sal. 82-84
9. Sal. 85-87
10. Sal. 88-90
11. Sal. 91-93
12. Sal. 94-96
13. Sal. 97-99
14. Sal. 100-102
15. Sal. 103-105
16. Sal. 106-108
17. Sal. 109-111
18. Sal. 112-114
19. Sal. 115-118

20. Sal. 119
21. Sal. 120-123
22. Sal. 124-126
23. Sal. 127-129
24. Sal. 130-132
25. Sal. 133-135
26. Sal. 136-138
27. Sal. 139-141
28. Sal. 142-144
29. Sal. 145-147
30. Sal. 148-150
31. 1 Rey. 1-4

JUNIO

1. Prov. 1-3
2. Prov. 4-7
3. Prov. 8-11
4. Prov. 12-14
5. Prov. 15-18
6. Prov. 19-21
7. Prov. 22-24
8. Prov. 25-28
9. Prov. 29-31
10. Ecl. 1-3
11. Ecl. 4-6
12. Ecl. 7-9
13. Ecl. 10-12
14. Cant. 1-4
15. Cant. 5-8
16. 1 Rey. 5-7
17. 1 Rey. 8-10
18. 1 Rey. 11-13
19. 1 Rey. 14-16
20. 1 Rey. 17-19
21. 1 Rey. 20-22
22. 2 Rey. 1-3
23. 2 Rey. 4-6
24. 2 Rey. 7-10
25. 2 Rey. 11-14:20
26. Joel 1-3
27. 2 Rey. 14: 21-25
    Jon. 1-4
28. 2 Rey. 14:26-29
    Amós 1-3
29. Amós 4-6
30. Amós 7-9

JULIO

1. 2 Rey. 15-17
2. Ose. 1-4
3. Ose. 5-7
4. Ose. 8-10
5. Ose. 11-14
6. 2 Rey. 18, 19
7. Isa. 1-3
8. Isa. 4-6
9. Isa. 7-9
10. Isa. 10-12
11. Isa. 13-15
12. Isa. 16-18
13. Isa. 19-21
14. Isa. 22-24
15. Isa. 25-27
16. Isa. 28-30
17. Isa. 31-33
18. Isa. 34-36
19. Isa. 37-39
20. Isa. 40-42
21. Isa. 43-45
22. Isa. 46-48
23. Isa. 49-51
24. Isa. 52-54
25. Isa. 55-57
26. Isa. 58-60
27. Isa. 61-63
28. Isa. 64-66
29. Miq. 1-4
30. Miq. 5-7

31. Nah. 1-3

AGOSTO

1. 2 Rey. 20, 21
2. Sof. 1-3
3. Hab. 1-3
4. 2 Rey. 22-25
5. Abd. y Jer. 1, 2
6. Jer. 3-5
7. Jer. 6-8
8. Jer. 9-12
9. Jer. 13-16
10. Jer. 17-20
11. Jer. 21-23
12. Jer. 24-26
13. Jer. 27-29
14. Jer. 30-32
15. Jer. 33-36
16. Jer. 37-39
17. Jer. 40-42
18. Jer. 43-46
19. Jer. 47-49
20. Jer. 50-52
21. Lam.
22. 1 Crón. 1-3
23. 1 Crón. 4-6
24. 1 Crón. 7-9
25. 1 Crón. 10-13
26. 1 Crón. 14-16
27. 1 Crón. 17-19
28. 1 Crón. 20-23
29. 1 Crón. 24-26
30. 1 Crón. 27-29
31. 2 Crón. 1-3

SEPTIEMBRE

1. 2 Crón. 4-6
2. 2 Crón. 7-9
3. 2 Crón. 10-13
4. 2 Crón. 14-16
5. 2 Crón. 17-19
6. 2 Crón. 20-22
7. 2 Crón. 23-25
8. 2 Crón. 26-29
9. 2 Crón. 30-32
10. 2 Crón. 33-36
11. Eze. 1-3
12. Eze. 4-7
13. Eze. 8-11
14. Eze. 12-14
15. Eze. 15-18
16. Eze. 19-21
17. Eze. 22-24
18. Eze. 25-27
19. Eze. 28-30
20. Eze. 31-33
21. Eze. 34-36
22. Eze. 37-39
23. Eze. 40-42
24. Eze. 43-45
25. Eze. 46-48
26. Dan. 1-3
27. Dan. 4-6
28. Dan. 7-9
29. Dan. 10-12
30. Est. 1-3

OCTUBRE

1. Est. 4-7
2. Est. 8-10
3. Esd. 1-4
4. Hag. 1, 2
   Zac. 1, 2
5. Zac. 3-6
6. Zac. 7-10
7. Zac. 11-14
8. Esd. 5-7

9. Esd. 8-10
10. Neh. 1-3
11. Neh. 4-6
12. Neh. 7-9
13. Neh. 10-13
14. Mal. 1-4
15. Mat. 1-4
16. Mat. 5-7
17. Mat. 8-11
18. Mat. 12-15
19. Mat. 16-19
20. Mat. 20-22
21. Mat. 23-25
22. Mat. 26-28
23. Mar. 1-3
24. Mar. 4-6
25. Mar. 7-10
26. Mar. 11-13
27. Mar. 14-16
28. Luc. 1-3
29. Luc. 4-6
30. Luc. 7-9
31. Luc. 10-13

NOVIEMBRE

1. Luc. 14-17
2. Luc. 18-21
3. Luc. 22-24
4. Juan 1-3
5. Juan 4-6
6. Juan 7-10
7. Juan 11-13
8. Juan 14-17
9. Juan 18-21
10. Hech. 1, 2
11. Hech. 3-5
12. Hech. 6-9
13. Hech. 10-12
14. Hech. 13, 14
15. Sant. 1, 2
16. Sant. 3-5
17. Gál. 1-3
18. Gál. 4-6
19. Hech. 15-18:11
20. 1 Tes. 1-5
21. 2 Tes. 1-3
    Hech. 18:12-19:20
22. 1. Cor. 1-4
23. 1. Cor. 5-8
24. 1. Cor. 9-12
25. 1. Cor. 13-16
26. Hech. 19:21-20:1
    2 Cor. 1-3
27. 2 Cor. 4-6
28. 2 Cor. 7-9
29. 2 Cor. 10-13
30. Hech. 20:2
    Rom. 1-4

DICIEMBRE

1. Rom. 5-8
2. Rom. 9-11
3. Rom. 12-16
4. Hech. 20:3-22:30
5. Hech. 23-25
6. Hech. 26-28
7. Efe. 1-3
8. Efe. 4-6
9. Fil. 1-4
10. Col. 1-4
11. Heb. 1-4
12. Heb. 5-7
13. Heb. 8-10
14. Heb. 11-13
15. 15 Fil.
    1 Ped. 1, 2
16. 1 Ped. 3-5
17. 2 Ped. 1-3

18. 1 Tim. 1-3
19. 1 Tim. 4-6
20. Tito 1-3
21. 2 Tim. 1-4
22. 1 Juan 1, 2
23. 1 Juan 3-5
24. 2 Juan
    3 Juan y Judas
25. Apoc. 1-3
26. Apoc. 4-6
27. Apoc. 7-9
28. Apoc. 10-12
29. Apoc. 13-15
30. Apoc. 16-18
31. Apoc. 19-22